Zum Sterben schön

Alter, Totentanz und Sterbekunst
von 1500 bis heute

II

Zum Sterben schön

Alter, Totentanz und
Sterbekunst
von 1500 bis heute

herausgegeben von
Andrea von Hülsen-Esch und
Hiltrud Westermann-Angerhausen
in Zusammenarbeit mit
Stefanie Knöll

Museum Schnütgen Köln
6. September bis 26. November 2006

Ausstellungskatalog

SCHNELL + STEINER

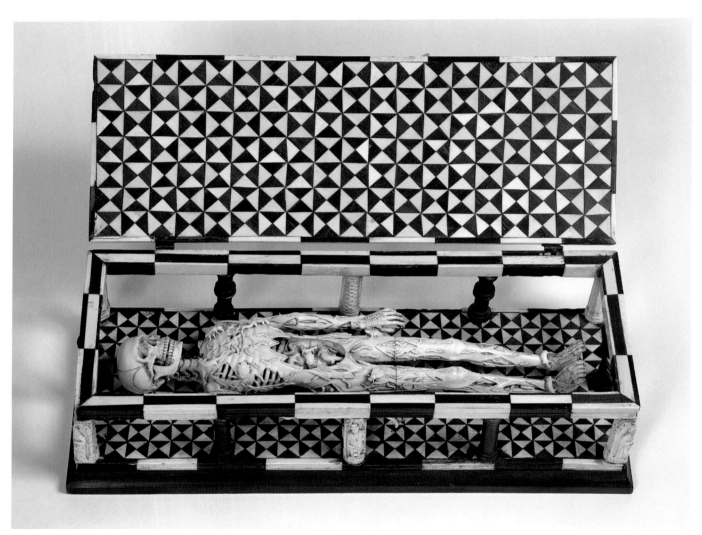

Kat. Nr. 15
Memento Mori in Form eines Grabmals
Museum Schnütgen, Köln
Leihgabe der Sammlung
Peter und Irene Ludwig, Aachen

Inhalt

Leihgeber dieser Ausstellung   7

Katalog

Kat. Nr. 1–5
Ars moriendi   9–22

Kat. Nr. 6–12
Memento mori   23–35

Kat. Nr. 13–17
Tödlein   37–48

Kat. Nr. 18–37
Schmuck   49–74

Kat. Nr. 38–64
Wendeköpfe und Rosenkränze   75–108

Kat. Nr. 65–76
Alltagsgegenstände   109–126

Kat. Nr. 77–92
Anatomie   127–152

Kat. Nr. 93–106
Totentanz   153–186

Kat. Nr. 107–112
Alter   187–199

Kat. Nr. 113–128
Vanitas   201–230

Kat. Nr. 129–141
Der Tod und das Mädchen   231–257

Bibliographie   259–278

Abbildungsnachweis   279

Förderer der Ausstellung und des Katalogs

KUNSTSTIFTUNG ⬤ NRW

 **KULTUR**
N R W
s e k r e t a r i a t   gefördert im Rahmen von ‚Tiefenbohrung'
W u p p e r t a l

PETER UND IRENE
LUDWIG ⬤ STIFTUNG

SIGURD GREVEN-STIFTUNG

GESELLSCHAFT VON FREUNDEN UND FÖRDERERN
DER HEINRICH-HEINE-UNIVERSITÄT DÜSSELDORF

RENATE KÖNIG STIFTUNG

STIFTUNG HANS UND ANNEMARIE KAUTH

AMAZING CONCEPTS

ERICHSEN DIGITAL

ANTON-BETZ-STIFTUNG DER RHEINISCHEN POST E. V.

ANNEMARIE UND HELMUT BÖRNER-STIFTUNG

 HUMATIA STIFTUNG FÜR SEPULKRALKULTUR

STIFTUNG VAN MEETEREN

 KÖLNER KULTURSTIFTUNG DER KREISSPARKASSE KÖLN

RP Volkswagen Zentrum Leverkusen Ⓥ

Leihgeber dieser Ausstellung

Stiftung Museum Schloss Moyland,
Sammlung van der Grinten, Joseph Beuys
Archiv des Landes Nordrhein-Westfalen

Staatliche Museen zu Berlin,
Kunstgewerbemuseum

Bernisches Historisches Museum, Bern

Hessisches Landesmuseum, Darmstadt

Graphiksammlung „Mensch und Tod"
der Heinrich-Heine-Universität Düsseldorf

Stadtmuseum Düsseldorf

Deutsches Elfenbeinmuseum, Erbach

Städtische Galerie Liebieghaus,
Museum alter Plastik, Frankfurt am Main

Kestner-Museum, Hannover

Kunsthistorisches Museum Innsbruck,
Sammlungen Schloss Ambras

Tiroler Volkskunstmuseum, Innsbruck

Staatliche Museen Kassel,
Hessisches Landesmuseum

Museum für Sepulkralkultur, Kassel

Museum für Angewandte Kunst, Köln

Museum Ludwig, Köln

Victoria & Albert Museum, London

Gutenberg-Museum, Mainz

Bayerisches Nationalmuseum, München

Deutsches Museum, München

Kunstkammer Georg Laue, München

Universitäts- und Landesbibliothek,
Münster

Ashmolean Museum, Oxford

Schmuckmuseum, Pforzheim

Stadtmuseum, Sindelfingen

Württembergisches Landesmuseum,
Stuttgart

Museum Catharijneconvent, Utrecht

Institut für Numismatik und
Geldgeschichte der Universität Wien,
Sammlung Brettauer

Herzog August Bibliothek, Wolfenbüttel

Schweizerisches Landesmuseum, Zürich

Olbricht Collection, Essen

Sammlung Meininghaus, Ingolstadt

Gregor Bischoff, Köln

Luitgard Korte, Köln

Sammlung Reiner Winkler

Autoren der Objekttexte

AF	Annika Franz
AG	Astrid Gerl
AH	Anna Hartnack
AHE	Andrea von Hülsen-Esch
AK	Andrea Klösters
AP	Aylin Polat
AS	Anja Schürmann
BM	Brigitte Metzler
CE	Cordula Eggen
CK	Christel Kuckertz
CR	Cornelia Rhein
DL	Dorothea Ley
ET	Elly Tsoutsias
EK	Eleni Kechagia
FK	Frank Matthias Kammel
GA	Géraldine Adam
GeL	Georg Laue
GiL	Gisela Ludwig
HWA	Hiltrud Westermann-Angerhausen
IM	Iris Metje
IGB	Iris Gillesen-Brandt
LN	Linda Nikolova
LR	Luisa Rittershaus
MB	Manuela Beer
MO	Michael Overdick
MZ	Martina Ziesse
NK	Nadine Königs
NZ	Nina Zelic
PB	Petra Becker
PK	Petra Kreuder
RH	Reinhard Hildebrand
SoB	Sonja Breitmar
StB	Stephanie Buck
SC	Sarah Czirr
SJ	Sarah Jung
StK	Stefanie Knöll
SuK	Susanne Kalf
SM	Sandra Mühlenberend
SWe	Saskia Werth
SWi	Sarah Wissen
TH	Thomas Hensolt
TS	Tatiana Sajko
VD	Vera Dünkel

Die mit einem * versehenen Objekte werden nicht in der
Ausstellung gezeigt.

ARS MORIENDI

Mitten wir im Leben sind

Mitten wir im Leben sind
Mit dem Tod umfangen.
Wen suchen wir, der Hilfe tu,
Daß wir Gnad erlangen?
Daß bist du, Herr, alleine.
Uns reuet unser Missetat,
Die dich, Herr, erzürnet hat.
Heiliger Herre Gott,
Heiliger starker Gott,
Heiliger barmherziger Heiland,
du ewiger Gott,
Laß uns nicht versinken in des
bittern Todes Not.
Kyrieleison. […]

Mitten in der Höllen Angst
Unser Sünd uns treiben.
Wo solln wir denn fliehen hin,
Da wir mögen bleiben?
Zu dir, Herr, alleine.
Vergossen ist dein teures Blut,
Das gnug für die Sünde tut.
Heiliger Herre Gott,
Heiliger starker Gott,
Heiliger barmherziger Heiland,
du ewiger Gott,
Laß uns nicht entfallen von des
rechten Glaubens Trost.
Kyrieleison.

Martin Luther (1483–1546)

Ars moriendi, deutsch I

Süddeutsch
um 1475

Blockbuch, beidseitig bedruckt, 26 Holzschnitte (11 farbige Bild- und 15 Textseiten),
Pergamentumschlag des 19. Jahrhunderts

Höhe 140 mm, Breite 100 mm (geschlossen)

Gutenberg-Museum, Mainz
INV. NR. GM Ink 1019

PROVENIENZ Um die Mitte des 19. Jahrhundert in losen Blättern wahrscheinlich einer
deutschen Gebetbuchhandschrift entnommen (Falk 1890, S.10), welche in privatem
Gebrauch war und später in die Fürstlich Fürstenbergische Hofbibliothek in Donaueschingen gelangte. Seit Dezember 1995 im Besitz des Gutenberg-Museum, Mainz.

Das sehr kleine Format des *Ars moriendi*-Buches (Die Kunst zu Sterben) deutet an, dass es zur ständigen Mitnahme und zum praktischen Gebrauch vorgesehen war. Der Gläubige wollte in der unsicheren Zeit des Spätmittelalters (Epidemien, Kriege, Reisen) jederzeit auf einen guten Tod vorbereitet sein.

Das Buch beginnt mit einem Einleitungstext, welcher die Bedeutung der Seele des Sterbenden herausstellt, denn der Tod der Seele sei mehr zu fürchten als der des Leibes. Um die Rettung der Seele zu gewährleisten, muß der Sterbende die letzten Anfechtungen der Dämonen bekämpfen. Es folgen nun die fünf Anfechtungen jeweils in Bild und Text, denen die entsprechende Bestärkung auf den folgenden Seiten gegenübersteht:

1. Anfechtung im Glauben, 2. Anfechtung in der Verzweiflung, 3. Anfechtung durch Ungeduld, 4. Anfechtung durch Hochmut (Hoffart), 5. Anfechtung durch weltliche Dinge. In allen Szenen liegt der Sterbende in seinem Bett, umgeben und bedrängt von den Dämonen. Die Anfechtungsszenen sind sehr bewegt dargestellt, so tritt der durch Schmerzen und Todesangst ungeduldige Kranke nach seinen Pflegerinnen, die sich erschrocken abwenden; ein Tisch ist umgestoßen. Demgegenüber stehen die ruhig anmutenden Szenen der Bestärkung und der Mahnung, die von einem Engel dominiert werden, der die Dämonen vertreibt. Die Dämonen kriechen auf dem Boden oder fliehen unter das Sterbebett. Christus als Schmerzens-

mann und Gekreuzigter sowie die Märtyrerheiligen dienen dem Kranken als Vorbild und Trost. Nachdem der Sterbende Abschied von den weltlichen Dingen (Haus, Weinkeller, Pferd, Familie) genommen hat, naht der Moment des Todes. Der Engel schirmt mit einem Tuch die Angehörigen ab, damit der Sterbende sich auf den Abschied konzentrieren kann. Das abschließende Bild zeigt das letzte, erfolglose Greifen der Dämonen nach dem Sterbenden und den Empfang der Seele des Toten in Form eines Kindes durch zwei Engel. Der gekreuzigte Christus, Maria, Johannes und die Heiligen werden die Seele in den Himmel aufnehmen (Schneider 1996, S. 7). Die Texte der Bestärkung beinhalten Gebete an Gottvater und Christus sowie an Maria als Fürbitterin vor der Gerichtsbarkeit Christi. Das Abschlussgebet im Augenblick des Todes ist eine Bitte um das ewige Leben.

Aufbau und Inhalt sind in allen Büchern der *Bilder-Ars* (*Ars moriendi*-Literatur mit Bildern) nahezu gleich, seien sie als Zeichnungen in einer Handschrift, als Kupferstiche mit handgeschriebenem Text, als Einblattdrucke oder als Holzschnitte in Blockbüchern mit handgeschriebenem oder gedrucktem Text erhalten (Schneider 1996, S. 16). In der Forschung wird aus diesem Grund ein Prototyp für diesen Aufbau vermutet, aber die Unterschiede in Technik und Stil erschweren den Blick auf die Editionslage. Schreiber nahm in der frühen Forschung drei Überlieferungsstränge an, ausgehend von dem Prototyp der um 1450 entstandenen Kupferstichserie des Meisters E. S., den die erste Blockbuchausgabe zum Vorbild nahm. Letztere diente wieder den Editionen II–VIII zur Grundlage. Auch die Editionen X–XII gehen gemäß Schreiber auf den Meister E. S. zurück. Henri Zerner zweifelt 1971 die Archetypus-Funktion des Meisters E. S. an und entwirft ein neues Modell der Editionsstränge. Er geht von einem bisher unbekannten Archetypus aus, dem die um 1430 entstandene Wellcome Handschrift (MS 49, fol. 29r, Wellcome Institute Library, London), die Weyssenburger-Ausgaben und die zehnte Blockbuchedition folgt, sowie einem vierten, verlorenen Nachfolger. Das Wellcome Manuskript und die Weyssenburger Ausgaben blieben ohne Nachfolger. Die Editionen X–XII bildeten dagegen einen einzelnen Editionsstrang, die Ausgabe X setzte sich in XI und XII

fort. Die ikonographische und stilistische Ähnlichkeit von X und XII ist deutlich erkennbar. Die Fassungen X und XII allerdings sind im chiro-xylographischen Druck entstanden, den Holzschnitten ist ein handgeschriebener Text zugefügt. Zerner zufolge entstanden die bebilderten Holzschnitte vom Text gelöst und wurden dann von unterschiedlichen Künstlern in verschiedenen Kontexten verwandt (Palmer 1993, S. 321). Da es keinen einzelnen, direkten Überlieferungsstrang gibt, ist davon auszugehen, dass in verschiedenen Regionen unterschiedliche Editionen nach unterschiedlichen Vorbildern entstanden sind (Schneider 1996, S. 16). Eine genaue zeitliche und geographische Zuordnung der Mainzer *Ars moriendi* ist bis heute nicht getroffen. Aufgrund von stilistischen und inhaltlichen Übereinstimmungen mit einem 1480 in Augsburg entstandenen Holzschnitt einer Sterbeszene (Abb. 1a) werden die Künstler der Editionen X–XII im Augsburger Raum in „[…] dem Jahrzehnt vor 1475“ angesiedelt (Schneider 1996, S. 34).

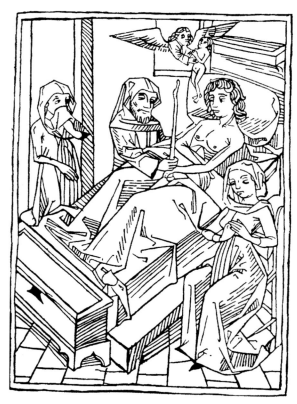

1a

Die Mainzer *Ars moriendi* sowie die Editionen X–XI zeichnen sich dadurch aus, dass sie Gebete statt Bestärkungs- oder Mahntexte enthalten. Sie war also auch als Gebetbuch nutzbar. (Tenschert 1995, S. 11 ff., Schneider 1996, S. 22). Des Weiteren ist das Mainzer

Blockbuch beidseitig bedruckt, eine aufwändige Drucktechnik, die erst mit dem typographischen Buchdruck aufkommt und das handwerkliche Können des Druckers zeigt.

In den Niederlanden und in Deutschland wird der xylographische Buchdruck etwa seit 1420 angewendet (Koschatzky 1997, S. 56). Seit Gutenbergs Erfindung des Buchdrucks mit beweglichen Lettern verläuft er eine kurze Zeit parallel dazu. Mit den Druckstöcken der Blockbücher werden hohe Auflagen erzielt, dennoch wird der Blockbuch-Druck nach 1470 durch den typographischen Buchdruck verdrängt. Es sind heute weltweit nur noch wenige Blockbücher mit unterschiedlicher religiöser Thematik vorhanden. Die *Ars moriendi* des Gutenberg-Museums ist als Blockbuch mit dieser Thematik vollständig und in einem sehr guten Zustand erhalten. Ein weiteres vollständiges Exemplar befindet sich in der Rosenwald Collection der Library of Congreß, Washington, zwei einzelne Blätter in der British Library, London sowie ein Einzelblatt mit der Darstellung der Stunde des Todes in der Universitätsbibliothek München (Schneider 1996, S. 20). Das Buch, das zudem als das erste noch erhaltene *Ars moriendi*-Blockbuch in deutscher Sprache zu betrachten ist (Leonhardt 2004), stellt somit eine bibliophile Kostbarkeit dar. BM

LITERATUR Butsch 1874; Falk 1890; Schreiber 1935; Wilhelm Ludwig Schreiber und Hildegard Zimmermann, Art. „Ars moriendi", in: *Reallexikon für Kunstgeschichte*, Bd. 1, Leipzig 1935, Sp. 1121–1127; Musper 1950; Rudolf 1957; Rainer Rudolf, Die Ars-Moriendi-Literatur des Mittelalters, in: *Jahrbuch für internationale Germanistik* 3/1 (1971), S. 22–29; Zerner 1971; Rudolf 1978; Meister E. S. 1986; Rosenfeld 1986; Palmer 1993; Tenschert 1995; Schneider 1996; Walter Koschatzky, *Die Kunst der Graphik, Technik, Geschichte, Meisterwerke*, 12. Aufl., München 1997; Tanja Leonhardt und Frank Scheel (Hg.), *Faksimile des Blockbuchs Ars Moriendi nach dem Original von 1470 aus dem Besitz des Gutenberg-Museums Mainz*, Mainz 2004.

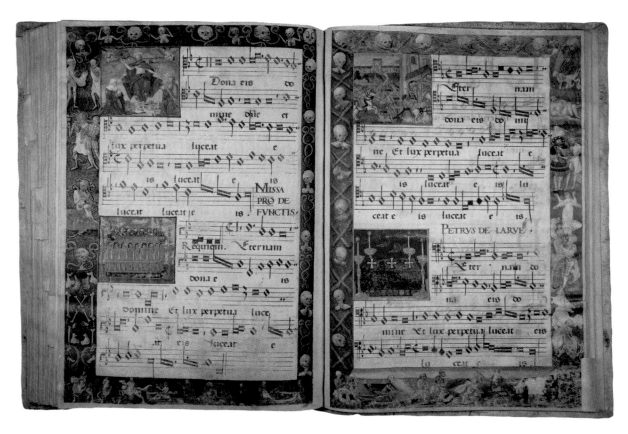

*2 Totenmesse in einem Chorbuch

Bayern
um 1520

Pergament, 192 Blätter
Einband: Holzdeckel mit weißem gepresstem Leder bezogen

Höhe 605 mm, Breite 420 mm

Herzog August Bibliothek, Wolfenbüttel

Sign. Cod. Guelf. A Augusteus 2°

Die aufgeschlagene Doppelseite (fol. 169v–170r) mit Miniaturschmuck auf farbigen Randleisten sowie vier kleinen, je zwei Notenzeilen umfassenden Miniaturen steht zu Beginn des Requiems *Missa pro defunctis* von Pierre de la Rue in dem vermutlich für Herzog Wilhelm IV. von Bayern (1493–1550) hergestellten Chorbuch. Dieses zeichnet sich insgesamt durch eine besonders sorgfältige Mensuralnotation und einen reichen Buchmalereischmuck aus; allerdings kann der Künstler nicht namentlich benannt werden (von Rohr 1974, S. 181–198). Auf die Bestimmung für Herzog Wilhelm IV. deuten die beiden Porträts des Fürsten wie auch das mehrfach wiederkehrende bayerische Wappen in der

Handschrift hin; außerdem lassen sich während seiner Regierungszeit 24 weitere Chorbücher am Münchner Hof nachweisen (Milde 1972, S. 240–245; von Rohr 1974, S. 185). In den inneren und oberen Randleisten wechseln Totenköpfe bzw. Büsten von Skeletten zwischen einem gegenständig miteinander verschlungenen Schlangenpaar (Versoseite) und gekreuztem Gebein (Rectoseite) miteinander ab, an den äußeren und unteren Randleisten folgen kleine szenische Darstellungen aufeinander. Die zu der Totenmesse gehörenden Miniaturen zeigen eine Weltgerichtsszene und einen Schrein (169v) sowie eine Beinhausszene und einen zur Totenmesse bereiteten Sarkophag (170r).

Miniaturen wie Randschmuck stehen in einem inhaltlichen Bezug zur Totenmesse. Folgt man der üblichen Leserichtung, so wird diese eröffnet mit einer Szene des Jüngsten Gerichts, in der Maria und Johannes fürbittend zu Seiten des Weltrichters knien, während sich die Verstorbenen aus ihren Gräbern erheben. Nach der roten Überschrift *Missa pro defunctis,* die den Einsatz des einleitenden Requiem anzeigt, folgt die Darstellung eines von vier Leuchtern umgebenen, goldenen Schreins mit eingestellten Apostelfiguren, an dessen Dach das bayerische und das österreichische Wappen angebracht wurden. Versammelt die Versoseite damit die Verweise auf das Neue Testament und die in der Nachfolge Christi lebenden Apostel, so bleibt die Rectoseite dem irdische Leben vorbehalten: Dargestellt ist zu Beginn der Bassstimme des *Eternam dona eis domine* der Kampf der Toten gegen die Lebenden. Aus einer Beinhauskapelle, die sich im umfriedeten Friedhofsbezirk befindet, stürmen die zum Teil mit Leichentüchern bedeckten Hautskelette heraus und kämpfen mit Pfeil und Bogen gegen eine anrückende Reitertruppe. Lediglich der im Vordergrund kniende, augenscheinlich ins Gebet versunkene Adlige bleibt unbehelligt. Diese Szene illustriert die Legende von den hilfreichen Toten, der zufolge die Verstorbenem einem Ritter, der regelmäßig für die armen Seelen gebetet hat, gegen seine bewaffneten Verfolger zu Hilfe eilen (Metken 1984, S. 255–257). Die zweite Stimme auf der rechten Seite eröffnet schließlich die Wiedergabe eines mit einem schwarzen Bahrtuch geschmückten Sarkophags, der von vier Kerzen umgeben ist. Wiederum zieren das österreichische und das bayerische Wappen an prominenter Stelle das Bahrtuch, während am unteren Rand eine Folge von Wappen vermutlich um den gesamten Sarkophag herumgeführt ist. Die *Missa pro defunctis* wird hier also konkret auf den Auftraggeber bezogen.

Die Szenen der Randleisten lassen sich ebenfalls bestimmen: Neben der üblichen, dem *Memento mori* dienenden Totenschädel, die zum Teil mit Schlangen bedeckt sind, werden hier die Skelette in einen Erzählrahmen eingebunden: zwei mit Leichentüchern bedeckte Hautskelette präsentieren mit erhobenen Armknochen signethaft eine Skelettbüste in einem aus gegenständigen Schlangen geformten Rahmen. Darun-

ter ergreift ein bärtiger, mit einer schlangenumwundenen Zackenkrone geschmückter Tod, der in der Rechten ein Stundenglas hält, einen in ein rotes Wams gekleideten Landsknecht; zumindest die Figur des Todes ist hier nach der Vorlage von Albrecht Dürers ‚Ritter, Tod und Teufel' gemalt (Mörgeli 2005, S. 163). Wiederum darunter sitzt auf einem Erdhaufen ein von einem Leichentuch bedecktes Hautskelett mit übergeschlagenen Beinen, aus dessen Körper Schlangen hervorquellen, die es zu sortieren scheint. Eine kleine grüne Eidechse am unteren Rand des Erdhügels komplettiert das Repertoire der Todesikonographie. Unter dieser Darstellung führen eine weitere Skelettbüste sowie symmetrisch angeordnete Knochenteile zur unteren Randleiste, auf der die Legende von den drei Lebenden und den drei Toten dargestellt ist. Nach links gewandt, also aus der Buchseite heraus, fliehen die drei Lebenden vor den sich aus ihren Gräbern erhebenden Toten, die diese zu einer besseren Lebensführung angesichts ihrer Sterblichkeit ermahnen. Die daneben wiedergegebene Figur eines Mönchs in brauner Kutte stellt wohl den Erzähler dar oder einen Eremiten, Bindeglied zu den größeren, den Notenzeilen beigegebenen Miniaturen, die Menschen in der Nachfolge Christi darstellen. Den Abschluss der unteren Randleiste bildet rechts die Begräbnisszene eines Mönchs.

Auf der Rectoseite ist die Randleiste mit Szenen besetzt, die teilweise Einzelmotive aus den Totentanzfolgen darstellen, in jedem Fall aber zugleich eine sozialkritische Komponente enthalten. Am oberen rechten Rand zielt ein geflügeltes Skelett auf einen sich den Bauch haltenden, bärtigen dicken alten Mann, neben dem das Stundenglas gerade das Ende seines Erdenlebens anzeigt. Darunter sieht man den gekrönten Tod von der linken Randleiste im Gespräch mit einem prachtvoll gekleideten Bürger, dessen blaue Strumpfbänder und goldbortenbesetzte Kleidung sowie der hohe Federbusch seine hohe gesellschaftliche Stellung erkennen lassen. Auch bei diesem Motiv bediente sich der Maler einer Vorlage Albrecht Dürers (Mörgeli 2005, S. 164). Die nächste Szene besteht aus zwei aufeinander folgenden Begebenheiten: sie zeigen den Tod, der sich eines Jünglings bemächtigt, während eine junge Frau im weißen Kleide erschreckt die Arme hebt. Während der Tod in der Szene darunter den Jüngling endgültig niederringt, schaut er sich zu der fliehenden jungen Frau um – auch sie wird ihm nicht entkommen. Deutlich wird in der rechten Randleiste der Rectoseite, dass der Tod vor keinem Stand und vor keinem Alter halt macht, dass auch Geld und gutes Essen nicht vor ihm schützen können. Die letzte Szene am unteren Bildrand zeigt einen zeitgenössischen Trauerzug, von rechts kommend, dem sich Totengräber wie Tote zuwenden; einzig zwei Skelette am Bildrand links nutzen die Gelegenheit zur Flucht. Ungeklärt ist, ob es sich hierbei – wie auf der linken Seite – um eine Legende handelt, oder ob der Auftraggeber seinen eigenen Trauerzug hier vorweg nimmt.

Auffällig ist die Anordnung der Szenen am unteren Bildrand von rechts nach links, die der Leserichtung zu widersprechen scheinen. Zu prüfen bliebe aber, ob diese nicht auf die Stimmeinsätze der Chorsänger hin konzipiert wurden: Das Chorbuch ist eine gebundene Blattsammlung von liturgischen Gesängen für Vorsänger und Choristen, die in der Abfolge der Messfeiern des Kirchenjahres zusammengebunden werden. Es handelt sich also nicht um eine liturgische Handschrift für den zelebrierenden Priester. Die Größe der Handschrift gibt zu erkennen, dass sie auf einem Pult aufgestellt war, so dass ein größerer Personenkreis Melodie und Text lesen konnte (Mörgeli 2005, S. 161). Die Stimmeinsätze für die Totenmesse vom Bass bis zum Tenor beginnen im vorliegenden Beispiel auf der Rectoseite oben und enden mit dem Einsatz des Tenors auf der Versoseite links oben. Auf diese Abfolge im Gesang könnten sowohl die Laufrichtung der Miniaturen am unteren Rand von rechts nach links als auch die Abfolge der die Stimmeinsätze begleitenden Miniaturen verweisen: Hier würde auch eine Reihenfolge Sinn machen, die den Menschen von rechts oben nach links oben zunächst als den für die armen Seelen Betenden zeigt, der dann, als Toter, ähnlich aufgebahrt wie der kostbare Schrein der Apostel, sich in der Hoffnung auf das Ewige Leben dem Jüngsten Tag nähert. Da der Buchschmuck stets auch der Repräsentation des Auftraggebers diente, der hier durch seine Wappen repräsentiert ist, wäre eine auf sein sterbliches Ende bezogene Anordnung der Miniaturen nicht ausgeschlossen. Der diese Totenmesse begleitende Miniaturenschmuck zeigt insgesamt einen großen Teil des Repertoires an Motiven, die sich einzeln sowohl als Buchschmuck in anderen Handschriften und in der Druckgraphik wie auch in skulptierter Form als Kunstkammerstücke wieder finden lassen. AHE

LITERATUR Willy Rotzler, Drei Lebende und Drei Tote, in: Ernst Gall und Ludwig H. Heydenreich (Hg.), *Reallexikon zur deutschen Kunstgeschichte,* Bd. 4, Stuttgart 1958, Sp. 512–524; Rotzler 1961; Wolfgang Milde, *Mittelalterliche Handschriften der Herzog August Bibliothek,* Frankfurt am Main 1972; Adelheidis von Rohr, *Zur Buchmalerei im Chorbuch Herzog Wilhelms IV. von Bayern von 1519/20 in der Herzog August Bibliothek Wolfenbüttel,* München/Berlin 1974; Siegrid Metken (Hg.), *Die letzte Reise. Sterben, Tod und Trauersitten in Oberbayern,* Ausst. Kat. Münchner Stadtmuseum, München 1984; Christoph Mörgeli, Makabres in sakralen Musikhandschriften der Frühen Neuzeit, in: *L'art macabre* 6 (2005), S. 160–178.

Trauerdalmatik 3

Spanien
um 1730

Gewandstoff: schwarzer Seidendamast;
Besätze: farbige Applikationsstickerei mit Seide und Goldfäden,
Spanien, Ende 16. Jahrhundert

Höhe 1350 mm, Breite 1500 mm (Ärmel),
980 mm (Saum)

Museum Schnütgen, Köln
Inv. Nr. P 25

Seit der Spätantike ist die Dalmatik das Messgewand der Diakone, das im Lauf der Geschichte nur leichte Veränderungen erfahren hat. Typisch ist die T-Form, die das Gewand von der ärmellosen Kasel für den Priester unterscheidet. Hier sind die Schultern leicht abgeschrägt und die Ärmel gerade angesetzt, die Dalmatik folgt also dem römischen Typus, der sich seit dem 13. Jahrhundert ausgebildet hat. Der Halsaus-

schnitt ist leicht gerundet, der Saum ausgestellt. Der Gewandstoff ist ein schwarzer, vermutlich spanischer Seidendamast vom Beginn des 18. Jahrhunderts, dessen Muster sich aus Blüten und Blattvoluten mit eingeschriebenem Punkt- und Streifenmuster zusammensetzt. Dagegen stammen die aufgesetzten Streifen und Schmuckfelder (Parüren) in der Technik der Applikationsstickerei mit verschiedenen Abstufungen von Gold und Gelb mit Akzenten in Rot und Silber aus dem Ende des 16. Jahrhunderts. Ob sie später auf den schwarzen Stoff übertragen wurden, lässt Sporbeck offen, und damit auch die Gesamtdatierung der Dalmatik (Sporbeck 2001, S. 272). Auf Vorder- und Rückseite der Dalmatik umschließen schmale, ornamental gestaltete Bänder die auch den Halsausschnitt umranden, je ein Längsrechteck im unteren Gewandbereich. Die Bänder reihen zwischen gelben Rahmen gegenläufige Spiralen, in der Mitte durch drei weiße Kreise getrennt, aneinander. Sie sind meistens, aber nicht immer, versetzt zueinander angeordnet. Es ist unklar, ob darin eine Unaufmerksamkeit der Sticker oder ein System zu sehen ist, das mit einer früheren Verwendung der Applikationen in Zusammenhang stehen könnte. In den großen Schmuckfeldern vorne und hinten ist in einem kartuschenähnlichen Medaillon die Darstellung eines Schädels eingesetzt, der von Volutenranken und von gekreuztem Gebein in den vier Ecken umgeben ist. Das Motiv ist auf den Ärmeln kleiner wiederholt, hier sind gekreuzte Knochen nur rechts und links neben den Schädel gesetzt und mit einem Motiv von gegenläufigen Spiralen aus dem Musterrapport abgeschlossen, das auch der Gliederung der Frontseiten des Gewandes dient.

Die Dalmatik wurde als das liturgisches Gewand eines Diakons bei Totenmessen getragen. Das von Papst Clemens VIII. um 1600 erlassene Verbot, Paramente mit Emblemen des Todes oder anderen *Memento mori*-Motiven auszustatten (Sporbeck / Zwillinger 1996, S. 64), scheint nicht besonders wirksam gewesen zu sein, denn im 17. und 18. Jahrhundert wurden viele Messgewänder mit Schmuckmotiven des *Memento mori* hergestellt. Dennoch sind vergleichbare Gewänder selten (vgl Heppe 1982, Kat. Nr. 167), weil man Geistliche oft in Messgewändern für die Totenmesse bestattet hat. Skelett- und Gebeindarstellungen auf Gewändern für die Totenmesse gehen oft auf die Illustrationen von Vesalius *De humani corporis fabrica* (Kat. Nr. 77) zurück, die Künstlern aus den verschiedensten Bereichen, auch Stickern, bald nach der Publikation im Jahr 1543 als Vorbild dienten. Dass die Parüren der Kölner Trauerdalmatik früh sind, wurde bei der Restaurierung des Gewandes 1996 deutlich, als unter den Vertikalstäben des Besatzes Fragmente eines

gedruckten lateinischen Textes des frühen 16. Jahrhunderts gefunden wurden.

Die Gesamtdatierung der Dalmatik um 1730 begründet Gudrun Sporbeck über das Ornament des Gewandstoffes und die Anordnung der Besätze (Sporbeck 2001). Die Restaurierung hat ergeben, dass die Besätze nicht auf den Stoff aufgesetzt, sondern nur angesetzt sind. Normalerweise lässt ein solches Vorgehen auf eine Zweitmontage schließen. Entgegen der Feststellung Sporbecks, die eine Zweitmontage nicht zwingend annimmt (Sporbeck 2001, S. 272), gibt es jedoch weitere Hinweise die über die unterschiedliche Datierung von Besatz und Grundstoff hinausgehen, und eine frühere Verwendung der Besätze in einem anderen Zusammenhang wahrscheinlich machen. Beim Besatzstreifen am Hals fällt auf, dass das normalerweise umrahmte Wellenmuster zu den Schulternähten hin offen endet. Die vertikal vorn angebrachten Besatzstreifen schießen zum Hals hin unter den Halsbesatz gelegt ab. Unten hin enden sie knapp vor dem großen Frontbesatz. In diesem sehen wir das Wellenmuster, das die Kartusche mit dem Schädel rahmt, anders abschließen. Bevor das Band durch ein Rahmenstück geschlossen wird, sind oberhalb des letzten Rundes des Wellenmusters zwei kleine Voluten angebracht. Diese treten auch innerhalb des Wellenmusters auf, jedoch sind sie dort gegeneinander versetzt.

Dieser Bruch im Musterabschluss, der am Halsbesatz und in den Vertikalstäben auftritt, spricht gegen die Anfertigung der Besätze für diese Dalmatik. Ob und in welchem Zusammenhang sie zuvor verwendet worden sind, lässt sich jedoch nicht sagen. Ein Antependium wäre aufgrund der Form der Besätze jedoch wahrscheinlicher als ein anders Messgewand, beispielsweise eine Kasel.   SoB / HWA

LITERATUR Witte 1910; Fritz Witte, *Die liturgischen Gewänder und kirchlichen Stickereien des Schnütgen Museums Köln,* Berlin 1926; Heppe 1982; Sporbeck / Zwillinger 1996; Sporbeck 2001; Imke Lüders, *Todesikonographie in der Paramentik. Todesdarstellungen auf liturgischen Textilien des 16. bis 19. Jahrhunderts im deutschsprachigen Raum,* Univ. Diss. Kiel 2005.

Pulverhorn mit Sterbeszene 4

16. Jahrhundert

Hirschhorn

Höhe 160 mm, Breite 100 mm

Schweizerisches Landesmuseum, Zürich

Inv. Nr. AG–1324

Das Pulverhorn aus dem Schweizerischen Landesmuseum Zürich zeigt eine Sterbeszene mit vier Protagonisten, einem bärtigen Greis, dem Teufel, dem Tod und einem Engel. Der bärtige Alte liegt auf einem Bett, eine Decke verhüllt seinen Unterkörper. Der Tod, der hinter ihm steht, deutet mit dem Stundenglas in seinen Händen an, dass dem Greis kaum noch Zeit bleibt. Am Fußende des Bettes ist der Teufel mit einem Schriftband in der Hand zu sehen, der den Greis in Versuchung bringen will. Um dieses Vorhaben zu verhindern, steht am Kopfende ein Engel. Er verweist mit seiner Rechten auf das Kruzifix oben links. Bei dieser Sterbeszene handelt es sich um eine *Ars moriendi*-Dar-

stellung. Der Sterbende muss sich zwischen Gut und Böse entscheiden. Nur wer dem Bösen entsagen kann, wird selig sterben (Himmel, Hölle, Fegefeuer 1994, S. 262).

Das Pulverhorn besteht aus Hirschhorn; es fehlen die ursprüngliche Garnitur, der Boden und der Ausgussmechanismus (wohl aus Messing), so dass es nicht mehr funktionstüchtig ist. Die Feinheit der Schnitzerei hat seine neue Funktion als Kabinettstück bewirkt.

Nachdem man um die Wende zum 13. Jahrhundert das Schießpulver entdeckt hatte, musste ein Behältnis gefunden werden, um es aufzubewahren. Als Material bot sich das Hirschhorn an, da es beständig und Feuchtigkeit abweisend ist. Schon früher hatte man aus Hirschhorn Behälter für Fett, Balsam, Salz oder Ähnliches gemacht (Borsos 1982, S. 12).

Die typische Grundform des Pulverhorns aus Hirschhorn geht auf eine Geweihgabelung zurück. Das Geweih besteht aus einer dichten Knochenmasse, die zum Innern hin weicher wird. Nachdem man ein Y-förmiges Stück aus der Geweihgabelung heraus gesägt hatte, wurde die Knochenmasse heraus gebohrt. Die Öffnung des Hauptzweigs wurde mit einem Schließmechanismus (um die Menge des Pulvers bestimmen zu können) versehen und die anderen Enden bekamen einen Holz- oder Knochenpfropfen (Borsos 1982, S. 12ff.). Die Pulverhörner wurden von Jägern oder Soldaten über der Hüfte getragen, zur Befestigung einer Schnur befanden sich zwei Ringe am Horn (Meinz 1966, S. 14). Nach der Anbringung der Ringe wurde die Oberfläche geglättet und meist durch Gravieren oder Ritzen verziert, seltener wurde sie beschnitzt.

Die Erfindung der Patronen machte Pulverhörner im Verlauf des 18. Jahrhunderts überflüssig (Borsos 1982, S. 36). Das früheste datierte Pulverhorn ist 1602 entstanden, das letzte 1779 (Borsos 1982, S. 22). Insgesamt gelten die Pulverhörner als Rarität (Borsos 1982, S. 36). Die *Ars moriendi*-Szene dieses Pulverhorns ist ohne Parallele. Gängigere Motive sind die Wirbelrosette – ein uraltes Sonnensymbol – und der Hirsch (Borsos 1982, S. 60ff; Möller 2000, Nr. 295) oder Löwe. Seltener finden sich Sprichwörter oder Wappen (Borsos 1982, S. 74ff.). Hirschhorn-Pulverhörner mit biblischen Szenen befinden sich in Oxford (Penny 1992, Kat. Nr. 375) und Cleveland (Gilchrist 1924, 154, Tafel XXXVI, F. 30). Ein Pulverhorn aus Elfenbein mit Darstellungen des Sündenfalls und des Erzengels Michael ist aus der Kunstkammer Georg Laue in München bekannt (Laue 1999, S. 39). SWe

LITERATUR H. I. Gilchrist, *A Catalogue of the Collection of Arms and Armour presented to the Cleveland Museum of Art by Mr and Mrs John Long Severance, 1916–23*, Cleveland 1924; Meinz 1966; Borsos 1982; Nicholas Penny, *Catalogue of European Sculpture in the Ashmolean Museum, 1540 to the Present Day, vol. II: French and Other European Sculpture*, Oxford 1992; Himmel, Hölle, Fegefeuer 1994; Laue 1999; Karin A. Möller, *Elfenbein. Kunstwerke des Barock*, Schwerin 2000.

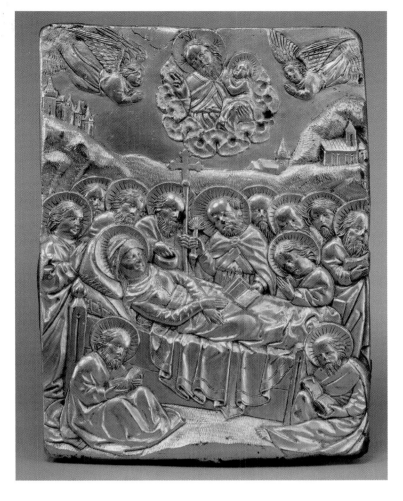

Tod Mariä 5

Schwaben (Augsburg?)
um 1480

Bronzerelief, Vollguss, vergoldet

Höhe 160 mm, Breite 117 mm, Tiefe 10 mm

Bayerisches Nationalmuseum, München
INV. NR. MA 1993

Das Relief zeigt Maria, umgeben von den zwölf Aposteln. Sie liegt mit geschlossenen Augen und gekreuzten Händen auf einem Bett, ist also schon als aufgebahrte Tote dargestellt. Zehn der zwölf Apostel stehen hinter ihrem Bett, während die anderen rechts und links vor dem Bett knien und lesen. Zu Häupten Mariens steht Petrus, er hält einen Weihwasserwedel und ein Gebetbüchlein in seinen Händen. Der Apostel links neben ihm trägt ein Kreuz. Zu Marias Füßen kniet ein weiterer Apostel in betender Haltung. Alle Apostel schauen betrübt und mit gesenktem Haupt auf die Gottesmutter. Die Szene wird von einem Landschaftshinter

grund mit Häusern und einer Kirche hinterfangen. Darin schwebt Christus von zwei Engeln begleitet (Spiegel der Seeligkeit 2003, S. 11) in den Wolken. Seine Rechte ist im Segensgruß erhoben, während er die Seele Marias in Gestalt eines kleinen Kindes in der Linken hält. Die Engel oben und die beiden knienden Apostel unten rahmen die Szene ein.

Das Relief ist sorgfältig und mit großem Detailreichtum geschildert; das künstlerische Vermögen zeigt sich besonders im Detail. Die Vergoldung, die sorgfältige Nacharbeitung der Oberfläche nach dem Guß und das kleine Format sprechen für die Entstehung in einer Goldschmiedewerkstatt. Es handelt sich um ein künstlerisch sehr qualitätvolles Objekt, das wahrscheinlich der privaten Frömmigkeit im Bereich der *Ars moriendi* diente. (Spiegel der Seeligkeit 2003, S. 367).

Der Tod Mariä ist das vorbildlichste Beispiel für ein seliges Sterben und wird auch so in der *Legenda Aurea* geschildert: Nach dem Tod Jesu lebte Maria noch viele Jahre weiter. Ein Engel kam und kündigte ihren Tod an. Maria bat den Engel „dass meine Söhne und Brüder, die Apostel allesamt mögen um mich sein…" (Legenda Aurea, S. 583). Maria lobte Gott, als sie sah, dass alle Apostel um sie waren. Die Jünger fingen an zu singen und hielten die Totenmesse. Nachts um die dritte Stunde kam Jesus mit den Engeln und nahm ihre Seele auf: „Also schied Mariens Seele aus dem Leib, ohn alle leibliche Pein oder Leiden, gleich wie sie ohne Makel war gewesen in ihrem Leben; und flog in die Arme ihres Sohnes" (Legenda Aurea, S. 586).

Hier ist also der Moment dargestellt, in der die Apostel um Mariens Leichnam die Totenmesse halten und Jesus ihre Seele empfangen hat. Weiterhin schildert die *Legenda Aurea,* dass die Apostel Maria zu Grabe getragen haben. Am dritten Tage kam Jesus, um nun auch ihren Leib zu sich zu holen. „…so sollst du auch im Grabe keine Verwesung des Leibes leiden." (Legenda Aurea, S. 588). Daraufhin fuhr ihre Seele in den Leib und fuhr mit einer Engelschar gen Himmel. Jesus krönte sie und setzte sie auf den Thron im Himmel neben sich. Marias Tod war für alle Frommen das bestmögliche Beispiel eines seligen Sterbens, weil es zeigt, wie ein Mensch nicht nur seelisch, sondern auch leiblich in den Himmel aufgenommen wurde. Maria hat sich den seligen Tod durch ihr frommes Leben verdient. Ihr Beispiel zeigt, dass man durch ein gutes Erdendasein im Tode erlöst werden kann.

Der Tod Mariä wird auch in einem Elfenbeinmedaillon um 1400/1410 aus den Staatlichen Museen Berlin (Inv. Nr. 682) in einer ähnlichen Komposition geschildert. Auch hier halten die Apostel um den Leichnam die Totenmesse, allerdings fehlt die Aufnahme der Seele Mariens in den Himmel. Grundsätzlich verschieden sind Form und Material, doch zeugen beide Objekte von der Beliebtheit des Themas im privaten Gebrauch. SWi

LITERATUR Weihrauch 1956; Klaus Schreiner, Der Tod Marias als Inbegriff christlichen Sterbens. Sterbekunst im Spiegel mittelalterlicher Legendenbildung, in: Arno Borst et. al. (Hg.), *Tod im Mittelalter,* Konstanz 1993, S. 261–312; Kretzenbacher 1999; Jacobus de Voragine, *Legenda aurea. Heiligenlegenden,* Ausw. und Übers. von Jaques Laager, Zürich 2000; Spiegel der Seeligkeit 2003.

MEMENTO MORI

Schluszstück

Der Tod ist groß.
Wir sind die Seinen
Lachenden Munds.
Wenn wir uns mitten im Leben meinen,
wagt er zu weinen
mitten in uns.

Rainer Maria Rilke (1875–1926)

Das vollrund aus Birnbaumholz geschnitzte Tödlein steht in Schrittstellung auf einem Sockel. Mit dem erhobenem linken Arm fasst es beinahe spielerisch die Sehne eines Bogens. Ein Köcher mit Pfeilen, der über der Brust mit einer lockeren Schleife befestigt ist, hängt von der linken Schulter herab. Seine rechte Hand, die Schusshand, hat das Tödlein erhoben und die Finger sind um einen jetzt verlorenen Gegenstand geschlossen, wahrscheinlich einen Pfeil. Die aufrechte Haltung, das Schrittmotiv und die Haltung der Arme deuten die beginnende Bewegung an, mit der das Tödlein sich langsam darauf vorbereitet, Pfeil und Bogen anzulegen und zu zielen – es hat den Bogen gerade von der Schulter genommen und den Pfeil aus dem Köcher gezogen. Die angedeutete langsame Aktion des Anlegens und späteren Zielens zieht durch ihre Zeitlichkeit den Betrachter mit ein. Der Tod wird seinen Pfeil abschießen, ohne Hast – er ist der Herr über die Zeit. Der Tod in Gestalt des Jägers mit Pfeil und Bogen steht für den plötzlichen Tod, der den Menschen unerwartet aus der Mitte des Lebens reißt.

Die Gestalt ist fast vollständig skelettiert, jedoch hängen Reste der Haut wie Kleiderfetzen an ihr herab. Die lederne Haut gleicht einem durchlöcherten Anzug, der den Blick auf die Rippen sowie Arm- und Beinknochen freigibt. Die Haut endet, einer Hose vergleichbar, an den Knien, an Händen und Füßen franst sie locker oberhalb der Hand- und Fußgelenke aus, was den Eindruck von Stulpenhandschuhen und halbhohen Stiefeln erweckt. Die Haut des Gesichtes ist von den Knochen abgefallen und liegt wie ein Halstuch um den Hals. Insgesamt scheint die den Körper gewandartig umhüllende Haut eine Parodie auf die zeitgenössische Mode zu sein, eine Art *Alamode*-Kritik (vgl. Kat. Nr. 119).

Der Kopf ist vollständig skelettiert und zeigt leere Augenhöhlen, die knöcherne Nasenöffnung und die Kiefer, an denen einige Zähne fehlen. Die Ohren sind noch erhalten, Haarreste am Hinterkopf sind zu einem Zopf zusammengefasst. Durch die Löcher der Haut im Bauch schlängelt sich eine Schlange in den Körper hinein, eine weitere Schlange windet sich durch die Rippen, ihr Kopf erscheint rechts hinter dem Kopf des Tödleins. Ein Loch im Schritt gibt den Blick auf eine Eidechse frei, die sich im unteren Bauchraum befindet und deren Schwanz durch ein

Tödlein mit Pfeil und Bogen 6

Bayern
2. Hälfte 17. Jahrhundert

Birnbaumholz

Höhe 280 mm

Victoria and Albert Museum, London
Inv. Nr. AG–299-1870

Loch im rechten Oberschenkel sichtbar wird. Das Tödlein präsentiert sich im fortgeschrittenen Verwesungszustand und von Tieren zerfressen. Der Realismus, mit der die Leiche dargestellt ist, die anatomische Detailgenauigkeit und die unnatürliche Lebendigkeit des toten Körpers rufen eine schaurige Faszination beim Betrachter hervor.

Als Tödlein werden kleine rundplastische Figürchen aus Hartholz oder Elfenbein bezeichnet, die in der Tradition der *Memento mori*-Kunst stehen. Die Figuren sind eindeutig durch Verwesung und Ungeziefer, das sich in ihnen angesiedelt hat, als menschliche Leichname gekennzeichnet, jedoch vollführen sie Aktionen eines Lebenden, etwa als Jäger, Sensenmann oder als Mahner mit dem Stundenglas. Mit immenser Freude an makaberen Details sind sie kunstvoll ausgearbeitet. Sie verdeutlichen, dass dem Tod niemand entkommt und zeigen dem Betrachter sein eigenes zukünftiges Bild. Im 17. und 18. Jahrhundert erfreuten sich Tödleinstatuetten großer Beliebtheit als Sammlerstücke. So erfüllten sie gleichermaßen moralisierende wie erbauliche Zwecke.

Das Tödlein mit Pfeil und Bogen gehört zu einer Gruppe von kleinen allegorischen Skulpturen, die den Tod in der Gestalt des Knochenmannes als Herr über die Vergänglichkeit darstellen. Hier agiert er als Jäger, oft schwingt er aber auch eine Sense oder hält ein Stundenglas. Es steht in der Tradition einer Reihe von kleinen Statuetten, die im 16. und 17. Jahrhundert in Süddeutschland gefertigt wurden. Vergleichbar ist ein aus Buchsbaum geschnitzter *Tod mit Köcher* im Bayerischen Nationalmuseum (Inv. Nr. L59/319, Leihgabe des Oberhausmuseums Passau), der durch eine Gravur auf dem Sockel auf das Jahr 1673 datiert wird. Der Köcher an der linken Seite dieses Tödleins ist mit einem über der Brust geknoteten Tuch befestigt und deutet darauf

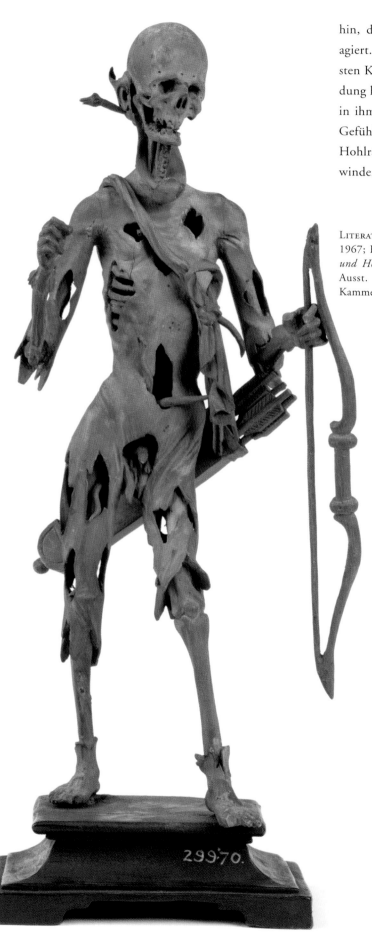

hin, dass es ebenfalls als Jäger mit Pfeil und Bogen agiert. Auch hier handelt es sich um einen stark verwesten Körper, an dem die Hautreste wie zerrissene Kleidung hängen, so dass die Knochen und das Ungeziefer in ihm zu sehen sind. Beide Statuetten verbindet das Gefühl für die makaberen Details, die Gestaltung der Hohlräume und ihre Ausfüllung durch sich hindurch windende Schlangen.   MZ

LITERATUR Weber 1910; Bange 1928; Müller 1943; Baxandall 1967; Eckart 1983; Ariès 1984; *Apokalypse. Zwischen Himmel und Hölle,* hg. von Herbert W. Wurster und Richard Loibl, Ausst. Kat. Oberhausmuseum Passau, Regensburg 2000; Kammel 2000; Kiening 2003.

Tödlein mit Sense 7

Süddeutschland
um 1640

Buchsbaumholz

Höhe 262 mm, Durchmesser des Sockels 74 mm

Bernisches Historisches Museum, Bern
INV. NR. 32 862

Die Statuette aus Buchsbaumholz zeigt den personifizierten Tod als Schnitter. Das rechte Bein fest auf den Boden gestellt, hat das als Hautskelett dargestellte Tödlein das linke Bein nach vorne gestellt. Die Zehen des linken Fusses kragen über den Rand des Sockels hinaus. Mit seiner rechten Hand umfasst das Tödlein den Stab einer Sense, deren Blatt, das als realistisches Miniaturwerkzeug aus Metall gefertigt wurde, neben seinem Kopf zu sehen ist. Die Darstellung unterscheidet sich von der des Sensenmann-Anhängers (Kat. Nr. 28), wo das Skelett die Sense nach unten und damit zum Einsatz bereit hält.

Die linke Hand, an der zwei Finger abgebrochen sind, ist vor das Loch im Bauchraum geführt. Dieses Loch ist den meisten zeitgenössischen Hautskeletten zu eigen und markiert wohl den Bauchschnitt, der üblicherweise zur Entnahme der Eingeweide vor der Einbalsamierung einer Leiche durchgeführt wurde. Die Hautdecke ist durch weitere Löcher – in der Herzgegend, im Bereich des Geschlechts sowie auf den Oberschenkeln – aufgebrochen und endet in Fetzen an den Unterschenkeln und Ellenbogen. Es entsteht der Eindruck, das Tödlein trage knielange Hosen und Stiefel. Vielleicht kann man auch bei dieser Figur wie bei Kat. Nr. 6 einen Bezug zur zeitgenössischen *Alamode*-Kritik (vgl. Kat. Nr. 119) sehen.

Schlangen in der rechten Augenhöhle sowie auf den Schenkeln weisen auf den fortgeschrittenen Verwesungszustand hin. Schlangen, Kröten und Würmer treten aber auch in mittelalterlichen Beschreibungen des Fegefeuers und der Hölle auf und verweisen hier auf die Strafe für sündhaftes Verhalten (Oosterwijk 2005, S. 53–54). Auf dem – hinten noch behaarten – Kopf des Tödleins sitzt eine Kröte. Bedeutsam erscheint die Platzierung, die an einen Kopfschmuck oder gar an eine Krone denken lässt (vgl. Kat. Nr. 133). Kombiniert mit der *Alamode*-Kritik wäre das Tödlein demnach nicht nur als reines *Memento mori*-Objekt zu lesen, sondern auch als Hinweis auf die Vergänglichkeit von Stand, weltlicher Macht und Eitelkeit. StK

LITERATUR Sophie Oosterwijk, Food for worms – food for thought: the appearance and interpretation of the ‚verminous‘ cadaver in Britain and Europe, in: *Church Monuments* XX (2005), S. 40–80; Christoph Mörgeli und Uli Wunderlich, *Berner Totentänze: Makabres aus Bern vom Mittelalter bis in die Gegenwart,* Schriften des Bernischen Historischen Museums Band 7, Bern/Düsseldorf 2006.

8 *Tod mit Geiz und Neid*

Deutsch (?)
18. Jahrhundert

Lindenholz

Höhe 320 mm

Kunsthistorisches Museum Innsbruck,
Sammlung Schloss Ambras
INV. NR. PA 688

Das vollrund aus Lindenholz geschnitzte Tödlein entstand wahrscheinlich in Deutschland im 18. Jahrhundert. Die Statuette ist in einer dynamischen Drehbewegung dargestellt. In seiner rechten Hand hält das Tödlein einen Spaten, auf den es kraftvoll seinen rechten Fuß setzt und das Gewicht nach vorne verlagert, um ihn in die Erde zu rammen. Der Tod präsentiert sich hier als Totengräber. Durch die Bewegung ist er in der Hüfte leicht gedreht, die linke Hand hat er bis zur Brust erhoben und hält das Fragment einer Sense. Er trägt einen Umhang mit Kapuze. Die Figur ist im teilweisen Verwesungszustand dargestellt. Die in Fetzen hängende Haut am Oberkörper gibt die Rippen und die Bauchhöhle frei. Um die Gestalt winden sich Schlangen. An Armen und Beinen sind noch die Muskeln zu sehen, jedoch ist auch hier die Haut schon verwest und der blanke Schienbeinknochen freigelegt.

Das Gesicht ist nicht vollständig skelettiert, die Nase ist noch teilweise erhalten, und es liegt noch Haut über den Gesichtsknochen, nur die Augenhöhlen sind leer. Auch der Bart und die Haare sind erhalten. Der Körper wirkt trotz der eindeutigen Verwesungszeichen sehr kraftvoll und muskulös. Zu seinen Füßen liegen bzw. hocken zwei kleinere Figuren, aus deren Mitte der Tod emporzusteigen scheint, um die Spatenspitze in die Erde zu treten. Die Figur rechts vom Tod trägt eine Augenbinde und hat die Lippen leicht geöffnet; ihre rechte Hand hat sie in einer unentschlossenen schwachen Bewegung leicht erhoben. Es handelt sich um eine Personifikation des Neides (Invidia), eine der sieben Todsünden. Die andere Figur hat den Mund ebenfalls leicht geöffnet und blickt dem Betrachter entgegen. Auf der kahlen Stirn sind zwei Hornansätze zu sehen. Sie liegt auf einem Sack mit Geldmünzen. Es handelt sich um die Personifikation einer weiteren Todsünde, den Geiz (Avaritia). Im Gegensatz zum aktiven und muskulösen Tod wirken die Personifikationen der Todsünden schwach und willenlos, fast voll Selbstmitleid – stellen sie doch auch Schwächen des menschlichen Charakters dar, die den Menschen ins Verderben stürzen. Die sieben Todsünden wurden von Papst Gregor dem Großen im 7. Jahrhundert definiert. Er identifizierte Stolz (Superbia), Geiz (Avaritia), Neid (Invidia), Zorn (Ira), Wollust (Luxuria), Maßlosigkeit (Gula) und Trägheit (Acedia) als die schlimmsten Laster, die Übel und Verbrechen hervorrufen. Unausweichlich folgt ewiger Tod als Strafe für die Sünden, wenn der Sündige keine Reue empfindet. Der in der Statuette dargestellte Totengräber personifiziert diesen finsteren, erbarmungslosen Tod, der den Sündern droht. Er agiert unbeeindruckt vom Klagen der menschlichen Schwächen.

Eine kombinierte Darstellung zweier Sünden, die vom Tod besiegt werden, ist selten. Das Triumphmotiv des Überwindens oder Besiegens der Laster ist häufig mit den sieben Tugenden assoziiert, die als Pendants zu den Todsünden diesen gegenüber- oder überstellt sind. Die Sünden werden oft als Frauen dargestellt und sind durch beigestellte Attribute zu identifizieren. So wird zum Beispiel der Neid (Invidia) mit einer Augenbinde dargestellt, um die Blindheit zu zeigen, mit der der neidische Mensch seiner Umwelt begegnet.

8 a

Begleitet wird Invidia von einer Schlange. Sie gilt als eine der gefährlichsten Sünden, da die Eifersucht des Teufels auf Gott der Auslöser dafür war, dass die Menschen aus dem Paradies verbannt wurden. So verweist die Schlange einerseits auf die Vertreibung aus dem Paradies, andererseits deutet sie darauf hin, dass ihr Biss den Körper vergiftet, so wie der Neid den Geist des Menschen vergiftet. Beide Attribute finden sich auch in der Statuette, allerdings ist die Schlange hier nicht dem Neid sondern dem Tod zugeordnet und deutet die Verwesung des Körpers an. Ein Holzschnitt von Georg Pencz aus dem Jahr 1524 zeigt den Neid (Abb. 8a), der in Gestalt einer alten Frau erscheint. Der Körper ist von giftigen Tieren, einem Skorpion, einer Spinne und einer Schlange, besetzt. Ihre Augen hat sie als Zeichen ihrer Blindheit geschlossen, und sie beißt sich selbst in die Hand, was die Selbstzerfleischung eines Menschen anzeigt, der dem Neid anheim fällt. Die Fledermausflügel deuten auf die Blindheit hin, da die Fledermaus als blind galt. Der Geiz hingegen wird häufig durch das Attribut eines Geldbeutels gekennzeichnet.

Die kleinen Figürchen, die Geiz und Neid personifizieren, sind geschlechtslos und im Vergleich zum Totengräber sehr klein. Kraftvoll und unbeeindruckt steigt der Tod über die menschlichen Sünden und beginnt mit erbarmungsloser Entschlossenheit ein Grab auszuheben. Er wirkt grimmig und unaufhaltsam.

In der Kunstfertigkeit und Detailfreude der Statuette verbindet sich die moralisierende Intention mit der Freude am kostbaren Sammlerobjekt. MZ

LITERATUR Bange 1928; Eckart 1983; Ariès 1984; Blöcker 1993; *Apokalypse. Zwischen Himmel und Hölle,* hg. von Herbert W. Wurster und Richard Loibl, Ausst. Kat. Oberhausmuseum Passau, Regensburg 2000; Kammel 2000; Spiegel der Seligkeit 2000; Feste feiern 2002; Kiening 2003.

9 *Tod als Sensenmann*

Mittelrheinisch
Anfang des 18. Jahrhunderts

Weichholz

Höhe 234 mm

Museum Schnütgen, Köln
Inv. Nr. A 995

Das vollrund gearbeitete Figürchen des Todes als
Sensenmann steht auf einem ausladenden, kräftig profilierten Sockel. Die Sense ist ein frei beweglicher ori-
ginaler Zusatz. Die durch ein aufflatterndes, zerfetztes
Leichentuch halb verhüllte Gestalt zeigt einen

schwungvollen, weit ausgreifenden Gestus. Der Oberkörper mit dem markant ausgearbeiteten Totenschädel
wendet sich nach rechts. Die linke Knochenhand liegt
locker auf der schräg stehenden Grabplatte links vor
der Figur. In dieser drohenden Haltung steht der

Knochenmann dem Betrachter in ähnlicher Art und Weise gegenüber wie die ins erste Drittel des 16. Jahrhunderts datierte Statue vom Pariser Friedhof Saint-Innocent, die sich heute im Louvre befindet (Aubert 1950, Nr. 369).

Die Statuette wird folgendermaßen beschrieben: "Mit erhobener Rechten drohend, die Linke auf dem Schild, worauf geschrieben steht, daß er mit seiner Waffe jedes Leben schlägt." (Euw 1964, S. 287). Die siegreiche Pose des hoch gewachsenen, ausgemergelten Körpers wird von dem in der Hüfte zusammen gehaltenen Leichentuch in großen Faltenschwüngen unterstützt. Es lässt den eingefallenen, knochigen Oberkörper sowie den weit ausgereckten rechten Arm frei. Die freiliegenden Teile der Figur, der rechte Beinabschnitt vom unteren Oberschenkel ab zu den Zehen, insbesondere aber die Kopf- und Halspartie mit der fein ausgearbeiteten Wirbelsäule und den seitlich angrenzenden Muskeln, lassen auf einen ausgezeichneten anatomischen Kenntnisstand des Schnitzers schließen und erinnern an die modellhaften Muskelmänner oder Écorchés, die in dieser Zeit schon in den Kunstakademien als Anschauungsobjekte dienten (vgl. Kat. Nr. 82).

Spindeldürre Fingerknochen der ausgestreckten rechten Hand umfassen leichthändig, ja spielerisch, den Schaft der Sense. Deren ursprüngliche Positionierung ist aufgrund ihrer frei veränderbaren Haltung nicht zu rekonstruieren. Beide Varianten – die bedrohlich erhobene Sensenklinge in der rechten Hand der Figur, durch die ein triumphaler Gestus erreicht wird und die Sensenklinge, die den Rand des Grabdeckels umklammert, auf den damit das Augenmerk gerichtet wird, sind durch die Körperhaltung des Sensenmannes begründbar. Unterstützt wir die Interpretation der Figur des Sensenmanns als siegreicher Tod durch den naturalistisch geschilderten Untergrund mit Gras und Erdklumpen, ein (Gottes)Acker? Zusätzlich verweist eine an seinem rechten Fuß kauernde Kröte – verstanden als *Vanitas*-Symbol – auf den Ort der Vergänglichkeit des Seins. Das Tödlein wird also als Sieger auf seinem ureigenen Terrain geschildert, wie es ohne Anstrengung die schwere, halb zerbrochene Grabplatte festhält, die seine instabile, schwerelose Haltung stabilisiert.

Die allegorische Personifikation des triumphierenden Todes steht in der Tradition französischer Skelett-

plastik, wie sie auch auf Grabmälern zu finden ist. Ein frühes Beispiel ist der verwesende Leichnam vom Grabmal des Kardinals Jean de Lagrange (gest. 1402) im Musèe Calvet in Avignon (Dieckhoff 1978, S. 76; Cohen 1973, Abb. 5 und 6, S. 12–14). Zeitlich nähere, monumentale Vorbilder für einen stehenden, triumphierenden Tod sind einmal die im Louvre aufbewahrte Skulptur des hoch aufgereckten Todes vom Karner der Abtei von Clairvaux aus der Mitte des 16. Jahrhunderts, die der Schule des Ligier Richier zugerechnet wird (Cohen 1973, Abb. 63, S. 114–115), und die demselben Künstler zugeschriebene, berühmte Statue des stehenden Transi, der sein eigenes Herz in der Hand hält, vom Herzgrab des Renée von Châlons (gest. 1544) in St. Maxe in Bar-le-Duc (Cohen 1973, Abb. 116, S. 177–179). Während Reiner Diekhoff den „Tod im Schnütgen Museum, (…) der Stilstufe des Ignatz Günter (1725–1780)" zuordnet (Keller 1972, S. 480) ohne dies näher zu begründen, sieht Anton von Euw die Kleinplastik im direkten Stilvergleich zur Statue des Chronos mit der Sense an dem 1706 begonnen Grabmal des Dompropstes Heinrich Ferdinand von der Leyen zu Nickenich (gest. 1714) im Mainzer Dom (Kautzsch 1925, Abb. 195 und 197): „Im Schwung, der kantigen Schärfe des Lakens und der in die Brustwirbel eingefallenen Haut steht die Statuette des Schnütgen Museums dieser Allegorie nahe, sodass ihre Entstehung im mittelrheinischen Gebiet kurz nach 1700 vermutet werden darf." (Euw 1964, S. 287).   CR

LITERATUR Ulrich Bock, Memento Mori, in: *Schnütgen – Museum, Wege durch die Sammlung 3,* Köln o. J., S. 6–7; Rudolf Kautzsch, *Der Mainzer Dom und seine Denkmäler,* Bd. II, Frankfurt a. M. 1925; Otto von Falke, *Die Sammlung Dr. Albert Figdor Wien,* Teil 1, Bd. 4, Berlin/Wien 1930; Müller 1943; M. Aubert, *Musée du Louvre, Sculptures I,* Paris 1950; Anton von Euw, Zwei Memento mori im Schnütgen-Museum, in: *Museen in Köln, Bulletin* 6 (1964), S. 286–287; Reiner Dieckhoff, Der Tod, in: Horst Keller (Hg.), *Kunst Kultur Köln 2,* Köln 1972, S. 480; Francois Souchal, *French sculpture of the 17th and 18th centuries,* London 1977; Uwe Westfehling, *Schnütgen-Museum. Ein Führer zur Kunst des Mittelalters,* 2. Aufl., Köln 1977; Reiner Dieckhoff, antiqui und moderni, in: *Die Parler und der schöne Stil 1350–1400,* hg. von Anton Legner, Ausst. Kat. Museum Schnütgen Köln, Köln 1978, S. 73–79; Dieckhoff 1981; von Euw 1984; Ulrich Bock, Tödlein, in: Hiltrud Westermann-Angerhausen und Dagmar Täube (Hg.), *Das Mittelalter in 111 Meisterwerken aus dem Museum Schnütgen Köln,* Köln 2003, S. 158; Claudia Schumacher, Memento mori – Gedenke des Todes!, in: *Vernissage. Die Zeitschrift zur Ausstellung* 2 (2003), S. 25–26.

10 *Sensenmann*

18. Jahrhundert

Grisaillemalerei auf schwarzem Holztäfelchen

Höhe 266 mm, Breite 79 mm, Tiefe 16 mm (Malerei);
Höhe 68 mm, Breite 115 mm, Tiefe 110 mm (Sockel)

Hessisches Landesmuseum, Darmstadt
Inv. Nr. Ap. 56/31

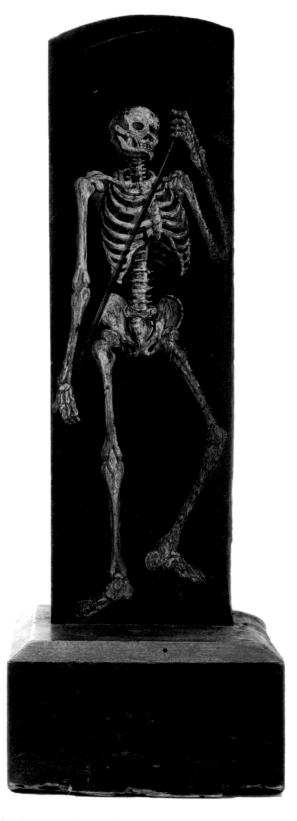

Das Fragment stammt nach Ausweis der rückwärtig aufgeklebten Papierschilder aus der privilegierten Hofapotheke Ortenburg von K. H. Münscher und gelangte mit dessen Nachlass, darunter pharmazeutische Gefäße und Geräte, in die Darmstädter Sammlungen. Der unregelmäßig abgenutzte und geglättete Sockelblock ist in der Farbe dem bemalten Brettchen angeglichen. Die verschieden angeschnittenen Ränder und Kanten des Brettchens sprechen für die spätere Herauslösung aus einem größeren Zusammenhang und die Neufassung als Sammlerstück mitsamt Sockel, vielleicht durch Münscher selbst. Das bemalte Brettchen könnte ursprünglich Teil eines Möbels wie einer Schrankstrebe aus der Möblierung der Apotheke gewesen sein.

Die kleine Darstellung des Todes als Sensenmann ist in Grisaillemalerei mit lockeren, routinierten Pinselstrichen vor den dunklen Hintergrund gesetzt und anatomisch korrekt wiedergegeben. Das Skelett steht im klassischen Kontrapost auf einem gestuften, fast unsichtbaren Untergrund, so dass es fast zu schweben scheint. Es stützt die quer vor dem Leib gehaltene Sense unten mit der rechten Hand, und dreht den Stiel mit der Linken so, dass die Sense sich über dem Schädel wölbt. Die nach hinten abgeschrägte obere Rundung des Brettchens folgt auffällig der Biegung der Sense, auch dies ein Indiz für die spätere Zurichtung und Vereinzelung des Motivs, das in seinem ursprünglichen Kontext vielleicht anderen Bildern von Vergänglichkeit oder *Vanitas*-Motiven zugeordnet war. Oft tritt in barocken Apotheken auch Christus selbst als Apotheker auf, gleichsam als Garant der Erlösung von allen seelischen und körperlichen Leiden. Aber das Christusbild erscheint im Mobiliar der Apotheken, oder an ärztlichem oder pharmazeutischem Gebrauchsgerät oft im Kontext von Darstellungen der Vergäng-lichkeit. Als Gegenbild von Heilung und Leben steht das *Memento mori* im Zusammenhang von Krankheit und Tod.

HWA

Unveröffentlicht

Italien
um 1600

Buchsbaum, Spiegelglas

Höhe männliches Tödlein 213 mm (mit Sockel 353 mm)
Höhe weibliches Tödlein 216 mm (mit Sockel 356 mm)

Olbricht Collection, Essen
Inv. Nr. ANO-MM 052

Bei dem vollendet und detailliert aus Buchsbaum geschnitzten Tödleinpaar handelt es sich um ein weibliches und ein männliches Skelett, die an der Form ihrer Becken als solche identifiziert werden können. Jedes Tödlein steht auf einem hohen Sockel aus Holz, der auf allen vier Seiten mit Einlegearbeiten aus Spiegelglas verziert ist. Als Vorbild für die genaue Körperdarstellung, die sogar die geringfügigen aber geschlechtlich relevanten Unterschiede im Knochenbau deutlich macht, dienten dem Künstler die Holzschnitte aus dem 1543 in Basel erschienenen Werk des flämischen Anatomen Andreas Vesalius *De humani corporis fabrica* (Kat. Nr. 77), das nicht nur von Medizinern sondern ebenso von Künstlern begierig studiert wurde.

Vom Spätmittelalter kennen wir einen bedrohlichen Tod, der als Jäger (Kat. Nr. 6), Schnitter (Kat. Nr. 9) oder Totengräber (Kat. Nr. 8), das heißt als Handelnder dargestellt ist. Im Gegensatz dazu gibt sich hier nun der Tod als ruhige, nachdenkliche Gestalt. Die Beiden lehnen sich jeweils nachdenklich und aufmerksam an einen Baumstumpf, dessen Differenzierung ebenfalls auf das unterschiedliche Geschlecht der Figürchen hindeutet (Laue 2002, S. 184–185). Das männliche Tödlein steht aufrecht mit überkreuzten Beinen; seinen Kopf stützt es mit der rechten Hand. Das weibliche Tödlein stützt mit der rechten Hand ein Stundenglas auf dem unteren Ast des Baumstumpfes ab, während ihre Linke das Kinn umfasst. Die Figürchen sind spiegelblidlich zueinander geordnet, und wirken durch ihre Gestik doch nicht auf einander bezogen, sondern ganz in sich gekehrt.

Das Stundenglas ist in der Ikonographie eines der gängigsten Motive für die Vergänglichkeit und steht für das Verrinnen der eigenen Lebenszeit. Durch dieses Attribut werden die anatomischen Studien eigentlich erst zu Tödlein. Sie sind aber nicht nur als allegorische Figuren zu verstehen, sondern beziehen sich auch auf die ähnlich konfrontierten Bilder des Urelternpaares, die seit der Dürerzeit auch außerhalb von Deutschland populär waren. (vgl. dazu: Eine höhere Wirklichkeit 2004, Nr. 31). Das Tödleinpaar der Sammlung Olbricht, in Italien um 1600 entstanden, reflektiert verschiedene geistige Strömungen der Renaissance. In dieser Epoche der entscheidenden geographischen und naturwissenschaftlichen Entdeckungen wie der geistigen Veränderungen wurde der Mensch als ein erklärbares und komplexes System wahrgenommen; selbst den Tod wollte man nun nach den Gesetzen der Natur und nicht der Theologie erklären. Das Tödleinpaar illustriert außerdem den wieder aktuellen Einfluß der stoischen Philosophie, nach der das Gefühl der Vergänglichkeit und das stete Denken an den Tod die Menschen so verändern kann, dass das Sterben von einem zufälligen zu einem vernunftgesteuerten Akt wird (Rosenfeld 1974, S. 2). Dennoch dienten solche privaten Meditationsobjekte wie zuvor auch der ständigen Aufforderung zur Buße als Vorbereitung eines guten Todes. Kostbare Kunstwerke wie diese, die als typische Wunderkammerstücke gelten können und sicher für hochgestellte Auftraggeber bestimmt waren, sollten natürlich neben der vielfältig dargestellten Bedeutung auch ästhetischen Genuß konkret erlebbar machen. Bei einem vergleichbaren Tödleinpaar im Museum für Sepulkralkultur in Kassel (Tanz der Toten 1998, S. 16) stehen sich auf zwei niedrigen Sockeln jeweils ein weibliches Skelett mit Stundenglas und ein männliches mit einem Bogen gegenüber. Hier enthalten die allegorischen Figuren durch ihre nach Geschlecht

verteilten Attribute auch Assoziationen der *vita activa im Gegensatz zur meditatio mortis*. Die anatomische Darstellung der Skelette ist weniger präzise, aber hinsichtlich der Gestaltung gehört auch dieses Tödleinpaar in eine Gruppe ähnlicher Werke, darunter der Tödleinschrein von Paul Reichel auf Schloss Ambras (um 1580; Inv. Nr. KK 4450; Alle Wunder dieser Welt 2001, S. 68–69) ein Tödlein des Münchner Künstlers Christoph Angermair von 1624 (Tödlein mit einer

Tischuhr unter Glassturz, Kunsthistorisches Museum Wien, Inv. Nr. 1067) und ein weiteres Tödlein von 1632 im Grünen Gewölbe in Dresden (Inv. Nr. II 116; Kappel 1996, S. 15–20). Bei all diesen Darstellungen war die anatomisch korrekte Ausarbeitung ein wesentlicher Teil der künstlerischen Aussage. Reichel und Angermair hielten sich gar bis ins kleinste Detail an die Holzschnitte aus Vesals *De humani corporis fabrica*. Damit waren sie mit anderen Mitteln nahe an den

idealisierten und auch auf Natur- und Proportions-
studien basierenden Adam-und-Eva-Bildern der Dürerzeit, die das Urelternpaar nicht nur als vollkommen
schön, sondern auch als aus dem Paradies vertrieben und
in ein Schicksal von Zeit und Vergänglichkeit hineinge-
stellt, vor Augen führen. CR/ET/HWA

LITERATUR Peltzer 1930; Müller 1943; Cushing 1962; Rosenfeld
1974; Zauber der Medusa 1987; Roberts/Tomlinson 1992;
Kappel 1996; Tanz der Toten 1998; Pygmalions Werkstatt 2001;
Seipel 2001; Wunderlich 2001; Laue 2002; Ulrich Bock, *Das
Mittelalter in 111 Meisterwerken aus dem Museum Schnütgen
Köln,* Köln 2003; *Eine höhere Wirklichkeit. Deutsche und franzö-
sische Skulptur 1200–1600 aus dem Rijksmuseum Amsterdam,*
Ausstellung Museum Kurhaus Kleve 2004–2006, Kleve, 2004

Skelett

Adolph Hanke
Breslau 1860

Elfenbein

Höhe 25 mm

Privatbesitz

12

Das filigran gearbeitete Elfenbeinskelett befand sich
ursprünglich in einem verloren gegangenen kleinen
Holzschiebekästchen (Meininghaus 2001, S. 1857). Bis
in die einzelnen Differenzierungen der Handwurzel-
knochen war der Schnitzer bemüht, die diffizile
Knochenstruktur des menschlichen Körpers nachzu-
vollziehen, wobei auffällt, dass die Lebensnähe auch
dadurch zum Ausdruck kommt, dass das Standmotiv
der Skulptur in kontrapostischer Haltung wiedergegeben und in Stand- und Spielbein unterschieden wurde.
Das deutliche Hohlkreuz mit der konvexen Wölbung
der Wirbelsäule sowie dem hervorstehenden Becken
ist ein besonders naturalistischer Akzent. Vom anatomischen Ideal weicht zudem auch die prominente
Herausstellung der Gelenke, besonders des Schulter-
und Kniegelenks ab. Zuschreibung, Datierung und

Provenienz sind durch eine Inschrift auf der Rückseite
des Skeletts gesichert: „Adolph Hanke aus Breslau
1860" (Meininghaus 2001, S. 1857). Da aber weder der
Künstler noch seine Werkstatt bekannt sind, kann
man lediglich konstatieren, dass die Produktion und
Funktion von *Memento mori*-Kunstwerken noch bis
über die Mitte des 19. Jahrhunderts hinaus lebendig
war. Ob die Funktion des Skeletts eher in den Bereich
der Betrachtungssärglein weist oder in Beziehung mit
Trauerschmuck zu setzen ist, muss an dieser Stelle
offen bleiben. Fest steht, dass auch dieses Skelett in
den Kontext der ‚Frommen Pretiosen' zu integrieren
ist, Kleinkunstwerke, die zur persönlichen Meditation
über Jenseits und Diesseits gedacht waren. AS

LITERATUR Meininghaus 2001.

TÖDLEIN

Ach

Ach, noch in der letzten Stunde
Werd ich verbindlich sein.
Klopft der Tod an meine Türe,
Ruf ich geschwind: Herein!

Woran soll es gehen? Ans Sterben?
Hab ich zwar noch nie gemacht,
Doch wir werden das Kind schon schaukeln –
Na, das wär ja gelacht!

Interessant so eine Sanduhr!
Ja, die halt ich gern mal fest.
Ach – und das ist ihre Sense?
Und die gibt mir dann den Rest?

Wohin soll ich mich jetzt wenden?
Links? Von Ihnen aus gesehen?
Ach, von mir aus! Bis zur Grube?
Und wie soll es weitergehen?

Ja, die Uhr ist abgelaufen.
Wollen Sie die jetzt zurück?
Gibt's die irgendwo zu kaufen?
Ein so ausgefall'nes Stück

Findet man nicht alle Tage,
Womit ich nur sagen will
 – ach! Ich soll hier nichts mehr sagen?
Geht in Ordnung! Bin schon

Robert Gernhardt (1937–2006)

Tödlein, auf einem Löwen reitend   13

Süddeutschland (?),
16. Jahrhundert (?)

Elfenbein

Höhe 45 mm, Länge der Figurengruppe 50 mm

Olbricht Collection, Essen
Inv. Nr. ANO-MM 79

Auf einem lagernden Löwen sitzt rittlings ein Skelett, dessen Extremitäten noch mit Haut überspannt sind. Der Schädel ist ebenfalls teilweise mit Haut überzogen; markant treten die tiefen Augenhöhlen hervor, der Kiefer ist geöffnet, so dass der Eindruck erweckt wird, als stoße die Figur einen Schrei aus. Von hinten umfasst das Tödlein mit überdimensionierten Händen den Löwenkopf und greift dem Tier beiderseits in das weit geöffnete Maul, wodurch dieser wehrlos wird. Das Motiv eines auf dem Löwen reitenden Mannes, der das Raubtier mit bloßen Händen durch das Auseinanderstemmen seiner Kinnbacken zerreißt, geht auf die biblische Figur Samsons zurück. Als dieser von einem Löwen angefallen wurde, gelang es ihm, gestärkt durch den Geist Gottes, sich auf diese Art zu retten (Richt 14,5–6). Seither gilt er als Vorläufer Christi im Kampf gegen das Böse und als Überwinder des Todes. Die Parallele zum Mythos des Herkules, der den Nemeischen Löwen besiegt, ist unübersehbar.

Eine erste Blütezeit erlebt das Motiv des Samson auf dem Löwen reitend in der romanischen Skulptur; aufgegriffen wird es im 16. Jahrhundert mit der groß-formatigen Uhrenfigur eines rittlings auf einem ste-henden Löwen sitzenden Skeletts. Diese Figurengruppe aus Lindenholz, die auf 1513 datiert wird, stammt aus der Münsterkirche zu Heilsbronn in Mittelfranken (heute Bayrisches Nationalmuseum, vgl. Eikelmann 2000, S. 84). Vergleichbar sind mit der Elfenbein-schnitzgruppe vor allen Dingen die überlängten Gliedmaßen, die bei der Uhrenfigur ebenfalls mit Haut überspannt sind, die Gestaltung des mit Haut überzo-genen Schädels, der geöffnete Mund und die stilisierte Löwenmähne. Hinsichtlich der Proportionierung von Rumpf und Gliedmaßen sind vergleichbare Kleinskulp-

turen auch im Salzburger Raum seit Beginn des 16. Jahr-hunderts zu finden (Furienmeister 2006, S. 37). Die Elfenbeingruppe könnte daher ebenfalls zu jener Zeit im süddeutschen Raum entstanden sein.

Die Uhrenfigur zeigte unerbittlich den Ablauf der Zeit an und verstand sich so von selbst als Hinweis auf die Vergänglichkeit und durch die Darstellung des Skeletts auf den Tod der Menschen. Vor dem Hinter-grund der Samson-Ikonographie erhält sowohl diese Figurengruppe wie auch insbesondere die kleine Elfen-beinschnitzgruppe eine andere Akzentuierung: wurde mit der Samsonfigur noch die Überwindung des Todes im Glauben an Gott betont, so wird nun unmissver-ständlich vor Augen geführt, dass der Körper in jedem Falle sterblich ist. AHE

LITERATUR unveröffentlicht; vgl. Hans H. Hofstätter, Samson, in: *Das Münster* 42 (1989), S. 233–238; Renate Eikelmann (Hg.), *Bayerisches Nationalmuseum. Handbuch der kunst- und kulturgeschichtlichen Sammlungen,* München 2000; Kirk Ambroise, Samson, David, or Hercules?: ambiguous identities in some Romanesque sculptures of lion fighters, in: *Konst-historisk tidskrift* 74 (2005), S. 131–147; *Der Furienmeister,* hg. von Herbert Beck, Peter C. Bol, Maraike Bückling und Max Hollein, Ausst. Kat. Liebighaus Frankfurt, Petersberg 2006.

14 *Berner Wappenbuch*

Wilhelm Stettler zugeschrieben
Bern, um 1693–1708

Gouache und Aquarell in Folioband

Höhe 526 mm, Breite geöffnet 780 mm

Bernisches Historisches Museum, Bern
Inv. Nr. 11 675

Das Berner Ämter- und Wappenbuch versammelt die Wappen aller Adeligen und Bürgerlichen der ausge-storbenen und noch lebenden Geschlechter der Stadt Bern. Es gliedert sich in mehrere Teile. Auf ein Ver-zeichnis der Berner Geschlechter folgen ein Ämterver-zeichnis, Genealogien, die ausgestorbenen Berner Geschlechter, die Wappen der 1693 noch lebenden Familien, eine Liste der ‚Ewigen Einwohner' und abschließend die Stammtafeln und Ahnenproben (Reichen 1995, S. 156f).

Das vorliegende Blatt leitet auf Seite 70 die Auflistung der ausgestorbenen Familien ein. Ein in Rüstung gehüllter Knochenmann hält mit der linken Hand eine Kartusche, durch deren Inschrift der Inhalt der nächsten Seiten angekündigt wird: „Wapen der alten außgestorbnen Adelichen Geschlechtern so ehmals mit der Stat Bern im Burgrecht waren oder in deren Landen vnd gepieten sich auffgehalten haben."

Die freiliegenden Arme und Beine der Todes-figur sind noch mit Muskeln überzogen, die Gestalt

sich über Kriegsgeschirr und Staatssymbolen und erscheint so als Sinnbild des Sieges.

Die Auswahl einer Darstellung des Todes, die die Auflistung der Familienwappen einleitet und im gleichen Augenblick auf ihre Vergänglichkeit hinweist, begründet sich sicherlich durch die Tatsache, dass zum Ende des 17. Jahrhunderts schon über 700 Berner Geschlechter ausgestorben waren. Diese werden auf den folgenden Seiten in 544 Familienwappen vorgestellt. Weitere 189 Familien werden namentlich erwähnt.

Im 17. Jahrhundert diente ein Wappenbuch als Handbuch für die Verwaltung. Mit seiner Hilfe konnte die Authentizität von Schriftstücken überprüft werden. Wappenbücher traten Ende des 12. Jahrhunderts fast gleichzeitig in allen Gegenden, über die sich das Lehnwesen erstreckte, in Erscheinung. Ihre Blütezeit hatten sie im 15. und 16. Jahrhundert. Die frühen Wappensammlungen aus den vorhergehenden Jahrhunderten enthielten häufig keine Abbildungen, sondern lediglich Beschreibungen. Auch waren sie keine systematische Sammlung, wie das Berner Exemplar, sondern lediglich Anfertigungen zu einem bestimmten Ereignis.

Die Zeichnungen des Wappenbuchs aus Bern werden dem Schweizer Zeichner und Kupferstecher Wilhelm Stettler (1643–1708) zugeschrieben. Sie wurden von ihm allerdings nie vollendet und abschließend nur noch mit einigen Nachträgen versehen. LR

erscheint kräftig, nur der nach links zur Kartusche geneigte Kopf zeigt die typischen Züge eines Totenschädels. Breitbeinig steht die Figur auf und vor verschiedenen Kriegs- und Staatssymbolen: Schwerter und Speer, eine rote Fahne, ein Mörser (ein schweres Pfeilfeuergeschütz), ein Helm mit Federzier. Der Tod ist bekleidet mit einer Harnischbrust, die sich in Schuppen über sein darunter getragenes Kettenhemd legt. Goldene Bordüren ziehen sich in regelmäßigen Abständen senkrecht nach unten und geben mit ihrem Verlauf dem knochigen Körper unter dem Gewand sein Volumen. Um die Taille ist ein roter Gürtel geschnürt, welcher gleichzeitig als Halterung für das lange Schwert dient, das der Knochenmann auf der linken Hüfte trägt. Seine Schultern sind durch Achselscheiben geschützt, aus deren goldener vierblättriger Zier gefährliche Spitzen nach oben ragen. Auf dem Kopf trägt er einen ebenso spitz auslaufenden Helm, der seinen gesamten Schädel einschließt und lediglich das Gesicht freigibt. In triumphierender Pose befindet er

LITERATUR Heins-Mohr 1981; *Triumph des Todes?*, hg. von Gerda Mraz, Ausst. Kat. Eisenstadt 1992; Quirinus Reichen, Ausgestorbene Berner Geschlechter, in: *Biographien*, hg. von Karl Zimmermann, Ausst. Kat. Historisches Museum Bern, Bern 1995; Christoph Mörgeli und Uli Wunderlich, *Berner Totentänze. Makabres aus Bern vom Mittelalter bis in die Gegenwart*, Bern/Düsseldorf 2006.

15 *Memento Mori in Form eines Grabmals*

Westschweiz
um 1520

Elfenbein, Ebenholz

Höhe 120 mm, Breite 420 mm, Tiefe 150 mm; Skelett: Länge 360 cm, aus sechs Teilen zusammengesetzt (Kopf, Rumpf, Arme und Beine ab Mitte der Oberschenkel)

ZUSTAND Die gekehlte Sockelleiste neu.

Museum Schnütgen, Köln; Leihgabe der Sammlung Peter und Irene Ludwig, Aachen

INSCHIFT INNEN Auf der Holzoberfläche der Unterseite in verschiedenen und verschieden alten Schriften in Tinte und Bleistift: *„mourir nous faut"; „quand dieu plait";* „aus Sammlung Vinzent Constantz"; „St. Victor: Genève".

Der erschreckende Inhalt dieses mit feinen Intarsien in Elfenbein und Ebenholz geschmückten Kastens ist auch dann zu sehen, wenn der mit Scharnieren versehene Deckel zugeklappt ist, denn Boden und Deckel werden nicht durch Seitenwände, sondern durch kleine, in weitem Abstand gesetzte Stützen verbunden. Die elfenbeinernen Eck- und Mittelstützen sind Figurenpfeiler mit kleinen Baldachinen (vgl. Abb. 15a). Dazwischen stehen an den Schmalseiten je eine, an den Längsseiten zwei schwarze, runde oder in sich gedrehte Säulchen. Gesims und Sockelzone sind abwechselnd aus unregelmäßig langen Elfenbein- und Ebenholzstücken zusammengesetzt, ein ähnliches Muster hat die Oberseite des Deckels. Die Deckelinnenseite und der Boden haben ein diamantschnittartiges Muster aus wechselnd schwarzen und weißen Dreiecken.

Umgeben von Schwarz-Weiß-Kontrasten wirkt das Skelett besonders grausig und zwingt dennoch zum genauen Hinsehen, weil so viel zu betrachten ist. Mit der steifen Haltung der neben dem Körper liegenden Arme ist der Elfenbeinkadaver gut in die Entwicklung der *Transis* der monumentalen Grabplastik einzuordnen; das Motiv ist hier ebenso geläufig wie die über dem Geschlecht oder dem Herzen gekreuzten Hände und passt zum gesamten Eindruck der Totenstarre der Gestalt. Typisch sind auch der klaffende Bauchschnitt sowie herabhängende Hautfetzen am Unterbauch, die das Geschlecht des Leichnams verbergen. Stellenweise scheinen Haut- und Muskelschichten am Brustkorb und an den Gliedmaßen mit System freigelegt zu sein.

So sind durch die Hautschnitte auf den Handrücken rechts und links jeweils andere Teile von Muskeln und Sehnen zu sehen. Dennoch wirken die vielen Einblicke in das Innere des Leichnams nicht systematisch im anatomischen Sinn. Im Vergleich mit dem Pionierwerk der Anatomie, Andreas Vesalius *De humani corporis fabrica* (Kat. Nr. 77), die erst 1543 publiziert wurde, wirken die Hautschlitze deutlich als Kunstgriff und Stilmittel zur genauen Darstellung des toten Körpers im Zustand der Verwesung. Der Bau der Menschengestalt und ihr Zerfall werden zwar fast versachlicht geschildert, aber der Schnitzer will mit seiner akribischen Darstellung dieses Tödleins keine Anatomie betreiben.

Wichtiger für die Aussage ist die erschreckende Kontrastwirkung vom toten Körper und seiner gefräßigen Eroberung durch allerlei aktives Getier. Das Elfenbeinfigürchen illustriert die theologische Lehre, dass der „Tod der Sünde Sold" sei. Daraus sind alle Tiere zu erklären, die den kleinen Körper aus Elfenbein zerstören und entstellen. Es sind nicht Lebewesen, die natürlicherweise den Verwesungsprozess bestimmen, sondern die geradezu sprichwörtlichen Symboltiere, die in mittelalterlichen Dichtungen für die Vergänglichkeit des Lebens und die Sündhaftigkeit der Menschen stehen. Fliegen sind ‚Teufelszeug', und nicht umsonst sitzt eine unnatürlich große innerhalb des Brustkorbes anstelle des Herzens und eine weitere genau darüber. Kriechtiere kennzeichnen in der mittelalterlichen Kunst und Dichtung vor allem den ‚Fürsten

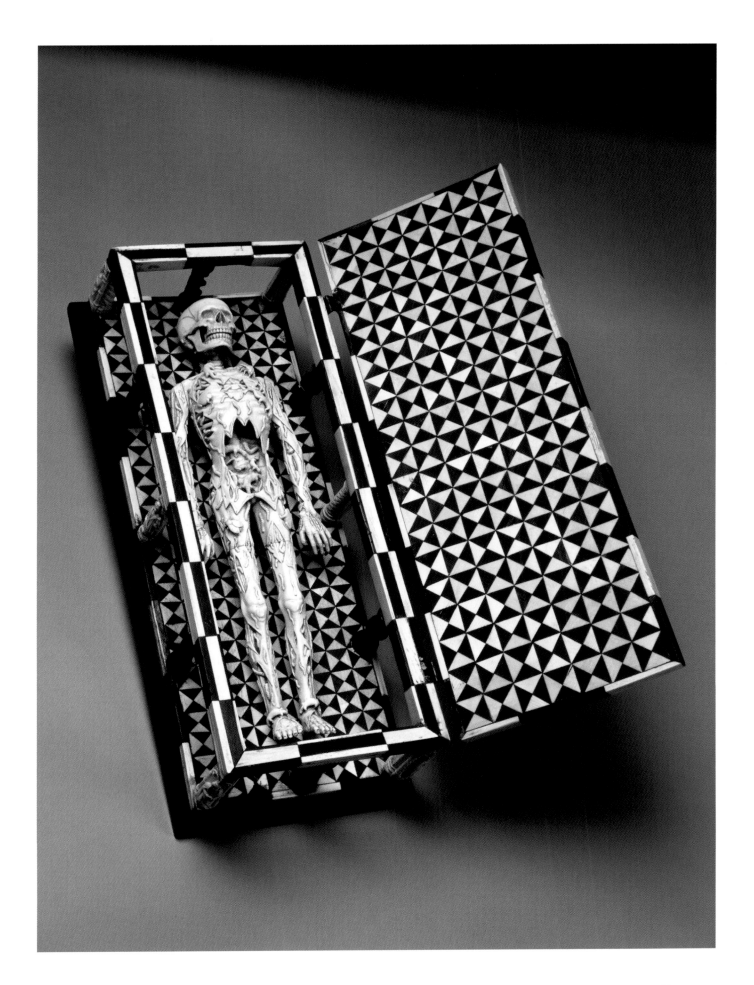

der Welt' oder die ‚Frau Welt' (vgl. Kat. Nr. 115–116), Symbolfiguren, die der Inbegriff von Sündhaftigkeit und Verhaftung im Diesseits sind, und deren schöne Leiber unter den Prachtgewändern von Würmern, Kröten und Schlangen zerfressen werden. Kröten und Frösche sind ebenso wie die zahlreichen Eidechsen in der Bauchhöhle und (als Parodie von Schmuckbändern oder Fesseln?) auch an den Fußgelenken ebenfalls Höllen- und Teufelstiere. So sagt schon Hildegard von Bingen den Eidechsen nach, sie seien giftig und wohnten in Gräbern. Attribute der Sündhaftigkeit und Zeichen der Verwesung sind auch die besonders auffällig und fast ornamental in und auf dem Körper angeordneten, lebhaft bewegten kleinen Schlangen oder großen Würmer. Sie finden sich in ähnlich unnatürlicher, aber zeichenhaft eindringlicher Form immer wieder als Attribute und Zubehör von Bildern des Todes.

Das einzigartige Objekt hat wahrscheinlich einem hochgestellten und gebildeten Auftraggeber zur privaten Meditation über das Lebensende gedient. Es ist zugleich weniger und mehr als die kunstreiche Miniatur eines aufwändigen Grabmales. Denn von einem Prunkgrab stellt es ja nur die untere Hälfte dar. Es fehlt der oben auf der Tumba standesgemäß repräsentierte Tote in Lebensgestalt. Die mit Absicht einsehbare Tumba ist auch keine Darstellungsfläche für die an dieser Stelle in der Grabmalskunst üblichen kleinen trauernden Figürchen, die *Pleurants*. Der kleine, im Grab noch sichtbare Leichnam aus Elfenbein erfordert offenbar weder Totenklage noch Totenwache oder Gebete für das Seelenheil einer identifizierbaren Person, wie das etwa in der zweiten Hälfte des Jahrhunderts bei schweizerischen Grabteppichen mit den Bildern von Gedächtnisgottesdiensten zu sehen ist. Beispiele sind das Ringoltinger Grabtuch in Zürich (Himmel, Hölle, Fegefeuer 1994, Nr. 85, S. 267–277) oder das auf der Wartburg bewahrte Johanniter-Grabtuch (Kurth 1926, S. 218, Taf. 53).

Statt dessen bündeln und verstärken die winzigen Gestalten an den Elfenbeinpfeilern die Konzentration auf das Vergänglichkeitsthema ohne eine deutliche Jenseitsperspektive. Es sind zu Paaren geordnete Standesvertreter, die für die Botschaft stehen, dass alle Menschen vor dem Tod gleich sind. Vorbildlich waren die Totentanzfolgen des 15. Jahrhunderts mit Papst und Kaiser, Patriarch und Sultan sowie Mönch – hier mit den Schriftband „mourir nous faut" (wir müssen sterben) – und Edelmann – mit dem Schriftband „quand dieu plait" (wann es Gott gefällt) –, die alle gleichermaßen dem Tod ausgeliefert sind. Für solche Motive aus dem Totentanz ist ein Grabmonument allerdings nicht der übliche Platz. Auch das macht das Tödlein in der Tumba einzigartig.

Stil- und Motivvergleiche mit monumentalen Denkmälern des späten 15. und frühen 16. Jahrhunderts im Westen der Schweiz definieren das künstlerische Umfeld des außergewöhnlichen Meditationsobjektes Eine prosperierende Städtelandschaft, humanistische Bildung und frühe Auseinandersetzungen mit reformatorischen Thesen zwischen Straßburg, Basel und Zürich könnten die eindringliche Bilderfindung begünstigt haben, auch wenn wir den Auftraggeber oder ersten Besitzer dieses ‚Wunderkammerstücks' nicht mehr identifizieren können.   HWA

LITERATUR Zum Grabtuch auf der Wartburg: Betty Kurth, Die deutschen Bildteppiche des Mittelalters, Wien 1926; *Das Schnütgen-Museum: eine Auswahl,* Köln 1968, Nr. 180, S. 103-104; Raúl Rispa (Hg.), *Kunst und Kultur um 1492,* Kat. Weltausstellung Sevilla, Mailand 1992, Nr. 121, S. 204; Eisenhauer 1993, Nr. 91, S. 118; Himmel, Hölle, Fegefeuer 1994, S. 181, Nr. 11; zum Ringoltinger Grabtuch ebendort: Nr. 85, S. 276 – 277; Vergänglichkeit für die Westentasche 2005, Nr. 14, S. 13 und 38; Sophie Oosterwijk, Food for worms – food for thougt: appearance and interpretation of the ‚verminous' cadaver in Britain and Europe, in: *Church Monuments XX* (2005), S. 40–80.

Detail

Betrachtungssärglein 15 A

Süddeutschland (?)
18. Jahrhundert

Holz, Wachs, Seide

Max. Höhe 70 mm, Länge 250 mm

Museum Schnütgen, Köln
Inv. Nr. A1053

Der kleine Sarg ist auf dem Unterteil mit schablonierten Blütenmustern, auf dem Deckel mit einem großen Kreuz und aufgemalter Maserung verziert. Innen ist er mit weißem Stoff ausgeschlagen, der am Rand mit einer blauen Borte gehalten wird. Das Skelett im Zustand fortgeschrittener Verwesung ist aus Wachs modelliert, der Kopf mit offen stehendem Mund und lückenhaften Zahnreihen liegt auf einem kleinen Kissen.

„Die ältesten Tödlein entstanden in der Renaissance und in Frühbarock, als die Aneignung der Welt zu einem neuen Bewusstsein des Menschen führte… Die Annahme, mit ihnen sei grundsätzlich die Mahnung verbunden, ein ethisch verantwortetes Leben im Sinne des christlichen Glaubens zu führen,… erweist sich jedoch als falsch oder zumindest als zu einseitig." (Vergänglichkeit für die Westentasche 2005, S. 18). Vor allem seit der Aufklärung tauchen Miniatursärge nicht nur im volksreligiösen Brauchtum auf, sondern auch im Umfeld der Freimaurer oder des Illuminaten-Ordens, und weisen hier auf eine ganz andere Deutung von Tod, Vergänglichkeit und Sterben innerhalb eines Weltbildes hin, das nicht mehr ausschließlich von christlichen Jenseits- und Erlösungsvorstellungen geprägt ist. Das aus wohlfeilen Materialien hergestellte Betrachtungssärglein hat einen anderen ästhetischen und inhaltlichen Anspruch als Kat. Nr. 15. und gehört in eine größere Gruppe von Vergleichsobjekten. In der neueren Forschung wird die lange gültige Meinung, diese seien in bäuerlicher Serienproduktion entstanden als ‚Memento mori für den kleinen Mann‘ viel differenzierter gesehen. Natürlich war auch dieses Särglein mit seinem drastisch dargestellten verwesenden Körper eine Hilfe zum Bedenken der eigenen Vergänglichkeit, und das Kreuz auf dem Deckel verweist auf einen religiösen Kontext, aber es sollte nicht zwingend zu Buße und Umkehr ermahnen, sondern einfach die ständig gegebene Möglichkeit des Sterbens vor Augen führen.   HWA

LITERATUR Vergänglichkeit für die Westentasche 2005; Reiner Dieckhoff, Klappernd Gebein und nagend Gewürm. Memento mori im Schnütgen-Museum, in: Anton Legner (Hg.), Kleine Festschrift zum dreifachen Jubiläum, Köln 1981, S. 39–46, Abb. S. 44.

16 *Miniatursarg mit zwei Knochen*

19. Jahrhundert

Eiche, Ebenholz (?), Elfenbein

Länge 97 mm

Olbricht Collection, Essen
Inv. Nr. ANO-MM 025

Der Miniatursarg zeigt eine zum Fußteil verjüngte Form, die prägnanten Holzprofilierungen mit einer Aneinanderreihung von Wulst und Kehle verjüngen sich nach oben. Am schmaleren, unteren Teil sind innen zwei Löcher zu erkennen. Der Sarg ist innen aus hellem Holz. In ihm liegen zwei Elfenbeinknochen.

Dieses Objekt zählt zu den Betrachtungssärglein, die eine miniaturhafte Abbildung von Särgen aus Holz oder Metall darstellen. Betrachtungssärglein enthalten üblicherweise geschnitzte oder wächserne Leichname bzw. Skelette mit allerlei Getier (Kröten, Würmer, Schlangen). Die verwesenden, die Vergänglichkeit evozierenden Leichname haben ihre Vorbilder in den Doppelgrabmälern, die unten einen verwesenden Leichnam (Transi) und oben einen in Lebendigkeit und Macht dargestellten Würdenträger zeigen (Vergänglichkeit für die Westentasche 2005, S. 9). Hier stehen die beiden Elfenbeinknochen *pars pro toto* für ein Skelett. In dieser Funktion erinnern sie an mittelalterliche Reliquiare, die oft nur einzelne Knochen eines Heiligen enthalten. Allerdings dient der Miniatursarg dem privaten *Memento mori*. Die Knochen aus dem kostbaren Material Elfenbein und die feine Ausarbeitung nehmen dem Anblick den Schrecken des Todes und betonen das Sammlerobjekt.

Hölzerne Betrachtungssärglein waren in Süddeutschland und im Alpenland vom 17. bis zum 19. Jahrhundert verbreitet (Sörries 2002, S. 50; Kat.

Nr. 15a), die frühere Datierung Laues auf die Zeit „um 1620" (Laue 2002) ist aus mehreren Gründen auszuschließen: Betrachtungssärglein aus dem 17. Jahrhundert besaßen meist einen wächsernen Leichnam (Sörries 2002, S. 50). Da die kleinen Särglein ein stilistisches Abbild der großen Särge sind, zeigen sich weitere Kriterien. Im Barock sind Verzierungen des Deckels (beispielsweise mit Kreuzen) insbesondere im katholischen Bereich üblich. Vergänglichkeitssymbole sind häufiger auf protestantischen Särgen zu finden (Vergänglichkeit für die Westentasche 2005, S. 17). Die Form des Sarges sowie die ausgeprägte Profilierung des Holzes sprechen für eine Datierung in das 19. Jahrhundert, da sich Särge mit dieser Bearbeitung frühestens Ende des 18. Jahrhunderts finden (Sörries 2002, S. 263). Wichtigstes Gestaltungsmerkmal ist die

Profilierung des Holzes mit ihren unterschiedlichen Höhen und Tiefen, Breiten und Längen. Vergleichbar ist der Sarg eines Kindes aus der Grablege der Familie Stockhausen (Anfang 19. Jahrhundert) in der Kirche zu Trendelburg (Vom Totenbaum zum Designersarg 1994, Nr. 60). Die auffällige stilistische Ähnlichkeit zwischen dem Betrachtungssärglein und dem Kindersarg lässt die Frage offen, ob das Betrachtungssärglein im Raum Trendelburg / Hessen angefertigt wurde.

BM

LITERATUR Weber 1910; Vom Totenbaum zum Designersarg 1994; Rainer Sörries, *Großes Lexikon der Bestattungs- und Friedhofskultur, Wörterbuch zur Sepulkralkultur, volkundlich-kulturgeschichtlicher Teil: Von Abdankung bis Zweitbestattung,* hg. vom Zentralinstitut für Sepulkralkultur Kassel, Braunschweig 2002; Laue 2002; Vergänglichkeit für die Westentasche 2005.

Transi des Grafen Franz I. von La Sarraz (gest. 1363) 17

um 1360 bis 1370 oder um 1390

Aus der Antoniuskapelle in La Sarraz, Kanton Waadt

Zementabguss

Höhe 400 mm, Breite 550 mm, Länge 1900 mm

Schweizerisches Landesmuseum, Zürich

INV. NR. Cop.16.

1360 hat Franz I von la Sarraz, ein einflußreicher Adliger im Dienst der Herzöge von Savoyen, zusammen mit seiner Gemahlin Marie von Orion eine Antoniuskapelle am äußeren Mauerring seines mächtigen Schlosses im Waadtland gestiftet. Es ist in der Forschung umstritten, ob er selbst zugleich auch das Grabmal für seine Familie in der Kapelle in Auftrag gab, oder ob dies erst durch seinen Enkel um 1390 geschah.

Ein nackter Körper als einzige Vergegenwärtigung und als Gedächtnisbild des Toten ist das Zentrum des aufwändigen Nischengrabes mit zwei vorgesetzten Wimpergen. Vollplastische Figuren von Rittern und Damen umstehen den Leichnam, der auf einer arkadenverzierten Tumba mit Figürchen von weiteren betenden Rittern und Damen liegt.

Franz I, Graf von La Sarraz, der 1363 starb, verbindet mit seinem Grab eine eindeutige Selbstaussage. Bei anderen – meist späteren – Grabmälern liegen auf der Grabtumba die Toten in idealer Gestalt und standesgemäß bekleidet, und nur darunter sieht man den *Transi,* den in Verwesung übergehenden Leichnam. Beim Grabmal von La Sarraz sieht man jedoch nur den Transi oben auf der Tumba dargestellt. Die langen, sorgfältig gekämmten Haare und die auf der Brust gekreuzten Hände entsprechen der Art, wie ein Toter gebettet wird. Aber Augen und Mund des Leichnams sind von vier Kröten ganz bedeckt, so dass nur die Nase hervorschaut und das Gesicht völlig unkenntlich ist. Auf den Gliedern ringeln sich Schlangen, die sich scheinbar in das Fleisch einfressen, auf dem Bauch

und dem Geschlecht sitzen wiederum vier Kröten. Der Körper macht nicht den Eindruck von Hautskeletten, die ab dem mittleren 14. Jahrhundert in der Malerei und ab 1400 in der Grabmalsplastik als Transi begegnen, sondern er wirkt wohlgenährt. Das verstärkt die Botschaft, die dem Verstorbenen oder dem Bildhauer offensichtlich wichtig war. Denn Kröten und Schlangen, die gar keine Aasfresser sind, haben ihre Bedeutung in einem anderen Bildzusammenhang. Es sind Symbole des Bösen, des Lasters und der Vanitas, Tiere, die mit dem Teufel assoziiert werden. Als solche sind sie den Bildern des „Fürsten der Welt" oder der „Frau Welt" zugeordnet, deren Körper unter ihren Prachtgewändern von Kröten und Schlangen heimgesucht werden.

Der Leichnam auf dem Grab ist also weniger die Darstellung einer Person als die Vergegenwärtigung der Vergänglichkeit an sich. Das Eingeständnis von Sündhaftigkeit wird akzentuiert durch die Verteilung der Kröten auf Augen und Mund, Bauch und Geschlecht. Der Tote in La Sarraz wird nur durch Wappen und Helmzier seiner eigenen Familie erkennbar, die zusammen mit dem Wappen seiner Frau neben dem Körper auf der Tumba platziert sind.　　　HWA

LITERATUR *Lexikon der christlichen Ikonographie,* Bd. 2, Sp. 676–677; Cohen 1973; Illi 1992; Himmel, Hölle, Fegefeuer 1994.

SCHMUCK

Als er der Phillis einen Ring mit einem Totenkopf überreichte

Erschrick nicht vor dem Liebeszeichen,

Es träget unser künftig Bild,

Vor dem nur die allein erbleichen,

Bei welchen die Vernunft nichts gilt.

Wie schickt sich aber Eis und Flammen?

Wie reimt sich Lieb' und Tod zusammen?

Es schickt und reimt sich gar zu schön,

Denn beide sind von gleicher Stärke

Und spielen ihre Wunderwerke

Mit allen, die auf Erden gehn.

Ich gebe dir dies Pfand zur Lehre:

Das Gold bedeutet feste Treu',

Der Ring, daß uns die Zeit verehre,

Die Täubchen, wie vergnügt man sei;

Der Kopf erinnert dich des Lebens,

Im Grab ist aller Wunsch vergebens,

Drum lieb und lebe, weil man kann,

Wer weiß, wie bald wir wandern müssen!

Das Leben steckt im treuen Küssen,

Ach, fang den Augenblick noch an!

Johann Christian Günther (1695–1723)

Der kreisrunde Goldreif ist mit einem stark nach außen gewölbten schwarzen Emailgrund überzogen. Darin folgt ein goldenes Skelett der Biegung der Ringschiene. Den Ringkopf bildet ein ovaler Kristalleinsatz, in den ein winziger Totenkopf eingelegt ist. In die Innenseite des Reifs sind die bei englischen Gedenkringen üblichen Angaben eingraviert: abgekürzter Vorname und Familienname des Verstorbenen, das Sterbedatum mit dem lateinischen Zusatz *obt* für „obiit" (er starb) und die Altersangabe nach aet. für "aetatis" (im Alter von). Gedenkringe mit flach gearbeiteten umlaufenden Vanitassymbolen in Email sind in England besonders vom Anfang bis zur Mitte des 18. Jahrhunderts nachweisbar (vgl. Kat. Nr. 19; Taylor/Scarsbrick 1978, Kat. Nr. 782; Oman 1974, Kat. Nr. 88 E).

In der englischen Bestattungskultur wohlhabender Kreise gab es den besonderen Brauch, noch zu Lebzeiten bei Juwelieren Gedenkringe in Auftrag zu geben, die dann posthum in größeren Mengen angefertigt und mit den persönlichen Daten des Verstorbenen versehen wurden („…mit schwarzem Schmucke und mit Perlen." 1995, S. 69). Bei der Trauerfeier wurden sie an Verwandte und Freunde verteilt. Es ist anzunehmen, dass es sich auch hier um einen solchen testamentarisch verfügten Gedenkring handelt. Der Beginn dieses Brauchs ist an den Anfang des 14. Jahrhunderts zu setzen („…mit schwarzem Schmucke und mit Perlen." 1995, S. 21). Zunächst nur in England

Totengedenkring mit Tödlein 18

England
1720

Gold, Email, Kristalleinsatz mit kleiner Totenkopfeinlage

Innerer Durchmesser 17 mm

Olbricht Collection, Essen
INV. NR. ANO-MM 015

INSCHIFT INNEN „Edro. Wade obt 18. Ap 1720 aet 26." Stempel: „WD"

praktiziert, fand er später – verbunden mit dem Einzug der englischen Bevölkerung – auch in Amerika Verbreitung.   PB

LITERATUR Battke 1953; Oman 1974; Taylor/Scarsbrick 1978; „…mit schwarzem Schmucke und mit Perlen" 1995; Laue 2002.

Totengedenkring mit umlaufender Skelettdarstellung 19

England
1724

Gold, Email

Durchmesser außen 22 mm;
Ringkopf Breite 4 mm

Schmuckmuseum Pforzheim
INV. NR. 1954/98

INSCHIFT INNEN Wm Bance obt. 8 Aug 1724 aet 28"
INSCHIFT AUSSEN „ME / MEN / TO / MO / RI"
aet 26." Stempel: „WD"

Der Totengedenkring mit umlaufender Skelettdarstellung ist in demselben Kontext wie das aus der Sammlung Olbricht beschriebene Objekt (Kat. Nr. 18) zu sehen. Wie bei dem etwa zur selben Zeit ebenfalls in England entstandenen Ring entfaltet sich auch bei diesem kreisrund gearbeiteten Goldreif die Vanitassymbolik nicht in Form von plastisch ausgearbeiteten Totenkopf- oder Skelettdarstellungen, sondern auf einem stark nach außen gewölbten schwarzen Emailgrund. Umlaufend werden ein goldenes Skelett mit weißemailliertem Schädel, darunter gekreuzt Spaten und Spitzhacke – häufig auftretende Vanitas-Symbole,

die wohl als Werkzeuge des Totengräbers zu interpretieren sind – eine Sanduhr sowie ein Schwert mit gekreuztem Szepter dargestellt. Darüber ist ein goldenes Spruchband gelegt, auf dem in schwarzer Schrift die Mahnung „ME / MEN / TO / MO / RI" zu lesen ist. Zusätzlich sind auch hier die bei englischen Gedenkringen üblichen Angaben eingraviert. Daneben befindet sich ein nicht mehr lesbares Goldschmiedemerkzeichen bestehend aus zwei Frakturbuchstaben.   PB

LITERATUR Battke 1953; Oman 1974; Taylor / Scarsbrick 1978; „…mit schwarzem Schmucke oder mit Perlen" 1995; Laue 2002.

20 Totengedenkring mit Totenschädel

Deutschland
um 1700

Gold, Email, Diamanten

23 mm

Olbricht Collection, Essen
INV. NR. ANO-MM 047

INSCHIFT INNEN „Dein allein will ich sein"

20 a

Der schmale, sich an den Ringschultern verbreiternde Goldreif trägt auf der Platte einen emaillierten Totenschädel *en ronde bosse* über gekreuztem Gebein. In die Augenhöhlen sind Diamanten eingelassen. Über dem weiß emaillierten Grund ist der Schädel an Stirn-, Nasen-, und Kinnpartie sowie um die Augen herum in Gold gefasst. Auch das Gebein ist aus Gold gefertigt. Zu den Seiten des Totenschädels ist je ein größerer in Gold gefasster Diamant auf schwarz emailliertem Gold angebracht. Totenkopfringe dieser Art waren zwischen dem

16. und 18. Jahrhundert in Westeuropa weit verbreitet. Frühester bildlicher Beleg ist ein Entwurf für einen Totenkopfring aus Pierre Woeiriots *Livre d'Aneaux d'Orfeverie* von 1561 (Abb. 20a). Im Museum für Sepulkralkultur in Kassel befindet sich ein vergleichbarer *Memento mori*-Ring desselben Typs, der aber etwas früher zu datieren ist (Inv. Nr. M 1988 / 132; „…mit schwarzem Schmucke oder mit Perlen" 1995, Kat. Nr. 2).

Der Ring gemahnte den Träger an die Vergänglichkeit allen irdischen Lebens, mit besonderer Deutlichkeit dadurch, dass er unmittelbar am Körper getragen wurde. Vivienne Becker vermutet, dass solche Ringe vor allem von Witwen getragen wurden (Becker 1980, S. 86). Sie sind daher nicht nur Sinnbilder der eigenen Vergänglichkeit, sondern ebenso Gedenkobjekte an den verstorbenen Ehemann wie auch ein Kennzeichen des Witwenstandes. Auch die Inschrift „Dein allein will ich sein" weist in diese Richtung.   PB

LITERATUR Becker 1980; „…mit schwarzem Schmucke oder mit Perlen" 1995

Totengedenkring mit Skelettminiatur auf Haar

England
um 1700

Gold, Email, Silber, Diamanten, Haar, Bergkristall

Durchmesser 22 mm; Ringkopf 12 mm

Schmuckmuseum Pforzheim
Inv. Nr. 1954/95

Der Ring besteht aus einem dünnen Goldreif, der sich nach oben hin verstärkt und in den Ringschulterpartien mit barocker Ornamentik ziseliert ist. Zwischen zwei kleinen unregelmäßig runden Silberkästchen, die je eine Diamantrose tragen, befindet sich ein größerer runder Goldkasten, der oben mit einer Deckplatte aus Bergkristall verschlossen ist. Unter dem an den Rändern facettierten Bergkristall liegt auf einer aus blondem Haar geflochtenen Unterlage ein winziges *en ronde bosse* emailliertes schwarz-weißes Skelett, das in seiner Rechten einen Knochen und in seiner Linken ein Stundenglas hält. Links und rechts von dem Skelett sind die aus gezwirntem Golddraht gebogenen Buchstaben DD angebracht, bei denen es sich wohl um die Initialen der oder des Verstorbenen handelt. In die Unterseite des Goldkastens sind die Buchstaben „RT" graviert.

Die Einarbeitung von menschlichem Haar in Trauerschmuck lässt sich bereits seit der Mitte des 17. Jahrhunderts belegen und war vor allem im 18. und 19. Jahrhundert beliebt. Das Haar wurde als Sitz des Lebens betrachtet und verkörperte somit *pars pro toto* den ganzen Menschen. Durch das Haar wird der Ring über seine Funktion als *Memento mori*-Objekt hinaus zu einem Gegenstand des persönlichen Gedenkens mit Reliquiencharakter. Haare wurden häufig in Broschen oder Ringe eingearbeitet, da diese beiden Schmuckformen besonders nah am Körper getragen werden.   PB

Literatur Battke 1953; „…mit schwarzem Schmucke oder mit Perlen" 1995; Der Riss im Himmel 1999.

Ring mit Sarg

England
Mitte 17. Jahrhundert

Bein

Durchmesser 30,5 mm;
Ringkopf max. Breite 13 mm

Schmuckmuseum Pforzheim
Inv. Nr. 1954/90

Die Schultern dieses Ringes aus Bein sind aus zwei Skeletten gebildet, die in der Mitte einen dachförmigen Sarg tragen. An den beiden Schrägseiten des „Sargdeckels" sind die Umrisse eines Kreuzes in Form eines vierblättrigen Kleeblatts eingraviert: Die Seiten zieren je zwei Blätter, die von den Umrissen eines Rechtecks gerahmt werden. Die beiden Blätterpaare fügen sich an der „Dachspitze" des Sargdeckels wiederum zu einem vierblättrigen Kleeblatt zusammen. Das Kleeblatt ist als ein unheilabwehrendes Symbol zu verstehen.

Vermutlich wich man aus formalen Gründen von der in England sonst üblichen Sargform mit flachen Deckeln ab, um durch den Giebel den Ringkopf stärker zu betonen („…mit schwarzem Schmucke oder mit Perlen" 1995, S. 63).

Besonders hervorzuheben ist die Verwendung des Materials Bein, das den *Memento mori*-Aspekt unterstreicht: Material und Motiv ergeben hier zusammen ein besonderes Sinnbild der Vergänglichkeit des Körpers.

Die Form des Ringes erinnert stark an den Entwurf eines *Memento mori*-Ringes aus einem Vorlagenbuch des lothringischen Goldschmieds Pierre Woeiriot. Dieser 1561 publizierte Entwurf gilt als die früheste sicher datierte Bildquelle für den Typus des Totenkopf-Ringes (Abb. 20a). Zu sehen sind zwei Skelette, die sich gegenseitig an den Schultern fassen. Statt eines Sarges tragen sie hier jedoch einen in den Proportionen wesentlich größeren Totenschädel.

Die These, der Ring sei aus Anlass der Hinrichtung Karls I. im Jahre 1649 entstanden (Battke 1953, S. 69) ist nicht haltbar, da derartige Schmuckstücke im allgemeinen ein Monogramm oder Porträt des Königs aufweisen („…mit schwarzem Schmucke oder mit Perlen" 1995, S. 63). PB

LITERATUR Battke 1953; „…mit schwarzem Schmucke oder mit Perlen" 1995.

23

Memento mori-Ring

England
2. Hälfte 16. Jahrhundert

Gold, weißes und schwarzes Email
ZUSTAND schwarzes Email teilweise abgeplatzt

Durchmesser 23 mm

Victoria and Albert Museum, London,
Stiftung Miss Charlotte Frances Gerard
INV. NR. AG–13–1888

INSCHIFT AN SEITENKANTE
„Rather Death Than Fals Fayth"
INSCHIFT INNEN „ML" und Liebesknoten

Aus einem Stück gegossen, wird der sechseckige Ringkopf von den zu Voluten aufgerollten Enden der Ringschiene gehalten. Der Ringkopf ist mittig mit einem in weiß auf rundem schwarzem Grund emaillierten Totenkopf verziert. Auf der Oberseite ist der Ring bestimmt vom Gedanken des *Memento mori,* dagegen lassen die Initialen der Unterseite mit dem Liebesknoten die Vermutung zu, dass der Ring als Verlobungs- oder Ehering benutzt wurde. Er beinhaltet so eine Doppelfunktion: Auf den ersten Blick mahnt der Totenkopf mit Inschrift zu bußfertigem Leben angesichts der eigenen Vergänglichkeit. Gleichzeitig jedoch symbolisiert der Liebesknoten um die zwei Initialen lebenslange Verbundenheit gemäß dem Eheversprechen „bis das der Tod uns scheidet". König Karl I. (Herrschaft von 1625–1649) soll den Ring am Tag seiner Hinrichtung an Erzbischof William Juxon (1582–1663) geschenkt haben. Allerdings fehlen Beweise für die Richtigkeit dieser Erzählung.

Der *Memento mori*-Ring weist große Ähnlichkeit mit einem anderen Ring aus der Sammlung des Victoria and Albert Museums auf (Inv. Nr. 920–1871).

Der hexagonale Ringkopf ist ebenfalls mit einem emaillierten Totenkopf verziert und mit einer an den Enden zu Voluten aufgerollten Ringschiene verbunden. Die Inschrift um den Schädel lautet abweichend „NOSSE TE IPSUM", am Seitenrand steht eingraviert „DYE TO LYVE".

Ein weiteres Beispiel desselben Ringtyps, allerdings mit der Inschrift "MEMENTO MORI", befindet sich in der Sammlung Haedecke (Inv. Nr. NR 23; Haedecke 2000, S. 208). Bildlich festgehalten wurde ein Ring dieser Art auf dem Portrait des Mark Ker (gest. 1584) von Willem Key, das 1551 entstand und sich heute in der Scottish National Portrait Gallery (Inv. Nr. NG 1938) befindet. Der Dargestellte trägt den Ring an seinem linken Zeigefinger.

Der Ringtypus war um die Mitte des 16. bis zu Beginn des 17. Jahrhunderts in Mode. Das Victoria and Albert Museum besitzt zwei weitere Ringe dieser Art aus dem frühen 17. Jahrhundert, jedoch in schlichterer Ausführung (Inv. Nr. m.378–1927; Inv. Nr. 921–1871). Die Identifizierung der Besitzer ist meist unmöglich, da die Ringe nur mit Initialen bezeichnet sind.   AG

LITERATUR Oman 1974; Becker 1980; Hollis 1980; Hanns-Ulrich Haedecke, *Schmuck aus drei Jahrtausenden. Sammlung Hanns-Ulrich Haedecke,* Köln 2000.

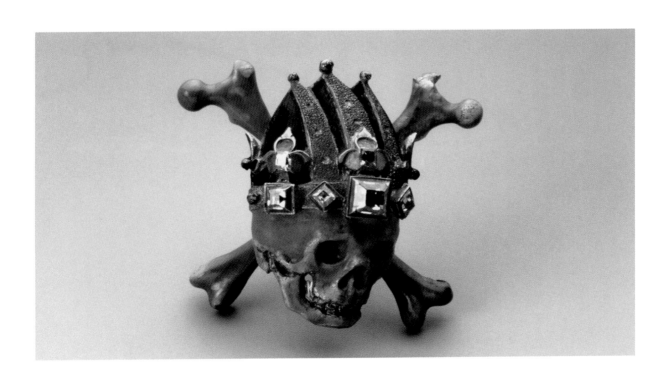

Die vermutlich aus dem Besitz der hessischen Landgrafen stammende Agraffe gibt einen in Dreiviertelansicht nach links gedrehten Totenkopf über gekreuztem Gebein wieder. Agraffen in Form von Spangen oder Schnallen dienten, wie das vorliegende Objekt, häufig als Hutschmuck. Der in mattem Grau emaillierte Totenkopf trägt die mit Diamanten besetzte Kaiserkrone Rudolfs II. („...mit schwarzem Schmucke oder mit Perlen" 1995, Kat. Nr. 10, S. 65). Neben dem allgemei-

Agraffe mit Totenkopf 24

Deutschland (?)
2. Hälfte 17. Jahrhundert

Gold, Email, Diamanten

Höhe 23 mm, Breite 23 mm

Staatliche Museen Kassel, Hessisches Landesmuseum
Abteilung Kunsthandwerk und Plastik
INV. NR. II. 538

nen *Memento mori*-Gedanken wird durch die Kaiserkrone als dem Symbol der höchsten weltlichen Macht noch ein weiterer Aspekt hervorgehoben: Von all dieser Macht bleibt im Tode nichts mehr, vor ihm ist jeder Mensch gleich.

Ein früher Bildbeleg für einen Miniaturtotenkopf als Hutbesatz findet sich in Hans Holbeins Gemälde *Die Gesandten* von 1533, auf dem der Gelehrte Jean de Dinteville an seinem Hut eine Agraffe trägt, die ein kleiner Totenkopf ziert. Dieses winzige Detail korrespondiert zum einen mit dem verzerrten Totenschädel im Bildvordergrund, zum anderen bezieht es sich auf ein hinter dem Vorhang verstecktes Kruzifix in der linken oberen Bildecke. Durch diese beiden Details wird der christliche Sinnzusammenhang von Tod und Erlösung wirkungsvoll verdeutlicht. Er kann so auch für dieses isolierte Schmuckstück angenommen werden. PB

LITERATUR „…mit schwarzem Schmucke oder mit Perlen" 1995.

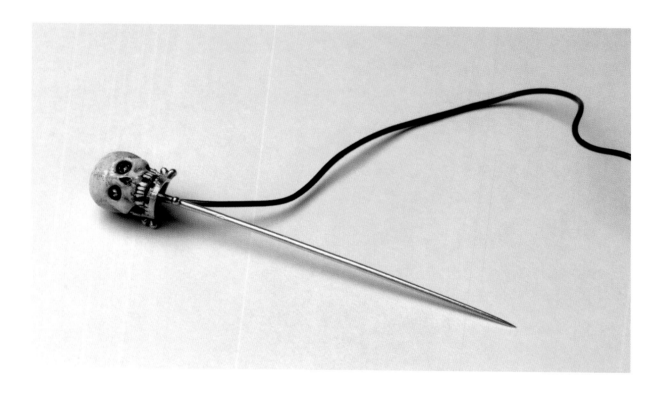

25 *Totenkopf-Hutnadel*

Frankreich
um 1867

Gold, Email, Diamanten

Länge 92 mm

Olbricht Collection, Essen
INV. NR. ANO-MM 080

Auf einer feinen Goldnadel steckt ein realistisch in Email ausgearbeiteter Totenkopf, in dessen Augenhöhlen zwei Diamantrosen sitzen. Der Schädel selbst ist in creme sowie in braun emailliert und mit feinen Knochennähten aus schwarzem Emaille überzogen. Der eingehängte Unterkiefer ist beweglich und mit weiß emaillierten Zähnen bestückt. An der Unterseite des Totenschädels ist waagerecht ein kleiner Knochen aus Gold befestigt. Dieser kleine Knochen diente als Anschluss an eine Miniaturbatterie, die in der Tasche des Trägers versteckt wurde (Phillips 2000, S. 90).

Dadurch war es möglich, die Diamantrosenaugen rollen und den Kiefer auf- und zuschnappen zu lassen.

Batteriebetriebene Schmuckstücke wurden erstmals auf einer Pariser Ausstellung im Jahre 1867 präsentiert und waren zur damaligen Zeit raffinierte technische Neuerungen. Neben der Totenkopfnadel wurden weitere batteriebetriebene Schmuckstücke ausgestellt: ein trommelnder Hase sowie mit den Flügeln flatternde Vögel und Schmetterlinge. Diese originellen Objekte wurden im Haar, an Mieder, Krawatte oder Hut getragen.

Bei der Totenkopfnadel handelt es sich wie bei der Totenkopfagraffe aus dem Besitz des hessischen Landgrafen (Kat. Nr. 24) um ein *Memento mori*-Schmuckstück, das wohl unabhängig von einem konkreten Todesfall getragen wurde. Der *Memento mori*-Aspekt wird bei diesem Objekt durch die beinahe erschreckende Originalität und vor allem durch den so realistisch ausgearbeiteten Schädel auf besondere Weise zum Ausdruck gebracht. PB

LITERATUR Phillips 2000; Purcell / Vever 2001.

Memento mori-Anhänger der Großherzöge von Baden-Baden 26

Deutschland
um 1620

Gold, Email

Länge gesamt 45 mm

Olbricht Collection, Essen
INV. NR. ANO-MM 039

Der zweiteilige Anhänger aus Gold besteht zum einen aus einem feinen schwarz emaillierten Flechtband, zum anderen aus einem an einer Öse hängenden kleinen Totenschädel auf gekreuztem Gebein aus weiß emailliertem Gold. Die Kombination eines feinen, durchbrochen gearbeiteten Flechtbandes – gerahmt von einem stilisierten Blätterkranz – mit einem Totenschädel findet sich auch bei einer französischen Brosche von ca. 1630. Hier wird ein Totenschädel auf gekreuztem Bein von einem Flechtband gerahmt (Kugel 2000, Nr. 131).

Der Anhänger der Großherzöge von Baden-Baden war unter Großherzog Friedrich I. (1826–1907) im Karlsruher Residenzschloss Teil einer Kunstsammlung, die im Sinne einer Kunstkammer präsentiert wurde (Laue 2002, Nr. 91).

Aus dem frühen 17. Jahrhundert sind nur wenige Trauerschmuckstücke aus Gold erhalten. Ähnlichkeit mit dem vorliegenden Anhänger weist der aus dem Museum für Angewandte Kunst in Köln stammende Anhänger mit Cupido und Totenschädel auf (Kat. Nr. 27). Auch bei diesem Objekt ist ein kleiner weiß emaillierter Totenkopf vorzufinden, der allerdings hier mit einer Krone und einer Cupidofigur kombiniert wurde.

PB

LITERATUR Andrea Linnebach, Schmuck und Vanitas im Barock, in: „…mit schwarzem Schmucke oder mit Perlen" 1995, S. 18; Kugel 2000; Laue 2002.

27 Anhänger mit Cupido und Totenschädel

Deutschland oder Frankreich
3. Viertel des 17. Jahrhunderts

Gold, Email

Länge gesamt 47 mm

Museum für Angewandte Kunst, Köln
INV. NR. G 1005 CL

Der Anhänger besteht aus drei vollplastisch gearbeiteten untereinander gehängten Teilen, die ursprünglich nicht zusammengehörten, aber vermutlich aus der gleichen Zeit stammen (Chadour/Joppien 1985, S. 237; „Von teutscher Not zu höfischer Pracht" 1998, S. 178).

Das oberste Glied des Anhängers bildet eine abgeflachte Krone mit Blattkranz aus Goldblech, die sowohl innen als auch außen in hellblau sowie in weiß *en ronde bosse* emailliert und mit einer schwarzen Gravurzeichnung verziert ist. An der Rückseite der Krone ist eine Halterung angebracht, an der eine kleine in weiß *en ronde bosse* emaillierte Cupidofigur hängt. Diese ist auf einem ovalen Sockel aus blaugrüngelbem Email schreitend im Profil wiedergegeben. Die kleine Amor-Statuette hält einen gespannten Bogen aus transluzidem blauem Email. Das unterste Glied des

Anhängers bildet ein an zwei Ösen hängender, sehr naturalistisch gestalteter Totenschädel, der aus zwei Teilen besteht und sich mittels eines vierteiligen Scharniers öffnen lässt. Der außen in weiß *en ronde bosse* emaillierte Schädel ist zudem mit feinen Knochennähten aus schwarzem Email überzogen. Im Inneren des Totenschädels – in der oberen Kopfhälfte – befindet sich ein gegossenes Halbrelief aus Gold, das in verschiedenen Farben *en ronde bosse* emailliert ist (Abb. 27a). In dem Relief wird die Geburt Christi dargestellt. Im Vordergrund liegt das Christuskind mit weiß emailliertem Körper auf einem blauen Tuch in einem grünen Korb, hinter ihm kniet ein betender Engel mit weißrotblau emaillierten Flügeln und goldenem Gewand. An den Seiten befinden sich ein Esel und ein Ochse aus weißbraunem Email.

27 a

Die Zusammenstellung des Anhängers enthält ein theologisches Programm: Die Krone als Symbol von Macht und Ruhm, die durch den Cupido dargestellte Liebe und der den Tod symbolisierende Schädel sind auf der Schauseite des Anhängers ständig präsent. Durch das Motiv der Geburt Christi auf der Innenseite des Totenschädels wird die Vanitassymbolik gleichzeitig unter die christliche Heilsbotschaft gestellt. Somit werden in dem kleinen Anhänger „die Symbolik irdischen Glücks, seine[r] Vergänglichkeit und schließlich ... [die] Erlösung durch die Menschwerdung Gottes in Christus" vereint. („...mit schwarzem Schmucke oder

mit Perlen" 1995, S. 17). Unter welchen Gesichtspunkten die drei Teile des Anhängers zusammengestellt wurden, ob es einen persönlichen Bezug zwischen dem Träger und dieser Symbolik gegeben hat, ist heute nicht mehr nachvollziehbar (Chadour / Joppien 1985, S. 237).

Der Totenschädel des Anhängers mit Cupido ist beinahe identisch mit einem Totenschädel, der den im Kloster der Elisabethinen in Klagenfuhrt aufbewahrten Rosenkranz der Maria Theresia ziert (Gutkas 1980, Kat.-Nr. 1364). In dem vermutlich in derselben Werkstatt gefertigten Totenschädel wird im Schädelinneren ein vollplastisches Menschenskelett dargestellt. Ein weiterer aufklappbarer Totenschädel ist in Form einer Betnuss im Hannoveraner Kestner-Museum zu finden (Inv. Nr. 1906.82; Schmidt 2005, S. 106). In der aus Lindenholz geschnitzten, möglicherweise in den Südniederlanden Anfang des 16. Jahrhunderts entstandenen Betnuss werden auf der Innenseite die Kreuzigung Christi sowie der Sündenfall wiedergegeben. Der Totenschädel selbst gleicht einem *Memento mori*-Anhänger aus der Sammlung Olbricht (Kat. Nr. 26; Laue 2002, Nr. 91).   PB

LITERATUR Gutkas 1980; Chadour/Joppien 1985; Andrea Linnebach, Schmuck und Vanitas im Barock, in: „...mit schwarzem Schmucke oder mit Perlen" 1995, S. 13–20; „Von teutscher Not zu höfischer Pracht" 1998; Laue 2002; Sabine Schmidt (Bearb.), *Gold, Kokosnuss, Edelstahl: Kunstkammerschätze gestern und heute*, (= Museum Kestnerianum 8), Hannover 2005.

Anhänger: *Tödlein mit Sense*

Deutschland
16. Jahrhundert

Gold, Email

Höhe 36 mm

Kestner-Museum Hannover
Inv. Nr. 1928.256

Provenienz 1928 aus der Sigmaringer Sammlung

Auf einer runden Platte steht ein zierliches, weiß emailliertes Skelett. Bereit zum Einsatz hält es mit beiden Händen eine silberne Sense mit leicht bläulich emailliertem Blatt. Auf dem Schädel ist eine blau emaillierte Öse angebracht, durch die eine Kette gezogen werden konnte.

Darstellungen des Todes als ‚Schnitter' gehen zurück auf den biblischen Vergleich des Menschen mit Gras, Korn und Blumen, die am Morgen blühen und am Abend verdorren (Psalm 90,6) sowie auf den Vergleich des Todes mit der Ernte: „Und du wirst im Alter zu Grabe kommen, wie Garben eingebracht werden zur rechten Zeit" (Hiob 5, 26). Hier hat der Tod beinahe etwas Tröstliches an sich, da er nicht zu früh zu kommen scheint, sondern „zur rechten Zeit".

Zunächst wurde der Tod mit einer Sichel dargestellt. Eine Änderung der Erntepraxis – es wurden nicht mehr nur die Ähren abgeschnitten, sondern der gesamte Halm – führte im frühen 14. Jahrhundert auch zu einer Wandlung der bildlichen Darstellung.

Der Tod wurde nicht länger mit einer Sichel, sondern mit einer Sense ausgestattet (Rosenfeld 1974, S. 11).

Im Kontext höfischen Trauerschmucks stellt der Anhänger aus Hannover eine Seltenheit dar. Weit verbreiteter waren Miniatursärge, denen kleine Skelette entnommen werden konnten (Kat. Nr. 33 und 34). Solche Schmuckstücke konnten individualisiert und zum Gedenken an eine bestimmte Person getragen werden. Das Tödlein mit Sense hingegen verweist ganz allgemein auf die Vergänglichkeit des Lebens. StK

Literatur Helmut Rosenfeld, *Der mittelalterliche Totentanz*, 1974; Sabine Schmidt, *Gold, Kokosnuss, Edelstahl: Kunstkammerschätze gestern und heute*, Museum Kestnerianum 8, Ausstellungskatalog Kestner-Museum 2005, Hannover 2005.

29 *Gedenkmedaillon der Landgräfin Hedwig Sophie von Hessen*

Deutschland (?)
nach 1663

Gold, Email
ZUSTAND Das Email der Deckeloberseite etwas blasig, an der Öse stellenweise
abgeplatzt, die Unterseite der Emailmalerei partiell durchgerieben.

Länge 35 mm, Breite 27 mm

Staatliche Museen Kassel, Hessisches Landesmuseum,
Abteilung Kunsthandwerk und Plastik
INV. NR. II. 392a

INSCHIFT AUF DEM DECKEL „DISSOLVOR";
darunter „EUROPA, AFRICA, TARTARIA, ASIA, HOLANNE";
INSCHIFT VERSO „H S L h"

Die schwach gewölbte hochovale Kapsel zeigt auf dem Deckel in zarten Goldumrissen eine reiche Symbolik: Von der durch Inschriften und Tiere gekennzeichneten Erdkugel schwebt ein geflügeltes Herz zu dem Strahlenkranz mit der Inschrift „DISSOLVOR" empor. Ein aus den Wolken ragender Arm durchschneidet mit einem Schwert das Seil, das das Herz mit der Erde verband („…mit schwarzem Schmucke oder mit Perlen" 1995, S. 65). Die Szene wird rechts und links von zwei Lilien gerahmt.

Die Innenseite des Anhängers ist ebenfalls mit Emailmalerei gestaltet. Im Boden des Medaillons befindet sich eine Rosette, auf der das Portrait der Landgräfin Hedwig Sophie von Hessen lose aufliegt. Auf der Deckelinnenseite ist ein Totenschädel über gekreuztem Gebein gegenübergestellt. Die Inschrift „H S L H" der Rückseite des Medaillons weist Hedwig Sophie Landgräfin von Hessen als Trägerin des Schmuckstückes aus.

Wahrscheinlich nach dem Tod des Landgrafen Wilhelm VI. (gest. 1663) gefertigt, weist der Anhänger mehrere Bedeutungsebenen auf. Zum einen diente er der Witwe als Gedenkschmuck an ihren Ehemann; das zum Himmel schwebende Herz kann wohl mit dem Landgrafen identifiziert werden. Herz und Inschrift „DISSOLVOR" (= ich werde erlöst) offenbaren den Glauben an die Überwindung irdischer Drangsal und verkünden die Hoffnung auf eine christliche Auferstehung. Zum anderen betont die unmittelbare Konfrontation des Portraits der Landgräfin mit dem Totenschädel die eigene Vergänglichkeit. Man könnte in dem Totenschädel sogar das postmortale Portrait der Landgräfin verstehen.

Es lassen sich nur Vermutungen darüber anstellen, wann und wie lange über die festgelegte Trauerzeit (ein Jahr für Ehefrauen) hinaus das Gedenkmedaillon von der Witwe Hedwig Sophie getragen wurde. Vielleicht trug Hedwig Sophie das Medaillon in den späteren Jahren nach dem Tod ihres Mannes nur noch an seinem Geburts- und Todestag, im Sinne eines Jahrgedächtnisses. Sie konnte es aber auch als Meditationsobjekt der eigenen Vanitas tragen, unabhängig vom Gedenken an ihren Mann. Möglicherweise wurde es bei weiteren Todesfällen in der Familie oder bei Hoftrauer erneut eingesetzt.   AG

LITERATUR „…mit schwarzem Schmucke oder mit Perlen" 1995; Schmidberger 2001.

30 *Armbandschließe mit Totenkopf*

Deutschland (?)
Mitte 17. Jahrhundert

Gold, weißes und schwarzes Email
ZUSTAND An der Unterseite ziehen sich Risse (Spannungsrisse) durch das Email.

Höhe 18 mm, Breite 30 mm

Staatliche Museen Kassel, Hessisches Landesmuseum,
Abteilung Kunsthandwerk und Plastik
INV. NR. II. 530

INSCHIFT RÜCKSEITE „Tous / Les Momenst / Nous / Y Conduise"
(= Alle Augenblicke führen uns dahin.)

30 a

Auf der querovalen schwarzen, mit weißen Flämmchen verzierten Grundplatte hebt sich als Relief ein in
weiß und gold erhabener Totenschädel über gekreuztem Gebein ab. Auf der Rückseite rahmen je zwei
gemalte gekreuzte Knochen und Flämmchen eine
Inschrift. Der Vanitas-Symbolik der Motive steht die
tröstliche Botschaft der Inschrift mit ihrer christlich-
protestantisch geprägten Heilsgewissheit gegenüber.
Durch die seitlichen Bügel der Platte wurde vermutlich ein Band aus Perlen, Samt oder Seide gezogen.

Die Armbandschließe ist ein weiteres Stück aus
dem Trauerschmuck der hessischen Landgrafenfamilie,
doch identifiziert die Inschrift keinen bestimmten
Träger. Verglichen mit dem in feinster Emailmalerei
ausgeführten Medaillon der Landgräfin Hedwig Sophie
von Hessen (Kat. Nr. 29) oder mit den Sarganhängern
(Kat. Nr. 33–34) ist die Emailarbeit des Armbandes
etwas gröber.   AG

LITERATUR „…mit schwarzem Schmucke oder mit Perlen"
1995; Schmidberger 2001.

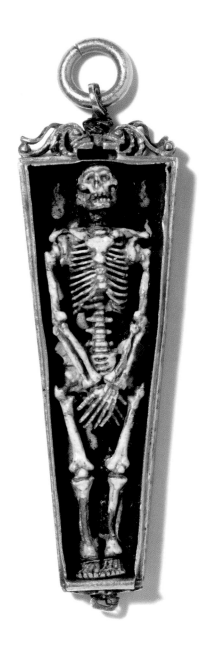

Torre Abbey Jewel 3I

England
nach 1548

Gold, opak weißes, schwarzes und blassblaues Email und transluzid grünes und
dunkelblaues Email
ZUSTAND erheblicher Emailverlust

Länge 72 mm, Breite 23 mm, Höhe 13 mm

Victoria and Albert Museum, London
INV. NR. 3581–1856

INSCHIFT AN DEN SEITEN THROUGH. THE. RESVRRECTION. OF. CHRISTE. WE.
BE. ALL. SANCTIFIED. (= Durch die Auferstehung Christi werden wir alle geheiligt.)

Der heute bekannteste Sarganhänger wird nach seinem Fundort, dem Gelände des Prämonstratenserklosters Torre Abbey in Devonshire, *Torre Abbey Jewel* genannt.

Die Form des Särgleins besteht aus einem sich nach unten verjüngenden Kasten, der mit einem leicht gegiebelten Sargdeckel geschlossen wird. Er ist mit Maureskenornamentik verziert, deren stilisierte Blüten, Ranken und Blätter golden im schwarzen Grubenemail stehen. Im Sarginneren liegt ein weiß emailliertes Skelett, dessen Hände über der Scham gekreuzt sind. Auf dem schwarzen Untergrund, auf dem das Skelett gebettet ist, sind kleine zungenförmige Flämmchen in weißem Email erkennbar. Wahrscheinlich wurde das Särglein als Anhänger mit einer Kette getragen, die an der am Kopfende befindlichen Öse befestigt werden konnte.

Der englische Text entlang der Sargseiten bestätigt neben dem Fundort, dass das Stück englischer Herkunft ist, obwohl das Ornament der Mauereske international verbreitet war. Die aus dem Islam stammende Ornamentik wurde durch zahlreiche Veröffentlichungen von Kupferstichen, beispielsweise von Vergil Solis, in ganz Europa verbreitet und erreichte besondere Beliebtheit zwischen 1530 und 1550. Das älteste in England publizierte Musterbuch war Thomas Geminus' *Morysse and Damashin renewed and increased, very profitable for Goldsmythes and Embroderers* von 1548. Jill Hollis argumentiert für eine wahrscheinliche Datierung des Torre Abbey Jewel zwischen 1540 und 1550, führt aber an, dass das Maureskenornament in England schon seit etwa 1530 wohlbekannt war (Hollis 1980, S. 7 und 51). Dagegen zieht Jutta Schuchard für das Entstehungsdatum die Zeit nach dem Erscheinen des Stichwerks von Geminus in Betracht (Vergänglichkeit für die Westentasche 2005, S. 49).

Das Victoria and Albert Museum besitzt ein weiteres emailliertes Skelett mit identischen Maßen, das auf die Existenz eines zweiten derartig großformatigen Sarganhängers schließen lässt (Inv. Nr. M.275–1977). Es wird nach England in das späte 16. Jahrhundert datiert. Ein weiterer Sarganhänger aus einer Privatsammlung, um 1550 datiert (Kat. Nr. 32), ist dem Torre Abbey Jewel verwandt durch das große Format (Länge mit Öse 86 mm) und die Verzierung des Deckels mit Maureskenornament.

Die *Memento mori*-Funktion scheint bei den Sarganhängern des 16. Jahrhunderts im Vordergrund gestanden zu haben. Im Vergleich zu den bekannten Sarganhängern des 17. Jahrhunderts haben sie ein ungewöhnlich großes Format und sind reich dekoriert. Jedoch lassen sich bei den frühen Exemplaren weder die Auftraggeber noch der Anlass für die Herstellung der Sarganhänger belegen. Allein die Seltenheit und Kostbarkeit der verwandten Materialien lassen darauf schließen, dass nur hochgestellte, wohlhabende Personen des Adels, der Geistlichkeit und des Patriziats als Auftraggeber und Träger solcher Schmuckstücke in Betracht kommen.

Eine Verbindung zwischen dem Prämonstratenserkloster in Devonshire und der Entstehung des Torre Abbey Jewels ist nicht nachweisbar. König Heinrich VIII. ordnete in den späten 1530er Jahren die Auflösung und Schließung der Klöster an – das Schmuckstück scheint aber nicht vor den 1540er Jahren entstanden zu sein.

Teile des Torre Abbey Klosters wurden mit der Zeit in Privatwohnsitze umgewandelt. Bis zur Erwerbung durch das damalige South Kensington Museum in London (heute Victoria and Albert Museum) im Jahre 1856, ist nichts über die weitere Geschichte des Juwels bekannt. Wahrscheinlich wurde es von der Cary Familie verkauft, die von 1662 bis ins frühe 20. Jahrhundert in der ehemaligen Abtei lebte. AG

LITERATUR Geminus 1548; Ariès 1980; Hollis 1980; Litten 1991; Llewellyn 1991; Vergänglichkeit für die Westentasche 2005.

Anhänger in Sargform   32

Deutschland (?)

16. Jahrhundert

Gold, Bergkristall, weißes und schwarzes Email

Länge mit Öse 86 mm

Privatbesitz

INSCHIFT „FUI NON SUM – ESTIS NON ERITIS" (Ich war – ich bin nicht – ihr seid – ihr werdet nicht sein.)

Der Goldsarg verjüngt sich zu den Füßen hin und wird mit einem leicht gewölbten Deckel geschlossen. Innen wie außen ist das Särglein mit Maureskenornament verziert, dessen goldene Ranken sich vom schwarzen Grubenemail kontrastreich absetzen. Im oberen Viertel des Runddeckels gibt ein klares, achteckig geschliffenes Bergkristallfenster den Blick auf einen Totenschädel frei. Durch das Lösen des Scharnierverschlusses lässt sich der Deckel aufklappen, so dass das im Sarginneren liegende, weiß emaillierte Skelett zur Gänze sichtbar wird. Es liegt eingebettet mit über der Scham gekreuzten Händen. Seine Position entspricht allen hier ausgestellten Skelettchen der Sarganhänger. Laut Julian Litten ist es eine der drei übichen Positionen, in denen Leichen nachweislich ab dem 15. Jahrhundert bestattet wurden. Anstatt die Hände wie im Gebet über der Brust oder dem Bauch zu falten oder einfach übereinander zu legen, scheint die Position mit den über der Scham gekreuzten Händen – die Rechte über die

Linke gelegt – größte Ruhe auszustrahlen (Litten 1991, S. 60).

Die Inschrift erinnert an die Legende von den drei Lebenden und den drei Toten. Die Legende berichtet, wie drei hochmütige Edelleute in einsamer Gegend über einen Friedhof gehen. Plötzlich stehen drei Tote vor ihnen, deren Körper sich in unterschiedlich fortgeschrittenen Verwesungsstadien befinden (Rotzler 1961). Sie rufen den drei Edelmännern zu: „Quod fuimus, estis, quod sum eritis" (= Was ihr seid, das waren wir; was wir sind, das werdet ihr sein). Sie ermahnen sie, mitten im Leben schon an den Tod zu denken, von weltlichen und vergänglichen Genüssen abzusehen und ein Gott gefälliges Leben zu führen.

Der Sarganhänger gibt, wie schon das Torre Abbey Jewel (Kat. Nr. 31), keinen Hinweis auf den Auftraggeber oder die Funktion, in der das Schmuckstück getragen wurde. Die *Memento mori*-Thematik ist durch die Inschrift und das Deckelfenster für den

Betrachter wesentlich direkter als beim Torre Abbey Jewel.

Ein vergleichbarer durchsichtiger Sarganhänger befindet sich im British Museum (Inv. Nr. HG (Hull Grundy Gift) 117). Er wird ebenfalls in das 16. bis 17. Jahrhundert datiert und weist als Motive auf der Rückseite Flammen, Totenschädel über gekreuztem Gebein und ein kostbares Gefäß, das eventuell ein Weihwassergefäß darstellt, auf. Der verwendete Bergkristall symbolisiert Reinheit und Glaubensstärke.

Ähnlich dem Torre Abbey Jewel ist der großformatige Anhänger aus Privatbesitz mit Maureskenornamentik verziert, wobei die Blätter fleischiger und großblättriger sind als die feinen Verschnörkelungen des englischen Pendants. Jedoch zeigen einige Mauresken in Vergil Solis' Vorlageblättern, die als Musterbücher weite Verbreitung gefunden hatten, vergleichbare fleischige Blätter. Ein Entstehungsort lässt sich nicht genau zuordnen. Möglicherweise ist der Anhänger in einem der großen Goldschmiedezentren entstanden, wie beispielsweise in den habsburgischen Niederlanden oder in Frankreich. Jedoch auch Nürnberg als

das deutsche Goldschmiedezentrum und Heimat des Kupferstechers Vergil Solis kann in Betracht kommen. Dafür spricht auch, dass sich die bisher bekannten Exemplare, mit Ausnahme des nicht näher zu bestimmenden Särgleins aus dem Hull Grundy Gift, nur in England und Deutschland – insbesondere in Hessen (Kat. Nr. 33–34) – nachweisen lassen.

Die Ausführung des Skeletts ist etwas ungelenk, übergroß sind Kopf und Hände, die Beine sind zu kurz proportioniert. Die Verzierung des Sarges wirkt etwas gröber und schematischer als die reiche Ornamentik des Torre Abbey Jewels. Daher ist anzunehmen, dass auch die plumpere Gestaltung des Skeletts zu der originalen Ausführung gehört. Insgesamt ist die Gestaltung der Mareske eigenständig, Form und Ausführung lassen auf ein späteres Entstehungsdatum als das des Torre Abbey Jewel schließen. AG

LITERATUR Rotzler 1961; Ilse O'Dell-Franke, *Kupferstich und Radierungen aus der Werkstatt des Vergil Solis,* Wiesbaden 1977; Litten 1991; Meininghaus 2001; Vergänglichkeit für die Westentasche 2005.

33 *Anhänger in Sargform zum Gedächtnis an Landgräfin Amelie Elisabeth von Hessen-Kassel*

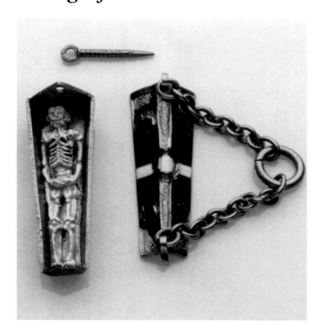

Deutschland
nach 1651

Gold, Email
ZUSTAND Das Email ist am Sargdeckel im Bereich der Ösen abgeplatzt. Ebenso fehlt Email am Kopf- und Fußende des Sarges, an einem Kranz an der Seite und an den Nieten der Unterseite, die das Skelett halten.

Länge 25 mm, Breite 9 mm, Höhe 10 mm

Staatliche Museen Kassel, Hessisches Landesmuseum, Abteilung Kunsthandwerk und Plastik
INV. NR. B II. 537

INSCHIFT DECKELINNENSEITE „IHR.DOT. BEDRÜBT.MICH / .Ihr:AUFFER: STAUUNG. ERFRE / Ytt mich".
INITIALEN AN KOPFSEITE IM SARG „A.L.Z.H" = A(melie Elisabeth) L(andgräfin) Z(u) H(essen-Kassel)

Der Anhänger in Form eines Miniatursarges stellt ein ungewöhnliches Schmuckstück aus dem erhaltenen Trauerschmuck des 17. Jahrhunderts der landgräflichen Familie von Hessen-Kassel dar. Der goldene Sargkasten ist zu den Füßen hin verjüngt, die leicht schräg stehenden Seitenwände erweitern zierlich die Öffnung. Ein Giebeldeckel schließt das Gehäuse ab und wird mit einer großen Goldschraube am Kopfteil des Sargleins fixiert. Er ist mit einem weißen Emailkreuz und fünf grün emaillierten Lorbeerkränzen geschmückt, die sich an den vier Ecken und in der Kreuzesmitte befinden. Ihre Symbolik verweist auf den Kreuzestod Christi und die Auferstehungshoffnung. Löst man die Schraube am Kopfteil, so ist der Deckel mit der Kette abhebbar. Im Inneren liegt ein weiß emailliertes Skelett, dessen Hände über der Scham gekreuzt sind.

Möglicherweise könnte das Särglein von Amelies Schwiegertochter Landgräfin Hedwig Sopie (1623–1683) getragen worden sein, aber auch ihr Sohn, Landgraf Wilhelm VI. (1637–1663) kommt als Auftraggeber und Träger des Gedenkschmuckes in Betracht. Dass auch Männer derartige Stücke getragen haben, belegt der Sarganhänger zum Gedächtnis Georgs II. von Hessen-Darmstadt (Kat. Nr. 34).

Das Schmuckstück ist eher der Erinnerung an die 1651 verstorbene Landgräfin Amelie Elisabeth, Gemahlin Wilhelms V., als dem Gedenken der eigenen Vergänglichkeit gewidmet. Zwar nimmt das Särglein die Form eines realen Sarges an, doch tröstet die Widmung den Träger mit dem Glauben an die Auferstehung der Toten. Die Dekoration des Sarges unterstützt diese Deutung: Lorbeer, als immergrüne Pflanze, symbolisiert Unsterblichkeit; in Kombination mit dem Kreuz steht er wiederum für die Auferstehung und Erlösung der Toten.

Die Form des Sarganhängers – ein einfacher, sich nach unten verjüngender Kasten mit Giebeldach – war seit dem 15. Jahrhundert bis ins 18. Jahrhundert verbreitet (Litten 1991, S. 89 ff.; Vom Totenbaum zum Designersarg 1994).

In der Zeit der Aufklärung wurde das Schmuckstück 1778 von Amelies Nachfahren Landgraf Friedrich II. von Hessen-Kassel in das Museum Fridericianum überführt und dort im „Pretiosen-Schrank" ausgestellt. Im Museums-Kontext aufbewahrt, verlor es seine Gedenkfunktion: schon im 1827 verfassten Inventar Ludwig Völkels war die Auflösung der Initialen nicht mehr bekannt.   AG

LITERATUR Litten 1991; Vom Totenbaum zum Designersarg 1994; „…mit schwarzem Schmucke oder mit Perlen" 1995; Borggrefe 1997; Schmidberger 2001; Laue 2002; Laue 1999; Vergänglichkeit für die Westentasche 2005.

Anhänger in Sargform zum Gedächtnis an Landgraf Georg II. von Hessen-Darmstadt   34

Deutschland
nach 1661

Gold, Email

Länge 25 mm, Breite 13 mm, Höhe 10 mm

Olbricht Collection, Essen
INV. NR. ANO-MM 055

INSCHIFT DECKELINNENSEITE „ICH WERDE LEBENS / LANG MIT ZÄHREN / LLHZ / DEIN VIEL ZU LIEB / GEDECHNIS EHREN".

Der Anhänger in Sargform zum Gedächtnis an Landgraf Georg II. ist fast identisch mit dem Sarganhänger
zur Erinnerung an Landgräfin Amelie Elisabeth von
Hessen-Kassel (Kat. Nr. 33). Beide Anhänger werden
quer getragen.

Die Kettenglieder sind weiß emaillierte und durch
Ösen verbundene Knöchelchen. Der schwarz emaillierte Sarg verjüngt sich zum Fußende, gleichzeitig aber
auch zum Boden. Den Giebeldeckel und die Korpus-
seiten zieren ein weiß emailliertes Kreuzband sowie
gekreuzte Röhrenknochen. Entnimmt man den schrau-
benförmigen Stift, kann der Giebeldeckel abgenom-
men und das im Sarg liegende Skelett herausgenom-
men werden.

Die Initialen „LLHZ" verweisen auf den Träger,
Landgraf Ludwig IV. zu Hessen-Darmstadt, Sohn
Georgs II. Die zweite Inschrift „.G.II.L.Z.HF.Z.H."
auf der Unterseite des Särgleins bezeichnet den
Verstorbenen, Landgraf Georg II. von Hessen-Darm-
stadt (gest. 11. Juni 1661), den Vater Ludwigs IV.

Beide Inschriften machen die Funktion des Anhängers
als persönlichen Gedenkschmuck deutlich. Er ist als
funerales Ehrenzeichen für den Verstorbenen zu interpretieren. Im 17. Jahrhundert veranschaulichten Adel
und Klerus mit derartig kostbarem Gedenkschmuck,
und noch viel direkter durch besonders prachtvolle
Begräbnisse, die Bedeutung ihrer Dynastie und die
internationalen Familienbande. Interessanterweise
stammen von den drei bekannten Sarganhängern
deutscher Herkunft zwei aus den beiden hessischen
Landgrafenfamilien. Diese beiden Familien waren
zwar eng miteinander verwandt, bekannten sich
jedoch zu unterschiedlichen Konfessionen. Möglicherweise diente der Gedenkschmuck über seine funerale
Funktion hinausgehend als Medium dynastischer
Repräsentation und als Prestigeobjekt. Während die
Landgräfin Amelie Elisabeth die reformierte Kasseler
Linie vertrat, bekannte sich die Darmstädter Familie
des Landgrafen Georg II. zur lutherischen Konfession.
Ein weiterer, schwarz- weiß emaillierter Sarganhänger

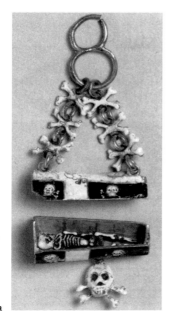

34a

deutscher Herkunft, um 1650/60 datiert, befindet sich in der Sammlung des Victoria and Albert Museums (Abb. 34a; Inv. Nr. M. 74–1975). Die Initialen „I. G. S." oberhalb des Schädels und die Inschrift des Deckels „HIE. LIEG. ICH. VND. WARTH. AVF. DIH" lassen Deutschland als Herkunftsland vermuten. Zwar ließen

sich die Initialen des Verstorbenen bisher nicht entschlüsseln, jedoch gibt es Analogien in der Gestaltung zum Anhänger des Landgrafen Georg II. Die Gestaltung der Kettenglieder als gekreuztes Gebein, der Totenschädel-Anhänger unterhalb des Sarges und die Akzentuierung des Kreuzes mit dem Totenschädel-Gebein sind in ähnlicher Art und Weise auch auf dem Sarganhänger des Landgrafen zu finden.   AG

LITERATUR „…mit schwarzem Schmucke oder mit Perlen" 1995; Borggrefe 1997; Kugel 2000; Schmidberger 2001; Laue 2002; Laue 1999; Vergänglichkeit für die Westentasche 2005.

Der Sarganhänger erweist sich in mehrfacher Hinsicht als ein außergewöhnliches Objekt. Er ist aus Silber gefertigt, aber noch ungewöhnlicher ist seine Gestaltungsweise und Symbolik (Vergänglichkeit für die Westentasche 2005, S. 54). Der kleine Sarg ist in der Form aus England stammenden Objekten vergleichbar. Auf dem leicht gewölbten Deckel befindet sich mittig das Symbol des Ouroboros, es beißen sich zwei ineinander verschlungene Schlangen jeweils selbst in den Schwanz. Dieses Symbol wird bereits auf altägyptischen Särgen und später in der Antike in der Grabmalskunst verwendet, das mystische Symbol mit seinem Ring- oder Kreismotiv steht für die Ewigkeit, den ewigen Kreislauf von Leben und Tod und die Unsterblichkeit (Lurker 1991, S. 723ff.; Cooper 1986, S. 203). Seit dem 17. Jahrhundert wird es vereinzelt in der Grabmalskunst verwendet, im Klassizismus regelmäßig (Sörries 2002, S. 236).

Das Symbol des Ouroboros wird in dieser Zeit von Pietisten verwendet, aber auch von dem im 18. Jahrhundert in England gegründeten Geheimbund der Freimaurer (Rietschel 1979, S. 101; Lennhoff 2000, S. 865). Die Grabmalskunst der Freimaurer wie auch ihre Riten bieten einen Hinweis auf die Provenienz des Sarganhängers. Das in die Loge aufgenommene Mitglied streift sein altes Leben ab (Tod) und erfährt

Anhänger mit Springtödlein   35

England (?)
1780–1800

Silber, Gold- und Kupferauflagen

Länge 27 mm, Breite 12 mm, Höhe 8 mm

Museum für Sepulkralkultur, Kassel
INV. NR. M 1996/24

im Bund ein neues Leben (Wiedergeburt). Jede Aufnahme in einen höheren Grad, vom Lehrling zum Meister, wird in einem Ritus von Sterben und Wiedergeburt zelebriert (Horneffer 1924, S. 50; Lennhoff 2000, S. 841). „Zu den Einweihungsritualen der Freimaurerlogen gehörte die Konfrontation mit Symbolen der Vergänglichkeit wie Gerippe, Totenkopf und Schlange" (Rietschel 1979, S. 101). Ob der Sarganhänger in einem freimaurerischen Kontext entstand, ist zwar nicht sicher, aber es ist augenfällig, dass in der Gestaltungsweise des Sarganhängers der Gedanke an die Unsterblichkeit sowie an den Kreislauf von Leben und Sterben durch das Symbol des Ouroboros hervortritt. Die Zypresse, die sich hinter dem Ouroboros verbirgt, deutet ebenfalls die Unsterblichkeit an. An der Korpuslängsseite befinden sich Sterne, Totenschädel über Gebein, sowie an der Fußseite ein Stundenglas.

Die klein dargestellten Symbole der Vergänglichkeit treten zurück hinter dem Gedanken an die Ewigkeit und die Unsterblichkeit mit der Symbolik des hier groß und zentral dargestellten Ouroboros. Betätigt man den kleinen Knopf an der Korpuslängsseite, öffnet sich der Deckel und ein Skelett springt heraus. Dieses Aufspringen des menschlichen Skeletts ist ein Symbol der Wiedergeburt.

Ein Vergleichsobjekt mit aufspringendem Skelett aus dem 18./19. Jahrhundert befindet sich im Science Museum, London (Inv. Nr. A 641823). Die Gehäuseform ist nahezu gleich, die Ränder des Sargdeckels zeigen nietenähnliche Einfassungen. Auf dem Sargdeckel ist mittig die äußere Form eines Sarges wiedergegeben. Die Sarkophagform ziert im Klassizismus auch die Bildfelder von Ringen und Broschen, sie erinnert an die Grabstätte des Verstorbenen. Am Fußende ist eine Urne dargestellt, am Kopfende befindet sich ein weiteres Gefäß. Auf den schmalen Korpuslängsseiten sind kleine Sargbeschläge eingearbeitet. Der Haken dieses Sarganhängers befindet sich an der Kopfseite, der Knopf zum Öffnen und Herausspringen des Skeletts an seiner Fußseite.   BM

LITERATUR Holländer 1923; Horneffer 1924; Frederick Parker Weber, *Aspects of Death and Correlated Aspects of Life in Art, Epigram and Poetry,* 4. Aufl., New York 1971; Christian Rietschel, Grabsymbole des frühen Klassizismus, in: Hans-Kurt Boehlke (Hg.), *Wie die Alten den Tod gebildet, Wandlungen der Sepulkralkultur 1750–1850,* Bonn/Bad Godesberg/Mainz 1979, S. 95–103; Ariès 1980; J. C. Cooper, *Illustriertes Lexikon der traditionellen Symbole,* Wiesbaden 1986; Manfred Lurker, *Wörterbuch der Symbolik,* Stuttgart 1991; Jutta Schuchard, Schmuck des „empfindsamen Zeitalters", sepulkrale Motive auf Ringen, Broschen und Anhängern des 18. Jahrhunderts, in: „…mit schwarzem Schmucke oder mit Perlen" 1995, S. 28–39; Eugen Lennhoff, Oskar Posner und Dieter A. Binder (Hg.), *Internationales Freimaurerlexikon,* München 2000; Rainer Sörries, *Großes Lexikon der Bestattungs- und Friedhofskultur, Wörterbuch zur Sepulkralkultur, volkskundlich-kulturgeschichtlicher Teil: Von Abdankung bis Zweitbestattung,* hg. vom Zentralinstitut für Sepulkralkultur Kassel, Braunschweig 2002; Vergänglichkeit für die Westentasche 2005.

36 *Zahnstocher*

England (?)
ca. 1620

Gold, Rubin, weißes und schwarzes Email

Länge 38 mm

Victoria and Albert Museum, London
INV. NR. M.32–1960

Der Zahnstocher hat die Form eines weiß emaillierten Armes, der in seiner Hand eine goldene, stark gebogene Sichel hält. Am Ellenbogen des Unterarmes sitzt auf einer Spitzenrüsche ein kleiner Totenkopf, der wie ein Miniaturknauf das Greifen des Zahnstochers erleichtert. Ein viereckiger, in einfacher Zarge gefasster Rubin schmückt die vordere Mitte des Unterarmes. Die Finger sind mit einer schwarzen Emaillinie klar konturiert. Die ganze Gestalt des Zahnstochers ist dem Gedanken des *Memento mori* verpflichtet. Der Totenkopf und der Arm mit Sense – als Symbol des Sensenmannes – erinnern an Sterben und Tod.

Zahnstocher kennen wir aus der griechischen und römischen Antike und aus Arabien. In Mitteleuropa sind sie erstmals im 14. Jahrhundert belegt und zwar in den Berichten von Minnesängern, die das höfische Leben in allen Einzelheiten beschrieben. Eine Verfeinerung der Lebensführung beinhaltete eine Neubewertung der Tischkultur, die ganz besonderen Wert auf die Befolgung bestimmter Anstandsregeln und guter „Tischzuchten" legte.

Einfache Zahnstocher fertigte man aus dem Mastixholz oder aus Fenchel, aber auch Hühnerknöchelchen oder lange Vogelkrallen nutzte man zur Reinigung der Zähne. Im Frankreich des 16. Jahrhunderts steckte man sie bei Tisch gleich in die kandierten Früchte, die als Nachtisch gereicht wurden. Wertvolle Zahnstocher sind jedoch erst seit Beginn des 17. Jahrhunderts bekannt und können vielfältig geformt sein.

Neben aus Bronze oder Gold gezogenen Stiften gibt es auch haken- oder sichelförmige Exemplare, um das Stochern zu erleichtern. Ganze Toilettengarnituren mit Zahnstocher, Jagdpfeife, Ohrlöffeln und Zungenschaber konnten, an einer Öse befestigt, an der Kleidung getragen werden. Das *Trachtenbuch* von Hans Weigel (1577) zeigt den Zahnstocher als Kettenanhänger und damit als repräsentatives Schmuckstück. Solch ein Schmuck stellte nicht nur den Wohlstand, sondern auch die Vornehmheit und gute Erziehung des Trägers zur Schau. In Shakespeares *Wintermärchen* heißt es gar, einem Manne sei sofort am Zahnstocher anzusehen, dass er von vornehmer Herkunft sei: "He seems to be more noble in being fantastical; a great man, I'll warrant; I know by the picking on's teeth" (IV,3).

Ab der Mitte des 17. Jahrhunderts geht die Sitte, Zahnstocher künstlerisch zu verzieren und sie als Prunkstücke zu tragen, allmählich zu Ende.

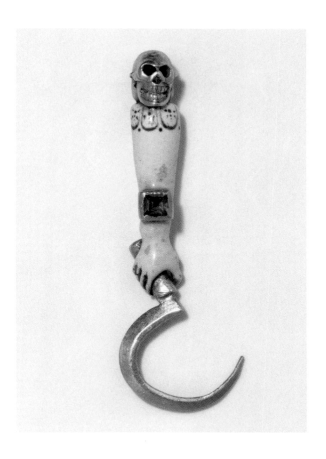

Dieser besonders prachtvoll gearbeitete Zahnstocher wird in das frühe 17. Jahrhundert zu datieren sein. Dass der Zahnstocher ein *Memento mori*-Objekt darstellt, welches die Lebenden zeittypisch an Sterben und Tod erinnerte, kontrastiert mit der medizinisch hygienischen Vorsorge, die zumindest den Zahnverfall verlangsamt hat.   AG

LITERATUR Kanner 1928; Sachs 1967.

Eine Schädelparüre

Luitgard Korte
2004

Halskette, Ohrhänger und Ring,
verschiedene Materialien, Silber

Im Besitz der Künstlerin

Die Arbeit von Luitgart Korte hat einen doppelsinnigen Namen, denn die Parüre dient zumindest teilweise dem Schmuck des Kopfes / Schädels und sie enthält verschiedene kleine Schädeldarstellungen als wesentliche Motive. Sie entstand im Rahmen der Ausstellung *Mittelalter Jetzt!* im Museum Schnütgen, in der Kölner Künstler sich 2004 in der Sammlung des Museums „Dialogobjekte" ausgesucht haben, zu denen sie eine eigene Arbeit herstellten.

37

Korte stellte ihr Schmuckensemble in Relation zu der mexikanischen Paternosterkette (Kat. Nr. 51), in der sich *Memento mori* und Heilsgwißheit vielfach verschränken. In einer Reihe von winzigen, aufklappbaren Totenköpfen, kunstvoll aus dunklem Hartholz geschnitzt, verbergen sich dort Mikroschnitzereien aus hellem Holz mit Szenen der gesamten Heilsgeschichte vor einem schillernden Hintergrund aus Kolibrifedern.

Die Goldschmiedin greift in der Zusammensetzung ihrer Parüre den auch bei der Paternosterkette deutlichen Aspekt des Wunderkammerstücks auf, indem sie Altes und Wundersames kunstvoll zusammenfügt. In jedem der drei zur Parüre gehörenden Schmuckstücke ist das Thema des Totenschädels wesentlich. Im Verschluß der Halskette stoßen zwei silberne Totenschädel aneinander. An der Kette hängen weitere Totenkopfpendants, eine kleine deutsche Porzellanarbeit um 1920 und eine japanische Obstkernschnitzerei um 1900 zusammen mit einem barocke Rechenpfennig von 1650 mit Totenkopf (Umschrift: Bedenke das Letzte und sündige nicht) und einer Lagenachatgemme von 1863, die wiederum einen Totenkopf zeigt. Dazwischen hängt ein Bergkristall-

tropfen, der an einen Träne erinnert. Ein ähnlicher Bergkristalltropfen schmückt einen der Ohrhänger, während der andere das Gegenstück des japanischen Schädels von der Halskette trägt. Am Ring ist das Motiv der gegeneinander gestellten silbernen Totenschädel vom Verschluss der Halskette variiert und mit einem Sternsaphir und einem Bergkristall verbunden. So vergegenwärtigt der Schmuck zugleich die „Reflektion über das Ende und den Tod", erlaubt aber auch dem …„der glauben kann, im Jenseits Trost und Hoffnung auf Erlösung von diesem Leben zu finden" (Korte). HWA

UNVERÖFFENTLICHT

WENDEKÖPFE

Ad imaginem Mortis

O Mensch, mit Fleiß anschaue mich!
Wie du jetzt bist, so war auch ich,
Jung, schön und stark, aufs hübscht geziert,
Gleich wie ein Bild artig formiert.

Jetzund bin ich nur Asch und Staub,
Mein Fleisch die Würm han zu eim Raub,
Adel, Kunst, Ehr, Geld, Gut und Pracht –
Der Tod hat alls zunicht gemacht.

Wer ist, der mich jetzt kennen kann,
Ob ich einst war ein Edelmann,
Ein Fürst, ein Graf, Herr oder Knecht,
Ein Bürger oder Bauer schlecht?
[…]

Sebastian Heyd (1494–1561)

Wendeköpfe gehören seit dem späten Mittelalter zur *Kultur des Todes.* Meist aus Elfenbein, seltener aus Hartholz und meist 40 bis 60 mm hoch, legen sie dem Betrachter das *Memento mori-*Thema buchstäblich in die Hand und wurden schnell zu Sammlerstücken. In Wendeköpfen sind Reliefs von Menschengesichtern mit einem Totenschädel zu einer plastischen Gesamtform zusammengefügt. Das macht beim hin- und her Wenden die Vergänglichkeit in einem kleinen, kunstfertigen Gegenstand von verschiedenen Seiten begreifbar. Stete Begleiter dieser Miniaturskulpturen sind kleine Tiere wie Eidechse, Frosch oder Kröte, Würmer und Schlangen, Tiere, die in der mittelalterlichen Ikonographie als ,Höllenbrut' für Sündhaftigkeit und die Abwendung von himmlischen Dingen stehen. Dadurch werden sie auch zu Zeichen für Vergänglichkeit, Tod und Sünde, obwohl sie biologisch nichts mit dem Verwesungsprozess zu tun haben.

Sehr häufig stehen Wendeköpfe als einzelne, herausgehobene Paternosterperle im Kontrast zu der einheitlichen Folge von Aveperlen in einer *Zehner* genannten Schnur oder einem Rosenkranz. So finden sie direkten Eingang in das Gebet, wo am Schluss des Avemaria immer die Bitte um Beistand in der Todesstunde steht. Seltener werden Wendeköpfe auch als Stock- oder Deckelgriffe verwendet, dann sind sie im Gegensatz zu Rosenkranzperlen nicht ganz durchgebohrt.

Rosenkranzperle mit Memento mori 38

Niederlande oder Nordfrankreich (?)
um 1525–50

Elfenbein

Höhe 50 mm

Victoria and Albert Museum, London
Inv. Nr. 2149–1855

Inschriften AMOR M(un)DI; VADO MORI;
SEQUERE ME; EGO SUM

Bei diesem ungewöhnlichen Wendekopf sind vier Halbfiguren Rücken an Rücken miteinander verbunden und durch Spruchbänder sowie umgreifende Arme verkettet. Dabei handelt es sich nicht, wie öfters anzutreffen, um Papst, Kaiser, Bauer und Tod (vgl. Zehner, 16. Jahrhundert, Victoria and Albert Museum, Inv. Nr. 281–1867; Zehner, um 1520, Kopenhagen Nationalmuseum), sondern um einen Jüngling, einen Sterbenden, einen Dämon und den Tod.

Die Reihe beginnt mit einem vornehm gekleideten Herrn, mit pelzbesetztem Mantel und schmuckverziertem Hut. Seine Haare fallen bis auf die Schultern und in der rechten Hand hält er einen Kelch.

Begleitet wird er durch den Spruch „AMOR M(un)DI" (Die Liebe zur Welt), der am unteren Rand eingeritzt ist. An seinem Rücken steht ein Sterbender, vielleicht er selbst. Abgemagert bis auf die Knochen hält er beide Hände vor dem Körper verschränkt. Sein Kopf fällt nach vorne, als wäre sein Gewicht zu schwer. Dabei ist der Mund geöffnet, als ringe er nach Luft oder spräche seine letzten Worte. Diese stehen auf seinem Stirnband verewigt: „VADO MORI" (Ich gehe zu Tode). Seine Augen sind schon halb geschlossen und die Stirn liegt in Falten. Die kalte Hand des Todes greift bereits nach ihm und fasst ihn am Brustkorb in der Nähe des Herzens. Zu seiner Linken wendet sich ihm ein Dämon zu. Dessen Körper ist über und über mit Fell bedeckt und sein Leib trägt eine für mittelalterliche Teufelsdarstellungen typische Fratze. Der Dämon hat sein Maul weit geöffnet und ein Spruchband (Maskell 1872, S. 6) schlängelt sich in Richtung des Sterbenden. Sein rechter Arm ist unter dem Arm des Abgemagerten durchgesteckt, als wolle er ihn wegzerren. Seinen linken Arm hält er dicht an den Kopf gepresst. Augen und Nase sind nur schemenhaft durch Kugeln und durch einen dicken Strich gekennzeichnet. Begleitet wird er von dem Spruch „SEQUERE ME" (Folge mir!). Die letzte Halbfigur ist der Tod persönlich: ein Knochenmann mit Stundenglas in der rechten Hand und Schlangen auf dem Kopf. Der Unterkiefer fehlt. „EGO SUM" (Ich bin) spricht der Tod.

Ikonografisch ist die Perle der *Ars moriendi* verwandt (vgl. Kat. Nr. 1). Ein Sterbender wird auf dem Totenbett von Dämonen geplagt und verführt. Sie sind die Strafe für ein den weltlichen Genüssen zugewandtes Leben, das durch den reichen Herrn symbolisiert wird. Der Krug, die Kleidung und nicht zuletzt der Spruch „Die Liebe zur Welt" zeugen von der Hingabe zur Diesseitigkeit, die in der christlichen Lehre als vergänglich und verderbenbringend galt. Deshalb wird auch im Gleichnis vom armen Lazarus und dem reichen Prasser dieser wegen seiner Missachtung des Armen später von Dämonen geplagt.

Der Dämon wurde von Weber (1971, S. 774) und Maskell (1872, S. 6) als verwester Mensch gedeutet, wohl in Zusammenhang mit der Inschrift „Folge mir". Diese Interpretation ist jedoch aufgrund der Ikonographie der *Ars moriendi* – auch hier bedrängen Dämonen den Sterbenden – eher unwahrscheinlich, denn in dem Fall würde eine Leiche einen Sterbenden um Nachfolge bitten und sich an ihm festhalten.

Datiert wird der Wendekopf aufgrund der Kleidung des Herrn auf die erste Hälfte des 16. Jahrhunderts. Sie legt außerdem eine Entstehung in den Niederlanden oder dem nördlichen Frankreich nahe (Weber 1971, S. 774, Maskell 1905, S. 249. Anders: Maskell 1872, S. 6: Deutschland, 15. Jahrhundert).

Vergleichbare Stücke finden sich am Zehner des Museum Schnütgen aus der Sammlung Ludwig (Kat. Nr. 41, dritter Wendekopf von oben). Zwischen den sterbenden Halbfiguren und dem kleinen Kopf, der an der Unterseite zwischen Sterbenden und Tod platziert ist, und dem Dämon besteht eine verblüffende Ähnlichkeit. Die beiden Wendehäupter dürften in der gleichen Werkstatt oder zumindest nach einer gleichen Vorlage geschaffen worden sein. SuK

LITERATUR Maskell 1872; Maskell 1905; Weber/Holländer 1923; Longhurst 1929; Möller 1965; Weber 1971 (Orig.: 1910); Barnet 1997; *Der Rosenkranz:* Andacht, Geschichte, Kunst, Bern 2003.

wohl Franco-Flämisch
um 1550

Elfenbein

Höhe 70 mm

Kunstkammer Georg Laue München

Inschift „TES . OVERE . SVI . SERES . EN . MOI VOVS MI . RES"

Der außergewöhnlich große Wendekopf zeigt auf der einen Seite das in Verwesung begriffene Antlitz eines Mannes und auf der Rückseite den eigentlichen Totenschädel. Die aus den beiden Schädelöffnungen hervorkriechenden Tiere verdeutlichen in drastischer Weise den Zustand der Verwesung. Das auf beiden Stirnhälften laufende lateinische Schriftband verweist mit seinem Text auf die unabänderliche Vergänglichkeit des Betrachters. Ein vergleichbarer Wendekopf befindet sich u. a. in der Sammlung des Metropolitan Museums in New York (Inv. Nr. 17.190.306)   GeL

Literatur Laue 2002.

40 *Kleiner Wendekopf*

Deutsch oder Flandern
1. Hälfte 16. Jahrhundert

Bein, mit Resten von Fassung

Höhe 31 mm

Privatbesitz

SCHRIFTBAND „EN MORIOR"

Das längs durchbohrte Wendehaupt diente ursprünglich als Schlußperle eines Rosenkranzes. Bis ins kleinste Detail fein ausgearbeitet erkennt der Betrachter den
Kopf eines Sterbenden oder Toten. Ein Schriftband
über der Stirn mit der Inschrift „EN MORIOR" (also
werde ich sterben) verweist auf die Vergänglichkeit.
Der rückseitige Kopf zeigt den eigentlichen Schädel im
Zustand der gänzlichen Verwesung, drastisch verdeutlicht durch zahlreiches Gewürm.

Ein vergleichbarer Wendekopf befindet sich in
der Sammlung des Bayerischen Nationalmuseums
München und ist 1522 datiert (Berliner 1926, Nr. 79).

GeL

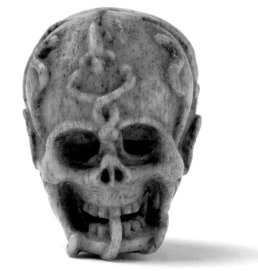

LITERATUR Berliner 1926.

Gebetsschnur mit Wendehäuptern

Ende 15. bis Mitte 17. Jahrhundert

Elfenbein, vergoldetes Silber

Länge insgesamt 615 mm;
Elfenbeinkreuz: Höhe 59 mm, Breite 38 mm;
Metallperlen Ø 12 mm;
Silberkreuz: Höhe und Breite 45 mm;
Höhe der Wendehäupter: 1: 40 mm; 2: 37 mm;
3: 45 mm; 4: 45 mm; 5: 59 mm

Museum Schnütgen, Köln
Leihgabe der Sammlung Peter und Irene Ludwig,
Aachen

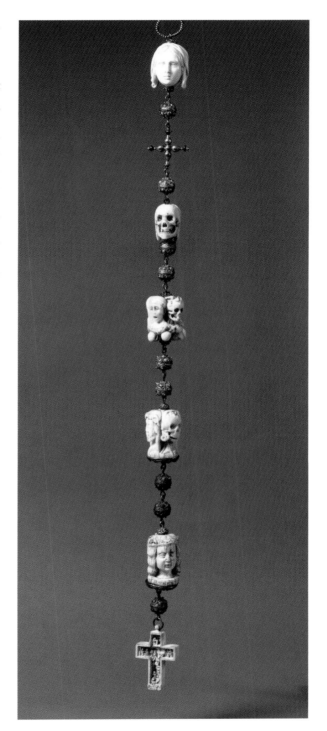

Diese Gebetsschnur hat die Form einer offenen Kette. Beginnend mit einem Ring folgt auf ein erstes Wendehaupt ein gleichschenkliges kleines Silberkreuz mit balusterförmigen Armen, das zwischen zwei silbernen Buckelperlen hängt. Danach folgen vier weitere Wendehäupter, zwischen die jeweils zwei Buckelperlen gesetzt sind, unten schließt eine Buckelperle und ein Elfenbeinkreuz mit Mikroschnitzerei den Rosenkranz ab.

Die obere Elfenbeinperle (1) zeigt auf der einen Seite das Antlitz Christi im Typus der ‚Vera Icon‘ und auf der anderen das Antlitz der Gottesmutter Maria. Im Gegensatz zu den Wendehäuptern mit eindeutiger *Memento mori*-Thematik weist diese Perle keine Abnutzungsspuren auf. Vermutlich stammt sie aus einem marianischen Rosenkranz mit der hierfür typischen Konzentration auf die Christus- und Marienfrömmigkeit. Die Perle dürfte in der ersten Hälfte des 17. Jahrhunderts in den südlichen Niederlanden entstanden sein.

Die vier folgenden Wendehäupter sind *Memento mori*-Darstellungen. Die Perle 2 verbindet das sehr fein modellierte Haupt Christi, der hier eine Dornenkrone trägt, mit einem Totenschädel, der im Gegensatz zu den weiteren Schädeln der Kette keine Tiere aufweist. Diese Perle ist am stärksten abgenutzt und ist in die 2. Hälfte des 15. Jahrhunderts datierbar.

Die Perle 3 ist ein sehr fein ausgearbeiteter Viererwendekopf und zeigt eine junge Frau, eine etwas reifere Frau und eine Alte, darauf folgt ein Schädel; es sind also die drei Lebensalter mit dem Tod dargestellt. Im

Gegensatz zu den beiden ersten sind die Wendeköpfe hier als Büsten gearbeitet, die von sehr abgeriebenen und nicht mehr lesbaren Schriftbändern begleitet werden. Der Schädel weist allerlei Getier, Schlangen und eine Kröte auf. Auf der Unterseite der Perle entsprechen an den vier Ecken drei kleine Schädel und ein halbverwester Kopf den vier Häuptern darüber. Die Trachtdetails sprechen für eine Entstehung am Beginn des 16. Jahrhunderts. Die Perle 4 ist ein Dreierwendehaupt. Dargestellt sind Christus, ein Frauenkopf und ein Schädel. Christus trägt die Dornenkrone, die Frau einen Schleier, auch hier dürfte Maria dargestellt sein. Der Schädel ist mit besonders viel Getier besetzt. Aus seinen Mundwinkeln ringeln sich Schlangen, daneben

41a

sind ein Frosch und möglicherweise eine Ratte zu erkennen. Diese Perle, die am Ende des 15. Jahrhunderts entstand, wird von einer kreisförmigen, leicht gewölbten Metallplatte mit Buckeln unterfangen, vielleicht diente sie der besseren Befestigung innerhalb der Kette, weil das untere Loch zu groß ist. Die fünfte und letzte Perle steht auf der gleichen Metallplatte wie Perle 4 und ist wieder ein Zweierwendekopf. Einem gekrönten Königskopf ist ein Schädel mit Getier entgegengesetzt. Die Hälse der Köpfe stehen auf

41b

einer verbreiterten und mit Inschriften versehenen Sockelzone, die von der Metallfassung teilweise verdeckt wird. Unterhalb des Königskopfes sind die Worte MEMENTO und FINIS zu lesen. Unter dem Schädel befindet sich ebenfalls ein Schriftzug, der jedoch durch die dunklen Sprünge im Elfenbein schlecht zu entziffern ist. Auch dieser Kopf stammt aus der zweiten Hälfte des 15. Jahrhunderts. Ein hohl gearbeitetes Elfenbeinkreuz aus dem mittleren 17. Jahrhundert schließt die Kette ab. Darin erscheinen feine Mikroschnitzereien mit der Verkündigung, der Heimsuchung und der Geburt Christi in den oberen Kreuzenden, den Rest des Hohlraumes füllt eine figurenreiche Kreuzabnahme aus.

Üblicherweise besteht ein Rosenkranz oder ein ‚Zehner‘ aus einem Kreuz, zehn Aveperlen und einer etwas größeren Paternosterperle. Den Abschluss bildet meist ein Anhänger oder eine Quaste. Dabei dienen Wendeköpfe im Allgemeinen nur als Paternosterperle

oder ersetzen den Anhänger. In seltenen Fällen gibt es auch Zehner, die komplett aus Wendeköpfen gebildet sind, so zum Beispiel der Elfenbein-Zehner mit der Darstellung eines Totentanzes im Victoria and Albert Museum aus der 1. Hälfte des 16. Jahrhunderts.

Die Gebetsschnur der Sammlung Ludwig ist dagegen aus verschieden alten und stilistisch unterschiedlichen Objekten zusammengesetzt worden. Es ist anzunehmen, dass die einzelnen Wendehäupter zuvor Bestandteile von anderen Rosenkränzen oder Zehnern waren. Auch der starke Abrieb einiger Perlen weist auf eine unterschiedlich intensive Nutzung hin. Der Zeitpunkt der Montage lässt sich aus den eigentlichen Kettengliedern aus Metall erschließen.

Die Metallperlen der Gebetsschnur tragen nämlich aufgesetzte, durch ein Rahmenband aus Filigrandraht hervorgehobene Rundbuckel mit kleinen Kugelspitzen. Die Perle hat ein schmales Querband; das Muster der Halbkugeln ist jeweils versetzt aufgebracht.

Nach Gislind Ritz sind solche Buckelperlen in das 16. bis 17. Jahrhundert zu datieren. Die hier auftretende Stachelform, mit den Kugelspitzen auf den Rundbukkeln, ist in diesem Zeitraum eher spät anzusetzen. Daraus ergibt sich für die heutige Zusammenstellung der Gebetsschnur mit den Buckelperlen (und den Metallplatten unter Perle 4 und 5) eine Datierung in das 17. Jahrhundert, was zeitlich auch mit dem jüngsten Wendekopf, der obersten Christus-Maria-Perle, sowie dem Elfenbeinkreuz mit den Miniaturszenen übereinstimmt. In ihrer jetzigen Zusammensetzung könnte die Kette als Sammlerobjekt von einem Goldschmied für eine Wunderkammer zusammengestellt worden sein, was aber ihre Nutzung als ein Objekt der Andacht nicht ausschließt.   SoB/HWA

LITERATUR Ulrich Bock, *Memento Mori, Schnütgen-Museum: Wege durch die Sammlung 3,* Köln o. J.; Ritz 1963; 500 Jahre Rosenkranz 1975; Dieckhoff 1981; Michael Eissenhauer (Hg.), *LudwigsLust. Die Sammlung Irene und Peter Ludwig,* München 1993, Nr. 110, S. 152; Urs-Beat Frei (Hg.), *Der Rosenkranz. Andacht – Geschichte – Kunst,* Bern 2003.

Die fünf Wendehäupter des Museums Schnütgen weisen fast alle Löcher in der Schädeldecke auf, die auf ihre ursprüngliche oder geplante Verwendung in einem Rosenkranz hinweisen. Die Gesichter variieren zwischen verhalten erschrocken, gequält oder leblos. Parallel zum Totenkopf sind alle (!) Münder geöffnet. Dies kann den Affekt bei plötzlichem Tod oder die Kraftlosigkeit des toten Gesichtes zum Ausdruck bringen. In manchen Fällen sind die offenen Münder ‚sprechender Ausdruck‘ der mit den Köpfen verbundenen Schriftbänder. Die Texte dieser Spruchbänder zeugen im Allgemeinen vom gleichen Thema, dem unausweichlichen Tod aller Lebewesen.

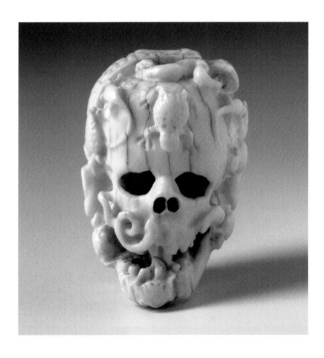

Der kleine Wendekopf mit Totenschädel und Männergesicht besticht durch seine Kleinteiligkeit. Gesicht und Wangen des Mannes sind eingefallen, unter der Haut zeichnen sich die Knochen ab. Die Augen liegen tief in ihren Höhlen und große Augenringe betonen die zusammengekniffenen Lider. Die Stirn ist in Falten gelegt und die Zunge hängt aus dem erschlafften Mund, der die Qualen der ganzen Gesichtszüge bezeugt. Über seiner Stirn schlängelt sich ein Spruchband, auf dem Largiader zufolge in gotischen Minuskeln steht: „daz ist ein jung ûn arm mensch en e nd dich her (=erbarm dich Herr?)" (Forrer 1940, S. 132). Die Schnittstelle von Tod und Mann ist durch eine kleine Einkerbung ringsum gekennzeichnet, an

Wendekopf 42

Deutschland?
16. Jahrhundert

Elfenbein

Höhe 38 mm

Museum Schnütgen, Köln
INV. NR. B 133

der das Spruchband zurückgeführt wird. Der Totenkopf ist übersät mit kleinen Kriechtieren. Eidechsen, Kröten und Schlangen sind über Stirn, Jochbein und Kiefer verteilt. Die großen Lücken zwischen den Zähnen verstärken den Eindruck eines höhnischen Grinsens, das Totenköpfen allgemein zu Eigen ist. Die Augenhöhlen sowie die Nasenhöhle sind ausgebohrt und lassen den Tod ironischerweise lebendiger erscheinen als den Mann.

Forrer sah in dem als jungen (!) Mann Bezeichneten einen Pestkranken (Forrer 1940, S. 132), nicht zuletzt weil die Pest nach der europaweiten großen Epidemie des 14. Jahrhunderts auch im 15. und 16. Jahrhundert immer wieder zur Bedrohung wurde und das Rosenkranzbeten als geistliches Hilfsmittel nahe legte. Sicher ist es das Gesicht eines gequälten, vielleicht sogar gerade sterbenden Menschen, das uns hier entgegentritt. Vielleicht verweist die Kopfbinde auf ein Leichentuch und damit auf einen Toten.

Die deutsche Inschrift lässt auf eine Entstehung im deutschsprachigen Raum schließen, Forrer (1940, S. 131) vermutet Süddeutschland oder die Schweiz.

43 Wendekopf

Frankreich oder Niederlande
16. Jahrhundert

Elfenbein

Höhe 44 mm

Museum Schnütgen, Köln
Inv. Nr. B 132

Inschriften „ANSI SERONS NOVS";
„WI OV DEMAIN"

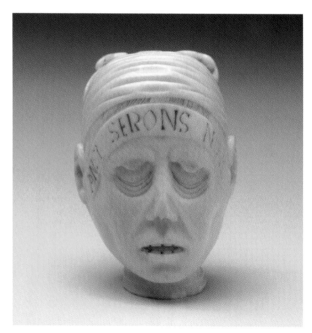

Auch hier ist das Bild eines sterbenden Mannes mit einem Totenschädel verbunden. Das Männergesicht ist mit seinen herabhängenden Mundwinkeln, dem leicht geöffneten Mund und den überbetonten Augenringen mehr das Gesicht eines Toten als eines Lebenden. Die Lider sind so schwer, dass selbst das Oberlid in einer tiefen Falte über dem Auge herabhängt. Die Nasalfalten werden durch gerade Einkerbungen zwischen Nase und Mundwinkel gebildet, die dem ganzen Gesicht den Eindruck einer schlaffen, herabhängenden Haut geben. Ein gerafftes Tuch ist über das Haupt gebunden und verbindet die Schädeldecke mit dem Knochenschädel gegenüber. Über seiner Stirn verläuft die Inschrift: „ANSI SERONS NOVS" (So werden wir sein). Auf der Stirn des Totenschädels sitzen Eidechse, Kröte und Ratte, die alle drei mit kleinen Löchern verziert sind. Eine Inschrift darunter vervollständigt das erste Band: „WI OV DEMAIN" (heute oder morgen). Um beide Jochbeine des Schädels schlängeln sich Schlangen, deren Augen mit kleinen schwarzen Punkten

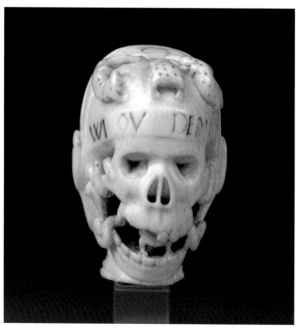

markiert sind. Zwei weitere kriechen in den geöffneten Mund, aus dem eine Kröte herauslugt. Am linken Oberkiefer fehlen einige Zähne, wobei zwei Lücken mit Absicht geschnitzt wurden, was an der Bearbeitung des Kieferknochens zu erkennen ist, während ein weiterer Zahn heraus gebrochen zu sein scheint.

Vergleichbar ist dieser Wendekopf nicht nur mit Kat. Nr. 42, sondern auch mit einem Knauf, der sich in Forrers Sammlung befand (Forrer 1940, Tafel 52 Abb. 3). Da sich noch ein dritter Wendekopf mit eingefallenem Gesicht im Museum Schnütgen befindet und weitere nachweisbar sind (vgl. Berliner 1926, Abb. 79; Meininghaus 2001, S. 1858, Abb. 7), kann man hier von einem gängigen Motiv sprechen, das in Mengen hergestellt wurde. Dabei wurde das gleiche Schema immer wieder neu variiert.

Wendekopf 44

Deutschland?
17. Jahrhundert

Elfenbein

Höhe 40 mm

Museum Schnütgen, Köln
Inv. Nr. B 129

Der farbig gefasste Schädel ist der kleinste der Runde und vereint ein drittes Mal ein lebloses Gesicht mit dem Tod. Das Profil des Mannes ist hier nicht so flach gearbeitet beziehungsweise abgerieben, wie bei den beiden erstgenannten. Der Mund ist geöffnet und die Augen sind geschlossen. Das grüne Kopftuch lässt noch einen Kranz von Haaren darunter hervortreten. Auf dem golden gefassten Totenschädel kriechen an Kiefer und Stirn Würmer entlang. Die Augenhöhlen sind überproportional groß. Zusammen mit der Mundhöhle, die wie eine tiefe Kerbe nach oben führt, verleihen sie dem Schädel einen hämischen, unheimlichen Ausdruck.

Solche kleineren und relativ einfach gestalteten Wendeköpfe finden sich an einer Reihe von Rosenkränzen als Zwischenglied im Credoanhang. Ein Bohrloch bestätigt die Annahme, dass es sich hier um ein Rosenkranzelement handelt. Es ist vermutlich nicht aus einem Stück gefertigt; dafür spricht beim Männergesicht die Naht mit dem angeschnittenen Ohr. Da jedoch die Schlange über den Ansatz hinweg führt, liegt auch eine Beschädigung nahe, nach der der Kopf unsauber zusammengesetzt wurde.

45 *Wendekopf*

Niederlande
Anfang 16. Jahrhundert

Elfenbein

Höhe 70 mm

Museum Schnütgen, Köln
Inv. Nr. B 130

Der Jüngling bildet mit seiner Schönheit einen starken Kontrast zum Tod mit der Eidechse. Beide sind bis zum Schulteransatz modelliert und auf einem Sockel aus Blättern angebracht. Der junge Herr trägt ein plissiertes Untergewand unter dem Mantel oder der Schaube, die über den Schultern sichtbar ist. Unter seiner Haube fallen geordnete Locken bis zur Kinnhöhe. Mund und Augen sind halb geöffnet; die Bildung der Augen bewirkt ein leichtes Schielen. Im Gegensatz zum Tod weist diese Figur deutliche Gebrauchsspuren an Nase und Locken auf. Eine scharfe Linie trennt die Köpfe von Jüngling und Tod. Die Jochbeine des Totenschädels treten heraus, eins ist gebrochen. Ein erstaunliches Detail ist die kleine Eidechse, deren Körper vom Sockel ausgehend durch den Unterkiefer verläuft und wieder aus dem Mund hinaus tritt. Ihr Köpfchen ist abgenutzt. Eine fast gleich gestaltete, gut erhaltene Eidechse findet sich an einem Wendekopf aus dem Detroit Institute of Art (Inv. Nr. 1990: 315). Auch die Blattvoluten kommen hier vor.

Die schiere Größe des Wendehauptes und das enorm große Loch an der Unterseite lassen eine Verwendung als Stockknauf vermuten. Jedoch verweisen die beiden Löcher am oberen Ende auf eine Kette, die durchgeführt wurde. Die Tracht des Jünglings läßt an eine Entstehung in den Niederlanden zu Beginn des 16. Jahrhunderts (ca. 1510) denken. Die Tatsache, dass gerade die Seite der lebenden Figur abgenutzt ist, zeigt, dass der Tod die eigentliche Betrachtungsseite war.

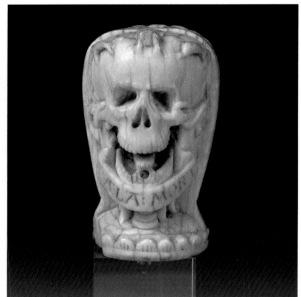

Der Wendekopf zeigt eine junge Dame und den Tod. Ihre Haare sind zu beiden Seiten geflochten und mit Blumen geschmückt. Eine Haube (Federn?), durch kleine Bohrungen verschönert, ziert ihr Haupt. Die Augen sind nach oben verdreht und der Mund ist leicht geöffnet. Sie erweckt den Eindruck, als habe sie sich gerade erschrocken oder sei in Ohnmacht gefallen – beides verständliche Reaktionen bei einer Begegnung mit dem Tod. Dem Tod sitzt ein Tier (Kröte?) im Maul; drei weitere, nicht vollständig erhaltene, die mit Vorsicht als Kröte, Ratte und Eidechse zu identifizieren sind und damit das üblicherweise mit dem Tod verbundene Getier darstellen, sitzen auf der Stirn. Wie der Jünglingswendekopf besitzt auch dieses Objekt einen kleinen Sockel, der auf der Frauenseite leicht bestoßen ist.

Die verschiedenen Bohrungen an der Haube – von oben und von unten durchgeführt, aber nicht durchgebohrt – sind wahrscheinlich später entstanden und lassen keinen eindeutigen Schluss über die Verwendung zu.

Forrer sieht in den orthographischen Unsicherheiten einen Hinweis darauf, dass das Stück in Savoyen, der Westschweiz oder im Elsass entstanden ist (Forrer 1940, S. 131). Über die Kleidung der Frauenfigur lassen sich keine näheren Angaben zu Entstehungszeit und -ort machen.　　　　　　　　　　　SuK

Wendekopf 46

Frankreich?
16. Jahrhundert

Elfenbein

Höhe 71 mm

Museum Schnütgen, Köln
Inv. Nr. B 131

Schriftband, das den Tod
und die junge Frau verbindet:
„ANSI SERON NOV WI (Loch) OV DEMIN FINIS"
(So werden wir heute oder morgen sterben).
Schriftband um den Kiefer des Todes:
„A LA MORT"

Literatur Ulrich Bock, *Memento Mori, Schnütgen Museum: Wege durch die Sammlung 3,* Köln o. J.; Berliner 1926; Forrer 1940; 500 Jahre Rosenkranz 1975; Diekhoff 1981; Legner 1982; von Euw 1984; Netzer/Reinburg 2000; Meininghaus 2001; Urs-Beat Frei und Fredy Bühler (Hg.), *Der Rosenkranz: Andacht, Geschichte, Kunst,* Bern 2003.

47–49 *Drei Wendehauptmedaillons*

Südliche Niederlande
um 1520

Elfenbein

Höhe etwa 50 mm

Museum Schnütgen, Köln;
Leihgabe der Sammlung Peter und Irene Ludwig, Aachen

Es scheint angebracht, in diesem Fall von ‚Wende-hauptmedaillons' zu sprechen anstatt von Wende-häuptern, da es sich hier nicht um zwei direkt ineinan-der übergehende Köpfe – die eine homogene Verbin-dung eingehen und als ein Kopf wahrgenommen wer-den – handelt, sondern um zwei im Hochrelief gestal-tete Brustbilder, welche durch eine kunstvoll verzierte Hintergrundsebene getrennt werden. Aus dieser dre-hen die Figuren sich leicht nach rechts heraus, so dass sie im Dreiviertelprofil zu sehen sind. Die Figuren wer-den somit einzeln wahrgenommen. Durch den Hinter-grund entsteht eine Art Medailloncharakter, der den herkömmlichen Wendehäuptern fehlt, jedoch an die gleichzeitig aufkommenden Gedächtnismedaillen (vgl. Kat. Nr. 118) erinnert. Alle drei Wendehauptmedaillons weisen eine durchgehende, für Rosenkranzperlen geeignete Bohrung auf.

Kat. Nr. 47 zeigt am oberen Ende ein vergolde-tes zisliertes Credokreuz mit Öse und am unteren Ende einen zisilierten Kegel, an dessen Spitze ein hell-grüner, durchscheinender Cabochon mit schwarz-gol-denen Einschlüssen hängt (evtl. ein Aventurin). Ein ähnlicher Aufbau ist bei einer Leihgabe J. Pierpont Morgans an das New Yorker Metropolitan Museum of Art zusehen (Inv. Nr. 17.190.305; Höhe 133 mm; Elfenbein und ungeschnittener Smaragd).

Die Wendehauptmedaille zeigt auf der einen Seite das profane Abbild einer jungen lächelnden Dame mit leicht gesenktem Blick, die einen durch ein Diadem befestigten Schleier trägt, der am Hinterkopf kunstvoll drapiert ist und das Haar nicht vollständig bedeckt. Dieser außergewöhnliche und aufwändige Kopfputz begegnet ebenfalls bei Kat. Nr. 48. Er um-schließt locker fallend die schmalen Schultern und wird vor dem Ohr vorbeigeführt, bevor er sich im

Nacken wieder mit der am Hinterkopf befindlichen Schleife vereint. Die Dame trägt eine Perlenkette und Perlenohrringe. Der eckige Kleiderausschnitt ist typisch für südniederländische Damenportraits der Zeit um 1520. Die Todesfigur gegenüber nimmt die gleiche Haltung wie die Dame ein. Aus dem leicht geöffneten Mund des Totenkopfes entrollt sich ein Schriftband, das am rechten äußeren Rand abgebrochen ist. Die Inschrift lautet: „COGITA MORI" (Denke an den Tod).

Die beiden anderen Wendehauptmedaillons (Kat. Nr. 48 und 49) ähneln einander sehr. Der obere Abschluss ist bei beiden identisch, allerdings bei Kat. Nr. 49 teilweise zerstört. Man kann jedoch ohne wei-teres noch den Aufbau mit einem bei beiden Stücken sehr ähnlichen Umriss erkennen. Zwischen stilisierten Blütenkelchen oben und unten stehen die Büsten auf beiden Seiten vor dem Reliefhintergrund in einem Kelch aus Akanthusblättern. Die Silhouette des Relief-grundes, aus dem sich die Figuren im Hochrelief lösen, ist bei Kat. Nr. 49 unbeschädigt, während bei Kat. Nr. 48 einige Ausbruchstellen zu verzeichnen sind. Generell weist dieses Objekt stärkere Gebrauchs-, bzw. Abriebspuren auf; vergleichbar ist bei beiden der untere Abschluß. Die augenfälligste Übereinstimmung ist jedoch bei der Gestaltung von Kleidung und Gesicht der beiden Edelmänner anzutreffen. Sie tragen ge-schlitzte Baretts, wie sie in der Zeit zwischen 1517 und 1519 Mode waren. Es ist viel Hals zu sehen, was in spä-terer Zeit unüblich war; auch das mit einer Borte abschließende, geriefelte Wams und die Schaube, deren Aufschlag mit Pelz gefüttert ist passen in diese Jahre.

Kat. Nr. 48 zeigt rückwärtig die gleiche Dame wie Kat. Nr. 47, allerdings ziert die Perlenkette zusätzlich ein

47

49

48

49

Kreuz. Es handelt sich eventuell um einen Rosenkranz. Kat. Nr. 49 zeigt an dieser Stelle den süffisant lächelnden Tod, dem eine Schlange oder ein Wurm aus dem Mund kriecht. Die anatomische Darstellung ist stilisiert.

Festzuhalten bleibt, dass die drei Wendehauptmedaillons in einem engen Zusammenhang stehen. Es kann nicht näher geklärt werden, worauf der Größenunterschied zwischen den Medaillons zurückzuführen ist und ob dieser möglicherweise mit der jeweiligen Positionierung am Rosenkranz zu begründen ist. In jedem Fall werden sie aus einer Werkstatt stammen. SJ

Literatur Ulrich Bock, *Memento Mori, Schnütgen Museum: Wege durch die Sammlung 3,* Köln o. J.; 500 Jahre Rosenkranz 1975; von Euw 1984; Urs-Beat Frei und Fredy Bühler (Hg.), *Der Rosenkranz: Andacht, Geschichte, Kunst,* Bern 2003.

ROSENKRÄNZE

Alles hat seine Zeit und jegliches Vornehmen unter dem Himmel seine Stunde.

Geborenwerden hat seine Zeit, und Sterben hat seine Zeit; Pflanzen hat seine Zeit,

und Gepflanztes ausreuten hat seine Zeit; Töten hat seine Zeit, und Heilen hat seine Zeit;

Zerstören hat seine Zeit, und Bauen hat seine Zeit; Weinen hat seine Zeit,

und Lachen hat seine Zeit; Klagen hat seine Zeit, und Tanzen hat seine Zeit;

Steine schleudern hat seine Zeit, und Steine sammeln hat seine Zeit;

Umarmen hat seine Zeit, und sich der Umarmung enthalten hat auch seine Zeit;

Suchen hat seine Zeit, und Verlieren hat seine Zeit; Aufbewahren hat seine Zeit,

und Wegwerfen hat seine Zeit; Zerreißen hat seine Zeit, und Flicken hat seine Zeit;

Schweigen hat seine Zeit, und Reden hat seine Zeit; Lieben hat seine Zeit,

und Hassen hat seine Zeit; Krieg hat seine Zeit, und Friede hat seine Zeit. [...]

Denn es geht dem Menschen wie dem Vieh: wie dies stirbt, so stirbt auch er,

und sie haben alle einen Odem, und der Mensch hat nichts voraus vor dem Vieh;

denn es ist alles eitel.

Es fährt alles an einen Ort. Es ist alles aus Staub geworden und wird wieder zu Staub.

Prediger 3, Vers 1–2 und 19/20

Vanitasrosenkranz 50

Frankreich
17. Jahrhundert

Elfenbein / Silber

Länge 540 mm

Olbricht Collection, Essen
Inv. Nr. ANO–MM 051

Gebetsketten gibt es bereits seit vielen Jahrhunderten. Schon der hl. Antonius (um 251–356) soll seine Gebete mit Hilfe einer Kordel gezählt haben (Winston-Allen 1997, S. 14). Seit dem 13. Jahrhundert sind in London und Paris mehrere Gilden zur Paternosterherstellung – getrennt nach Material – nachweisbar. Im 15. Jahrhundert verband Dominikus von Preußen die einzelnen Ave Maria und Vaterunser mit Meditationen über das Leben der Maria und gab so dem heutigen Rosenkranz seine Form (Dazu: Kirfel 1949; Winston-Allen 1997; Willam 1948; Ritz 1963; Beitrag von Thomas Lentes im Textband).

Kurze offene Rosenkränze wurden meistens von Männern getragen, woraus sich der Begriff ‚Manns-beten‘ entwickelt hat. So zeigt die Grabplatte des Herzogs Ulrich von Teck und seiner Frau Ursula in der

Stadtpfarrkirche Mindelheim (1432) sie mit einer langen Paternosterkette und ihn mit einer kurzen Gebetsschnur (Ritz 1963, S. 22). Rosenkränze waren im 14. Jahrhundert als Schmuck besonders beliebt und wurden immer kostbarer ausgestaltet; daher erließ man in der Folge im 15. Jahrhundert vielerorts Vorschriften, die regelten wie wertvoll ein Rosenkranz sein durfte und welches Material angemessen war (Winston-Allen 1997, S. 116).

Die Verbindung zwischen Rosenkranz und Vanitasgedanken ist offensichtlich. Durch die stete Wiederholung der Gebete konnten Ablässe erwirkt werden; schon früh wurden Rosenkränze für Verstorbene gebetet, um ihre Zeit im Fegefeuer zu verkürzen. Ähnliches berichtet Riederer 1780 über *Memento mori*-Objekte: „Die stete Betrachtung des Todes galt als Arzney" (zitiert nach Schiedermair (2000), S. 80). Rosenkränze mit Totenköpfen unterstützten den Gläubigen bei seinen Meditationen über das Leben Mariä und die Passion Christi. Die Gegenüberstellung von Christus und Tod in den Wendeköpfen verweist auf die Erlösung vom Tod durch Jesu Opfertod. Die Hoffnung auf das ewige Leben nimmt dem Tod den Schrecken.

Der Vanitasrosenkranz verbindet an einer Silberkette zehn kleine Wendeköpfe mit einem Credokreuz und einem größeren Totenkopf aus Elfenbein. Er ist offen, also nicht zum Kreis zusammengebunden, und zwischen den einzelnen Gliedern sind jeweils drei Perlen aufgefädelt, zwei aus Elfenbein und eine kleine aus Silber. Ein tordierter Ring am Anfang der Kette diente zur Befestigung am Gürtel.

Die Wendeköpfe sind alle nach dem gleichen Schema geschnitzt: Christus mit Dornenkrone und leidendem Gesicht steht einem einfach gearbeiteten Totenschädel gegenüber. Dennoch haben sie alle individuelle Züge: Die Dornenkrone ist manchmal sehr flach, dann wieder plastisch ausgebildet und die Totenköpfe unterscheiden sich in Bezug auf Augen, Nasenhöhlen und Zahnreihen (bei einigen fehlt der Unterkiefer). Da sie in sehr flachem Relief geschnitzt sind (was zur Folge hat, dass die Gesichter schmal und lang sind) liegt die Annahme nahe, dass sie in größeren Mengen aus Elfenbeinplatten hergestellt wurden. Der abschließende Totenkopf ist anatomisch sehr präzise gearbeitet und hatte ursprünglich wohl einen Unterkiefer. Insgesamt sind die einzelnen Elemente stimmig gestaltet und bilden ein kohärentes Ganzes. Der Vanitasrosenkranz variiert ebenso die ‚einfachen' Zehner mit Totenkopfabschluss und schlichten Perlen statt Wendeköpfen (vgl. Laue 2002, Nr. 34 und Nr. 88) wie die mehrteiligen Wendekopfketten (Kat. Nr. 41; Victoria and Albert Museum Inv. Nr. 281–1867; Kopenhagen Nationalmuseum Rosenkranz um 1520).   SuK

LITERATUR von Oertzen 1925; Willam 1948; Kirfel 1949; Ritz 1963; Brauneck 1978; Hartinger 1992; Winston-Allen 1997; Werner Schiedermair, Der Tod als Perspektive: Memento Mori im 17. und 18. Jh., in: Salmen 2000, S. 128–140; Grünewald 2001; Laue 2002; Finger 2003.

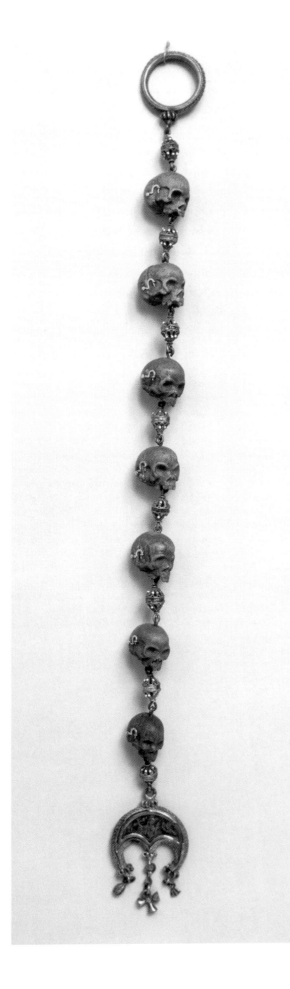

Mexiko
um 1580

Hartholz, Goldemail, Kolibrifedern

Länge 385 mm

Museum Schnütgen, Köln
INV. NR. A 1059

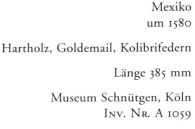

Diese Paternosterkette hat die Form einer Gebetsschnur. Sie besteht aus sieben aufklappbaren Schädelperlen, zwischen die acht kleinere Metallperlen gesetzt sind. Am oberen Ende hat die Kette einen Metallring, unten endet sie mit einem halbmondförmigen Anhänger aus Silber, der ehemals mit transluzidem Email versehen war. Auf der Vorder- und Rückseite des Anhängers sind Bildnisbüsten Gottvaters und Marias, von Engelsköpfen flankiert, dargestellt. Der Anhänger trägt außerdem einen mexikanischen Goldschmiedestempel.

Die Totenschädel sind zu öffnen und zeigen von grünen Kolibrifedern hinterlegt jeweils gegenübergestellte Mikroschnitzereien(Abb 51a) mit folgenden Szenen: Die Heimsuchung und Jesus lehrt als Zwölfjähriger im Tempel, darauf folgend die Flucht nach Ägypten und die Anbetung der Könige, dann der hl. Hieronymus und der hl. Antonius von Padua, im Anschluss die Geburt Jesu und die Verkündigung, die Geißelung und die Dornenkrönung, die Ölbergszene und die Pietà, der Verrat des Judas sowie die Fußwaschung.

Laut Theodor Müller gehört der Rosenkranz zu einer Reihe von Werken mit Mikroschnitzereien, die wahrscheinlich in Mexiko hergestellt wurden (Müller 1972). Diese, mit Kolibrifedern hinterlegten, geschnitzten Bildwerke zählt man zu der Gruppe der mexikanischen Federmosaike. Der 1572 datierte, zu einem Flügelaltärchen aufklappbare Anhänger aus dem Besitz der Christine von Lothringen-Dänemark in der Schatzkammer der Münchener Residenz ist unmittelbar verwandt mit der Kölner Paternosterkette.

Die Paternosterkette ist sehr wahrscheinlich unvollständig erhalten. Die falsche Reihenfolge der heilsgeschichtlichen Szenen deutet auf eine spätere Zusammensetzung der Kette zu einem Zeitpunkt, als bereits

51a

handenen Heiligen, der hl. Hieronymus und der hl. Antonius von Padua könnten auf einen der beiden großen Missionsorden hinweisen, die zu dieser Zeit in Mexiko tätig waren. Der hl. Hieronymus ist als Kirchenvater hierbei sowohl für den Orden der Dominikaner als auch den der Franziskaner gleich interessant. Den Ausschlag gibt der hl. Antonius von Padua, welcher eher als franziskanischer Heiliger gesehen wird. Dann sind als weitere Heilige für diese Paternosterkette natürlich der hl. Franziskus von Assisi und der hl. Bonaventura denkbar. Auf Grund ihrer besonderen Prominenz mögen auch diese beiden Heiligen von der Kette abgetrennt und als Einzelstück verehrt worden sein. SB

einige Glieder fehlten. Im Zyklus zu ergänzen wären sicher die Kreuzigung, vielleicht gepaart mit der Ecce-Homo-Szene, sowie Marientod und Marienkrönung. Damit wäre die Zahl der Perlen bei neun.

Paternosterketten haben üblicherweise zehn Perlen. Was könnte die letzte Perle gezeigt haben? Denkbar wären zwei weitere Heilige. Die beiden vor-

LITERATUR Ulrich Bock, *Memento Mori, Schnütgen-Museum: Wege durch die Sammlung 3,* Köln o. J.; Charles Parkhurst, Melvin Gutman collection of ancient and medieval gold, Oberlin, Ohio: Dep. Of Fine Arts of Oberlin College 1960/61, in: *Bulletin Allen Memorial Art Museum* 8/2–3 (1961), S. 39–298; Lesley Parker, *Renaissance jewels and jewelled objects: from the Melvin Gutman Collection, Baltimore Museum of Art,* Baltimore 1968; Anton Legner, Zu einer neuerworbenen Paternosterkette im Schütgen-Museum, in: *Museen in Köln, Bulletin* 10 (1971), S. 963–966; Theodor Müller, Das Altärchen der Herzogin Christine von Lotharingen in der Schatzkammer der Münchner Residenz und verwandte Kleinkunstwerke, in: *Zeitschrift für bayerische Landesgeschichte* 1 (1972), S. 72 ff; Joachim Menzhausen, *Dresdener Kunstkammer und grünes Gewölbe,* Wien 1977; Dieckhoff 1981; *America. Bride of the sun. 500 Years Latin America and the Low Countries,* Ausst. Kat. Antwerpen 1992; Hiltrud Westermann-Angerhausen und Dagmar Täube (Hg.), *Das Mittelalter in 111 Meisterwerken aus dem Museum Schnütgen Köln,* Köln 2003, S. 162–163.

Wendekopfriechfläschchen 52

Frankreich?
1. Hälfte des 17. Jahrhunderts

Elfenbein

Höhe 63 mm

Bayerisches Nationalmuseum, München
INV. NR. R 4641

Das Wendekopfriechfläschchen ist eine Abwandlung des gängigen Wendehauptmotivs, da es nicht wie ein Januskopf gestaltet ist, sondern einen in zwei Hälften geteilten, gekrönten Kopf mit Halsansatz zeigt. Die eine Seite stellt einen verwesenden Leichnam dar, in dessen rechtes Ohr eine Eidechse beißt und aus dessen Öffnungen (Auge, Ohr und Mund) Würmer kriechen. Die andere – wie durch einen Skalpellschnitt abgetrennte – Hälfte zeigt den blanken Schädel, auf dessen Schläfe sich eine den Augapfel im Maul haltende Schlange ringelt. Auf der Schnittstelle beider Gesichtshälften sitzt eine Kröte mit nach unten gerichtetem Blick. Die Krone kann abgeschraubt werden. Der ausgehöhlte Kopf konnte demnach Duftessenzen enthalten und als Riechfläschchen dienen (vgl. Kat. Nr. 53). Das Kreuz das sich einst in der Kronenmitte befand ist abgebrochen.

Das Stück war ursprünglich im Besitz des Regensburger Geistlichen Rates Andreas Uldarich Mayr, welcher eine ca. 300 Objekte umfassende Elfenbeinsammlung besaß, die 1811 vom bayerischen König Max I. Joseph für die Stadt München angekauft wurde. Mit Gründung des Bayerischen Nationalmuseums gelangte ein Großteil der Sammlung 1866 als Schenkung dorthin. SJ

LITERATUR Berliner 1926; Zauber der Medusa1987.

53 Pomander in Form eines Totenkopfes mit Kröte

Deutschland
um 1500

Silber, feuervergoldet

Höhe mit Aufhängung 44 mm

Privatbesitz

Dieser bedeutende spätgotische Pomander in Form eines Totenkopfes ist in seiner Art und Qualität einzigartig. Der vollplastische bis ins kleinste Detail ausgearbeitete Totenkopf ist innen hohl. Ein an den Seiten in Form eines Blattes gearbeitetes Scharnier ermöglicht das Öffnen des Kopfes. Im Innern des Pomanders befand sich ursprünglich ein Schwamm, der mit Duftessenzen getränkt werden konnte. Durch Umhängen des Pomanders fühlte sich der Träger vor ansteckenden Krankheiten geschützt, wobei ihn die Form des Totenkopfes und die auf dem Hinterhaupt sitzende Kröte immer wieder an die eigene Vergänglichkeit erinnerte. Dass man an die Wirksamkeit von Duftstoffen gegen ansteckende Krankheiten glaubte, belegt eine Abbildung im *Fasciculus Medicinae* (Venedig, 1500), die einen Pestarzt am Krankenbett zeigt, der sich mit einem vor die Nase gehaltenen Riechbehälter schützt. Pomander in verschiedensten Formen oder Kugeln haben sich in vielen Sammlungen erhalten, so zum Beispiel im Bayerischen Nationalmuseum in München (Hansmann / Kriss-Rettenbeck 1977, Kat. Nr. 136, 139). GeL

LITERATUR Liselotte Hansmann und Lenz Kriss-Rettenbeck, *Amulett und Talisman,* München 1977; Christa Habrich und Heiner Meininghaus, *Aromata. Düfte und edle Flakons aus fünf Jahrhunderten,* Ingolstadt 1998.

54

Der *Totenkopf mit Apfel* (Kat. Nr. 54), der in seinem geöffneten Munde zwischen den Zähnen einen Apfel hat, ist in verschiedenen Verwesungsstadien dargestellt.

Totenkopf mit Apfel

Paul Egell (1691–1752)
um 1720

Obstholz, vollplastisch gearbeitet,
mit Resten von Fassung

Höhe 100 mm, Breite 69 mm

Olbricht Collection, Essen
INV. NR. PE 001

Seine Stirn besitzt noch eine dünne Hautschicht, was durch feine Fältchen sichtbar wird. Die Nase, die Lippen, sowie das Kinn sind die eines lebendigen, noch nicht in Fäulnis übergegangenen menschlichen Wesens. Auf unterschiedliche Weise sind die Augen gezeigt: Eins ist gar nicht mehr vorhanden – uns blickt eine finstere leere Augenhöhle an, die zum Sammelplatz für Würmer geworden ist; bei dem ande-

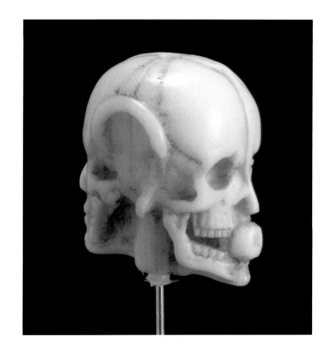

Wendehaupt mit Apfel 55

Deutschland
17. Jahrhundert

Elfenbein

Höhe 25 mm

Privatbesitz

ren sind die Lider zusammengefallen, und aus der schmalen Spalte zwischen ihnen rinnt eine Träne. Etwas verfaultes Muskelgewebe ist noch an den Wangen zu sehen. Als Endstadium des Verfalls werden dagegen die Unterkiefer-, Wangenknochen und der Hinterkopf präsentiert, die als kahle Knochen gezeigt sind.

Diese in ihrer Düsterheit typisch barocke Ausdrucksweise der Vergänglichkeitsikonographie vergegenwärtigt die religiösen Lebensgewohnheiten der damaligen Zeiten. Die Heiligen, deren Agieren und Worte Vorbild für jeden Gottesfürchtigen waren, legten den Menschen die Todesmeditation ans Herz. Als Hilfsmittel diente dafür an erster Stelle der Totenkopf, den man nach dem Kommentar zu den Schriften des heiligen Ignatius von Loyola unbedingt bei einem Gebet bei sich haben sollte (Bialostocki 1981, S. 287). Beim Anblick eines solchen Meditationsattributes hält der Mensch einen Moment lang inne; er hat die Möglichkeit, sich mit dem Tod auseinanderzusetzen und sich klar zu machen, dass auch sein Leben ein Ende haben wird. Dafür eignen sich die kleinplastischen Kunstwerke, die in dieser Zeit aus Holz oder Elfenbein in großer Anzahl entstanden sind.

Mit ausdrucksstarken Totenköpfen schmückte auch Paul Egell viele seiner Schnitzarbeiten. Besonders spannend an dem hier gezeigten *Memento mori*-Kopf aus der Olbricht Collection ist der Sündenapfel, der zwischen den Zähnen des Schädels steckt.

Der Biss in den Apfel, der Ursache aller Sünde ist und zum Tod geführt hat, ist seit dem frühen 16. Jahrhundert ein beliebtes Motiv der Druckgraphik. „Die Paradiesäpfel werden zu Totenköpfen, die Schlange selbst trägt einen Totenkopf. Das Attribut Evas wird der Schädel, ja, der ganze Baum wächst aus einem Gerippe heraus." (Pieske 1964, S. 11). Auch ein kleiner Doppelkopf aus der Sammlung Dr. Bernoulli in Basel zeigt dieses Motiv. Eine Hälfte des 50 mm hohen Kopfes aus Buchsbaumholz stellt das Gesicht einer jungen Frau mit voller Haarpracht dar, die andere einen Totenschädel. Mit der Frau muss Eva gemeint sein, denn die Frucht des Apfelbaumes steckt in ihrem Mund, die Unheil bringende Schlange schlingt sich um den Kopf (Pieske 1964, S. 9–10). Der Apfel der Versuchung ist auch im Munde eines deutschen Wendehauptes aus dem 17. Jahrhundert, das sich in Privatbesitz befindet, zu sehen (Kat. Nr. 55). Dessen eine Seite zeigt jeweils die Gesichtshälfte Adams und Evas, die andere deren bloße Schädel (Meininghaus 2001, S. 1858). Das Thema findet seine Entsprechung in der Aufstellung zweier Skelette des *Theatrum anatomicum* in Leiden, die zu Seiten eines Apfelbaumes stehen, auf welchem sich eine Schlange eingenistet hat. Eines von ihnen (es ist höchstwahrscheinlich Eva, da das Skelett durch eine anmutige Haltung und die anbietende Geste gekennzeichnet ist) hält den Sündenapfel in der Hand (Stilleben in Europa 1979, S. 191).

Die Schädel mit Apfel sind bildlicher Ausdruck der Worte: „…an dem Tage, da du von ihm isst, musst du des Todes sterben." (1. Mose 2,17). Sie sind ein ausdruckvolles Symbol der Vergänglichkeit des ganzen Menschengeschlechts als Folge der ersten Sünde, die mit dem Apfelbiss zustande gekommen ist. Womöglich fanden diese kleinen Schädel auf einem Arbeitstisch ihren Platz und wurden somit zum täglichen Genossen ihres Besitzers. Sie erinnerten stets an den ersten Menschen in seinem Ungehorsam, der den schrecklichen Gotteszorn herbeirief sowie an die Tatsache, dass der Tod jeden einholt. TS

LITERATUR Freybe 1909; Forrer 1940; Pieske 1964; Stilleben in Europa 1979; Jan Bialostocki *Stil und Ikonographie: Studien zur Kunstwissenschaft,* Köln 1981; Peter Volk, Zwei kleinplastische Arbeiten von Paul Egell, in: *Pantheon* 41 (1983), S. 104–108; Klaus Lankheit, *Der kurpfälzische Hofbildhauer Paul Egell 1691–1752,* München 1988; Meininghaus 2001.

56 *Totenkopf mit Schlange*

Italien

17. Jahrhundert

Koralle

Höhe 28 mm

Privatbesitz

Der für das Material Koralle außergewöhnlich große Totenkopf ist aus einem einzigen, massiven Stück gefertigt. Ursprünglich lag er vermutlich unter einem ebenfalls in Süditalien – eventuell in Trapani – gefertigten Kruzifix aus Koralle. Er symbolisiert den Schädelberg Golgatha. Die sich um den Kopf windende Schlange verweist auf den Sündenfall und erinnert an die irdische Vergänglichkeit.

Bizarr gewachsene Korallenstämmchen und Schnitzwerke des kostbaren Stoffes waren Grundbestandteile vieler Wunderkammern. Der Koralle wurden auch Schutzfunktionen zugesprochen, weshalb Schmuckstücke mit Korallenzweigen seit dem 15. Jahrhundert oft in Kinderbildnissen und Bildern des Christuskindes erscheinen.

Ein vergleichbarer, allerdings wesentlich kleinerer Schädel befindet sich in deutschem Privatbesitz (Laue 2002, Kat. Nr. 20). GeL

LITERATUR Antonio Daneu, *L'arte trapanese del corallo,* Palermo 1964; Basilio Liverino, *Red coral. Jewel of the sea,* Bologna 1989; Laue 2002; Isabel Kraus, *„Der Corall ist ein lieblicher, annehmlicher, schöner, rother, harter Stein".* Korallen in musealen Sammlungen, Diplomarbeit Staatliche Akademie der Bildenden Künste Stuttgart 2003.

Dreiansichtiger Wendekopf

um 1550

Buchsbaumholz

Höhe 42 mm, Durchmesser 35 mm;
Sockel: Höhe 37 mm, Breite 42 mm

Olbricht Collection, Essen
Inv. Nr. ANO–MM 044

Der aus Buchsbaumholz gefertigte Wendekopf, der zu Präsentationszwecken auf einen Sockel gestellt wurde, zeigt die drei Lebensalter der Frau. Im Uhrzeigersinn angeordnet können nacheinander das Gesicht eines jungen Mädchens, das Gesicht einer alten Frau und ein Schädel betrachtet werden.

Das Mädchen, mit einem kindlich runden Gesicht, hat ein Band mit einer Blume im Haar. Die harten Züge der alten Frau werden durch die geraden Falten des um den Kopf gewickelten Tuches unterstrichen. Augen und Mund sind eingefallen und lassen die Knochen umso stärker hervortreten. Auf der dritten Seite starrt ein Totenschädel aus leeren Augenhöhlen. Eine Schlange bildet nun die Rahmung des Gesichtes, wo vorher Haare oder ein Tuch waren.

Wendeköpfe mit Lebensalterdarstellungen waren als Rosenkranzanhänger (vgl. Perle 3 bei Kat. Nr. 41) und Stockknäufe (Kat. Nr. 76) verbreitet. Auch das vorliegende Exemplar war vermutlich Teil eines Rosenkranzes.

Bereits in der Jugend sollte man sich mit dem Alter auseinandersetzen. Derartige Darstellungen machten den Betrachter also nicht nur auf die Vergänglichkeit des Lebens, sondern auch auf die Vergänglichkeit der Schönheit und die schrittweise Veränderung des Körpers aufmerksam.   StK

Literatur 500 Jahre Rosenkranz 1975; Meininghaus 2001; Der Rosenkranz 2003.

58 *Wendekopf mit Vogel*

Deutschland oder Frankreich?
16./17. Jahrhundert

Elfenbein

Höhe 55 mm

Privatbesitz

Dieser Wendekopf ist aus einem Stück Elfenbein geschnitzt und in einem erstaunlich guten Zustand. Selbst kleine Details sind gut zu erkennen. Der Übergang von der Seite des Lebens zur Seite des Todes ist hier – im Gegensatz zu ‚klassischen‘ zweigesichtigen Wendeköpfen – durch einen Längsschnitt im Gesicht angelegt. Dadurch ändert sich die Grundaussage: Nicht der Tod wird einer Person gegenübergestellt, sondern eine Person wird in beiden Stadien gezeigt. Anders gesagt, die Gegenüberstellung von personifiziertem Tod und hilflosem Menschen weicht der zeitlichen Darstellung von einer Person vor und nach dem Tod.

Es ist der Kopf eines älteren Mannes, der von Kriechtieren umgeben ist. Einige Schlangen bilden einen Sockel für den halslosen Schädel. Der Mund ist durch einen großen Käfer verschlossen, dessen Beine noch über das Kinn krabbeln. Da der Kiefer geschlossen ist, ergibt sich der Eindruck, der Käfer würde zerbissen. Die verbliebene buschige Augenbraue ist zusammengezogen und tiefe Falten bilden sich um Auge und Mundpartie. Das Auge blickt trotz gebohrter Pupille leer und starr. Aus dem dichten Lockenschopf lösen sich am Scheitel kleine Würmer, die sich über die Schädelplatte schlängeln.

Auf der Todesseite kämpft ein Rabe mit zwei Schlangen um die letzten verbleibenden Fleischstücke. Der Rabe krallt sich in die noch verbliebene Epidermis und zieht sie förmlich über den Knochenschädel zur skelettierten Seite. Er reißt mit ganzer Kraft am ausgestochenen Auge, das von der anderen Seite von der kleinen Schlange erfasst wird. Diese kriecht aus der nun leeren Augenhöhle. Die zweite Schlange beißt in das Ohr, das nur noch von der Kralle des Raaben gehalten wird. Am Hinterkopf finden sich weitere Schlangen und ein Käfer, der die halbe Größe des Raben erreicht.

Erstaunlich auch hier wie gut sich kleine Details, wie die Zunge der Schlange und die Einkerbungen am Schädel, erhalten haben.

Wie alle *Memento mori*-Objekte mahnt dieses Stück den Betrachter eindringlich, an die Vergänglichkeit des Lebens zu denken. Das Motiv der Schlange, die durch die Augenhöhle kriecht, mag von der Höllenbeschreibung des Thomas von Aquin oder des Anselm von Canterbury inspiriert sein und ist als Bildmotiv seit dem 15. Jahrhundert sehr üblich. Der Heilige Anselm von Canterbury beschreibt in seiner *Klage über den Verlust der Unschuld* die Hölle gefüllt mit Würmern in einer Feuersglut (Stolz 1937, S. 289). Für Thomas von Aquin ist der Gewissensbiss der Wurm, der an einem nagt und nie sterben wird (Jesaja 66,24; Tannhof 1963, S. 296) Mit dem Vanitasgedanken verbindet sich so eine moralisierende Mahnung: wer sich nicht auf den Tod vorbereitet und kein gutes Leben führt, wird es bereuen, denn die Hölle erwartet jeden nicht bußwilligen Sünder.

Das Motiv des pickenden Vogels findet sich auch an einem Elfenbeinschädel aus dem 17. Jahrhundert (gezeigt bei ‚Kunst und Krempel‘, 14.01.2006). Hier ist es kein Wendekopf, sondern ein Totenkopf mit Fürstenkrone, der die Vergänglichkeit von weltlicher Macht und Reichtum versinnbildlicht. Auch diesem Schädel sind lediglich ein Ohr und ein Auge geblieben, die von einer Schlange respektive einem Vogel gehalten werden.

Wie bei allen Wendeköpfen sind die Datierung und Provenienz schwierig. Sie waren in Wunderkammern weit verbreitet und sind in großen Teilen Europas, vor allem aber in Deutschland und Frankreich, nachweisbar. Im 16. und 17. Jahrhundert war die Produktion am größten und einige Motivwiederho-

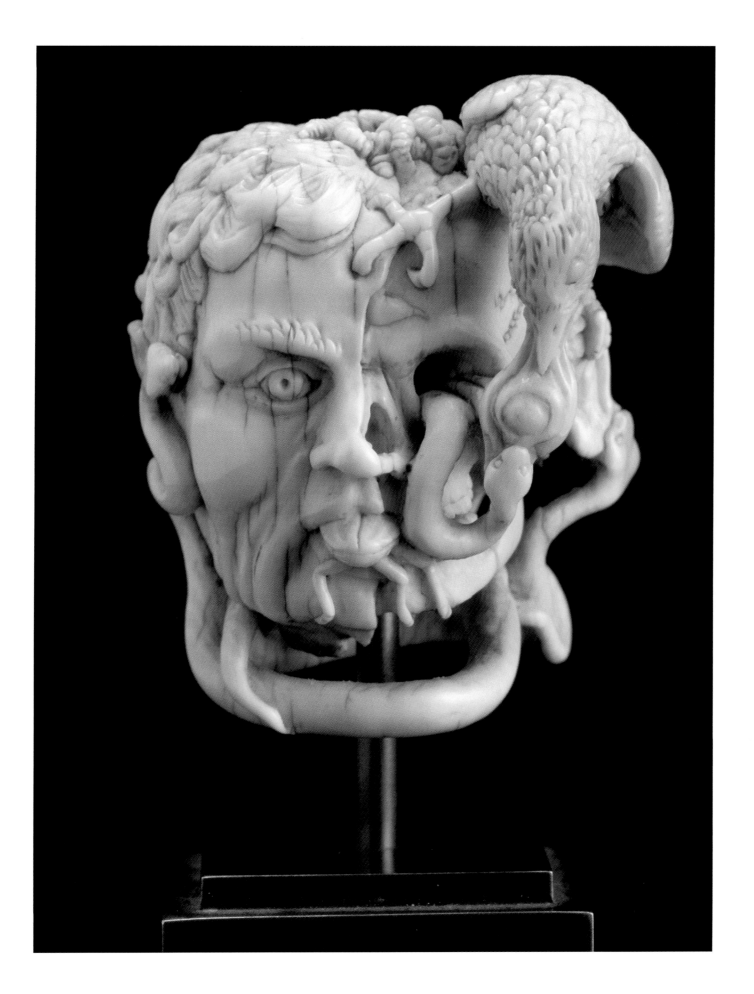

lungen (z.B. die Epidermis, die zur kahlen Seite gezogen wird; Schlangen, die aus Augenhöhlen kriechen etc.) lassen auf Serienproduktion schließen. Ob es einige spezialisierte Werkstätten dafür gab, oder ob Rosenkranzhersteller und Beinschnitzer diese kleinen Köpfe nach Musterbüchern hergestellt haben, kann vorerst nicht geklärt werden.   StK

Literatur Marcus Landau, *Hölle und Fegefeuer in Volksglaube, Dichtung und Kirchenlehre.* Heidelberg 1909; Anselm Stolz (Hg.), *Anselm von Canterbury,* München 1937; Kirfel 1949; Ritz 1963; Rudolf Tannhof (Hg.), *Thomas von Aquin: Compendium Theologiae: Grundriß der Glaubenslehre,* Heidelberg 1963; Hartinger 1992; Grünewald 2001; Finger 2003; Heiner Meininghaus, Sammeln: eine unstillbare Leidenschaft, in: *50. Kunstmesse München 8.–16. Oktober 2005,* München 2005.

59 *Miniaturschädel mit abnehmbarer Kalotte*

Süddeutsch
18./19. Jahrhundert

Kirschkern

Höhe 11 mm

Olbricht Collection, Essen
Inv. Nr. ANO–MM 077

Dieser winzige Schädel ist aus einem Kirschkern gearbeitet. Er weist trotz seines geringen Formates eine erstaunlich hohe anatomische Korrektheit auf. Die abnehmbare Schädelplatte und der dadurch gewährte Blick ins Innere des Schädels stellen die Besonderheit dieses Objektes dar. Der Schnitt ist oberhalb der Augen angebracht. Der Unterkieferknochen des Schädels fehlt. Das Objekt ist jedoch zu klein, um als Behältnis gedient zu haben.

Solche kunstvoll gearbeiteten Schnitzereien waren sehr beliebt als Mirabilien in einer Wunderkammer. Gerade das kleine Format und der hohe Schwierigkeitsgrad bei der Herstellung machten die Kostbarkeit eines solchen Stückes aus.

Ebenso wie bei der Paternosterkette (Kat. Nr. 51) handelt es sich hier um eine Mikroschnitzerei. Von der Spätrenaissance an war es üblich, die verschiedensten Motive in Kirschkerne einzuschnitzen. Eines der bekanntesten Beispiele ist ein mit 185 Köpfen beschnitzter Kirschkern, der sich heute im Grünen Gewölbe in Dresden (Inv. Nr. VII 32 ee) befindet. Von der Spätrenaissance bis zum Biedermeier waren solche beschnitzten Kirschkerne beliebt.

Es ist der Anspruch dieser Kunstwerke, eine möglichst hohe Kunstfertigkeit an einem winzigen Objekt zu zeigen. Bei Schädeln wie diesem bedeutet dies konkret, die Anatomie in höchster Detailkorrektheit (vgl. auch Kat. Nr. 65) darzustellen.   SoB

Literatur Joachim Menzhausen, *Dresdener Kunstkammer und grünes Gewölbe,* Wien 1977; Julius von Schlosser, *Die Kunst- und Wunderkammern der Spätrenaissance,* Braunschweig 1978 (Orig.: Leipzig 1908); Elisabeth Scheicher, *Die Kunst- und Wunderkammern der Habsburger,* Wien/München/Zürich 1979.

Naturperle in Form eines Totenkopfes

60

Deutschland oder Flandern
Ende 16. Jahrhundert

Naturperle, Gold, Steinbesatz

Höhe mit Aufhängung 26 mm

Privatbesitz

Der beeindruckende Totenschädel ist aus einer einzigen, großen, naturbelassenen Barockperle gestaltet. Der Künstler hat lediglich Augen- und Nasenöffnungen, sowie die Mundpartie gestaltet. Die mit Steinen besetzte Goldfassung ermöglicht den Gebrauch des Totenkopfes als Anhänger. Als kostbare Pretiosen umgearbeitete Naturperlen waren vor allem an den Höfen der Renaissance äußerst beliebt und haben sich in einigen europäischen Sammlungen erhalten, so etwa in der Schatzkammer der Medici (Massinelli 1992, S. 225 ff.). GeL

LITERATUR Anna Somers Cocks, *Princely magnificence: court jewels of the Renaissance 1500–1630,* Ausstellungskatalog Victoria and Albert Museum 1980–1981, London 1980; Kugel 2000; Anna Maria Massinelli, *Treasures of the Medici,* London 1992.

Totenkopf mit Schlangen

61

Deutschland oder Frankreich
um 1800

Elfenbein, Sockel: Holz

Höhe 110 mm

Olbricht Collection, Essen
INV. NR. ANO–MM 029

Als Totenkopf deklariert, handelt es sich jedoch motivisch um eine Abwandlung des Wendehauptmotives, ähnlich der des Wendekopfriechfläschchens aus dem Bayerischen Nationalmuseum München (Kat. Nr. 52 oder des Kopfes Kat. Nr. 58), da sowohl Schädel als auch verwesendes Antlitz eines Mannes zu sehen sind. Die Haut scheint nicht durch einen Skalpellschnitt sauber vom Schädel abgelöst, sondern vielmehr abgerissen oder abgenagt worden zu sein. Einige Zähne fehlen und aus den Zahnlücken kriechen links und rechts zu den Ohren hin zwei Schlangen heraus. Eine Dritte kommt hinter dem rechten Ohr hervor und schlängelt sich über das spärliche Haupthaar zur kahlen Stirn des Schädels und beißt sich in den Hautresten der linken Gesichtshälfte fest. Hinter dem linken Ohr sitzt eine Kröte oder ein Frosch. SJ

LITERATUR von Philippovich 1961; Werner Schiedermair, Der Tod als Perspektive: Memento Mori im 17. und 18. Jh., in: Salmen 2000, S. 128–140; Laue 2002.

62 *Kopf eines toten Mönchs in Kutte*

Frankreich (?)
17./18. Jahrhundert

Elfenbein und Holz

Höhe 67 mm

Bayerisches Nationalmuseum, München
Inv. Nr. R 4603

Die vollrund gearbeitete kleine Skulptur setzt sich aus zwei Teilen zusammen. Der aus Elfenbein geschnitzte Kopf ist im Bereich der Haare für die Tiefenwirkung braun eingefärbt. Durch einen Dübel ist der Kopf in die aus dunklem Holz geschnitzte Kapuze einer Mönchskutte eingesetzt. Die Kutte hat einen halbrunden Abschluss, wie sie für Büsten im Barock üblich ist. Die fast abstrahierend glatte Holzschnitzerei fasst den ausdrucksstarken und sehr detailliert ausgearbeiteten Elfenbeinkopf wie in einer Schale ein. Die Porigkeit des Holzes suggeriert trotz der Steifheit der Form fast textile Qualität, die mit der lebendig anmutenden Materialität des Elfenbeins einen eindrucksvollen Kontrast bildet. Durch den Kunstgriff, zwischen dem

Kopf und der Kapuze einen eigentlich realistisch nicht möglichen Abstand zu schaffen, wird die Plastizität des Elfenbeinkopfes noch einmal definiert: Das Gesicht mit tief in die Augenhöhlen eingesunkenen, geschlossenen Augen, mit herabgezogenen Mundwinkeln und über den sichtbaren Zähnen leicht geöffneten, dünnen Lippen, den stark hervortretenden Kieferknochen und tiefen Gesichtsfalten vermittelt den Ausdruck von Alter und Tod. Aber es ist ein friedvolles Gesicht, das eher Ergebenheit als einen erschöpfenden Todeskampf zum Ausdruck bringt. Der kurze Haarkranz, der eine unter der Kapuze noch erkennbare Tonsur umgibt, macht deutlich, dass die Skulptur, die fast portraithaften Charakter hat, wirklich einen verstorbenen Mönch darstellen soll.

Hier ist also keine Personifikation des Todes gemeint, sondern ein Standesvertreter. Obwohl der Mönch als Bild des habgierigen Klerikers in den mittelalterlichen Totentänzen seit dem 15. Jahrhundert seinen festen Platz hatte, erweckt das kleine Bildwerk nicht den Eindruck einer negativen Standeskritik. Es ist die Darstellung eines Verstorbenen, dessen Stand und Zustand eindeutig charakterisiert sind, eine Typ- oder Charakterstudie, wie sie kunsthistorisch erst seit dem späteren 17. Jahrhundert denkbar ist. Vermutlich gehörte der Mönchskopf zu einem Rosenkranz. Seinen Benutzer, der vielleicht selbst ein Mönch war, hat er auf jeden Fall nachdrücklich auf die Vergänglichkeit des Lebens hingewiesen. LR/HWA

LITERATUR Berliner 1926.

Totenkopf auf Hornabschnitten 63

Deutschland (?)
wohl 18. Jahrhundert

Hartholz, Hirschhorn

Höhe 45 mm, Breite 60 mm

Olbricht Collection, Essen
INV. NR. ANO–MM 030

Das kleine Objekt wäre in einer Wunderkammer im Bereich der außergewöhnlichen Materialien einzuordnen. Dem differenziert geschnitzten, hölzernen Totenkopf fehlt der Unterkiefer, im Oberkiefer sind einige, wohl aus Bein eingesetzte, Zähne sichtbar. Während die Augenhöhlen leer und tief ausgehöhlt erscheinen, wirkt die Nase noch teilweise mit Fleisch bedeckt, aber im Bereich der Ohren und des Kiefergelenkes wird die Knochenstruktur wieder sichtbar. Über dem rechten Auge liegt ein dünner, kurzer, waagrechter Schnitt, eine vielleicht nachträgliche Beschädigung, deren Beschaffenheit sich von der ledrig erscheinenden Oberfläche der Schädelhaut unterscheidet. Der Schädel ist

auf zwei rollenförmige, dünne Geweihabschnitte montiert, die etwa gleich lang sind, parallel zueinander liegen, in Längsrichtung leicht poliert wirken und an den Schmalseiten zum Teil Bruchkanten aufweisen. Sie sehen aus wie Rohmaterial für Hornknöpfe. Das Ganze wirkt wie eine makabre Collage, die sich nicht in die gängige Motivik im Bereich des *Memento mori* oder der *Vanitas* einordnen lässt, obwohl das Objekt nur in diesem Zusammenhang entstanden sein kann. Ob das Gebilde mit einer persönlichen Erinnerung zusammenhängt oder allgemein mit der Jagd in Beziehung zu setzen ist, muss offen bleiben. HWA

UNVERÖFFENTLICHT

64 *Totenkopf mit Kapuze*

Deutschland
19. Jahrhundert

Buchsbaum

Höhe 40 mm, Breite 40 mm

Kunstgewerbemuseum, Berlin
Inv. Nr. K 2982

Eine Kapuze umschließt vollkommen einen Totenschädel, der mit leicht unregelmäßig geformten, tiefen Augenhöhlen einen gespenstischen Eindruck
macht. Der erschreckende Gesichtsausdruck wird verstärkt durch ein fehlendes Detail, nämlich die seitliche
Hochführung und Verbreiterung des Unterkiefers
hinter den Zähnen bis zum Kiefergelenk. Dadurch
treten die Jochbeine besonders hervor und das
Untergesicht mit den fest geschlossenen, lückenhaften Zahnreihen wirkt für einen Menschenschädel
unnatürlich spitz. Der Kapuzenstoff schließt unterhalb des Schädels mit einer angedeuteten Naht ab, es
gibt keine denkbare Fortsetzung in einem Gewand.
Diese Art der Stilisierung entspricht dem verkürzt
dargestellten Unterkiefer und der ungenauen plastischen Trennung zwischen der Schädelkalotte und dem
Kapuzenstoff. Insgesamt wirkt die kleine Schnitzerei
wie eine technisch gekonnte und im Detail phantasie-
reich variierte Nachahmung früherer, vorwiegend für
Rosenkränze bestimmte Wendehäupter, die jedoch
im Spätmittelalter und der Renaissance meistens ein
Gegenüber in Form eines lebendigen Menschenkopfs
hatten. Das im Museumsinventar mit einem Fragezeichen als Modell angesprochene Objekt ist senkrecht
durchbohrt, es hätte also als Perle an einem Rosenkranz
wie Kat. Nr. 62 verwendet werden können. Die Montage auf einem gedrechselten, schwarzen Holzsockel, der
dem von Kat. Nr. 65 völlig gleicht, spricht ebenso wie
die Konkordanz mit den Inventarnummern der preußischen Kunstkammer dafür, dass der Mönchskopf etwa
gleichzeitig mit der 1845 erworbenen Kat. Nr. 65 und
damit vor der Gründung des Kunstgewerbemuseums
1867 entstanden ist.   HWA

Unveröffentlicht

ALLTAGSGEGENSTÄNDE

Der Tabak

Dich Tabak, lobt der Medikus,
Weil uns dein fleißiger Genuss
An Zahn und Augen wohl kurieret
Und Schleim und Kolster
Von uns führet.

Dich lobt der Philosophus,
Wenn er scharf meditieren muss,
Weil er, solang er dich genießet,
Des Geistes Flatterkeit vermisset.

Dich lobt der Theologus
Durch einen homiletischen Schluss,
Wenn er in deinem Rauch entzücket
Ein Bild der Eitelkeit erblicket.

Ich lob an dir als ein Jurist,
Was rechtens an dir löblich ist;
Daß, wenigstens wie mir es dünket,
Man mehr und öfter bei dir trinket.

Gotthold Ephraim Lessing (1729–1781)

65

Kralle und Blüte mit Totenkopf

Deutschland
19. Jahrhundert

Buchsbaum

Höhe 60 mm, Breite 50 mm,
Länge 75 mm, Ø unten 22 mm

Kunstgewerbemuseum, Staatliche Museen zu Berlin –
Stiftung Preußischer Kulturbesitz
Inv. Nr. K 2981

Aus einem schräg angeschnittenen glatten Rand wachsen die nach vorn geneigten Hüllblätter einer Schwertlilie. Das hintere Blatt zeigt außer der geriffelten Oberfläche, die optisch der streifigen Blattstruktur der Lilie entsprechen soll, zwei parallel geführte, textil anmutende Bänder mit einen schrägen Streifenornament, die innerhalb der Blütenform fremd anmuten. Aus den Blütenblättern kommen unten drei Zehen einer großen Vogelkralle mit gefährlich spitz gebogenen Krallenenden hervor. Sie umschließen einen im Vergleich winzig wirkenden menschlichen Unterkiefer. Darüber liegt leicht erhöht und quer dazu der offenbar zugehörige Schädel, dessen sonst verborgene Unterseite durch die Drehung ganz sichtbar wird. Das komplexe Gebilde wirkt anatomisch exakt, die Nasengänge, die Öffnung des Spinalkanals, die Höhlungen der Kiefergelenke und die Austrittspunkte großer Gefäße und Nervenbahnen sind dargestellt. In der Seitenansicht erscheint der Gesichtsschädel ebenso akribisch geschildert mit den Nervenaustrittspunkten neben der Nasenhöhle und den knöchernen Öffnungen im Hintergrund der Augenhöhlen. Auf dem Hinterkopf erscheint der Kopf einer Schlange, deren Körper sich zwischen dem Unterkiefer und dem Schädel hindurch und unterhalb der Vogelkralle nach hinten windet. Lilie und Schädel und Schlange kann man zwar allgemein in den Motivkreis der *Memento mori*-Thematik einordnen, aber die bizarre Kombination von Kralle, Blüte und Gebein ist für entsprechende Objekte des Barock oder der Renaissance untypisch. Vor allem die verfremdende Verkleinerung des Schädels gegenüber der

Vogelkralle und seine Montage in der Blüte an der Stelle von Stempel und Staubgefässen zeugt von einem außerhalb gültiger Traditionen stehenden Umgang mit der Thematik. Dadurch wird erst die beliebige Kombination von Motiven möglich. Sie ist eher für den Historismus als für das 18. Jahrhundert typisch. Im Inventar des Berliner Kunstgewerbemuseums ist die Bezeichnung der virtuos geschnitzten Buchsbaumarbeit als Modell mit einem Fragezeichen versehen. Zum Einsatz könnte die Schnitzerei vielleicht als Gussmodell für eine Goldschmiedearbeit gekommen sein, aber die komplizierte räumliche Form und der schräge Ansatz des Randes sprechen ebenso wie das Material für die direkte Verwendung der Holzarbeit als Stockgriff zum Einsetzen in eine Metallhülse. Erworben wurde die Schnitzerei 1845. Vieles spricht dafür, dass sie damals als neu entworfenes Sammlerstück in der Tradition jener Gegenstände entstand, die in Renaissance und Barock in den Wunderkammern Platz fanden, und so in die Preußische Kunstkammer kam. Diese Herkunft wird durch die Konkordanz der Inventarnummern bestätigt (Bierschenk 1985, S. 257). Wie Nr. 64 ist Nr. 65 also vor der Gründung des Kunstgewerbemuseums 1867 entstanden. Dennoch ist das Objekt zu den ‚Beispielen des zeitgenössischen

Kunstgewerbes' zu rechnen, denen in der Gründungsphase des Museums das Hauptaugenmerk gegolten hat (Dreier 1985, S. 9). HWA

LITERATUR Franz Adrian Dreier, Geschichte des Museums, in: Monika Bierschenk, *Kunstgewerbemuseum Berlin. Bildführer. Kunsthandwerk vom Mittelalter bis zur Gegenwart*, Berlin 1985, S. 7–15; Monika Bierschenk, *Kunstgewerbemuseum Berlin. Bildführer. Kunsthandwerk vom Mittelalter bis zur Gegenwart*, Berlin 1985.

66

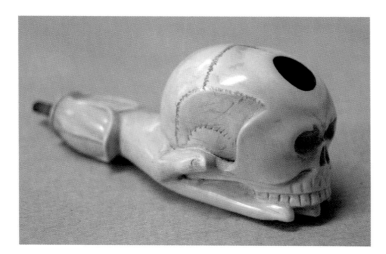

Pfeifenkopf in Schädelform

Deutschland (?)
19. Jahrhundert

Meerschaum

Länge 100 mm, Höhe 48 mm, Breite 46 mm

Privatbesitz

67

Zigarettenspitze

Deutschland
19. Jahrhundert

Meerschaum und Bernstein

Länge 155 mm

Olbricht Collection, Essen
INV. NR. ANO–MM 023

Meerschaum wurde bereits im 17. Jahrhundert in der Türkei für die Pfeifenherstellung verwendet; seinen Weg in den Westen fand der Meerschaum jedoch erst ein Jahrhundert später. Hauptumschlagplatz war zur damaligen Zeit Wien. Von hier aus wurde das weiche und etwas poröse, in Knollen abgebaute Mineral quer durch Europa und an die wichtigen Messezentren verschickt. In Deutschland gelten Lemgo und Ruhla als wichtigste Zentren der meerschaumverarbeitenden Industrie (Manger 2003, S. 7 f). Meerschaum zeichnet sich nicht nur durch seine perfekten Raucheigenschaften und die Verfärbung aus, die das Material während des Rauchens zeigt, sondern es bot den Schnitzern

und Drechslern bei ihrer Arbeit auch viele Möglichkeiten. So konnten kunstvolle Gebilde und sogar szenische Darstellungen auf Pfeifenköpfen platziert werden. Besonders beliebt waren Portraits oder Darstellungen von schönen Frauen (Cremer 2005, S. 32 f). Der Pfeifenkopf und die Zigarettenspitze zeigen jedoch kein schöngeistiges Thema, sondern ein zum Nachdenken anregendes.

Der Schaft der Pfeife (Kat.Nr. 66) wird von einem Unterarm gebildet, der in einem an eine Blume erinnernden, geschlitzten Ärmel endet. Auf der geöffneten Handfläche ruht der blanke Schädel, der nur durch den Daumen an der Seite gestützt wird. Das

Mundstück der Pfeife ist heute leider verloren, wird aber wohl – wie das der Zigarettenspitze – aus Bernstein gewesen sein. Der Schädel selbst ist nicht besonders realistisch gebildet, er besitzt eine eher maskenhafte Erscheinung. Die Fontanellen sind stark ausgeprägt und erscheinen – anatomisch unkorrekt – auch an den Seiten. Sie sind viel mehr zierendes Beiwerk als Abbild der Realität. Auch die Augenhöhlen scheinen in ihrer Form grimassenhaft, was noch durch die über den Höhlen schräg nach oben laufenden, an Augenbrauen erinnernden Linien, verstärkt wird. Das Gebiss des Schädels wurde vom Schnitzer ebenfalls verunklärt. Auf den ersten Blick scheint der Schädel über eine obere und untere Zahnleiste zu verfügen. Bei genauerem Hinsehen erkennt man, dass die Einkerbungen unterhalb der Nasenhöhlen, ähnlich der Fontanellen im seitlichen Bereich des Schädels, nur Zierde sind. Die darunter liegende Zahnleiste wird von gleichförmigen in einer Reihe liegenden Zähnen gebildet. Der Unterkiefer und die Verankerung desselben im Schädel werden komplett vernachlässigt.

Ganz anders stellt sich die Zigarettenspitze (Kat.Nr. 67) dar. Sie befindet sich noch heute in ihrem originalen Etui, welches mit grünem Samt ausgeschlagen und auf der Innenseite mit goldenen Lettern bezeichnet ist: GARANIERT ECHT BERNSTEIN UND MEERSCHAUM. Im Gegensatz zu dem Pfeifenkopf wirkt dieser ebenfalls aus Meerschaum gefertigte Schädel naturalistischer und weniger karikierend verfremdet. Einzig und allein die Tatsache, dass der Schaft der Zigarettenspitze wie ein Speer durch den Schädel dringt und zu einer der leeren Augenhöhlen austritt, erscheint kurios. Der Schädel ist sehr realistisch gearbeitet und erinnert in seiner Exaktheit an anatomische Lehrmodelle. Interessant ist, dass der Meerschaum sich im gesamten Bereich des Schädels durch das Rauchen bräunlich verfärbt hat, nur die Zähne sind heller geblieben; ein Umstand, den der Schnitzer bei der Anfertigung der Zigarettenspitze auf jeden Fall bedacht hat, da der Meerschaum sich nur an den Stellen verfärbt, die beim Rauchen auch warm werden. Auf der Oberseite des Schädels ist eine runde, nach unten hin schmaler werdende und mit einem Muster verzierte Halterung für die Zigarette/Zigarre angebracht.

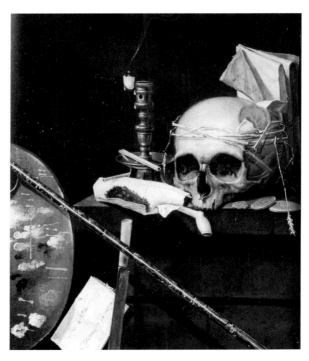

67a

Der weiße Schaft endet in einem aus Bernstein bestehendem Mundstück, welches ein Gegengewicht zu dem bräunlichen Schädel bildet. Da sich die Meerschaumschnitzer des Phänomens der Verfärbung durchaus bewusst waren, wurden Meerschaumpfeifen meist mit Mundstücken aus Bernstein ausgestattet (Manger 2003, S. 50).

Aus heutiger Sicht muten beide Stücke äußerst modern an, denn sie scheinen eine medizinische Warnung vor den Folgen des Rauchens auszudrücken. Das ist jedoch eine anachronistische Interpretation. Die Form des Schädels ist viel mehr eine scherzhafte Anspielung auf die irdischen Laster und ein zu genussvolles Leben, das den Raucher ermahnen sollte, die Freude nicht überhand nehmen zu lassen und die Endlichkeit allen Seins stets vor Augen zu haben (Laue 2002, S. 14f). Es ist aber nicht besonders verwunderlich, dass für Pfeifen und ähnliche Rauchwerkzeuge ein solches Thema gewählt wurde, denn bereits in der niederländischen Stilllebenmalerei findet sich die Pfeife als Vanitassymbol. Sébastiaen Bonnecroys Sébastiaen Bonnecroys *Vanitas mit Totenkopf und Pfeife* (1641; Abb. 68a) zeigt rund um einen mit Dornenkrone versehenen Totenschädel Tabak und unterschiedlichste Rauchwerkzeuge.

TH

LITERATUR Böse 1957; Langenfelder 1986; Laue 2002; Manger 2003; Cremer 2005.

68 *Schnupftabakdose*

Deutschland
1. Viertel des 19. Jahrhunderts

Papiermaché, Lackmalerei, Messingscharniere

Höhe 30 mm, Breite 63 mm, Tiefe 99 mm

Museum für Sepulkralkultur, Kassel
(Eigentum der BRD – Dauerleihgabe)
Inv. Nr. M 1988/131

Bereits ab der 2. Hälfte des 18. Jahrhunderts waren Lackdosen in Europa weit verbreitet. In erster Linie ahmten sie auf eine billige Art und Weise aus Asien stammende Lackarbeiten nach. Bei dieser Dose jedoch verhält es sich ein wenig anders (Rupp 1991, S. 220). Sie kann durch ihre Malerei viel eher als Gegenpropaganda zu Napoleon gesehen werden.

Die Tabatière besitzt die Form eines etwas in die Breite gezogenen Sarges, der mit einer Rundung am Fußende abschließt. In ihrer Mitte befinden sich zwei ehemals vergoldete Messingscharniere, mit welchen man die Dose aufklappen konnte.

Der obere Teil des ‚Sargdeckels‘ wird komplett von einer Szene mit Napoleon und dem Tod eingenommen. Das links im Profil auf einer Kanone sitzende Skelett hat die Beine übereinander geschlagen und den Schädel in sinnender Pose auf seinen rechten Arm gestützt. Es blickt direkt auf Napoleon, welcher ihm gegenüber auf einer Trommel sitzt. Auch Napoleon hat seinen Kopf auf den Händen abgestützt, jedoch nicht nachdenklich – der Imperator macht einen eher niedergeschlagenen Eindruck. Die Szenerie ist von dunkler Farbigkeit geprägt, im Hintergrund sind Feuer, Rauch und einige Fahnen zu erkennen. Sie verleihen den Eindruck, als würde man sich am Rande eines Schlachtfeldes befinden. Wie im Totentanz, begegnet der Tod hier Napoleon und erinnert ihn daran, dass im Tod alle Menschen gleich sind. Vorlage für diese Szene ist eine Aquatinta-Radierung von Thomas Rowlandson mit dem Titel *The two Kings of Terror* (1813). Das Blatt wurde als satirischer Hinweis auf die

Schlacht bei Leipzig gesehen, bei der Frankreichs Truppen unterlagen (Vergänglichkeit für die Westentasche 2005, S. 100 f.). Die antinapoleonische Einstellung und die politischen Implikationen werden dadurch verdeutlicht, dass Rowlandson den Tod auf eine Kanone und Napoleon auf eine Trommel setzt, welche im Text als Symbol für ‚Hohlheit‘ und auch als Instrument der Toten bezeichnet wird. Doch der Künstler der Lackdose geht mit seinem gegen Napoleon gerichteten Programm noch einen Schritt weiter, indem er den unteren Teil der Dose mit Napoleons Monogramm auf Gold strahlendem Grund – umgeben von einem Lorbeerkranz – zeigt. Hierbei handelt es sich erneut um eine direkte Anspielung auf napoleonische Propaganda, denn der Imperator ließ zahlreiche Tabakdosen mit seinem Monogramm versehen und als Geschenk an die Kommandanten seiner lokalen Ehrengarde verteilen (Vergänglichkeit für die Westentasche 2005, S. 101).

Auf dem Boden der Dose findet eine Darstellung von Napoleons letzter Ruhestätte auf der Insel Sankt

Helena ihren Platz; die Seitenflächen sind mit Kränzen geschmückt, das Fußende ziert eine geflügelte Sanduhr, ein Zeichen für die Endlichkeit des Lebens. Deshalb tritt neben den Aspekt der antinapoleonischen Propaganda derjenige des *Memento mori*. Dem Besitzer sollte auf diese Art die Vergänglichkeit allen irdischen Seins und auch des Vergnügens und Luxus bewusst werden.

Da die Manufaktur Stobwasser in Braunschweig, eine der führenden Lackkunst-Manufakturen, eine Reihe von Dosen mit Karikaturen auf die napoleonischen Kriege fertigte, könnte auch diese Schnupftabakdose in Deutschland entstanden sein (Vergänglichkeit für die Westentasche 2005, S. 101).   TH

LITERATUR Richter 1988; Rupp 1991; Detlev Richter, *Stobwasser. Lackkunst aus Braunschweig & Berlin,* Ausst. Kat. Museum für Lackkunst Münster, Städtisches Museum Braunschweig, etc., München et. al. 2005; Vergänglichkeit für die Westentasche 2005.

Schnupftabakdose in Sargform 69

Süddeutschland
um 1750

Milchglas, Emailfarben,
Montierung: Messing, feuervergoldet

Höhe 39 mm, Breite 43 mm, Tiefe 88 mm

Olbricht Collection, Essen
INV. NR. ANO–MM 054

INSCHIFT AUF DEM DECKEL „DEIN PFEIFF LASS HIER / UND GEH MIT MIR.
– ICH GEH MIT DIR / ZUR HIMMELS THÜR"
INSCHIFT INNEN „DER BETAGTE GENERAL MUSS AUCH IN DIE TODTENZAHL"

70 *Tabatière*

Süddeutschland
2. Hälfte des 18. Jahrhunderts

Milchglas, Emailfarben, Montierung: Messing, feuervergoldet

Höhe 39 mm, Breite 88 mm, Tiefe 43 mm

Kunstkammer Georg Laue, München

INSCHIFT AUF DEM DECKEL „Die Zeit hingeht her kombt / der Todt"
und „O: mensch thu buß / ker dich zu / Gott."
INSCHIFT INNEN „Angelis suis / mandavit de te. / Ps: 9: V:"

Mit Beginn des 18. Jahrhunderts begann die große Zeit der Tabatièren, denn das Schnupfen von Tabak war *en vouge*. In diese Zeit lassen sich auch die aus Milchglas hergestellten und mit kostbaren Emailfarben geschmückten Dosen einordnen (Rupp 1991, S. 9). Die einzelnen mit Email bemalten Milchglasscheiben werden von einer feuervergoldeten Messingmontierung zusammengehalten.

Der Deckel der ersten Dose (Kat. Nr. 69) zeigt einen jungen Musiker beim Flötenspiel, der inmitten der freien Natur auf den personifizierten Tod trifft. Ober- und unterhalb der dargestellten Szene wird das Geschehen durch eine Inschrift näher erläutert. Jedoch scheint dem Musiker die drohende Gefahr nicht genau

bewusst zu werden. Es scheint, als habe er seinen Begleiter noch gar nicht wahrgenommen und sich in seinem Tun nicht aufhalten lassen. Auch der Tod selbst greift, außer durch seine Worte, nicht ins Geschehen ein, viel eher scheint er zur dargebotenen Musik zu tanzen.

Auf der Innenseite des Deckels wird eine weitere Szene dargestellt. Hier ist ein General im Gefolge seiner Truppen mit Bannern und Kriegsgerät abgebildet. Der Tod ist erneut zur Stelle. Anders als auf der Vorderseite scheint der General jedoch zu wissen, dass sein letztes Stündlein geschlagen hat. Der mit einer Sense bewaffnete Tod hat ihn bei der Seite gefasst und weist ihm den Weg nach vorn. Die Art der Darstellung und die Sprüche weisen enge Bezüge zu den Totentänzen auf: der Tod trifft jeden und macht weder vor Alter noch Stand der jeweiligen Person halt.

Die Seiten der Dose sind ebenfalls reich verziert. Doch tritt hier der erzählerische Aspekt deutlich in den Hintergrund. So sind die Längsseiten des Sarges mit unterschiedlichstem Kriegsgerät und verschiedenen Fahnen geschmückt, auf denen in Weiß gekleite Frauen liegen. Eine der beiden weiblichen Figuren lässt sich eindeutig als Trauernde identifizieren. Mit von Trauer verzerrtem Gesicht führt sie ein großes Taschentuch zu den Augen.

Der Fußteil der Dose zeigt einen auf einem Kissen liegenden Totenschädel, der einen Helm und eine Halspanzerung trägt und von einem Kranz aus rosafarbenen Federn umgeben wird. Vor dem Schädel finden sich erneut Waffen.

Im höfischen 18. Jahrhundert wurden die zierlichen Emaildosen meist vom weiblichen Teil der Gesellschaft benutzt und mit zarten Dekoren, wie etwa Blumenmustern und romantisch-idealen Landschaften oder Portraits geschmückt (Langenfelder 1986, S. 215). Diese Dose hingegen besitzt, außer ihren zarten Farben, nichts typisch Weibliches. Zwar ist das Thema Totentanz nicht geschlechterspezifisch festgelegt, doch ist die Kriegsthematik hier zu stark ausgeprägt.

Die vergleichbare Tabatière aus der Kunstkammer Laue (Kat. Nr. 70) ist geprägt von einem eher religiösen Charakter. Auf dem Deckel ist Moses mit den Gesetzestafeln neben der Personifikation des Todes mit Pfeil und Stundenglas dargestellt. Die Deckelinnenseite zeigt einen Engel mit einem Kind. Bei den begleitenden Versen steht neben dem *Memento mori* die Aufforderung zur Buße und der Trost der Hinterbliebenen im Vordergrund.   TH

LITERATUR Renate Langenfelder, Von den Freuden des Tabakgenusses: ein Album für Raucher und Schnupfer oder Die Sammlung von Pfeifen und Tabaksdosen im Salzburger Museum, in: *Jahresschrift Salzburger Museum Carolino Augusteum,* Salzburg 32 (1986), S. 193–288; Rupp 1991; Laue 2002; Vergänglichkeit für die Westentasche 2005.

Messer mit Springtödlein 71

Norddeutschland
1571

Elfenbein, Silber, Eisen

Länge 284 mm

Olbricht Collection, Essen
INV. NR. ANO-MM 043

Bezeichnet am Griff „ANNO 1571"

Der elfenbeinerne Griff des Messers, der durch einen Silberring mit der Klinge verbunden ist, ist vierseitig bearbeitet. Über einem lesbischen Kyma ist auf den Langseiten ein an den Rändern volutenförmig eingerolltes Akanthusblatt zu sehen, das zu einem pfeilerartigen Gebilde mit Bildfeld überleitet. Auf der einen Seite ist hier ein Stundenglas zu erkennen, darunter ein Skelett, das die Hände wie zum Gebet zusammengelegt hat und dessen Beine von bewegten Linien bedeckt sind. Im gegenüberliegenden Bildfeld erscheint Christus als Weltenherrscher mit Lebensbaum. Christus ist dargestellt als eine nach links schreitende Gestalt mit der Weltkugel in der Hand. Über den Bildfeldern ist jeweils eine kreisrunde Vertiefung zu erkennen, in deren Zentrum ein Loch gebohrt wurde. Es ist anzunehmen, dass die – für den Klappmechanismus notwendige – Vertiefung ursprünglich mit einer Deckplatte abgeschlossen war.

Auf den beiden Schmalseiten bildet ein eingerolltes Akanthusblatt eine Konsole für ein beinahe

vollplastisch gearbeitetes Figürchen. Karyatidengleich tragen die einander gegenüberstehenden Figuren – Adam und Eva mit der Schlange – ein rechteckiges Kästchen, dessen Ecken durch Halbsäulen akzentuiert sind und dessen Seitenflächen Miniaturreliefs mit Darstellungen des Paradieses, des Sündenfalls, der Vertreibung aus dem Paradies und dem Brudermord Kains zieren.

Durch einen Mechanismus können die Frontseiten des pfeilerartigen Gebildes herausgeklappt werden, um dahinter vollplastische, bewegliche Elfenbeinfiguren – den Tod als Skelett und Christus als Erlöser – zum Vorschein zu bringen. Dazu muss ein Knopf betätigt werden, der den Griffabschluß öffnet. Unter der Deckplatte verbirgt sich ein Silberzapfen. Wird daran gezogen, so springen die seitlichen Klappen auf und geben den Blick auf die Figürchen frei.

Ein derartiger Klappmechanismus wurde in mehrere Messer des späten 16. und frühen 17. Jahrhunderts eingearbeitet: Messer mit Griff aus Elfenbein, im Inneren Allegorien von Leben und Tod, Amsterdam (?), 1605 (Deutsches Klingenmuseum Solingen; Marquardt 1997, Nr. 167); Messer mit Griff aus gravierten Silberplatten, im Inneren Elfenbeinkunstwerke und ein Rosenkranz, Niederlande, 1610 (Kunsthistorisches Museum Wien, Plastik und Kunstgewerbe, Inv. Nr. 4259; Zauber der Medusa 1987, Nr. VIII.61).

In der Sammlung Marquardt im Deutschen Klingenmuseum Solingen befindet sich ein weiteres Messer dieser Art mit einem Griff aus Elfenbein (Norddeutschland oder Niederlande, 1549; Marquardt 1997, Nr. 166). Es weist nicht nur ein vergleichbares Bildprogramm (allerdings mit acht Bildfeldern) und denselben Klappmechanismus auf, sondern stimmt auch in Details mit dem Messer der Sammlung Olbricht überein. Auffällig ist neben der Handhaltung von Adam und Eva und der Darstellung des Christus vor allem der kreisrunde Einsatz über den Pfeilerfronten, der sich an derselben Stelle befindet wie die oben erwähnte runde Vertiefung. Bei dem Messer aus dem Klingenmuseum ist auf der Deckplatte des Kästchens ein liegender Löwe mit einer Kugel angebracht. Da bei dem Messer aus der Sammlung Olbricht Bohrungen in der Deckplatte zu sehen sind, mag auch hier ursprünglich ein Löwe den Abschluß des Griffes gebildet haben. Doch trotz der großen Ähnlichkeit ist die Qualität zu unterschiedlich, als dass hier vom selben Meister gesprochen werden könnte. Ob das Messer der Sammlung Olbricht direkt nach dem früher datierten Messer aus der Sammlung Marquardt entstanden ist oder ob beide auf eine gemeinsame Vorlage zurückgehen, wäre noch zu klären.

Als Kunstkammerstücke haben diese Messer ihre Betrachter sowohl durch kunstvolle Schnitzereien als auch durch technische Raffinesse fasziniert. Darüber hinaus haben sie zur Buße, zur Meditation über den Tod und zum Glauben an die Erlösungstat Jesu eingeladen. StK

LITERATUR Klaus Marquardt, *Europäisches Essbesteck aus acht Jahrhunderten,* Stuttgart 1997; Georg Laue (Hg.), *Wunder kann man sammeln,* München 1999; Laue 2002; Zauber der Medusa 1987.

Petschaft mit einem Totenschädel

Deutschland
um 1800

Holz, Bronze

Höhe 85 mm

Olbricht Collection, Essen
Inv. Nr. ANO-MM 014

Das Handgerät zum Siegeln besteht aus einer Bronze-säule, die von einem Totenschädel aus Holz bekrönt ist, und einer Bronzeplatte, die ein adliges Wappen-siegel trägt. Petschaften, deren Griff aus figürlichem Schmuck – meist aus Büsten, aber auch aus ganzfigu-rigen Darstellungen – besteht, waren in großer Menge seit dem letzten Drittel des 19. Jahrhunderts verbreitet. Kostbare Petschaften mit Büsten aus Elfenbein findet man jedoch schon kurz nach 1800. Das Petschaft mit Totenschädel erinnerte bei jeder Benutzung des Siegels an die Vergänglichkeit der eigenen Werke.   AHE

LITERATUR unveröffentlicht; vgl. *Petschaften: Kunst des Siegelns,* Auktionskatalog Dorotheum, Wien 2004.

Totenkopfuhr 73

Vermutlich Philippe Dufour (1785–1851), Genf
2. Viertel des 19. Jahrhunderts

Silber, gegossen (Gehäuse), Messing, feuervergoldet (Werk), Email (Zifferblatt)

Länge 80 mm

Olbricht Collection, Essen
Inv. Nr. ANO–MM 007

Dem naturalistisch in Schädelform ausgebildeten Silbergehäuse mit beweglichem Unterkiefer und aufklappbarer Kalotte ist ein feuervergoldetes Spindelwerk mit durchbrochener Spindelbrücke, Kette und Schnecke eingefügt. Bei geöffneter Schädeldecke erscheint ein weiß emailliertes Blatt mit römischer Stundenziffer und arabischer Minuterie. Aufgrund dieser Gehäusegestalt gehört der Chronometer zur Gattung der Form- beziehungsweise Phantasieuhren, die sich im letzten Drittel des 16. Jahrhunderts zu entfalten begann und im zweiten Drittel des folgenden Säkulums ihre erste Blütezeit erlebte. Neben der Funktion des Zeitmessers dienten solche Stücke als ausgesprochene Repräsentationsgegenstände, anfangs sogar als kostbarer Schmuck, der um den Hals oder an der Taille getragen wurde (Cardinal 1985, S. 120).

Im engeren Sinne zählen die Totenkopfuhren zu den sogenannten *Memento-mori*-Uhren, die aufgrund von Form, bildlichen Darstellungen oder Symbolen die Unentrinnbarkeit des Todes und das unaufhaltsame Schwinden der Lebenszeit deutlich ins Bewusstsein rücken (Görgens/Pfeiffer-Belli 1997, S. 40). Das vorgestellte Objekt ist ein typischer Vertreter dieser Spezies. Zweifellos kann kaum eine Gestalt des Uhrgehäuses das unerbittliche Fortschreiten der Zeit deutlicher zum Ausdruck bringen als die des skelettierten Schädels. Er ist die Metapher für die Sterblichkeit des Menschen und die Vergänglichkeit alles Irdischen schlechthin. Vermutlich sollte die Symbolik hier dazu beitragen, dass die verrinnende Zeit vom Träger der Uhr deutlich als ganz persönlich schwindende Lebensdauer wahrgenommen werde. Die Erinnerung an die Vergänglichkeit war so mit der Mahnung verbunden, das Leben eingedenk des jenseitigen Gerichtes als Bewährung vor Gott zu verstehen, sich in gottgefälligem Lebenswandel zu üben oder Buße zu tun.

Als Rosenkranzanhänger hatten aus Edelmetall gegossene Schädel bereits im Spätmittelalter die Funktion, an die Endlichkeit des Lebens und gleichzeitig die Fürsprache der Gottesmutter Maria in der Todesstunde zu erinnern. Seit dem 16. Jahrhundert bekannte Bisamäpfel in Schädelform, kleine aus Metall gefertigte Behältnisse, die zur Aufnahme vermeintlich krankheiten abwehrender Duftstoffe dienten, mahnten

ebenfalls, das Unausweichliche nicht aus dem Sinn zu verlieren (Smollich 1983, S. 260–266). Aus der Zeit kurz nach 1500 sind die ersten Bisamapfel-Uhren erhalten (Abeler 1983, S. 14–15). Über die Genesis der Kombination schädelförmiger Gehäuse mit Uhrwerken herrscht heute allerdings noch immer Ungewissheit. Zu Beginn des 20. Jahrhunderts gab Carl Schulte, Herausgeber der damals in Berlin erscheinenden *Allgemeinen Uhrmacher-Zeitung*, an, die „Totenschädeluhren" wären im 16. Jahrhundert aufgekommen „und wurden zu der Zeit, besonders von Ordensgeistlichen mit Vorliebe benutzt. Die zu der gleichen Zeit in Mode gekommenen Uhren in Sargform fanden weniger Anklang" (Schulte 1902, S. 857). Wiewohl dieser Aussage bislang kaum widersprochen worden ist, muss man sie in jeder Hinsicht bezweifeln. Jedenfalls stammt die älteste bekannte Totenkopfuhr aus der Zeit um 1620. Das im Louvre aufbewahrte Objekt ist eine Arbeit des Genfer Uhrmachers Martin Duboule (1583–1639; Inv. Nr. OA 7036). Eine diesen Miniaturschädel zierende Gravur zeigt einen Putto mit Stundenglas, der sich auf einen Totenschädel stützt, und unterstreicht somit den Aussagegehalt des Gehäuses noch einmal mehr. Da eine Reihe von formal vergleichbaren Uhren aus den folgenden Jahrzehnten überkommen ist, kann angenommen werden, dass die Spezies erst um 1600 entstand. Selbst wenn Paris, London und später auch andere europäische Städte in der Herstellung dieser der Zeitmessung wie der Moralisierung dienenden Pretiosen nachzogen, blieb das streng calvinistisch geprägte Genf bis weit ins 18. Jahrhundert eines der wesentlichen Zentren ihrer Produktion. Nicht zuletzt aus diesem Grund liegt die Vermutung nahe, dass die Gestaltfindung nicht ordensgeistlicher Gedankenwelt entsprang, sondern vielmehr dem kaufmännisch rechnenden Sinn einer der Prädestinationslehre verhafteten Bürgerschaft, für die Zeit ein in vielfacher Hinsicht kostbar bemessenes Gut darstellte und die daher auf äußerste Präzision in ihrer Messung sann.

Gemeinhin waren solche tragbaren Chronometer mit klappbaren Schädelteilen ausgestattet. Über Zeitangabe und moralische Unterweisung hinaus konnten sie jedoch auch mit weiteren Funktionen versehen sein. Das Basler Kirschgarten-Museum bewahrt beispielsweise ein Werk des Genfer Uhrmachermeisters

Jean Chais (1677–1726) aus dem späten 17. Jahrhundert, dem eine Weckvorrichtung integriert ist. In englischem Privatbesitz existiert eine anonyme silberne Totenkopfuhr aus der Zeit um 1700, deren zugehöriger Schlüssel die Form eines stilisierten Lebensbaumes besitzt. Mit der Handhabung verlängerte der Eigentümer der Uhr seine Lebenszeit gleichsam immer wieder von neuem. Dass er ein Seefahrer gewesen sein muss, bezeugt eine zierliche Sanduhr, die dem Gehäuse an einer siebengliedrigen, auf die Lebensalter anspielenden und vielleicht auch zur Zählung der Wochentage dienenden Kette angefügt ist. Aufgrund ihrer Laufzeit von 14 Sekunden handelt es sich nämlich um ein sogenanntes Logglas, das zur Geschwindigkeitsmessung auf See Verwendung fand (Abeler 1983, S. 23).

Unser sehr viel einfacheres Stück stammt aus der letzten Blüteperiode der Totenkopfuhren in der ersten Hälfte des 19. Jahrhunderts. Die vom Hersteller eingravierte Bezeichnung spricht für Philippe Dufour (1785–1851), der nach seiner Ausbildung in Genf 1810 nach Mailand übersiedelte und erst 1824 in seine Heimatstadt zurückkehrte. Er gilt als einer der besten Genfer Uhrmacher jener Zeit, war angesehenes Mitglied der lokalen Gesellschaft der Künste sowie der Uhrmacherschule und betrieb zusammen mit dem Kaufmann Jean-Louis Gaberel eine ‚Uhrenfabrik‘, in der Chronometer in Kleinserien hergestellt wurden (Patrizzi 1998, S. 172).   FK

LITERATUR Carl Schulte, *Lexikon der Uhrmacherkunst. Handbuch für alle Gewerbetreibende und Künstler der Uhrenbranche*, Bautzen 1902; Jürgen Abeler, *Zeit-Zeichen. Die tragbare Uhr von Henlein bis heute*, Dortmund 1983; Renate Smollich, *Der Bisamapfel in Kunst und Wissenschaft*, Stuttgart 1983; Catherine Cardinal, *Die Zeit an der Kette. Geschichte, Technik und Gehäuseschmuck der tragbaren Uhren vom 15. bis 19. Jahrhundert*, München 1985; Britta Görgens und Christian Pfeiffer-Belli, Symbole der Vergänglichkeit, in: *Alte Uhren. Journal für Freunde klassischer Zeitmesser* 20/6 (1997), S. 40–53; Osvaldo Patrizzi, *Dictionnaire des horlogers Genevois. La „fabrique" et les arts annexes du XVIe siècle à nos jours*, Genf 1998.

Totenkopfuhr 74

Ferdinand Engelschalck, Prag
um 1690

Silber, Messing

Höhe 45 mm, Breite 30 mm

signiert FER. ENGELSCHALCK PRAG

Kunstkammer Georg Laue, München

Die ungewöhnlich qualitätsvolle Uhr, die der Prager Meister Ferdinand Engelschalck sowohl auf dem Zifferblatt als auch im Werk signiert hat, befindet sich in einwandfreiem, originalem Zustand. Durch das Aufklappen des Unterkiefers offenbart sich dem Betrachter das feine Zifferblatt. Totenkopfuhren wie diese fanden in der Renaissance und im Barock weite Verbreitung. Sie spiegeln nicht nur den Geist ihrer Zeit – als sinnfällige Mahnung die verrinnenden Stunden gut zu nutzen – sondern auch die technischen Möglichkeiten wieder, die an solchen raffinierten Uhren demonstriert wurden. Vergleichbare Totenkopfuhren finden sich im Mathematisch Physikalischen Salon Dresden, im British Museum London und im Metropolitan Museum in New York (Laue 2002, S. 180).   GeL

LITERATUR Jürgen Abeler, *Meister der Uhrmacherkunst*, Neuss 1977; Britta Görgens und Christian Pfeiffer-Belli, Symbole der Vergänglichkeit, in: *Alte Uhren. Journal für Freunde klassischer Zeitmesser* 20/6 (1997), S. 40–53; Laue 2002.

75 *Weihwasserbecken in Form eines Totenschädels*

Süddeutschland (?)
um 1620

Marmor

Höhe 130 mm, Breite 110 mm

Olbricht Collection, Essen
INV. NR. ANO-MM018

Der längsovale Totenschädel mit tief ausgehöhltem Nasenbein, Ohransätzen und Augenhöhlen weist in der Schädelkalotte eine kreisrunde Vertiefung zur Aufnahme von Weihwasser auf. Ein ähnliches Objekt in vergleichbarer Größe hat sich in Miltenberg (Unterfranken) aus dem 19. Jahrhundert erhalten. Dort lässt sich auch der Brauch nachweisen, den Toten mit Weihwasser zu besprengen, da dem Wasser eine reinigende Wirkung zugesprochen wird (Memento Mori 1990, S. 115). Aufgrund der geringen Größe ist es durchaus möglich, dass der Schädel in Privathäusern benutzt wurde; allerdings ist auch denkbar, dass er in einer Kapelle angebracht war und die Gläubigen an ihre eigene Vergänglichkeit erinnern sollte.   AHE

LITERATUR Memento mori 1990; Laue 2002.

76

Vanitas-Stockgriff

um 1740

Elfenbein, geschnitzt auf modernem Bergkristallsockel

Höhe ohne Sockel 100 mm

Olbricht Collection, Essen
INV. NR. ANO-MM 062

Bei dem Vanitas-Stockgriff aus Elfenbein handelt es sich um einen Figurenstockgriff, der an einem Ende einen mittig geteilten Kopf aufweist, an dem anderen volutenförmig ausläuft. Deutlich erkennbar zeigt der Kopf mit der linken Gesichtshälfte die Physiognomie eines Mannes mit kurzem Haar, die rechte Gesichtshälfte ist vom Verwesungsprozess gekennzeichnet: Nur noch Teile der Wange sowie der Hals sind vorhanden, aus dem Gehörgang wie auch aus dem Kiefer kriechen kleine Schlangen hervor, Augenhöhle und Nasenbein sind deutlich sichtbar und der kahle Schädel ist mit einer Eidechse besetzt. Ein schlangenförmiges Tier windet sich um den Hals und bildet als Halsring den Übergang zum Griffkörper, der mit breitlappigen Blättern, deren Enden eingerollt sind, besetzt ist. Das volutenförmige Ende des Stockgriffs wird von einem Blatt gebildet.

Krückstöcke als Gehhilfe sind seit der Antike bekannt; auch Spazierstöcke sind seit dem Mittelalter im Gebrauch der Adligen nachweisbar, doch wurden diese erst ab dem 14. Jahrhundert häufiges Accessoire (Coradeschi 1994, S. 54). Allerdings übernimmt der Spazierstock erst im 17. Jahrhundert eine wichtige Rolle in der Bekleidung: es wurde Mode unter Adligen,

Spazierstöcke mit wertvollen Krücken vorzuzeigen. Der Spazier- oder Flanierstock war sowohl ein Gebrauchsobjekt als auch ein Statussymbol, das zum Anlass oder zur Kleidung passend gewählt wurde; dementsprechend groß war die Vielfalt: Es gab Kinder-, Damen-, Herren-, Trachten-, Jäger-, Berufs-, Trink- und Abendstöcke (Klever 1991, S. 22; Coradeschi 1994, S. 62–67).

Die Form der volutenförmig auslaufenden Krücke aus Elfenbein, deren Griff reich beschnitzt ist und in einem Kopf oder in einer Büste eines Mannes oder einer Frau endet, war im 18. Jahrhundert sehr beliebt und weit verbreitet; derartige Figurengriffe haben sich aus vergoldeter Bronze, Elfenbein, Porzellan erhalten (Dike 1988, S. 86 u. 146 f.). In Dieppe (Frankreich) war ein Zentrum der Herstellung von Elfenbeinstockgriffen (Galanterie 1997, S. 147 Kat. Nr. 2.13), doch sind sie auch in der deutschen Produktion seit der 2. Hälfte des 17. Jahrhunderts bis zur Mitte des 18. Jahrhunderts zu finden (Dike 1988, S. 137–140; Möller 2000, S. 256 Kat. Nr. 249 u. Kat. Nr. 247). Die Rocaille-Formen verweisen hier auf die Entstehungszeit; besonders bei den Porzellanknäufen ist die ‚Forme à la collerette‘ weit verbreitet.

Stockkrücken zählten auch zu den ‚Galanterien‘, das heißt, nützlichen Gegenständen mit einem hohen ästhetischen Wert, der mehr und mehr den Nutzen verdrängte, so dass die Objekte Aufnahme in die Kunstkammern fanden (Vgl. Galanterie 1997, S. 143–148). Diese kostbaren Stöcke mit Knäufen oder Krücken aus Gold, Silber, Email, Edelsteinen, Elfenbein, Bernstein, Koralle und Horn wurden nicht selten von Hof zu Hof verschenkt und waren gleichermaßen Wertanlage wie Gebrauchs- und Ausstellungsstück (Klever 1991, S. 23). Allerdings sind Spazierstöcke mit Griffen oder Knäufen, die die *Memento Mori*-Thematik aufgreifen, äußerst selten. In der Regel zeigen diese einen Totenschädel als Knauf und sind oftmals der Gruppe der Systemstöcke zuzuordnen. Ein sogenannter Systemstock ist ein Stock, dessen Knauf oder dessen Schuss weitere Instrumente (Messer, Trinkgläser, Waffen, Arztbestecke etc.) bargen, die einem anderen Zweck dienten. So trägt ein Systemstock eines Arztes aus dem 18. Jahrhundert einen Knauf in Form eines aufklappbaren Totenschädels, der hier die Funktion eines Pomanders, eines Riechdöschens zum Abwehren schädlicher Gerüche und konkret zur Abwehr der Pest, hatte (Dike 1982, S. 199f. u. S. 202 Abb. 23/9). Ebenfalls einen aufklappbaren Schädel weist ein Stock aus dem 19. Jahrhundert auf; in diesem verbirgt sich eine Uhr (Dike 1982, S. 73). Aus dem Beginn des 19. Jahrhun-

derts existiert eine Gehhilfe mit einem Knauf in Form eines Totenschädels und der Inschrift *Hodie mihi, cras tibi,* die wie eine Tonsur in den Schädel eingraviert ist (Privatbesitz, Slg. Dike). Dieser Stock gehörte dem Grafen Ostermann-Tolstoï, der im Krieg gegen Napoleon einen Arm verloren hatte und zur Aufrechterhaltung des Gleichgewichts eine Stütze benötigte (Dike 1988, S. 273f.). Zwar existierten vor allem in der 2. Hälfte des 19. Jahrhunderts Spazierstöcke mit Totenschädeln (vgl. die Abb. bei Klever 1984, Abb. 131–133), doch gehörte ein großer Teil der Gruppe der Automaten, der sogenannten Überraschungsstöcke, an, deren Knäufe bewegliche Teile hatten, so dass der Schädel auf Knopfdruck etwa mit den Augen rollte und die Zunge herausstreckte (Dike 1982, S. 97 u. Abb. S. 101f.; s. auch Klever 1984, Abb. 138; vgl. auch die Hutagraffe Kat. Nr. 24).

Spazierstöcke waren fast 200 Jahre lang in Gebrauch, bis sie in den 1920er Jahren außer Mode kamen.   AHE

LITERATUR Dike 1982; Klever 1984; Catherine Dike und Guy Bezzaz, La canne – objet d'art, Paris/Genf 1988; Ulrich Klever, Die Welt der Spazierstöcke, in: Weltkunst 61 (1991), S. 22–25; Coradeschi/de Paoli 1994; Galanterie 1997; von Berswordt-Wallrabe 2000.

ANATOMIE

Requiem

Auf jedem Tisch zwei. Männer und Weiber
Kreuzweis. Nah, nackt, und dennoch ohne Qual.
Den Schädel auf. Die Brust entzwei. Die Leiber
Gebären nun ihr allerletztes Mal.

Jeder drei Näpfe voll: von Hirn bis Hoden.
Und Gottes Tempel und des Teufels Stall
Nun Brust an Brust auf eines Kübels Boden
Begrinsen Golgatha und Sündenfall.

Der Rest in Särge. Lauter Neugeburten:
Mannsbeine, Kinderbrust und Haar von Weib.
Ich sah, von zweien, die dereinst sich hurten,
Lag es da, wie aus einem Mutterleib.

Gottfried Benn (1886–1956)

Andreas Vesalius (1514–1564)
Basel: Johannes Oporinus, 1543

Universitäts- und Landesbibliothek, Münster
Inv. Nr. 2' Vb 201

Die monumentale *Fabrica* des Andreas Vesalius ist eines der großen klassischen Werke, wenn nicht gar das klassische Werk der Medizin überhaupt, zumal neben der Naturforschung immer auch die Heilkunde eine der beiden Hauptwurzeln anatomischer Wissenschaft war. Später sollte zu diesen als weiteres Element noch das morphologische Interesse der bildenden Künstler hinzukommen. Die besondere Stellung der *Fabrica* ist zum einen darauf zurückzuführen, dass Vesal als der große Neuerer der Anatomie gilt, der mit seinem Hauptwerk die Anatomie der Neuzeit begründet und zugleich in die Medizin und die naturwissenschafte Forschung im modernen Sinne eingeführt hat. Ein Blick auf Wandel und Umbruch im ausgehenden 15. Jahrhundert und in der ersten Hälfte des 16. Jahrhunderts zeigt indes, dass auch die Anatomen der sogenannten vorvesalianischen Epoche (wie Berengario da Carpi, Giovanni Battista Canano), die zu Unrecht viel zu lang im Schatten von Vesals Werk gestanden haben, ebenso wie Vesal schon den Wert der Sektion und der eigenen Beobachtung ausdrücklich betont haben, selbst wenn sie aufs Ganze gesehen noch stärker Galen verpflichtet blieben. Dessen ungeachtet steht Vesals *Fabrica* insofern einzigartig da, als sie die erste systematische, am menschlichen Leichnam erarbeitete Anatomie der Neuzeit ist und erst durch sie die makroskopische Anatomie moderner Prägung etabliert wurde. Hinzu kommt, dass in der *Fabrica* die Beschreibung des menschlichen Körpers in der Verknüpfung von Wort und Bild sowie deren Präsentation mit dem neuen Medium der Buchdruckkunst ein so sorgfältig und umsichtig geplantes und ausgeführtes Unternehmen war, dass alles bisher auf diesem Gebiet Geleistete von der *Fabrica* weit übertroffen und sie zum Maßstab und Beispiel für spätere Publikationen in der anatomischen Wissenschaft wurde. Indem in der *Fabrica* die Beschreibung der einzelnen Teile auf das Ganze gerichtet ist, als dessen Elemente sie verstanden werden, fügen sie sich zur Konstruktion, in deren Funktion und Zweck es vom Bau her Einblick zu gewinnen gilt. Aus der Kenntnis von Bau und Funktion wird der menschliche Körper zu einem lebendigen Ganzen rekonstruiert und der Mensch selbst in dem umfassenderen Sinne einer Anthropologie als psychophysische Einheit mit transzendentaler Dimension verstanden (Abb. 77a).

Andreas Vesal(ius), wurde am 31. 12. 1514 in Brüssel geboren und starb auf der Rückreise einer Pilgerfahrt ins Heilige Land am 15. 10. 1564 auf der Insel Zakynthos im Ionischen Meer. Nach einem Studium der Medizin in Paris und Löwen wurde er im Jahre 1537 in Padua promoviert und übernahm gleich am Tag nach seiner Promotion eine Professur für Chirurgie mit Lehrauftrag für Anatomie an der dortigen Universität. 1538 veröffentlichte er als Tafelwerk für den anatomischen Unterricht die *Tabulae anatomicae sex,* die von dem Tizian-Schüler Jan Stefan van Kalkar gezeichnet worden waren und noch ganz in der Tradition Galens standen. Ein Jahr darauf begann er

77a

mit den Arbeiten zur Fabrica, deren Drucklegung und Endfertigung er in Basel bei dem Verleger und Drucker Johannes Oporinus begleitete und überwachte. Im selben Jahr wie die *Fabrica,* die er 1555 noch in einer überarbeiteten Zweitausgabe publizieren sollte, erschien ein weiteres Werk Vesals, *Suorum de humani corporis fabrica librorum epitome* (kurz Epitome genannt), das allerdings nicht, wie der Titel vermuten lässt, ein Auszug der *Fabrica* ist, sondern eher ein Kompendium

für den anatomischen Unterricht. Im Jahre 1544 beendete Vesal seine akademische Laufbahn und wurde Leibarzt Kaiser Karls V., dem er die *Fabrica* gewidmet hatte und bei dem schon sein Vater als Leibapotheker tätig gewesen war. Als Karl V. im Jahre 1556 abdankte, trat Vesal bis zu seinem Tod als Leibarzt in den Dienst von dessen Sohn, König Philipp II. von Spanien.

Wer der Künstler von Vesals *Fabrica* gewesen ist, oder welche Künstler daran beteiligt waren, liegt trotz aller Bemühungen darum immer noch im Dunkeln. Sicher ist nur, dass sie aus dem Atelier Tizians stammten und wohl unter dessen Aufsicht ihre Arbeiten ausgeführt haben. Dabei werden Jan Stefan van Kalkar (um 1499–1546) und Domenico Campagnola (um 1500–1564) in erster Linie genannt. Die Originaldruck-stöcke der *Fabrica,* die in München aufbewahrt worden waren, sind 1943 im Krieg verbrannt.   RH

LITERATUR Charles Donald O'Malley, *Andreas Vesalius of Brussels. 1514–1564,* Berkeley/Los Angeles 1964; Putscher 1991; Roberts/Tomlinson 1992; Cunningham 1997; Vollmuth 2004.

Anatomia humani corporis, centum & quinque tabulis, per artificiosiss[imum] G[érard] de Lairesse ad vivum delineatis, demonstrata, veterum recentiorumque inventis explicata plurimisque, hactenus non detectis, illustrata

78

Godefredus Bidloo (1649–1713)
Amsterdam: Joannes van Someren <Witwe>, Joannes van Dyk <Erben>, Heinrich & Theodor Boom <Witwe>, 1685

Universitäts- und Landesbibliothek, Münster
INV. NR. 1' Vb 87

Die *Anatomia humani corporis* des Govard Bidloo, die 1690 von ihm auch in niederländischer Sprache herausgegeben wurde, ist mit ihren prachtvollen Tafeln nach Zeichnungen des Künstlers Gérard de Lairesse ein eindrucksvolles Beispiel von der inzwischen erreichten Höhe in der Kunst der anatomischen Abbildung und von deren enger Verbindung zur bildenden Kunst jener Zeit. Die von Bidloo erstellten und von ihm jedoch mit einem zu knappen, wenig instruktiven Text beschriebenen Präparate werden vom Künstler naturalistisch so vor Augen geführt, wie sie sich unter dem Messer des Anatomen erschließen. Unmittelbar erlebt der Betrachter die auf dem Tisch ausgebreiteten, oft kunstvoll mit Messerchen, Zirkeln und Nadeln stilllebenhaft aufgestellten Organe als Teile eines bestimmten Leichnams in einer bestimmten Situation der Präparation (Abb. 78 a). Die Organe und Bauteile des Köpers werden in ihrer Form und Oberflächenstruktur, in ihrer Stofflichkeit und gewebüchen Feinstruktur, Gangsysteme in ihrem Verlauf und in ihrer Ausgussform dargestellt. So sehr jedoch die künstlerische Seite der Tafeln gelobt wurde, so hat es andererseits auch manche Kritik an ihrer anatomischen Genauigkeit und mangelnden Übersichtlichkeit gegeben, weil die führende Hand des Anatomen bisweilen fehlte.

Der englische Anatom und Chirurg William Cowper (1666–1709) hat von Bidloos Amsterdamer Verlegern 300 Drucke von Bidloos Tafeln der niederländischen Ausgabe erhalten, ihnen einen Anhang von neun Tafeln hinzugefügt und zu allen Abbildungen einen völlig neuen Text in englischer Sprache verfasst. Dieser Text, der die Illustrationen treffend und im Detail beschreibt, wird ihnen erst eigentlich gerecht. Auf Bidloos Titelseite mit dem allegorischen Bildwerk hat Cowper über den niederländischen Titel ein ausgeschnittenes Blatt mit der Aufschrift geklebt: „The Anatomy of Humane Bodies by William Cowper Surgeon 1698", und an die Stelle von Bidloos Porträt trat das Schabkunstblatt mit Cowpers Konterfei. Das hat verständlicherweise zu einem heftigen Plagiatsstreit zwischen Bidloo und Cowper geführt.

Govard Bidloo wurde am 21. 3. 1649 in Amsterdam geboren und starb am 30. 4. 1713 in Leiden. Er hatte anatomische Vorlesungen in Amsterdam bei Frederik Ruysch gehört sowie Botanik und Medizin

bei Gerard Blasius. Nach seiner Promotion zum Doktor der Medizin an der Universität von Franeker wurde er 1688 Professor der Anatomie in Den Haag und gab zusätzlich anatomische Vorlesungen in Rotterdam. Von Wilhelm III., der sowohl Statthalter der Niederlande als auch König von Großbritannien war, wurde er 1690 zum Generalsuperintendenten aller Ärzte, Apotheker und Chirurgen der Militärhospitäler in den Niederlanden, später auch in Großbritannien ernannt. 1694 folgte er dem Anatomen Anton Nuck auf dessen Professur der Medizin und Chirurgie an der Universität Leiden. Als Leibarzt von Wilhelm III. hielt er sich bis zu dessen Tod 1702 häufiger in England auf. Bidloo war nicht nur Anatom und Chirurg, sondern hatte sich auch als Dichter, Stückeschreiber und politischer Satiriker einen Namen gemacht.

Befreundet war Bidloo mit dem Maler Gérard de Lairesse (1641–1711), der den französischen Klassizismus in der Nachfolge von Nicolas Poussin mit der niederländischen Stilllebenmalerei verband. RH

LITERATUR Dumaître 1982; Roy 1992.

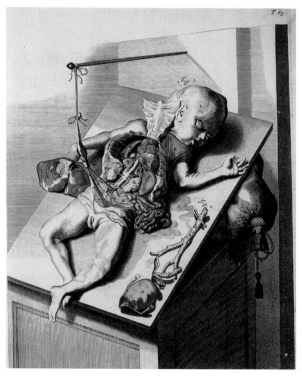

78 a

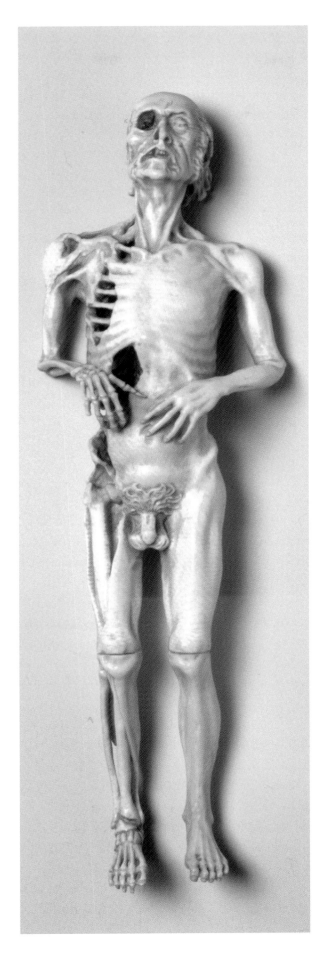

Memento mori in Gestalt eines liegenden Leichnams

79

Deutschland
um 1800

Elfenbein

Länge 178 mm, Breite 53 mm, Höhe 29 mm

Museum Schnütgen, Köln
Inv. Nr. B 158

In drastischer Weise veranschaulicht diese kleine Elfenbeinskulptur die Vergänglichkeit des Menschen. Die erst kürzlich für das Museum Schnütgen erworbene Figur stellt den liegenden, ausgemergelten Leichnam eines älteren Mannes dar. Eng spannt sich die Haut über das Knochengerüst. Die Verwesung hat an einigen Körperpartien schon sichtbar eingesetzt, teilweise ist sie bereits bis zur Skelettierung fortgeschritten. Erst beim Betrachten der Figur von allen Seiten wird deutlich, welch eindrucksvolle Bildformel der Schnitzer für die Vita-Mors-Antithese gefunden hat: Während die rechte Körperhälfte den Verstorbenen noch in seiner intakten menschlichen, individualisierten Körperlichkeit zeigt, ist die linke verwest und skelettiert. Besonders im Schädelbereich ist diese Zweiteilung konsequent umgesetzt. So kontrastiert eine tiefe, dunkel klaffende Augenhöhle mit dem von Vergänglichkeitsspuren unberührten rechten Auge. Das partienweise gänzlich fehlende Fleisch, das zum Teil wie in Fetzen vom Körper gerissen scheint, gibt den Blick in das Mundinnere, die Bauchhöhle und auf die Beinknochen frei.

Schrecken ruft der Anblick der kleinen Statuette hervor – eine Reaktion, die auch zur Entstehungszeit um 1800 so beabsichtigt gewesen sein dürfte. Weit in das Mittelalter reicht die Angst zurück, unvorbereitet und unbußfertig vom Tode getroffen zu werden. Deshalb bereitete man sich während seiner Lebenszeit auf die Todesstunde vor und übte sich in der *Ars moriendi* (vgl. Kat. Nr. 1). Als ein spätes Zeugnis reiht sich die Elfenbeinskulptur in die Gruppe der seit dem 16. Jahrhundert häufig entstehenden – meist aus Hartholz oder Elfenbein geschnitzten – *Memento mori-*

Bildwerke ein, die bei der *Meditatio mortis* in der privaten Frömmigkeitsausübung eine wichtige Rolle spielten. Die körperliche Disposition der Figur weist Ungenauigkeiten in der anatomischen Darstellungen auf, die der medizinischen Kenntnis der Entstehungszeit widersprechen, so dass eine Verwendung als anatomisches Studienmodell ausgeschlossen werden kann. Haartracht und Gesichtstypus verweisen die Skulptur unmissverständlich in die Zeit um 1800, obgleich der Elfenbeinschnitzer sich in eklektizistischer Manier eines älteren Motivkanons bediente, wie ein Blick auf

die liegenden Leichname des Meisters I.P. aus dem beginnenden 16. Jahrhundert deutlich macht. Mit größter Wahrscheinlichkeit entstand diese kleine Elfenbeinfigur als individuelles Auftragswerk, wobei weder der ursprüngliche Besitzer noch der Bestimmungsort bekannt sind. MB

LITERATUR Manuela Beer, Memento Mori – Gedenke des Todes! Eine neu erworbene Elfenbeinskulptur im Museum Schnütgen, in: *Kölner Museums-Bulletin* 3 (2005), S. 27–38.

80 *Männlicher Leichnam*

Deutschland
um 1680

Buchsbaumholz

Länge ca. 240 mm

Olbricht Collection, Essen
INV. NR. ANO–MM 036

Das Kleinbildwerk gibt einen flach auf dem Rücken liegenden männlichen Leichnam wieder. Während das Haupt leicht in den Nacken fällt und somit Halsmuskulatur und Adamsapfel markant hervortreten, wölbt sich der Brustkorb mit seinen Rippen plastisch empor, während die Bauchhöhle deutlich eingesunken ist. Die Beine sind gestreckt, die Arme liegen mit geöffneten Handtellern parallel zum Rumpf. Durch die scheinbar lederne Haut tritt das Skelett in Grundzügen hervor. Schlaff und in Falten bedeckt die Epidermis Bauchgegend und Knie. Auf dem Rücken sind Rippen und Schulterblätter besonders kenntlich gemacht, das Rückgrat zeichnet sich als plastische Knorpelreihung ab. Aus der hohen, kahlen Stirn fällt das füllige Haupthaar in dichten Strähnen nach hinten. Detailliert sind Schamhaar und Geschlecht modelliert. Tief eingesunkene Augenhöhlen und offen stehender Mund unterstreichen die Knochigkeit des Hauptes. Ungeschönt ist der menschliche Körper hier in seiner Hinfälligkeit und Vergänglichkeit vorgewie-

sen, aufgrund der detaillierten und artifiziellen Oberflächengestaltung gleichzeitig auf faszinierende Weise.

Offensichtlich handelt es sich um ein einst vorrangig ob seiner künstlerischen Extravaganz geschätztes Kunstkammerobjekt, das gleichzeitig Gegenstand privater Meditation gewesen sein kann. Zu vermuten ist ein ursprünglich zugehöriger Behälter, zu dessen Gestalt zwar keine Kenntnisse vorliegen, den man sich jedoch in der Art jener Särglein vorzustellen hat, die beispielsweise der Nürnberger Elfenbeindrechsler Stephan Zick (1639–1715) für seine anatomischen Lehrmodelle fertigte. Auf jeden Fall steht das Kleinbildwerk in der Tradition der sogenannten Miniatursärge, Kabinettstücke von Tumben mit inliegenden Transi oder Skeletten (Kat. Nr. 15 und 15A; Vergänglichkeit für die Westentasche 2005, S. 9–20, 43).

Bislang galt das an den Füßen und der rechten Hand leicht beschädigte Stück als süddeutsche, um 1530 entstandene Arbeit aus dem Umkreis des

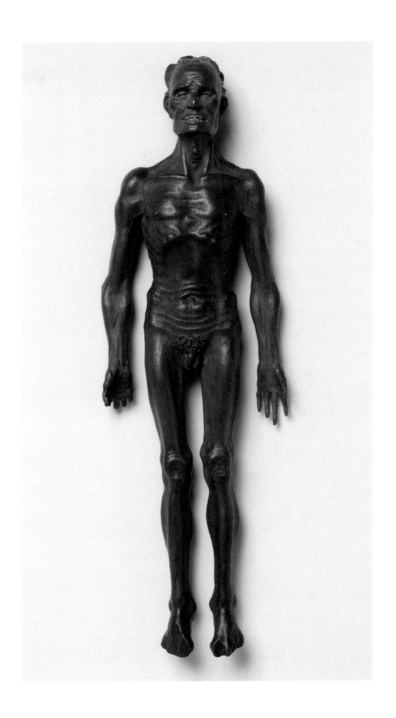

Meisters IP, eines der bedeutendsten Bildschnitzer der Frührenaissance im bayerisch-österreichischen Raum (Laue 2002, S. 153). Von den Kleinbildwerken, insbesondere den Gliederpuppen dieses Künstlers unterscheidet es sich allerdings in Stil wie Auffassung des menschlichen Körpers grundlegend (Theuerkauff 1977, S. 166– 171). Vielmehr ist daher eine bereits angedeutete Datierung ins 17. Jahrhundert in Erwägung zu ziehen (Kammel 2002, S. 12). Ein in Form wie Dimension nahezu identischer und daher zweifellos von derselben Hand stammender Leichnam wird

in der Königlichen Dänischen Kunstkammer auf Schloss Rosenborg in Kopenhagen aufbewahrt (Gundestrup 1991, S. 312, Nr. 769/380). Dieses bisher weder genauer datierte noch hinsichtlich der Provenienz bezeichnete Objekt ist dort zumindest seit 1689 nachweisbar. Während es nämlich im 1674 angefertigten „Inventarium over Kunst- Raritet- og Model-Kammeret" noch nicht verzeichnet wurde, nennt es das 1689 von Holger Jacobæus angefertigte Inventarverzeichnis ebenso wie das im Folgejahr aufgestellte Register der Sammlung.

Schließlich stammt ein knapp 20 Zentimeter hohes Bildwerk im Germanischen Nationalmuseum in Nürnberg von demselben anonymen Meister. Die auf einem zugehörigen vielfach profilierten Sockelpostament stehende Figur aus Birnbaumholz zeigt den Tod als Leichengräber. Mit Grabscheit und Leichentuch blickt eine alte, ausgemergelte Gestalt mit überlangen Beinen dem Betrachter entgegen. Das ursprünglich sicherlich in einem Schrein geborgene oder unter einem Glassturz exponierte Figürchen weist in der sehnigen Hautüberspannung des Skeletts wie in der detaillierten Formung der anatomischen Details dieselbe künstlerische Handschrift auf wie die beiden Leichname (Faszination Meisterwerk 2004, S. 163–164).

Die naheliegende Entstehung dieser Gruppe im ausgehenden 17. Jahrhundert wird nicht zuletzt von solchen artifiziellen Greisenkadavern gestützt wie dem elfenbeinernen *Tod als Trommler* von dem in Norddeutschland und Skandinavien tätigen Joachim Hennen, heute im Victoria and Albert Museum in London (Kat. Nr. 99; Dürers Verwandlung 1979, Nr. 189), einem ebenfalls Joachim Hennen zugeschriebenen Tödlein aus demselben Material im Museum Schnütgen in Köln (Kat. Nr. 100) oder dem lange Zeit Germain Pillon und zuletzt Andreas Schlüter zugeschriebenen Buchsholzfigürchen eines liegenden Leichnams im Museum für Kunst und Gewerbe in Hamburg (Möller 1965, S. 245–252; Knuth 1996, S. 88–89).

Anregungen für die ungewöhnliche Schilderung eines toten Körpers mag die Naturbeobachtung gegeben haben. Sie könnten aber auch von sogenannten Ecorché-Figuren, anatomischen Modellen zum Studium der Lage und Funktion von Muskeln und Sehnen, ausgegangen sein. Freilich ist darüber hinaus die Orientierung an älteren künstlerischen Vorbildern möglich.

Hautüberspanntes Geripppe und Laken kennzeichnen schließlich bereits die als *La Mort Saint Innocent* bekannte großformatige Alabasterfigur des Todes mit dem Leichentuch, die von ihrer Entstehung um 1520/1530 bis zum Ende des 18. Jahrhunderts inmitten des Pariser Friedhofs der Unschuldigen Kinder stand und sich heute im Louvre befindet (Gaborit 1998, S. 651; Inv. Nr. R.F. 2625).

Über eine Lokalisierung in den deutschsprachigen Raum hinaus ist der Schöpfer jener kleinplastischen Arbeiten, zu denen unser artifizieller Leichnam gehört, also bisher konkreter nicht zu verorten. Vermutlich kommt dafür der deutsche Norden jedoch sogar eher in Frage als eine Entstehung in Süddeutschland.

FK

LITERATUR Möller 1965; Christian Theuerkauff, Gliederpuppe, in: *Der Mensch um 1500. Werke aus Kirchen und Kunstkammern,* Ausst. Kat. Staatliche Museen Preußischer Kulturbesitz Berlin, Berlin 1977, S. 166–171; *Dürers Verwandlung in der Skulptur zwischen Renaissance und Barock,* hg. von Herbert Beck und Bernhard Decker, Ausst. Kat. Liebieghaus Frankfurt, Frankfurt a. M. 1979; Bente Gundestrup, *Det kongelike danske Kunstkammer 1737. The Royal Danish Kunstkammer 1737,* Bd. 1, Esbjerg 1991; *Die Bestände der Kunsthandlung Julius Böhler München. Katalog der 700. Matthias Lempertz'schen Kunstversteigerung,* Köln 1994; Michael Knuth, Andreas Schlüter stilkritisch zugeschriebene Kleinplastik, in: *Jahrbuch des Museums für Kunst und Gewerbe Hamburg 15/16* (1996/1997), S. 87–98; Jean-René Gaborit (Hg.), *Musée du Louvre. Sculpture française. Renaissance et temps modernes,* vol. 2, Paris 1998; Frank Matthias Kammel, Dem Tod ins Auge geschaut. Vergänglichkeit als Thema barocker Kleinbildwerke, in: Laue 2002, S. 6–31; Laue 2002; *Faszination Meisterwerk. Dürer, Rembrandt, Riemenschneider,* bearb. von Frank Matthias Kammel u. a., Ausst. Kat. Germanisches Nationalmuseum Nürnberg, Nürnberg 2004; Vergänglichkeit für die Westentasche 2005.

Muskelmann

Nürnberg
2. Hälfte des 16. Jahrhunderts

Bronze, Marmor

Mit Sockel 383 mm

Württembergisches Landesmuseum, Stuttgart
INV. NR. KK weiß 41

INSCHRIFT „vigilate et orate", „oremus, emendemus,
vincemus", „memento mori", „respice finem",
„Homo bulla"

Muskelmann *La bella notomia* oder *Lo Scortico*

nach Lodovico Cardi, gen. Cigoli (1559–1613)
um 1700

Bronze mit brauner Patina, beide Arme angesetzt

Höhe 650 mm

Museum für Angewandte Kunst, Köln
INV. NR. H 798

Nicht von ungefähr gehört *Lo Scortico* zu den Haupt-
werken des Künstlers Cigoli, der die Kunst um 1600
vom ausufernden Manierismus zur Natur zurückführ-
te und in Florenz den Barock begründete. Sein
Interesse für die Wissenschaften, für das Naturstudium, insbesondere für die Anatomie, deren Kenntnis
er sich bei dem niederländischen Anatomen Theodore
Mayerne aneignete und bei Sektionen im Hospital von
S. Maria Nuova in Florenz vertiefte, spiegelt sich in
dem Muskelmann aus Wachs wider, der sich heute im

Bargello in Florenz befindet und von dem mehrere
Abgüsse in Bronze existieren. Dazu gehört auch das
Kölner Exemplar (Kat. Nr. 82).

Die Plastik reiht sich in die Riege der originären
und anatomisch genauen Muskelmänner ein, deren
französische Bezeichnung *Écorchés* in den wissenschaftlichen Sprachgebrauch eingegangen ist. Sowohl in der
Medizin als auch in der Kunst war der Muskelmann
neben dem Skelett von der Renaissance ausgehend bis
ins 18. Jahrhundert hinein das klassische und bekann-

die in ihrer Naturähnlichkeit denen der Antike nahekommen. An den Vorbildern orientiert, wurden sie stehend, kniend und liegend dargestellt, in Kontrapost- und Schritthaltung sowie mit leicht gebeugten und erhobenen Armen. Cigolis Muskelmann erinnert dabei an die Geste eines antiken Redners, an die Pose der etruskischen Bronze des sogenannten *Arringatore,* die sich heute im Museo Archeologico in Florenz befindet und aus dem zweiten vorchristlichen Jahrhundert stammt.

Der Muskelmann aus dem Württembergischen Landesmuseum in Stuttgart (Kat. Nr. 81) zeigt ebenfalls den anatomischen Tatbestand und kann als dreidimensionale Übersetzung der Muskelmänner aus der wichtigsten medizinischen Schrift des 16. Jahrhunderts angesehen werden, der *De humani corporis fabrica libri septem* von Andreas Vesalius (Kat. Nr. 77). Gleichwohl ist seine Botschaft über die anatomischen Informationen hinaus erweitert und als *Memento mori* anzusehen. Die Inschriften auf dem Postament der Statuette – „Seid wachsam und betet", „laßt uns beten, uns bessern und siegen", „Bedenke das Ende", „Du sollst des Todes gedenken" und „der Mensch ist wie eine Seifenblase" – ermahnen den Betrachter, an die eigene Vergänglichkeit zu denken und sich auf den Tod und das Leben danach vorzubereiten. Somit steht der Stuttgarter Muskelmann in der Spannung von wissenschaftlichem Anspruch und religiöser Geisteshaltung.

Der Muskelmann ist neben empirisch erforschter Körperdarstellung auch religiöses *Vanitas*-Symbol, das um 1550 kurzzeitig zur Bezeichnung ‚Vanitasmänner' führt. Es bleibt festzuhalten, dass der Muskelmann weder Schrecken noch Abscheu vermitteln sollte, sondern in ästhetischer Form einerseits dem Gedenken diente und andererseits die Neugier auf das Innenleben des Menschen an sich befriedigte.

Erschien der Muskelmann zuerst motivisch in medizinischen Schriften, Vorlagenbüchern und als Miniaturmodell, wurde er mit dem europaweiten Gründungsboom von Kunstakademien im 18. Jahrhundert von Künstlern in Zusammenarbeit mit Anatomen weiterentwickelt. Während in der Medizin andere, dem Detail verpflichtete Anschauungsmodelle entstanden, so sollte der *Scortico* bis ins 19. Jahrhundert hinein zum Vorzeige- und Repräsentationsmodell

teste Studienmodell. Die Verwendung und Darstellung von Muskelmännern bezeugt die Verwissenschaftlichung der Kunst seit der Renaissance, weshalb es vorerst keinen Unterschied zwischen Künstler-Écorchés und medizinischen Anschauungsobjekten gab. Wesentlich verantwortlich für die Entwicklung des Figurentyps und der Anschauungsmethoden des Körperinneren waren Künstler wie Leonardo, Michelangelo oder Tizian und seine Schüler. Die plastischen Écorchés leiteten die Entwicklung einer Folge variierter Gestalten ein, die sich zum größten Teil an klassischen Vorbildern orientierten. Die Thematisierung der Figuren des Heiligen Bartholomäus oder des Marsyas als Geschundener bereitete den ikonografischen Rahmen, an dem die Künstler die Errungenschaften der Renaissancekunst demonstrieren konnten: Die Kenntnis der Anatomie des menschlichen Körpers galt als Voraussetzung für die Schaffung von Bildwerken, der Anatomie an Kunstakademien und beinahe zu einer Chiffre für das Naturstudium des Künstlers werden. Als lebensgroße Plastik, erstmalig 1767 von Jean-Antoine Houdon für die Pariser École des Beaux-Arts modelliert, gehörte nun der Muskelmann zu jeder repräsentativen Lehrsammlung einer Kunstakademie. Dass diese Körperbilder den anatomischen Studien an Kunstakademien dienlich sein konnten, lag einerseits an ihrer Ersatzfunktion für die nicht immer verfügbaren Leichen, an denen die Skelett- und Muskelformen in ihrer räumlichen Lage von allen Seiten studiert werden konnten, andererseits an der durch die Kontra-

posthaltung geschaffenen Zweiteilung des Gesamtkörpers in eine angespannte, tragende und eine entspannte, unbelastete Körperseite. Durch Beugungen und Streckungen, Drehungen und axiale Ausrichtungen war es möglich, sie in einem ausgleichenden Kräfteverhältnis zu einem idealen Gesamtbild zu komponieren.   SM

LITERATUR Choulant 1852; *Pygmalions Werkstatt. Die Erschaffung des Menschen im Atelier von der Renaissance bis zum Surrealismus,* Ausst. Kat. Köln 2001; *Grosse Kunst in kleinem Format. Kleinplastiken im Württembergischen Landesmuseum Stuttgart,* Ausstellungskatalog Württembergisches Landesmuseum 2004–2005, Stuttgart 2004; Mühlenberend 2006.

Anatomische Schädelmodelle

Akrocephalus (Turmschädel) 83

Süddeutschland, 17. Jahrhundert

Elfenbein auf Ebenholzsockel

Höhe ohne Sockel 47 mm

Olbricht Collection, Essen
INV. NR. ANO–Wiss 004

84 *Syphilis*

Süddeutschland, 17. Jahrhundert

Elfenbein auf Ebenholzsockel

Höhe ohne Sockel 35 mm

Olbricht Collection, Essen
Inv. Nr. ANO–Wiss 005

85 *Trigonocephalus (Kielschädel)*

Süddeutschland, 17. Jahrhundert

Elfenbein auf Ebenholzsockel

Höhe ohne Sockel 39 mm

Olbricht Collection, Essen
Inv. Nr. ANO–Wiss 006

Schädel spielen eine große Rolle in der anatomischen Wissenschaft, im Reliquienkult und sind zudem ein beliebtes Motiv in der bildenden Kunst. Franz Josef Gall (1758–1828) erforschte als erster in grenzüberschreitend phrenologischer Arbeit die einzelnen Schädelmassen und stellte eine bis heute bedeutende craniologische Sammlung zusammen. Als größte Sammlerin von Schädeln und andere Skelettteilen kann die katholische Kirche bezeichnet werden, die über die Präsentation der Überreste von Heiligen hinaus diese mit einer gewissen Wundertätigkeit belegte. Den Malern und Bildhauern diente der Schädel oft genug als *Memento mori* – als Symbol für Tod und Vergänglichkeit – und wurde seit dem Mittelalter in unterschiedlichen Formen und Materialien nachgebildet. Bevorzugt wurde dabei das Material Elfenbein, da es leicht zu bearbeiten war und im Aussehen an menschliche Knochen erinnerte. Als Sinn gebender Gegenstand gehörte der Schädel in fast jede Kunst- und Wunderkammer, wo er meist an exponierter Stelle präsentiert wurde.

Dass der Schädel so oft Gegenstand der bildenden Kunst wurde, liegt auch an seinem eigenartigen Gebilde, das keinem anderen ähnelt. Wie das Pferd als Königsdisziplin in der Tiermalerei galt, ist der Schädel aufgrund seiner schwierigen Form stets Anreiz für sein Studium und seine Wiedergabe gewesen. Gerade der Kontrast zwischen dem Neurokranium mit seiner von oben und hinten gesehenen unregelmäßig sphärischen

Form und einförmig glatten Oberfläche und dem Gesichtskranium mit seinem ausgeprägt skulpturalen Charakter – mit den großen, tiefen und leeren Augenhöhlen, mit der birnenförmigen Nasenöffnung und den entblößten Zähnen – war eine Herausforderung für viele Künstler.

Die drei Schädelmodelle stellen eine Verbindung zwischen wissenschaftlichem und künstlerischem Anspruch dar. Einerseits verweist die Darstellung des Krankheitsbildes der Schädel auf einen jeweils medizinischen Kontext, und damit auf ihre Funktion als medizinisches Anschauungsobjekt. Als Miniaturen suggerieren sie andererseits in ihrer aufwändigen Gestaltung – so fehlt beispielsweise der Unterkiefer, und der Oberkiefer ist zum Teil nur fragmentarisch zu erkennen – einen pathologischen Tatbestand im Original: Das erste Modell zeigt die typischen Krankheitszeichen eines Turmschädels (Akrocephalus) mit Kranisynostose als vorzeitiger Verknöcherung der Knochennähte des Schädels. Die mit der Syphilis einher gehenden Auflösungserscheinungen sind am zweiten Modell erkennbar. Dargestellt ist das dritte Stadium der Krankheit (Tertiärstadium), in dem sich die Erreger im ganzen Körper ausgebreitet und auch innere Organe wie Knochen und Muskeln befallen haben. Charakteristisches Zeichen ist ein Loch am Gaumen zur Nasenhöhle hin. Trigonocephalus, auch als Kielschädel bezeichnet, wird im dritten Modell beschrieben. Es verdeutlicht die vorzeitige intrauterine Verknöcherung der Frontalnaht. Obwohl in allen drei Modellen eine didaktisch wirksame Absicht vorliegt, kommt sicherlich der virtuosen Darstellung des zwischen exaktem Naturbild und Grauen oszillierenden Themas eine noch größere Bedeutung zu. Denn außerhalb medizinischer Lehrsammlungen wurden solch fein gearbeiteten Elfenbeinschädel auch in Kunstkammersammlungen präsentiert, vor allem im Bereich der *Mirabilia,* dem Themenschwerpunkt des Andersartigen und der Abweichung von bekannten Maßstäben. Diese Miniatur-

objekte eröffneten nicht nur eine ungewohnte Perspektive, sondern stellten in der Komplexität des Gegenstandes auch künstlerische Bravourstücke dar. Durch den Charakter eines kompliziert herzustellenden ‚Kunststücks‘ bei exakter Wiedergabe anatomischer Details ließ sich größtes handwerkliches Geschick demonstrieren. SM

LITERATUR Henschen 1966; Thomas 1985; *Weltenharmonie. Die Kunstkammer und die Ordnung des Wissens,* Ausst. Kat. Herzog-Anton-Ulrich-Museum Braunschweig 2000; Laue 2004.

Dose mit weiblichem Anatomiemodell 86

Deutschland
1. Viertel des 18. Jahrhunderts

Elfenbein, zum Teil farbig gefasst, Silber

Höhe 85 mm, Breite 56 mm, Tiefe 23 mm
Olbricht Collection, Essen
INV. NR. ANO–MM 035

Für die Darstellung der weiblichen Anatomie wurden im 17. Jahrhundert Miniaturmodelle aus Elfenbein entwickelt, die den Körper meist liegend mit abnehmbarer Bauchdecke zeigen. Die bekanntesten Beispiele stammen von der Nürnberger Künstlerfamilie Zick, deren Schnitzarbeiten für Mediziner wie Laien beliebte Demonstrations- und Sammelobjekte waren.

Neben schlichten weiblichen Anatomiepräsentationen sind aus der Zickschen Werkstatt auch Figuren mit erweitertem Sinngehalt bekannt. Sie zeigen neben Herz, Leber und Nieren einen im Mutterleib kauernden Embryo. Diesem Verweis auf das Leben steht aber die dazugehörige Aufbewahrungsschatulle entgegen, die als Sarg gestaltet ist und so auf die die Vorbedingung aller anatomischer Untersuchungen, den Tod des Menschen, verweist.

Anders als die sachlichen Zick'schen Lehrmodelle ist das vorliegende Objekt eindeutig in künstlerischer Absicht verfremdet, wenn auch die Qualität im Detail zu Wünschen lässt: Der linke angewinkelte Arm ist überlängt und steht in keinem Verhältnis zum rechten Arm; die abnehmbare Brust und die Bauchdecke sind grob formuliert, ebenso das Gesicht der an eine schlafende Venus angelehnten Aktfigur. Kunstvoll dagegen ist der unterlegte Stoff gearbeitet, dessen weiche Falten den Körper umspielen.

Die freiliegenden, farbig gefassten Organe sind nummeriert. Das läßt auf den Verlust einer Legende schließen, die wohl ursprünglich in der Dose aufbewahrt wurde.

Der ursprünglich wissenschaftliche Charakter der zerlegbaren Körpermodelle ist verfremdet; die kleine Plastik aus kostbarem Elfenbein, die die weibliche Anatomie mit Zitaten der Hochkunst verbindet, wird zum Kunstkammerstück. Der ästhetische Reiz überwiegt.

Eine solche Interpretation der weiblichen anatomischen Lehrmittel aus Elfenbein ist schon in der Kunst und Rhetorik der Anatomiebücher der Renaissance vorgebildet. Dort wurde die Anatomie so gut wie immer an Abbildungen des gesamten menschlichen Körpers dargestellt, der trotz der Sektion eine gewisse Lebendigkeit suggeriert und gewisse Ausdrucksmöglichkeiten in Bewegung und Gebärde evoziert. Obwohl sich dabei die Illustrationen und Beschreibungen auf den männlichen Körper konzentrieren, so ist auffällig, dass im Zentrum des Deckblattes der *De humani corporis fabrica libri septem* von Andreas Vesalius (Kat. Nr. 77), also ausgerechnet auf der repräsentativen Außenansicht, ein Frauenkörper als Sektionsobjekt abgebildet ist, um das sich eine festliche Versammlung gruppiert. Die Darstellung vermittelt eine fast voyeuristische Gier nach dem Blick ins Körperinnere. Schon

hier zeigt sich eine Art ,Erotisierung' des toten menschlichen Körpers. Denn auffällig an dem Bild ist die Schönheit des Frauenkörpers – die Brüste und der Oberkörper sind unversehrt, die Körperhaltung ist exponiert. Unterleib und Bauch dagegen sind aufgeschnitten, so dass man ungehindert ins Innere blicken kann. Das Bild ist so komponiert, dass gerade der Betrachter des Bildes von außen den ungehinderten Blick auf den offen gelegten Körper hat – einer Einladung gleich.

Mit der eigentlichen Entdeckung des Fortpflanzungsapparates der Frau im 17. Jahrhundert festigt sich dieser Bildtyp für die Darstellung der weiblichen Anatomie. Es entstehen dreidimensionale Lehrmodelle, deren didaktische Aussage sich fortan auf den Unterleib konzentriert. Auch hier ist in Anlehnung an Venusdarstellungen das Körpermodell erotisch aufgeladen und somit seine Aussage vom Anatomiemodell hin zum Kunstobjekt verlagert. Höhepunkt dieser Entwicklung und Präsentationsform sind die anatomischen Wachsfiguren zur weiblichen Anatomie der Sammlung in La Specola (Königliches und Kaiserliches Museum für Physik und Naturkunde, begründet zwischen 1776 und 1780 in Florenz): Ähnlich ihren Miniaturvorgängern liegen die halb wach, halb schlafend und lebensgroß modellierten Körper lasziv auf kostbarem Tuch, nur dass sie zudem ihre Eingeweide zeigen. Der anatomische Blick in den weiblichen Körper, wie er von Vesalius vorgegeben wurde, offenbart an dieser Stelle vollends seine Doppelbödigkeit – als Ersatz für Leichen vergegenwärtigten die Modelle ein wissenschaftliches Bemühen, Erotik und Tod in Distanz und unter Kontrolle zu bringen.   SM

LITERATUR Eugen von Philippovich, *Kuriositäten, Antiquitäten: ein Handbuch für Sammler und Liebhaber,* Braunschweig 1966; Thomas 1985; Zauber der Medusa 1987; Spectacular Bodies 2000; Ebenbilder 2002; Laue 2002.

Anatomisches Modell 87
einer schwangeren Frau mit
anatomischem Lehrbuch

Süddeutschland
um 1750

Elfenbein, Samt, Schildpatt

Länge der Figur 162 mm

Olbricht Collection, Essen
Inv. Nr. SZ 003

Anatomisches Modell 88
einer schwangeren Frau

Stephan Zick (1639–1715), Nürnberg
um 1680

Elfenbein, Holz und Stoff

Länge der Figur 122 mm

Olbricht Collection, Essen
Inv. Nr. SZ 002

89 Särglein mit anatomischem Modell einer schwangeren Frau

Stephan Zick (1639–1715) Nürnberg
um 1680

Elfenbein, Holz, Stoff, Holzsarg mit Elfenbeinintarsien

Länge der Figur 122 mm

Olbricht Collection, Essen
Inv. Nr. SZ 004

Das anatomische Interesse des 17. und 18. Jahrhunderts kannte vielfältige Darstellungsweisen. Elfenbeinmodelle von schwangeren Frauen sind wissenschaftlich gesehen eher unwesentliche Surrogate des ehrgeizigen Versuchs, den Aufbau und die Funktionen des menschlichen Körpers verständlich zu machen. Doch so wenig sie an der akademischen Erkenntnisfähigkeit teilzuhaben vermochten, sind sie in einem funktionalen Kontext von umso größerem Interesse. Die Modelle zeigen eine unbekleidete schwangere Frau, deren Brust- und Bauchdecke abnehmbar ist. Sichtbar werden Herz, Lunge, Leber, Darm und Gebärmutter, letztere mit herausnehmbarem Fötus. Die Arme der Skulpturen sind beweglich, der linke Arm der Kat. Nr. 88 und 89 ist angewinkelt und kommt entweder auf der Bauchdecke oder der Stirn der Dargestellten zum liegen. Der rechte Arm hingegen ist gestreckt und liegt auf dem Oberschenkel beziehungsweise der Unterlage der Skulptur auf. Bei der Skulptur mit der Kat. Nr. 87 ist das Verhältnis der Arme umgekehrt, der rechte Arm bedeckt die Schamgegend, während der linke flach und weniger gebeugt ist. Die Handhaltung der Modelle lässt sich zum einen aus der Vorbildlichkeit antiker Venusdarstellungen, zum anderen aus der generellen Bedeckung der Schamgegend erklären, die auch bei anatomischen Druckgraphiken auf vielfältige Weise erreicht wurde. Das Gesicht ist bei allen drei Modellen durch die halb geöffneten Augen und einen lächelnd wirkenden Mund charakterisiert, was der gängigen Abbildungspraxis entsprach, anatomische Körper lebend darzustellen. Allerdings weisen die Skulpturen auch zahlreiche Unterschiede auf, die Unterlage differiert am deutlichsten. Der auf sechs Kugelfüßen ruhende, an den Ecken abgeschrägte, sarkophagartige Holzkasten des Modells mit der Kat. Nr. 88 weckt ähnliche Assoziationen wie das dezidiert als Sarg konstruierte Holzbehältnis der Kat. Nr. 89. Der oktogonale Sarg ist mit Elfenbeinintarsien versehen und wird mit einem Schiebedeckel geschlossen, während die Figur zusätzlich auf einer eingepassten und mit einer Schlaufe versehenen Platte angebracht wurde. Beiden Modellen ist ein Kissen aus Elfenbein beigegeben. Die Skulptur mit der Kat. Nr. 87 ruht stattdessen auf einer annähernd flachen Platte aus Schildpatt und ist auf ein rotes Samtkissen mit goldenen Quasten gebettet. Ihr ist ein Buch beigegeben, in welchem die vorhandenen Organe skizziert und benannt werden. Ein weiterer Unterschied lässt sich im Aufbau des physischen Innenlebens der Skulpturen erkennen. Die ohnehin sehr schematisch gebildeten Organe werden bei dem Modell auf der Schildpatt-Platte zusätzlich durch dünne Scheiben voneinander separiert, so dass der Korpus in drei Segmente unterteilt wurde, in denen die Organe lagern. Bei den Modellen, die von Stephan Zick gefertigt wurden, lässt sich diese Unterteilung nicht feststellen, auch die Ausarbeitung und Platzierung der Organe entspricht dort eher der anatomischen Wirklichkeit.

Die unterschiedliche Zuschreibung der drei Objekte lässt sich nachvollziehen, wenn man die Charakteristiken der Werkstatt von Stephan Zick (1639–1715), einem Elfenbeindrechsler aus Nürnberg, auf die Modelle anzuwenden sucht. Die Skulpturen von Zick zeichnen sich durch einen abgespreizten kleinen Finger, eingeschnittene Kniescheiben und Grübchen auf den Handaußenseiten aus (Philippovich 1960, S. 167). Diese Kennzeichen fehlen bei Kat. Nr. 87, zudem sprechen Differenzen im Körperbau für eine andere Zuschreibung. In Frage käme der Schweinfurter Elfenbeindrechsler Johann Michael Hahn (geb. 1714), der ebenso wie Zick in Archivalien als Spezialist für anatomische Ganzkörpermodelle aus Elfenbein genannt wird (Thomas 1985, S. 56). Ebenso wird noch ein anderer Name mit anatomischen Modellen in Zusammenhang gebracht; eine Quittung des Hessischen Landesmuseums in Kassel belegt 1777 den Erwerb eines Paares anatomischer Figuren von Johann Wilhelm Kirchner (gest. 1793) (Thomas 1985, S. 56). Der Verlust dieser Skulpturen verhindert jedoch die stilistische Zuschreibung des Modells auf der Schildpatt-Platte an einen der oben Genannten. Vergleichbare aber auch nicht zugeschriebene Skulpturen, die ebenfalls mit einem Samtkissen auf einer Schildpatt-Platte liegen, finden sich im Kestner-Museum Hannover (Inv. Nr. 1920.6) und im Herzog Anton Ulrich-Museum in Braunschweig (Inv. Nr. Elf 186). Weitere Exemplare aus der Produktion Stephan Zicks sind in der Eremitage St. Petersburg (Inv. Nr. on.pa3 H.2054) und in der Wellcome Institute Library in London (Inv. Nr. R2331/1936) beheimatet. Neben den in dieser Ausstellung befindlichen beiden Arten des anatomischen Elfenbeinmodells lassen sich bei einer Gesamtzahl von etwa 25 Skulpturen noch weitere Typen unterscheiden. Das Modell Nr. 381 aus der Medizinhistorischen Sammlung Zürich weist neben einer geschlosseneren Körperhaltung auch in der Haarbehandlung und in der anatomischen Darstellung der Organe einige Unterschiede zu den bekannten Modellen auf, ein weiterer Typus mit unbeweglichen Armen befindet sich in der Sammlung Philippovich (Abb. 89a), ein männliches Pendant mit ähnlichen Merkmalen im Deutschen Historischen Museum in Berlin. Männliche Modelle mit herausnehmbaren Organen wurden ebenfalls, allerdings in wesentlich geringerer Stückzahl produziert. Ein Exemplar befindet sich im Stadtmuseum Düsseldorf.

Die Darstellung einer ‚aufklappbaren' schwangeren Frau war nicht auf die Kleinplastik beschränkt. Sowohl die Malerei als auch die Druckgraphik bedienten das Interesse an der weiblichen Anatomie mit ähnlich expliziten Bildfindungen, deren Zeugnisse man erstmals in anatomischen Atlanten betrachten konnte. Anschließend an Vesals *De humani corporis fabrica* (1543; Kat. Nr. 77), dessen Kupferstiche möglicherweise von dem Ti-

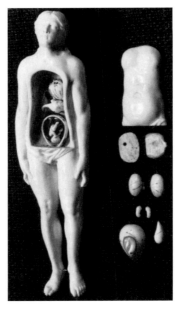

89a

145

zian-Schüler Stephan von Kalkar stammen (die Zuschreibung wird in der aktuellen Forschung zunehmend in Zweifel gezogen, vgl. dazu den Beitrag von R. Hildebrand im Textband), entstanden immer ehrgeizigere Projekte, die Anatomie und Morphologie des menschlichen Körpers im Bild zu bannen. Allerdings präsentierte man bei dieser Art der ‚Selbsterforschung‘ zumeist den männlichen Körper. Sektionen wurden vornehmlich an Männern durchgeführt und der männliche Körper wurde in den anatomischen Schriften zum menschlichen Körper per se. Als Erklärung kann man neben voremanzipatorischen Aspekten auch ganz pragmatische Gründe nennen: Männer haben – für anatomische wie künstlerische Zwecke wichtig – einen stärker ausgebildeten Muskelbau und eine dünnere subkutane Fettschicht, was das Obduzieren erleichtert. Das Interesse der Medizin am weiblichen Körper konzentrierte sich hingegen auf den Unterleib. Vom 15. bis zur zweiten Hälfte des 18. Jahrhundert gab es Uterus-Sektionen, die sich großer Beliebtheit erfreuten (The ingenious Machine of Nature 1996, S. 33). Die Frage nach dem menschlichen Ursprung war die Triebfeder solcher Untersuchungen. Embryologie und Gynäkologie kamen als spezifische Wissenschaften aus Oberitalien, datiert mit dem Werk des Paduaner Anatomen Fabricius ab Aquapendente *De formato foetu* 1600. Die erste wissenschaftlich-akkurate Darstellung der weiblichen Reproduktionsorgane war jedoch erst der Atlas *De mulierum organis generationi,* gezeichnet von Reguier de Graaf 1672 (The ingenious Machine of Nature 1996, S. 75). Das Wissen um den weiblichen Körper war demnach asynchron zum männlichen, was zum Teil die schematische und teilweise falsche Darstellungsweise der Anatomie bei den Elfenbeinmodellen zu erklären vermag. Außerdem muss berücksichtigt werden, dass die Atlanten äußerst kostbar waren und vom Verlag vorfinanziert wurden. Die Subskribenten waren demnach eher interessierte, wohlhabende Laien, die Atlanten aber für Ärzte oder Künstler unter Umständen nur schwer erschwinglich (Spectacular Bodies 2000, S. 51).

Zur Funktion der Elfenbeinmodelle sei angemerkt, dass sie aufgrund anderer konkurrierender Medien auf dem Markt der Anatomiedarstellungen keinen großen heuristischen Wert besaßen. Wachsmodelle, die exakter und billiger hergestellt werden konnten, waren eher geeignet, diese didaktische Lücke zu schließen. Kunstkammerinventare zeigen, dass die Modelle Teil der Sammelleidenschaft geworden waren als Teil einer Miniaturdarstellung der Welt. Die Sammlung anatomischer Modelle präsentierte den menschlichen Körper als Teil des Kontinuums der Schöpfung, als Gegenstand, der den Naturgesetzen unterworfen war, neben anderen natürlichen und künstlichen Objekten der Sammlung. Die synoptische Präsentation der Modelle lud die Besucher dazu ein, den Körper als System integrierter funktionaler Einheiten, als rationales Prinzip wahrzunehmen, wobei der Gedanke der Analogie von Mikro- und Makrokosmos von zentralem Interesse war. Der gebärfähige weibliche Körper ist der paradigmatische Beweis einer solchen Vorformulierung des Äußeren im Inneren und somit neben kostbarem Anschauungsobjekt auch Legitimationsträger einer jeden Kunstkammer. In der Kunstkammer des Herzogs Carl I. in Braunschweig wurden die Skulpturen allerdings nicht neben anatomischen Modellen von Augen oder Ohren sowie medizinischen Instrumenten unter der Rubrik „Anatomie“ geführt, sondern unter Angabe ihres Materials als „Kunstsachen aus Elfenbein“ inventarisiert (Weltenharmonie 2000, S. 382). Diese Kategorisierung belegt, dass die Figur eher als exquisite und kunstvolle Kostbarkeit denn als Mittel des Erkenntnisinteresses galt. Eine Studie, die sich den Klapp-Sonnenuhren widmet, die 1500–1700 in Nürnberg hergestellt wurden, stützt diese These. Sie kommt zu dem Schluss, dass die elfenbeinernen Endprodukte gar nicht für den wissenschaftlichen Gebrauch gefertigt wurden, sondern an Kunstkammern verkauft wurden, während die gebräuchlichen Apparaturen aus anderen Materialien wie Holz entstanden. Die Gravuren und Verzierungen auf den Sonnenuhren waren ohne jeden wissenschaftlichen Wert und entbehrten der notwendigen Exaktheit, so dass sie lediglich als Ornament gelten konnten (Gouk 1998, S. 114). Es spricht einiges dafür, dass die anatomischen Modelle, die zur gleichen Zeit am gleichen Ort geschnitzt wurden, eine ähnliche disfunktionale Bestimmung hatten. Eine Zielverschiebung vom Gebrauchs- zum Kunstgegenstand hatte stattgefunden.

Die Verortung in Kunst- und Naturalienkabinetten entspricht auch dem *Vanitas*-Charakter der Skulpturen aus der Werkstatt Stephan Zicks. Mit der Präsentation im Sarg wird nicht nur der Tod als Voraussetzung für die Sektion in die Darstellung miteinbezogen, der Sarg ist auch ein generelles Zeichen von Werden und Vergehen, welches in der Schwangerschaft konterkariert wird. Diese zyklische Assoziation des Lebens als Konsequenz und Voraussetzung des Todes ist in vielen Kunstkammergegenständen als ständige Ermahnung an die Vergänglichkeit irdischer Güter präsent gewesen.   AS

LITERATUR Scherer 1931; Philippovich 1960; Fründt 1967; Kryjanovskaja 1974; Skulpturen und Kunstgewerbe der Renaissance und des Barock 1975; Leitholf 1981; Philippovich 1982; Thomas 1985; Zauber der Medusa 1987; *Von der Kunstkammer zum Museum. Plastik aus dem Schlossmuseum Gotha DDR,* hg. von Michel Hebecker und Wolfgang Steguweit, Ausst. Kat. Duisburg 1987; Gouk 1988; Herzog 1990; Bronfen 1994; The ingenious Machine of Nature 1996; The Quick and the Dead 1997; Hartmann 1998; Jütte 1998; Körperwelten 1998; Scienza e Miracoli nell'arte dell '600 1998; Puppen Körper Automaten 1999; Zehnder 1999; Berswordt-Wallrabe 2000; Spectacular Bodies 2000; Theater der Natur und Kunst 2000; Weltenharmonie 2000; Belting 2002; Ebenbilder 2002; Hornbostel/Jockel 2002; Laue 2002; Skopec 2002; Blom 2004; Stockhorst 2005.

Anatomisches Modell eines Mannes   90

Stephan Zick (1639–1715)
Nürnberg, um 1680

Elfenbein und Holz

Gesamtlänge 177 mm, Breite 60 mm

Stadtmuseum Düsseldorf
Inv. Nr. P 38

Das anatomische Modell zeigt einen Mann, dessen Bauchdecke vom Brustkorb bis zum Genitalbereich abnehmbar ist. Es stammt aus der gleichen Werkstatt wie Kat. Nr. 88 und 89 und kann aufgrund zahlreicher stilistischer Details als ein männliches Pendant zu Kat. Nr. 88 bezeichnet werden. Das Modell zeigt die gleiche Armhaltung wie Nr. 88, wobei hier wohl nicht – wie bei den weiblichen Modellen vermutet – auf die Armhaltung der *Venus Pudica* Bezug genommen wird. Das Modell, zu dem auch ein weibliches Gegenstück existiert, welches sich ebenfalls im Stadtmuseum befindet, stammt möglicherweise aus dem Besitz der Wartschwestern, einem Orden, der sich der ambulanten Krankenpflege widmete und 1650 in Folge der Pest nach Düsseldorf kam.   AS

LITERATUR *Der erste Pfalzgraf in Düsseldorf: Wolfgang Wilhelm von Pfalz-Neuburg (1578–1653),* Ausst. Kat. Stadtmuseum Düsseldorf, Düsseldorf 2003, S. 132.

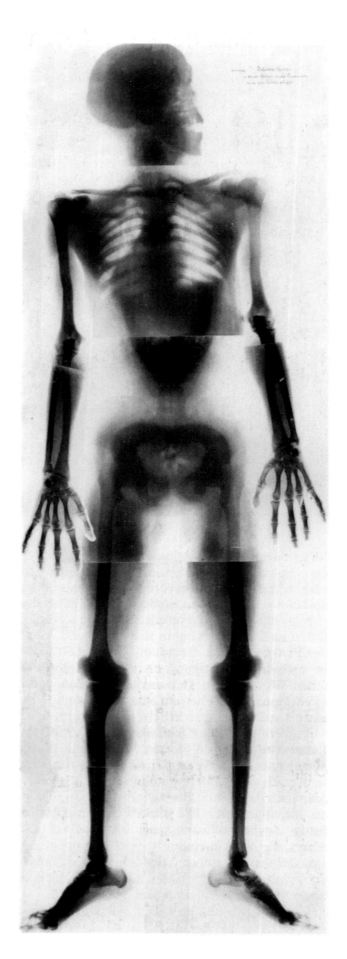

Röntgenbild des menschlichen Körpers

Ludwig Zehnder und E. Kempke
Sommer 1896

Collage aus sechs Aufnahmen

Höhe 184 cm

Deutsches Museum, München
Inv. Nr. 10117

Das Ganzkörperröntgenbild entstand im Sommer 1896, wenige Monate nach der Bekanntgabe einer „neuen Art von Strahlen" durch Willhelm Conrad Röntgen. Der Physiker Ludwig Zehnder, ein Fotograf und ein Mediziner waren an seiner Herstellung beteiligt.

Wie Zehnder berichtet, war der Ausgangspunkt zu diesem Unternehmen eine besonders „gelungene Handaufnahme" und der daran anknüpfende Vorschlag des Fotografen E. Kempe, „eine Röntgenphotographie des ganzen Menschen" zu machen (Zehnder 1935, S. 58). Es war die Faszination an einer neuen Bildlichkeit, die zu seiner Produktion führte, welche dann allerdings gewisse Schwierigkeiten mit sich brachte. Nachdem ein 14-jähriger Knabe bei den ersten Aufnahmen Verbrennungen davontrug, erfolgten Aufnahmen an zwei verschiedenen, erwachsenen Personen, Soldaten, die der Mediziner „zur Verfügung stellte". Deren lebende Körper wurden auf für diesen Zweck vom Fotografen angefertigten großen quadratischen Glas-Fotoplatten so positioniert, dass die Knochen gut sichtbar werden und die einzelnen Teile anschließend mühelos zusammengesetzt werden konnten. So erklären sich die seltsame Drehung des Kopfes ins Profil, der Füße nach außen und die frontale, fast starre, marionettenhafte Haltung des ganzen Körpers mit den gespreizten Händen. Für den Kopf stellte sich aufgrund der hohen Gefahr der Strahlen und der geschätzten Expositionszeit von ca. einer Stunde der Fotograf selbst zur Verfügung (Zehnder 1935).

Deutlich sichtbar sind Schnittstellen im Bereich von Bauch und Oberschenkeln und am Hals. Von den Fotoplatten wurden fotografische Abzüge gemacht, die auseinander geschnitten und schließlich zur Collage zusammengeklebt wurden. Nichts deutet jedoch darauf hin, dass es sich hier nicht um einen, sondern drei verschiedene Personen handelt, deren einzelne Identitäten wie in einer Art Idealbild aufgehen, indem ihre Knochen sich fast nahtlos zum Skelett des ganzen Menschen zusammenfügen. Das Beispiel verdeutlicht die Wirkung des Röntgenverfahrens auf bildlicher Ebene: Es reduziert den menschlichen Körper auf seine innerste Schicht, die Knochen, und schafft somit einen Anblick, der sich mit der Ikonographie des Todes in Verbindung bringen lässt. Zeitgenössische Beschreibungen verdeutlichen, wie diese Reduktion des Körpers im

Bild zustande kommt und was sie für die Wahrnehmung zur Folge hat: „Wenn man die menschliche Hand in den Weg der X-Strahlen stellt, so entstehen auf der photographischen Platte deutliche Schattenbilder der Knochen, während das Fleisch von den Strahlen leichter durchdrungen wird. Es entsteht das Bild des Skelettes einer Todtenhand; bloss die von Fleisch entblössten Fingerknochen erscheinen deutlich abgebildet; die Fleischtheile sind wie ein Schatten

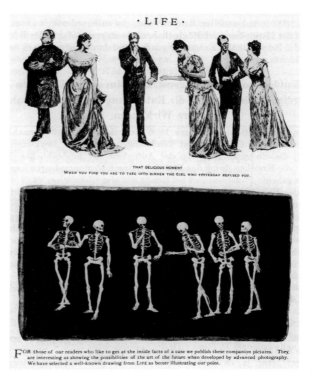

91 a

angedeutet. [...] Auf diesen Photogrammen liegen die Knöchelchen scheinbar lose aneinander gereiht, weil eben die sie verbindenden Muskel- und Knorpeltheile für das X-Licht sehr leicht durchdringbar sind."(Eder *Jahrbuch* 1896, S. 458) „Je nach Zeitdauer der Exposition kann man Fleisch grösstentheils oder ganz ,wegfotographiren'" (Eder/Valenta 1896, S. 13). Das Paradox der am lebenden Körper vorgenommenen Röntgenaufnahmen, Bilder des Todes vom lebendigen Körper zu sein, wurde von den Anwendern der Technik früh bemerkt, weshalb auf die Lebendigkeit der Ausgangsobjekte bisweilen mit Bildunterschriften explizit hingewiesen wurde. Von Assoziationen der Bilder mit der bekannten Ikonographie des Todes zeugen auch zahlreiche Karikaturen, welche die unheimliche Verwandlung des Körpers durch die als „neue Fotografie" bezeichnete Technik zum Thema haben. Die Gegenüberstellung von Leben und Tod, im Totentanz durch das Nebeneinander einer lebenden Person mit dem im Skelett personifizierten Tod, wird im Röntgenbild aufgelöst in eins gebracht (Abb. 91a). Innerhalb öffentlicher Vorführungen und auf Jahrmärkten konnte dieser

91b

Effekt wirkungsvoll inszeniert werden. Mittels Fluoreszenzschirmen und so genannter Fluoroskope wurde die Gegenüberstellung von Leben und Tod für jedermann auch am eigenen Leib und sogar in bewegten Bildern erfahrbar (Abb. 91b). Das Beschauen der bild-

haften Verwandlung des eigenen Körpers wurde von überwiegend belustigten, aber auch ängstlichen Reaktionen begleitet, wie aus der Beschreibung einer Ausstellung über Röntgenstrahlen hervorgeht, bei der die Besucher der Reihe nach ihre Hände vor den Fluoreszenzschirm halten konnten: „Viele der Besucher zögerten, als sie vor den Leuchtschirm kamen, und weigerten sich, weder auf ihren eigenen noch auf irgendeines anderen Knochen zu sehen. Einige bekreuzigten sich ehrfürchtig nach einem furchtsamen Blick, aber die große Mehrzahl ging lachend aus dem Zimmer heraus." (Glasser 1959, S. 203).

Diese frühe Röntgenbildpraxis erweist sich als *Memento mori*, dessen existentieller Ernst jedoch entschärft ist, indem die Betrachtung zwischen Schauer, Faszination und Unterhaltung schwankt. Zugunsten einer scheinbar unstillbaren Schaulust und Faszination am Bild reiht sich die Gesellschaft des fin de siècle in einen modernen Totentanz ein.   VD

LITERATUR Josef Maria Eder (Hg.), *Jahrbuch für Photographie und Reproductionstechnik* 10 (1896), S. 458f.; Josef Maria Eder und Eduard Valenta, *Versuche über Photographie mittels der Röntgen'schen Strahlen,* Wien/Halle a. d. S. 1896; Ludwig Zehnder, *Röntgens Briefe an Zehnder,* Zürich 1935; Otto Glasser, *Wilhelm Conrad Röntgen und die Geschichte der Röntgenstrahlen,* 2. Aufl., Berlin 1959 (Orig.: 1931); Michel Frizot (Hg.), *Neue Geschichte der Fotografie,* Köln 1998.

92 *Reise- oder Hausapotheke*

Zürich
Ende des 17. Jahrhunderts

Ahornfurnier, Messing, Silber, Glas

Höhe 250 mm, Breite 440 mm, Tiefe 293 mm

Bernisches Historisches Museum, Bern
INV. NR. 640

Der kostbar furnierte Kasten mit schwarz gebeizten Rahmen hat aufwendig guillochierte, vergoldete Messingbeschläge und seitlich zwei ornamentale Tragegriffe. Zwei innen bemalte Deckel, die mit Scharnieren und Nuten ineinander greifen, verschließen den

Kasten von oben und von der Vorderseite. Unter dem oberen Deckel befindet sich eine prächtige, fest eingebaute und vielfach unterteilte Ebene mit quadratischen Fächern, die in der Außenreihe insgesamt 26 zylindrische Dosen mit verschieden ornamentierten

Deckeln aufnimmt, während in der Mitte 18 Glas-
fläschen mit Schraubdeckeln an Kettchen unterge-
bracht sind, deren Inhalt sich in Resten erhalten hat.
Der Schmuck der wiederum guillochierten Trennleis-
ten steigert sich im Aufwand von außen nach innen bis
zu plastischen Blütenformen. Von besonderem Interesse sind in diesem Fach am vorderen und hinteren
Rand je sechs Dosen, deren Deckel nicht aus Metall,
sondern aus gedrechselten Holzverschlüssen mit Silber-
medaillons in der Mitte bestehen. Darauf sind zwölf
berühmte Ärzte und Naturforscher von Plinius und
Galen bis zu Anatomen und Chirurgen des 15. und 17.
Jahrhunderts dargestellt. Sie ergeben gleichsam eine
Geschichte der Medizin bis in die Zeit, in der der
Kasten entstand. Jedes der Medaillons wird von einem
die Person kennzeichnenden Merkspruch gerahmt.

Die Innenseite des oberen Deckels ist mit einer
feinen Malerei geschmückt. Rings um eine blauweiße

Faiencevase mit einem Strauß von Heilkräutern sind
in mehreren Reihen heilkräftige Tiere, Pflanzen und
Mineralien angeordnet.

Auf der Innenseite des Klappdeckels, der die
Vorderseite deckt, steht in der Mitte eine umrisshafte
Menschengestalt, deren Knochenbau detailliert darge-
stellt ist. Zu beiden Seiten sind einzelne Teile des
Skeletts, Schädel, Teile der Wirbelsäule, der Brustkorb,
Arm- Bein und Hüftknochen, zum Teil mit krankhaf-
ten Verformungen, gruppiert.

Die innere Front des Kastens, die nach Herunter-
klappen dieser Malerei sichtbar wird, hat drei Zonen,
einen gemalten Fries auf der Höhe des Flaschenfaches
und darunter ein schmales, u-förmiges Schubladenfach für Instrumente, das außen um das Flaschenfach
herumgreift. Dies erklärt die unterschiedlichen Höhen
der Behälter in der oberen Ebene, die äußeren Gefäße
im obersten Fach sind nämlich kürzer als die mittle-

ren. Das unterste Schubladenfach ist mehr als doppelt so hoch wie die oberen und ist im inneren in zwei Ebenen unterteilt. Die obere Ebene lässt sich ganz herausheben und besteht aus sechs quadratischen Fächern für verschiedene Pulver, beispielsweise gegen Krämpfe oder Fieber. Deren Namen stehen auf den flachen Holzdeckeln, die man mit einer grünen Schnur hoch heben kann. Darunter liegt ein weiteres, in dreimal fünf rechteckige Felder unterteiltes Fach. Die einzelnen Substanzen, die hier aufbewahrt wurden, unter anderem weißer Pfeffersamen, Krebsaugen und rote Koralle, sind auf den Randbeschriftungen zu lesen.

Die Vorderseite des oben liegenden, am reichsten geschmückten Flaschen- und Dosenfaches ist wie die großen Deckel bemalt: ein Fries von je vier stehenden männlichen und weiblichen Figuren mit verschiedenen Anzeichen der Krankheit wird von einer Schriftkartusche unterbrochen, die wiederum zwischen zwei darüber und darunter liegenden Kranken steht. Darin ist der hippokratische Spruch zu lesen: *„Quaecumque medicamenta non sanant, ea ferrum sanat: qua ferrum non sanat, ea ignis sanat; quod ignis non sanat, ea insanabilia sunt"* (was Arzneien nicht heilen, das heilt das Messer, was das Messer nicht heilt, heilt Brennen, was Brennen nicht heilt, muß als unheilbar gelten). Auf diesem Fries wie auch auf dem oberen gemalten Deckel steht eine Signatur, die Aufschluss über die Herkunft des kostbaren Kastens gibt: Die Signatur stammt von Johann Meyer d. J. (1655–1712), Mitglied einer weit verzweigten Züricher Malerfamilie. Möglicherweise sind deshalb auch die

Intarsienarbeiten mit einem der Kunsthandwerker in Verbindung zu bringen, die am Ende des 17. Jahrhunderts an der Innenausstattung des Züricher Rathauses gearbeitet haben. Dabei ragt vor allem Heinrich Linsi, ein Zeitgenosse Johann Meyers d. J. hervor, dem die Täfelungen der ‚kleinen Ratsstube‘ verdankt werden (freundliche Auskunft von Peter Jezler, Bern). Der Kasten kam aus der Berner Familie Tribolet, die in mehreren Generationen bedeutende Ärzte stellte, in das 1894 eröffnete Museum in Bern. Er gehört zu den kostbarsten Reise- oder Hausapotheken, die sich aus der frühen Neuzeit erhalten haben, und sein gleichsam enzyklopädischer, sinnreicher Schmuck ist einzigartig.

HWA

LITERATUR E. Gurlt, A. Hirsch, *Biographisches Lexikon der hervorragenden Ärzte aller Zeiten und Völker*, 6 Bde. Wien und Leipzig 1884-1888, Neuauflage 1962; zu Johannes Meyer d. J.: *Historisch-Biographisches Lexikon der Schweiz*, Bd. 5, Neuenburg 1929, Sp. 723; Walter Piners, Haus und Reiseapotheken, in: *Zur Geschichte der Pharmazie* (Geschichtsbeilage der Deutschen Apothekerzeitung) 4 (1954), S. 21–27; R. Burgess, *Portraits of Doctors and Scientists in the Wellcome Institute of the History of Medicine. A Catalogue,* London 1973; Günther Kallinich, *Schöne alte Apotheken,* München 1975, S. 106, Abb. 456; Christa Habrich, Die Ausstattung von Haus- und Reiseapotheken in ihrer pharmazie- und medizinhistorischen Bedeutung, in: *Pharamzeutische Zeitung - Apothekerzeitung* Nr.124 (1979), S. 151–155; zu den Medaillonportraits: Ausstellungskatalog *Biographien,* Bernisches Historisches Museum 1996, S. 136–140, Nr. 3.6; zum Züricher Rathaus: Christine Barraud-Wiener und Peter Jezler, *Die Kunstdenkmäler des Kantons Zürich,* Neue Ausgabe Bd. 1, Die Stadt Zürich I, Basel 1999 S. 336–339, Abb. 332–334.

TOTENTANZ

Die Jungfrau schläft
in der Kammer

Die Jungfrau schläft in der Kammer,
Der Mond schaut zitternd hinein;
Da draußen singt es und klingt es,
Wie Walzermelodein.

Ich will mal schaun aus dem Fenster,
Wer drunten stört meine Ruh.
Da steht ein Totengerippe,
Und fiedelt und singt dazu:

Hast einst mir den Tanz versprochen,
Und hast gebrochen dein Wort,
Und heut ist Ball auf dem Kirchhof,
Komm mit, wir tanzen dort.

Die Jungfrau ergreift es gewaltig,
Es lockt sie hervor aus dem Haus;
Sie folgt dem Gerippe, das singend
Und fiedelnd schreitet voraus.

Es fiedelt und tänzelt und hüpfet,
Und klappert mit seinem Gebein,
Und nickt und nickt mit dem Schädel
Unheimlich im Mondenschein.

Heinrich Heine (1797–1856)

Totenvigil in einem Stunden- und Gebetbuch

Hugo Jansz. van Woerden und Suffragienmeister
Niederlande, Leiden (?)
ca. 1480–90 und 1500–1510

Pergament

Höhe 168 mm, Breite 115 mm

Museum Cathrijneconvent, Utrecht
Sign. BMH h 162

Die das Totenoffizium begleitende Miniatur (fol. 69v) zeigt den von links heranstürmenden, mit einem um die Schultern gelegten, wehenden Leichentuch bekleideten Tod, der hinterrücks einen elegant gekleideten jungen Mann zu Boden wirft und ihm eine Lanze in den Rücken stößt. Zwar konnte der Jüngling noch gerade sein Schwert ziehen, doch ist er diesem Überfall gegenüber machtlos. Die Szene spielt sich auf einem Felshang ab, im Mittelgrund führen einzelne Häuser zu einer weiten Felderlandschaft, die in einer Wolkensilhouette am Horizont endet; der Maler zeigt hier, dass er mit der Luftperspektive bestens vertraut war. Umgeben wird die Miniatur von einer mit täuschend echten Iris, Gänseblümchen, roten Nelken und weißen Schmetterlingen besetzten Bordüre, die hier

auf die in den Südniederlanden (Brügge-Gent) verbreiteten illusionistischen Malerei verweist. Sowohl die Ausführung des Randschmucks als auch die Kleidung des jungen Mannes sowie die breiten, runden Schuhe lassen diese Miniatur an den Anfang des 16. Jahrhunderts datieren; stilistisch wird sie dem Suffragienmeister zugeordnet (Golden Age 1989, S. 299, Wüstefeld 1993, S. 164).

Diese Miniatur unterscheidet sich erheblich von der die Totenvigil einleitenden Initialminiatur (fol. 70r). Die M-Initiale zeigt einen Mann und eine Frau auf einem brennenden Holzscheit kniend, die betend gen Himmel schauen, wo ein orangeroter Feuerball das Jüngste Gericht symbolisiert. Die beiden anonymen Menschen stehen also für zwei Seelen beiderlei

Geschlechts im Fegefeuer. Sowohl diese Miniatur als auch die umrahmende Rankenbordüre sind ca. 20 Jahre früher als die Einzelblattminiatur entstanden: Das Stundenbuch enthielt ursprünglich nur Initialminiaturen und Rankenbordüren, die in der Werkstatt des Hugo Jansz. van Woerden zwischen 1480 und 1490 gestaltet worden waren. Als zwanzig Jahre später noch ein Heiliggeist- und ein Heiligkreuz-Offizium angefügt wurden, kamen Einzelblattminiaturen hinzu, die den einzelnen Offizien und Stundengebeten vorangestellt wurden. (Golden Age 1989, S. 298; Wüstefeld 1993, S. 164).

Ein Stundenbuch diente der privaten Andacht und enthielt Gebete, die zu bestimmten Stunden am Tag gelesen und gebetet wurden. Meistens begannen die Stundenbücher mit dem Marienoffizium, gefolgt von dem Offizium des Heiligen Geistes und dem des Heiligen Kreuzes, den Bußpsalmen, dem Totenoffizium und der Allerheiligenlitanei (Bart/König 1987). Das Totenoffizium wurde regelmäßig vor einem Begräbnisgottesdienst gelesen, war aber auch in das tägliche Stundengebet eingebunden und diente somit zugleich der Vorbereitung auf den eigenen Tod. Die Einzelblattminiatur zeigt hier ein Motiv, das sich aus der Totentanzikonographie entwickelt hat und die Unausweichlichkeit des Todes drastisch vor Augen führt.   AH

LITERATUR Bartz/König 1987; *The Golden Age of Dutch Manuscript Painting,* Ausst. Kat. Rijksmuseum Het Catharijnenconvent, Utrecht und Pierpont Morgan Library, New York, Stuttgart/Zürich 1989; Wilhelmina C.M. Wüstefeld, *Middeleeuwse boeken van Het Cathrijnenconvent,* Zwolle 1993; Leven na de dood 1999.

Detail Kat. Nr. 93

94 *Tanz der Gerippe*

Michael Wolgemuth (1434–1519)
Nürnberg, 1493

Holzschnitt, koloriert

410 x 280 mm

Graphiksammlung „Mensch und Tod"
der Heinrich-Heine-Universität Düsseldorf
Inv. Nr. E 0711.

Im Jahr 1493 entstand in Nürnberg das *Liber Chroni-carum cum figuris et ymaginibus ab inicio mundi*, bekannt in unserer Zeit als *Schedelsche Weltchronik*. Die Chronik wurde vom Nürnberger Arzt und Humanisten Hartmann Schedel verfasst. Für die Finanzierung sorgte Sebald Schreyer und für den Druck Anton Koberger. Den Auftrag für die Anfertigung der insgesamt 1809 Holzschnitte, gedruckt mit Hilfe von 645 Holzstöcken, bekam die Werkstatt von Michael Wolgemuth und Wilhelm Pleydenwurff, bei denen auch Albrecht Dürer in die Lehre ging. Die Weltchronik erschien in lateinischer Sprache (326 Seiten) und in Nürnberger Mundart (286 Seiten).

Die Schedelsche Weltchronik ist in sieben Kapitel unterteilt, die je ein ,Weltalter' beschreiben. Das erste Weltalter beginnt mit der Erschaffung der Welt und reicht bis zur Sintflut. Diesem folgen: das zweite Weltalter bis zur Geburt Abrahams, das dritte bis zum Reich des Königs David, das vierte bis zur babylonischen Gefangenschaft, das fünfte bis zur Geburt Christi und das sechste Weltalter bis zur Gegenwart des Autors. Im letzten Weltalter wird ein Ausblick auf den Weltuntergang und das Jüngste Gericht gegeben.

Die Holzschnitte machen die Chronik bis auf den heutigen Tag zum begehrten Sammlerstück. Neben den weltbekannten Stadtansichten gehört die Darstellung *Tanz der Gerippe* aus dem siebten Weltalter zu den berühmtesten aus der Reihe. Der Holzschnitt erscheint sowohl in der lateinischen wie in der mundartlichen Ausgabe, wird jedoch von unterschiedlichen Texten begleitet. Das vorliegende Blatt stammt aus der lateinischen Ausgabe.

Nachdem der Autor im siebtem Weltalter vom Antichrist berichtet, gibt er Erklärungen über den Tod und „endschaft der ding". Das Blatt trägt die Überschrift „Imago mortis" (Bild des Todes). Auf einer gerahmten, querformatigen Bildfläche ist eine sehr sparsam dargestellte Landschaft zu erkennen. Am unteren Bildrand ist ein offenes Grab mit einem Skelett dargestellt. Dieses ist gerade dabei, sein Leichentuch abzulegen und aus dem Grab empor zu steigen. Das Skelett am linken Bildrand dominiert die Szene. Durch die Musik seines Blasinstrumentes fordert es die Liegenden auf, aufzustehen und sich dem Tanz anzuschließen. Hinter dem Grab befinden sich zwei weitere wild tanzende Skelette. Ihre Bewegungen erinnern an die aus dem Mittelalter bekannte Tanzwut (vgl. den Beitrag von Klaus Bergdolt im Textband). Rechts von diesen Beiden schließt sich ein Toter der Reihe an. Der Ort, an dem die Szene stattfindet, ist nur durch das Grab als Friedhof zu erkennen. Das Geschehen ist zeitlos und dient nicht der Visualisierung einer konkreten Geschichte. Vielmehr kann sie sowohl mit Überlieferungen in Verbindung gebracht werden, die vom nächtlichen Tanz der Toten berichten, als auch mit der realen Tanzpraxis der Hinterbliebenen (vgl. den Beitrag von Valeska Koal im Textband). Ferner erinnert das Motiv an die Darstellung von Beinhäusern, die oft am Anfang von Totentanzdarstellungen stehen, wie etwa der Baseler Totentanz zeigt, erhalten in den Stichen von Matthäus Merian dem Älteren (Kat. Nr. 97).

Die Skelettdarstellungen zeugen nicht von einer profunden Kenntnis der menschlichen Anatomie. Es ist jedoch auch nicht das Ziel, eine realitätsnahe Darstellung zu zeigen, sondern vielmehr, den Text über den Tod und die Vergänglichkeit der Dinge bildlich zu unterstützen. Begleitet wird die Darstellung von einem Gedicht Petrarcas: „Nichts ist besser als der

Septima etas mūdi   CCLXIIII
Jmago mortis

Morte nihil melius.vita nil peius iniqua
O pma mors boim.reges eterna laborū
Tu senile iugum domino volente relaxas
Uinctorūcg graues adimis ceruice cathenas
Exilumcg leuas.z carceris hostia frangis
Eripis indignis.iusti bona pribus equans
Atcg unmota manes.nulla exorabilis arte
A primo prefixa die.tu cuncta quieto
Ferre iubes animo.promisso sine laborum
Te sine supplicium.vira est carcer perennis

Tod, und nichts ist schlimmer als das von Unrecht erfüllte Leben" (Tomaschek 2002, S. 245). Dieser Text entfernt die Darstellung *Tanz der Gerippe* vom traditionellen Totentanz, in dem Vertreter aller Stände vom Tod aufgerufen werden und ihren Tod beklagen. Vielmehr ist hier ein rettender Tod dargestellt, ein Freund-Tod, der die Menschen vom Leiden erlöst, allerdings nur diejenigen, die nicht gesündigt haben (Tomaschek 2002, S. 245).

Der Zusammenhang von Bild und Text sorgt für Diskussion in der jüngsten Forschung. So sehen einige Forscher den *Tanz der Gerippe* in einem Auferste-hungskontext (Wunderlich in: Jahrbuch 2001, S. 140), andere wollen darin schlicht eine Darstellung des Todes sehen (Tomaschek 2002, S. 247–248).   LN

LITERATUR Schedel 1493; Thode 1891; Stadler 1913; Betz 1955; Bellm 1959; Rosenfeld 1974; Bartels 1978; Aries 1980; Kasten 1986; Rücker 1988; Schuster 1989; Hernad 1990; Schuster 1992; Kaiser 1993; Strieder 1993; Füssel 1994; Ihr müsst alle nach meiner Pfeife tanzen 2000; Totentanz 2001; Wunderlich 2001; Uli Wunderlich, Durch die Darstellung des Schrecklichen das Schreckliche bannen? Totentänze an der Wende vom Mittelalter zur Neuzeit, in: *Rottenburger Jahrbuch für Kirchengeschichte* 20 (2001), S. 137–154; Tomaschek 2002.

95 Icones Mortis, Dvodecim Imaginibus praeter priores, totidemque inscriptionibus, praeter epigrammata e Gallicis à Giorgio Æmylio in Latinum versa, cummulatae

KÜNSTLER Hans Holbein d. J. (1497–1543)
Entstanden um 1524/1525

53 Holzschnitte (41 von Hans Lützelburger vor 1526 geschnitten)

145 x 100 mm (Buch), ca. 65 x 49 mm (Holzschnitte)

Vorliegende Ausgabe: Basel, 1554
Graphiksammlung „Mensch und Tod" der Heinrich-Heine-Universität, Düsseldorf
INV. NR. B 1149.-1201.

Hans Holbeins *Icones Mortis* (Bilder des Todes) gehören sicherlich zu den berühmtesten Todesdarstellungen. Als wichtiger Bezugspunkt für spätere Interpretationen des Themas sind sie fest im visuellen kulturellen Gedächtnis verankert. Das Sujet spätmittelalterlicher Totentänze aufnehmend, stellen sie mit eindringlicher Klarheit vor Augen, wie der Tod in Gestalt des Knochenmannes Menschen unabhängig von Stand, Alter und Geschlecht aus dem Leben nimmt. Die Tradition hinter sich lassend wird das Grundthema jedoch nicht in einem kontinuierlichen Reigen, sondern in einer Folge unabhängiger Bilder vorgestellt, die den Blick auf die groß im Vordergrund platzierten Figuren konzentrieren und die Szene auf die Begegnung mit dem Tod zuspitzen. Die einzelnen Menschen sind zwar als Vertreter der Ständegesellschaft gezeigt, dabei aber in spezifischen Handlungen. Dem entsprechend agiert auch der Tod auf verschiedene Weise, gewinnt wie das Leben an Individualität und damit verbunden an unausweichlicher, packender Realität.

Im Ganzen betrachtet hat die Folge einen stark sozialkritischen, antiklerikalen Ton. Der Papst wird auf dem Höhepunkt seiner Machtausübung, der Krönung des Kaisers, vom Tod heimgesucht (Abb. 95a); das gleiche widerfährt dem Kaiser seinerseits thronend, von Beratern umringt, einen Bittsteller missachtend; dem tafelnden König; dem Prediger auf der Kanzel; der Nonne vor dem Hausaltar kniend, doch dem Lautenspiel ihres Geliebten lauschend. Dem geizigen Reichen raubt der Tod im hermetisch gesicherten Tresor sein Geld; den Ritter durchstößt er auf dem Schlachtfeld von hinten mit der Lanze; den Grafen erschlägt er mit seinem Wappenschild; den alten Mann geleitet er zum Klang der Zither sanft in das offene Grab; der jungen Gräfin legt er beim Ankleiden ein Knochenkollier um den Hals; der von ihrem geliebten Mann geleiteten Edelfrau spielt er als Trommler auf; die Herzogin reißt er aus dem Bett; dem Ackermann hilft er beim Pflügen, und das kleine Kind führt er trotz Wehklagen der Mutter aus der Hütte. Keiner entkommt ihm. Die Reaktionen der Menschen sind so vielfältig wie die Art, abberufen zu werden: Würde, Ignoranz, erbitterter Widerstand, Erstaunen, Flehen, Erschrecken und Verzagen drücken Gestik und Mimik aus. Diese Bildfolge wird von Darstellungen gerahmt, die am Anfang erläutern, wie der Tod zu seiner Macht gelangte: Der Erschaffung Evas folgt der Sündenfall und die Vertreibung aus dem Paradies. Am Schluss steht das Jüngste Gericht, als Perspektive nach dem Tod.

Mit einer Größe von nur etwa 65 x 49 mm entwickeln sich die Kompositionen in miniaturhaften Bildfeldern wie sie aus illuminierten Handschriften und illustrierten Buchdrucken bekannt sind. Die Spannung zwischen monumental konzipiertem Entwurf mit lebendig bewegten Gestalten einerseits und minutiös konturierten und schraffierten Formen andererseits bestimmt wesentlich die künstlerische Qualität der Bilder. Sie wurde durch die erfolgreiche Kooperation

Me & te fola MORS
feparabit.

RVTH I.

Hic eſt uerus amor, qui nos cõiungit in unum,
 Et ligat æterna mutua corda fide.
Sed nimis heu paruo durabit tempore, nanque
 Mors citò coniunctos diuidet una duos.

C 4

95a

zwischen Holbein und dem Formschneider Hans Lützelburger möglich, der die Entwürfe mit handwerklicher Präzision und kreativem Verständnis umsetzte. Vor seinem Tode im Jahre 1526 konnte er 41 Holzschnitte vollenden. Zu diesen gehört das Bild der Herzogin, das er mit seinem Monogramm, dem ligierten „HL", versah. Von diesen Stöcken wurden vermutlich noch vor Lützelburgers Tod auf einseitig bedrucktem Papier Abzüge genommen, wobei man die Bilder mit einzeiligen deutschen Überschriften versah, welche die Todeskandidaten benennen. Es handelt sich wohl nicht um während des Arbeitsprozesses angefertigte Probedrucke, wie diese besonders qualitätvollen Abzüge in der älteren Forschung genannt werden. Dagegen sprechen neben der recht großen Anzahl erhaltener Abzüge die Titel, die mit einem Publikum rechnen (Bartrum 1995, S. 231).

Die Umstände, die zur Entstehung der *Bilder des Todes* führten, lassen sich nicht mit Sicherheit rekonstruieren: Auftraggeber war der in Lyon ansässige Drucker Melchior Trechsel, der die Formen bei Lützelburger in Basel bestellte, woraufhin dieser – wahrscheinlich um 1524 – bei Holbein die Entwürfe in Auftrag gegeben haben wird. Trechsel leistete Lützelburger einen Vorschuß, denn am 23. Juni 1526 wird er im Basler *Vergichtbuch* als Gläubiger des Verstorbenen genannt (His 1870, S. 165–168; Reinhardt

1977, S. 248); zu diesem Zeitpunkt hatte der Drucker die Formen noch nicht erhalten. Im Oktober 1527 findet sich sein Name nicht mehr unter den Gläubigern. In der Zwischenzeit werden die Stöcke also nach Lyon gebracht worden sein. Erst 1538 wurden die 41 geschnittenen Stöcke dort unter dem Titel *Les simulachres & historiees faces de la mort* von Gaspar und Melchior Trechsel für die Verleger und Buchhändler Jean und François Frellon gedruckt. Das Einzelbild steht im Zentrum der Buchseite, wird von einem lateinischen Bibelzitat mit Quellenangabe überschrieben und mit sentenzartigen französischen vierzeiligen Versen unterschrieben.

Dem Buch war sofortiger Erfolg beschert, wie die zahlreichen Neuauflagen belegen (Woltmann 1874/1876, Bd. 2, S. 174–178; Basler Buchillustration 1500–1545 1984, S. 495–497). 1547 kamen zwölf weitere Bilder hinzu. Die bereits gerissenen Holzstöcke besaß Trechsel, doch war deren Schnitt zuvor nicht gewagt worden, wie es in der von Jean de Vauzelle verfassten Vorrede der Erstausgabe heißt, in der er den Tod des genialen Schöpfers der Bilder beklagt, sich dabei also auf Lützelburger bezieht, jedoch keinen Hinweis auf Holbein als Entwerfer gibt. Eine nochmalige Erweiterung der *Bilder des Todes* erfolgte in der Ausgabe von 1562, in der schließlich 58 Kompositionen vorkommen. Dabei ist unklar, ob alle neuen Bilder ursprünglich als Teil der Serie geplant waren, denn sieben unter ihnen zeigen triumphierende Kinder (Abbildungen bei Goette 1897, Abb. 40–47; Petersmann 1983, Abb. 65–76) – vier davon kommen bereits in der Ausgabe von 1547 vor – und fügen sich nicht unmittelbar ein, da sie die Todesikonographie durchbrechen. Die hier gezeigte Basler Ausgabe (ohne Verlegerbezeichnung) von 1554 entspricht derjenigen von 1547, die erstmals den Titel *Icones Mortis* trug. Die kommentierenden Bildunterschriften in lateinischen Hexametern wurden von dem mit Philipp Melanchthon befreundeten Theologen Georg Oemler, genannt Aemilius (1517–1569), verfasst, in enger Anlehnung an die französischen Vierzeiler der Erstausgabe.

Trotz des hohen Maßes an ikonographischer Innovation bezog sich Holbein auf Vorbilder: Neben dem um 1440 entstandenen Großbasler Totentanz an der Friedhofsmauer des Predigerklosters (Goette 1897,

S. 111–146; Hammerstein 1980, S. 183–188, Abb. 133, 135–136, 332–355) und den gedruckten Totentänzen, wie dem um 1485 entstandenen Straßburger *Knoblochtzerdruck* und Guy Marchants *Danse macabre* und *Danse macabre des femmes* (Hammerstein 1980, S. 206–208, Abb. 138–177 und S. 171–172, 179–180, Abb. 53–68; Champion 1925) war wohl auch der französische Traktat *Le mors de la pomme* (ca. 1461 bzw. 1468/1470; vgl. den Beitrag von Caroline Zöhl im Textband) wichtig. Er gilt als die Grundlage für die Bordürenbilder eines *Danse macabre,* die als *Accidents de l'homme* in den französischen Stundenbuchdrucken in Oktav für Simon Vostre, um 1512, vorkommen. (Mâle 1908, S. 411–412; Zöhl 2004, S. 241–256) Wie bei Holbein sind die Todesdarstellungen in einen heilsgeschichtlichen Rahmen eingebunden. Ganz ohne Vergleich in der Tradition von Todesbildern und Totentänzen ist aber der große Bogen, der in den *Bildern des Todes* von der Erschaffung Evas bis hin zur Darstellung des Jüngsten Tages geschlagen ist und durch Holbein eine durchaus positive Vision entwirft: Am Schluss thront der apokalyptische Gott in Gestalt des auferstandenen Christus als Sieger über den Tod auf der von ihm selbst erschaffenen Erde. Er weist seine Wundmale vor, richtet jedoch nicht. Der in den Szenen so packend vergegenwärtigte Tod erscheint damit wie ein Intermezzo im Heilsplan, der mit der Schöpfung und dem Sündenfall begann. StB

LITERATUR His 1870; Woltmann 1874–1876; Goette 1897; Mâle 1908; Pierre Champion, *La Danse macabre de Guy Marchant,* Paris 1925; Natalie Zemon Davis, Holbein's *Pictures of Death* and the Reformation at Lyons, in: *Studies in the Renaissance,* hg. von der Renaissance Society of America, Bd. 3, New York 1956, S. 97–130; Hans Reinhardt, Einige Bemerkungen zum graphischen Werk Hans Holbeins des Jüngeren, in: *Zeitschrift für Schweizerische Archäologie und Kunstgeschichte* 34 (1977), S. 229–260; Hammerstein 1980; Petersmann 1983; Basler Buchillustration 1500–1545 1984; Zijlma 1988; Schuster 1989; Hoffmann 1990; Landau/Parshall 1994; Bartrum 1995; Bätschmann/Griener 1997; Michael 1997; Hans Holbein d. J. (1497/98–1543) 1997; Müller 1997; Wolgast 1997; Belkin/Depauw 2000; Buck 2001; Peter Parshall, Hans Holbein's Pictures of Death, in: Mark Roskill und John Oliver Hand (Hg.), *Hans Holbein: Painting, prints, and reception,* (= 60th Studies in the History of Art, Center for Advanced Studies in the Visual Arts), New Haven/London 2001, S. 83–95; Zöhl 2004; Stephanie Buck, Die Bilder des Todes und der Triumph des Lebens, in: *Hans Holbein d. J. – Die Jahre in Basel 1515–1532,* hg. von Christian Müller et al., Ausst. Kat. Kunstmuseum Basel, München et al. 2006, S. 117–123.

96 *Schweizerdolch mit Totentanzmotiv*

nach Entwurf Hans Holbeins d. J.

Dolch und Scheide: 19. Jahrhundert, Besteck um 1570.
Messing vergoldet

Länge insgesamt 405 mm, Dolchlänge 351 mm, Klingenlänge 217 mm,
Scheidenlänge 268 mm

Bernisches Historisches Museum, Bern
Inv. Nr. 3863

Der so genannte Schweizerdolch bildete sich im 15. Jahrhundert heraus und wurde schon bald zum Kennzeichen der Schweizer Eidgenossen. Seine Merkmale sind zum einen die breite Klinge, zum anderen die einander zugebogenen Griffbalken. Etwa ab 1520 wandelte sich der Einsatz des Dolches. Er war nicht mehr primär Kriegswaffe, sondern vor allem ein kostbares Prestigeobjekt für Mitglieder der Schweizer Oberschicht. Der Griff wurde nun meist aus Metall gearbeitet, und die immer reicher verzierten Scheiden zeigten beispielsweise Geschichten aus der Bibel oder glorifizierten die Eidgenossenschaft (Egger 2001, S. 6). In diesem Zusammenhang fertigte Hans Holbein d. J. um

1524/1525 einen Entwurf für einen Schweizerdolch mit Totentanzmotiv, der jedoch nur aus Kopien bekannt ist. Schneider verzeichnet sieben solcher Vorlagen, die alle einander ähneln (Schneider 1977, S. 63, 66–68). Der vorliegende Schweizerdolch aus dem Historischen Museum Bern besteht aus einem Dolch mit Holzgriff und einer Scheide mit Besteck (Messer und Pfriem). Ein rückseitiger Steg der Scheide ist mit der Jahreszahl „1567" bezeichnet. Hugo Schneider datiert Dolch und Scheide jedoch ins 19. Jahrhundert, während das Besteck wohl tatsächlich um 1570 entstanden ist (Schneider 1977, S. 168). Ausserdem findet sich an dem Objekt das Wappen der Scharfrichter- bzw.

Chirurgenfamilie Mengis mit den Initialen „C M" (Wunderlich/Mörgeli 2006, S. 21).

Die Scheide zeigt auf der Vorderseite – von links nach rechts – ein Kind und einen Mönch, die beide von demselben Skelett angegriffen werden. Es folgt die Marketenderin, die unsanft vom Tod mitgezerrt wird. Sie klammert sich an den neben ihr stehenden Soldaten, der eine Fahne hält und vom Trommler Tod mit Mitra verhöhnt wird. Daneben folgt die Fürstin, die vom Tod durch ein emporgehaltenes Kleinod gelockt wird sowie der Kaiser, der von einem Skelett verhöhnt wird, das die Papstkrone trägt und mit einem Fuß auf dem Reichsapfel steht.

Es fällt auf, dass hier – im Gegensatz zu Totentänzen in anderen Medien – die rangniederste Figur, das Kind, links steht und der Kaiser rechts. Diese Umkehrung der Reihenfolge wurde durch die Form der Scheide bedingt, in die die Figuren eingepasst werden mussten. Es ist bemerkenswert, wie diese Aufgabe gemeistert und gleichzeitig eine lebhafte Reihung (jedoch ohne erkennbare Bewegungsrichtung) gestaltet wurde.

Schneider verzeichnet 19 derartige Schweizerdolche in öffentlichen und privaten Sammlungen auf der ganzen Welt (Schneider 1977, Nr. 113–130). Mehrere davon werden in das 19. Jahrhundert datiert, doch finden sich auch Stücke aus der Zeit um 1570, so beispielsweise im Historischen Museum in Basel (Inv. Nr. 1882–107, datiert 1572) und im Schweizerischen Landesmuseum in Zürich (Inv. Nr. 6969, datiert um 1570). All diese Exemplare entsprechen einander auch in Details, weisen jedoch Unterschiede auf zu den genannten Vorlagen. So wird in allen Zeichnungen dem Kind und dem Mönch je ein eigenes Skelett als Tanzpartner zugewiesen. Fünf der Vorlagen sehen

einen mittig auf der Scheide angebrachten Wulst vor (Schneider 1977, S. 67), der auf keinem der ausgeführten Exemplare auftritt.

Diese Unterschiede wurden als Hinweis darauf interpretiert, dass „sich die Handwerker nicht sklavisch an Vorbilder gehalten haben" (Himmel, Hölle, Fegefeuer 1994, Nr. 74). Doch scheint die Tatsache, dass sich unter den Dolchen und unter den Zeichnungen keine Abweichungen finden lassen, die Dolche sich aber von den Zeichnungen unterscheiden, darauf hinzuweisen, dass die tatsächliche Vorlage für die Dolche noch nicht gefunden wurde oder dass die beiden Medien unterschiedlichen Ansprüchen gerecht zu werden versuchten. Während die Vorlagen den Wechsel von Tod und Tanzpartner durchhalten, geben die ausgeführten Dolche diese Reihung auf. Sie finden eine elegantere Lösung für die Einpassung des Kindes in die sich verjüngende Fläche und weisen dadurch eine dynamischere Rhythmisierung auf.   StK

LITERATUR Rudolf Wegeli, *Inventar der Waffensammlung des Bernischen Historischen Museums in Bern, Teil 2: Schwerter und Dolche,* Bern 1929; Eduard Achilles Gessler, Eine Schweizerdolchscheide mit der Darstellung des Totentanzes, in: *Jahresbericht Schweizerisches Landesmuseum Zürich* 29 (1930), S. 82–96; Clément Bosson, Les dagues suisses, in: *Genava – Genève. Bulletin du Musée d'art et d'histoire* N. F. 12 (1964), S. 167–198; Hugo Schneider, *Der Schweizerdolch: Waffen- und kulturgeschichtliche Entwicklung mit vollständiger Dokumentation der bekannten Originale und Kopien,* Zürich 1977; Himmel, Hölle, Fegefeuer 1994; Franz Egger, *Der Schweizerdolch mit dem Gleichnis des verlorenen Sohnes,* Basler Kostbarkeiten 22, Basel 2001; Christoph Mörgeli und Uli Wunderlich, *Berner Totentänze: Makabres aus Bern vom Mittelalter bis in die Gegenwart,* Schriften des Bernischen Historischen Museums Band 7, Bern/Düsseldorf 2006.

97

Todten-Tanz, wie derselbe in der löblichen und weit berühmten Stadt Basel, Als ein Spiegel Menschlicher Beschaffenheit, gantz künstlich gemahlet und zu sehen ist. Mit beygefühten, aus H. Schrift und denen alten Kirchen-Lehrern gezogenen Erinnerungen vom Tod (…). Nach dem Original in Kupfer gebracht von Matth. Merian sel.

Matthäus Merian d. Ä. (1593–1650)
1649

Folge von 43 und 1 Radierungen

Blattmaße variieren: 195–199 mm x 157–159 mm

Graphiksammlung „Mensch und Tod" der Heinrich-Heine-Universität, Düsseldorf
Inv. Nr. B 1758. – 1801

Die Grundlage dieser Radierungen bildet das um 1440 entstandene, ehemalige Totentanzgemälde an der Innenseite der Friedhofsmauer des Dominikanerklosters in Basel (Kaiser 1983, S. 194). Die Temperamalerei besaß eine Länge von etwa 58 m und zeigte fast lebensgroße Figuren (Tanz der Toten 1998, S. 93f.). Linker Hand war einleitend ein Prediger, gefolgt von der Beinhausszene dargestellt. Den 39 makaberen Tanzpaaren von Toten und Ständevertretern standen Papst und Kaiser voran. Sie bewegten sich von rechts nach links über die Mauer auf das Beinhaus zu. Ihnen zugeordnet waren jeweils zwei deutschsprachige, vierzeilige Verse (Boerlin 1967, S. 130). Die Stände sind nicht hierarchisch angeordnet, sondern entsprechen einer spätmittelalterlichen Stadtstruktur. Der Anlass für die Entstehung des Monumentalgemäldes ist bis heute nicht bekannt. Es bleibt offen, ob es in Erinnerung an die 1439 in Basel wütende Pest oder aus Anlass der Klosterreform geschaffen wurde (Egger 1990, S. 25–28). Bis zur Zerstörung im Jahr 1805 wurde das Gemälde mehrmals restauriert und dem Stil- und Zeitgeschmack angepasst. Der ursprüngliche Zustand ist uns nicht überliefert (Egger 1996, S. 28). Man unterscheidet mindestens zwei Fassungen des Basler Totentanzes, die ursprüngliche und diejenige nach der Renovierung durch Hans Hug Kluber im Jahre 1568. Kluber aktualisierte den Totentanz für die reformierten Zeitgenossen, indem er dem Prediger die Züge des Basler Reformators Johannes Oekolampad verlieh (Egger

REPONSE DU PEINTRE A LA MORT.

97a

1990, S. 28–32). Darüber hinaus fügte er dem Totentanz drei weitere Figurenpaare hinzu, den Maler (Abb. 97a), die Malerin sowie die Szene des Sündenfalls. Ruhm und Wertschätzung des Basler Totentanzes bezeugen zahlreiche Reproduktionen, besonders die Radierungen Matthäus Merians d. Ä., die bis ins 19. Jahrhundert die am weitesten verbreiteten blieben (Frey 2000, S. 61f.; Egger 1990, S. 35f.). Die Folge Merians ist zugleich die älteste bekannte Bildquelle des Basler Totentanzes (Boerlin 1967, S. 136). Bereits 1616 schuf Matthäus Merian d. Ä. auf der Grundlage des Basler

REPONSE DE LA JEUNE FILLE A LA MORT.

Originals eine Folge von 42 Radierungen. Sein Namens-
vetter Johann Jakob Merian gab 1621 Bild und Text
zusammen heraus. Eine weitere Ausgabe erschien noch
im selben Jahr und 1625 bereits die dritte Auflage.
Matthäus Merian d. Ä. ließ die Radierungen übaste-
chen und gab die Folge 1649 in Frankfurt a. M. heraus. Er versah diese vierte Auflage (1649) mit einem
gestochenen Titelblatt und einem Traktat über das
Sterben sowie mit zwei Predigten der Kirchenväter
Cyprian und Chrysostomus (Egger 1990, S. 33–36).
Auf die Anfangsbilder von Prediger und Beinhaus-
musik folgen die 39 Paare, jeweils eine Todesgestalt
und eine Ständefigur. Die Folge schließt mit der Szene
des Sündenfalls und einem neu geschaffenen und hin-
zugefügten Stich als symbolisches *Memento mori*. In

gleicher Form wurden zwei weitere Ausgaben 1696
und 1698 durch Merians Erben veröffentlicht. 1744
stellte der Schweizer Radierer Jacques Anthony
Chovin (1720–1776) auf Grundlage der Merianschen
Vorlagen Druckplatten für eine Neuauflage her.
Weitere Ausgaben folgten in den Jahren 1786 und
1830.

Wichtigste Bedingung für die Ausgabe des
Totentanzes als druckgraphisches Werk war die Auflösung in Einzelszenen. Die Idee des Tanzes wird
durch Schritte oder Sprünge sowie immer wiederkehrende Musikinstrumente aufgenommen. Die Toten
greifen und zerren, nicht immer zart, nach den
Lebenden, ihren Attributen oder ihrer Kleidung und
zwingen sie zum Mitkommen.

Die Reproduktionen von monumentalen Totentänzen in graphischen Werken ermöglichten eine internationale Verbreitung und sind heute oftmals die einzigen Zeugnisse der zerstörten Wandmalereien. Die zahlreichen Veränderungen, denen der monumentale aber auch der graphische Basler Totentanz unterlag, verdeutlichen, dass es nicht allein um eine detailgetreue Wiedergabe ging, sondern immer auch um eine zeitgemäße, aktuelle Ausgestaltung (Tanz der Toten 1998, S. 55–57). Trotz der unterschiedlichen Rezipienten wird nur selten zwischen monumentalen und graphischen Totentänzen unterschieden. Der Öffentlichkeitscharakter der monumentalen Totentänze, deren räumliches Umfeld zunächst der Friedhof mit den zugehörigen Bauten war, steht im Gegensatz zu den graphischen Totentänzen, die nur von einer bestimmten sozialen Schicht erworben werden konnten (Tanz der Toten 1998, S. 10 ff).

In den Jahren 1516–1519 entstand auch in Bern ein monumentaler Totentanz (vgl. den Beitrag von Urs Zahnd im Textband). Der Berner Totentanz des Niklaus Manuel Deutsch war genau wie jener in Basel an der Innenseite der südlichen Friedhofsmauer des ehemaligen Dominikanerklosters Bern angebracht und übertraf den Basler Totentanz in Größe und Anzahl der Paare (Zahnd 2003, S. 266). Insgesamt 41 Szenen zeigten Tote im Tanz mit Ständevertretern, begleitet von zwei selbstgedichteten Vierzeilern des Künstlers (Tripps 2005, S. 13–16). Geistlichkeit und Laienwelt werden, im Gegensatz zum Basler Totentanz, in ihrer Abfolge klar voneinander getrennt (Zinsli, 1953, S. 26). Zum Basler Totentanz bestehen zahlreiche Bezüge. Diese beruhen nicht nur auf Niklaus Manuels Kenntnis des Basler Gemäldes, sondern auch auf der späteren Renovierung des Basler Gemäldes durch Hans Hug Kluber (1568), der sich wiederum Manuels Berner Ausführungen zum Vorbild nahm und sich ebenfalls als Maler in den Totentanz einfügte (Abb. 96 a). Gestiftet wurde der Berner Totentanz von einigen namentlich bekannten Berner Familien, bezeugt durch die Darstellung ihrer Wappen in den Bogenzwickeln und durch ihre Porträts, die sie als Repräsentanten ihres eigenen Standes zeigen (vgl. den Beitrag von Urs Zahnd im Textband; Zahnd 2003, S. 267). Bereits im Jahre 1660 wurde der Berner Totentanz zer-

stört. 1649 kopierte der Strassburger Maler Albrecht Kauw Manuels Gemälde einschließlich der dazu gehörigen Verse (Tripps 2005, S. 16). Niklaus Manuels Totentanz ist der erste monumentale Totentanz, dessen Verfasser namentlich bekannt ist. Er bekennt sich zu diesem Bild mit Namen, Wappen, Signum und letztlich seinem Selbstporträt in der Darstellung des Malers.

AK

LITERATUR H. Danzer, *La danse des morts à Bâle,* Basel 1830; von Grüneisen 1837; Theophil Burckhardt-Biedermann, Über die Basler Totentänze, in: *Beiträge zur vaterländischen Geschichte* 11 (1882), S. 40–92; Fluri 1901; Theophil Burckhardt-Biedermann, Nochmals über die Basler Totentänze, in: *Beiträge zur vaterländischen Geschichte* 11 (1911), S. 197–258; Lucie Stumm, *Niklaus Manuel Deutsch von Bern 1484–1530,* Bern 1928; Massmann 1947; Burckhardt-Werthemann 1951; Conrad André Beerli, *Le peintre poète Nicolas Manuel et l'évolution sociale de son temps,* Genève 1953; Massmann 1963; Wächter 1964; Cosacchi 1965; Paul-Henry Boerlin, Der Basler Prediger-Totentanz, in: *Unsere Kunstdenkmäler. Mitteilungsblatt der Gesellschaft für schweizerische Kunstgeschichte* XVII/4 (1966), S. 128–140; Wüthrich 1966ff.; Boerlin 1967; Mahringer 1969; Rosenfeld 1974; Niklaus Manuel Deutsch 1979; Zinsli 1979; Hammerstein 1980; Koller 1980; Historischer Verein Bern (Hg.), *450 Jahre Berner Reformation: Beiträge zur Geschichte der Berner Reformation und zu Niklaus Manuel,* Bern 1980/1981; Bächtiger 1983–1984; Kaiser 1983; Bächtiger 1984; Schuster 1989; Egger 1990; Schulte 1990; Niklaus Manuel, *Der Berner Totentanz: ein Münsterspiel,* Bern 1991; Catalog zu Ausstellungen 1993; Link 1993; Franz Egger, Mittelalterliche Totentanzbilder, in: *Todesreigen-Todestanz: Die Innerschweiz im Bannkreis barocker Todesvorstellungen,* hg. von Josef Brülisauer, Ausst. Kat. Luzern 1996, S. 9–33; Moeller 1996; Wolgast 1997; Tanz der Toten 1998; Wunderlich 1998; Georges Herzog, Der Maler Albrecht Kauw (1616–1681) als wichtigster Vermittler des Manuelschen Totentanzes, in: Ellen J. Beer, Norberto Gramaccini, Charlotte Gutscher-Schmid und Rainer C. Schwinges (Hg.), *Berns große Zeit: Das 15. Jahrhundert neu entdeckt,* Bern 1999, S. 121; Kuthy 1999; Franz Egger, Der Basler Totentanz, in: Ihr müsst alle nach meiner Pfeife tanzen 2000, S. 43–57; Winfried Frey, Das machet der Todten-Tanz: Zu Tradition und Funktion der Totentänze am Beispiel des (Groß-) Baseler Totentanzes, in: Ihr müsst alle nach meiner Pfeife tanzen 2000, S. 61–83; Paul Zinsli und Thomas Hengartner, *Niklaus Manuel: Werke und Briefe,* Bern 1999; Patrick Layet, Der Basler Totentanz 1583, in: Ihr müsst alle nach meiner Pfeife tanzen 2000, S. 57–61; Uli Wunderlich (Hg.), *Totentanz, makabre Graphik und illustrierte Bücher: Bestände der Bibliothek Otto Schäfer,* Düsseldorf 2000; Frederike Mezger, Ach got wie soll es mir ergan: Totentanztradition am Oberrhein, in: Sönke Lorenz und Thomas Zotz (Hg.), *Spätmittelalter am Oberrhein: Alltag, Handwerk und Handel 1350–1525,* Ostfildern 2001, S. 501–505; Totentanz 2001; Wunderlich 2001; Gisi 2002; Tanzend ins Jenseits 2002; Daniel Kilchhofer, Der Totentanzzyklus von Niklaus Manuel: Animation des Orginalzustands, in: Unipress 119 (2003), S. 37–39; Matthäus Merian d. Ältere 2003; Zahnd 2003; Tripps 2005.

Zizenhausener Totentanz

42 Figurenpaare nach den Modeln
von Anton Sohn (um 1822/1823)
Spätes 19. Jahrhundert

Ton, farbig gefasst

Etwa 120–150 mm hoch

Museum für Sepulkralkultur Kassel
Inv. Nr. M 2004/13

98

Death to the Abbot.

...ot I draw you the mitre off,
..., no more you want your staff;
...a good pastor been,
...the glory of your flock I mean.

Answer of the Abbot.

To an abbot my self I raised,
And lived in honour and was prised;
Th'o nobody cposed me,
Still, equal now to death I bee.

Bei den 42 Figurenpaaren handelt es sich um eine vollständige plastische Umsetzung des um 1440 entstandenen monumentalen Totentanzes, der die Innenseite der Friedhofsmauer des Basler Predigerklosters zierte. Der Basler Totentanz zeigte 39 Tanzpaare und die drei Leitmotive „Adam und Eva“, „Predigerszene“ und „Beinhaus“. Er wurde 1805 zerstört und ist heute lediglich aus den Radierungen von Matthäus Merian d. Ä. (Kat. Nr. 97) und den Aquarell-Kopien von Emanuel Büchel (1770–1773) und J. Rudolf Feyerabend (1806) bekannt. Einige Jahre später (um 1822/1823) schuf der in Zizenhausen am Bodensee ansässige Anton Sohn (1769–1841) die Originalmodel für die Nachbildung in Ton (Istas 2004, S. 33). Bereits Anton Sohns Vater, Franz Joseph Sohn (1739–1802) hatte Heiligen- und Krippenfiguren aus Ton hergestellt. Anton übertraf ihn bald in qualitativer und quantitativer Hinsicht. Er fertigte vorwiegend Trachtendarstellungen und Karikaturen. Die Vorlagen wurden von dem Basler Kunsthändler Johann Rudolph Brenner (dort tätig: 1815–1834) geliefert, der ein gutes Gespür für aktuelle Trends hatte. Bereits 1837 übernahm Antons jüngster Sohn Theodor (1811–1876) den gesamten Modelbestand seines Vaters. In den folgenden 150 Jahren wurden die Figuren von den Kindern und Enkeln Anton Sohns unzählige Male abgeformt.

Als Vorlage für die Figuren dienten die Drucke Matthäus Merians d. Ä. nach dem Basler Totentanz (Kat. Nr. 97). Merians Vorlage wurde detailgetreu nachgeformt, doch mußten zuweilen kleine Sträucher eingefügt oder die Figuren näher zusammengerückt werden, um die – häufig wilde Sprünge vollführenden –

98a

unter dem Textschild verborgen, ist am Sockel der Kasseler Predigerszene die Signatur „Sohn" sichtbar, die sich auch am Originalmodel – heute im Stadtmuseum Stockach (Istas 2004, S. 33) – findet.

Bereits im 1835 erschienen Katalog des Brenner-Nachfolgers J.C. Schabelitz werden die Figuren mit Texten in deutscher, englischer und französischer Sprache angeboten. Vollständige Serien mit fremdsprachigen Texten – wie die englischsprachige aus dem Museum für Sepulkralkultur in Kassel – sind heute rar, während sich immer wieder einzelne Figuren – vor allem mit französischen Texten – finden.

Das Historische Museum Basel bewahrt eine vollplastisch geformte, von allen Seiten ansichtige Serie nach dem Basler Totentanz, die um 1850 für einen Basler Verleger gefertigt wurde. Im Gegensatz zum Zizenhausener Totentanz ist von dieser Serie nur diese eine Ausführung bekannt.

Der Zizenhausener Totentanz ist ein eindrucksvolles Zeugnis der Bedeutung und Faszination des berühmten Basler Totentanzes – auch nach seiner Zerstörung.   StK

Figuren besser stützen zu können. Die Vorderseite der Figuren ist plastisch geformt, während die Rückseite nicht gestaltet wurde. Nach dem Brand wurden die Tonfiguren mit Ölfarbe bemalt. Es ist noch nicht endgültig gelungen, die Farbvorlage, die Anton Sohn und seine Nachkommen nutzten, ausfindig zu machen. Die Suche nach dieser Vorlage wird erschwert durch Farbabweichungen zwischen den einzelnen Serien (Knöll 2004, S. 6).

Ein Papierstreifen am Sockel der Figuren gibt die aus Basel überlieferten Totentanztexte wieder. Teilweise

LITERATUR Wilhelm Fraenger, *Der Bildermann von Zizenhausen*, Zürich/Leipzig 1922; Wilfried Seipel, *Das Weltbild der Zizenhausener Figuren*, Begleitbuch zur Ausstellung in Konstanz und Basel, Konstanz 1984; Franz Egger, *Basler Totentanz*, Basel 1990; Stefanie Knöll, Zur Vielgestaltigkeit des Zizenhausener Totentanzes, in: *Friedhof und Denkmal* 1/2 (2004), S. 3–9; Yvonne Istas (Hg.), *Terrakotten, Model und noch mehr: Das Erbe der Familie Sohn aus Zizenhausen*, Ausstellungskatalog 2004, Konstanz 2004.

99 *Tod als Trommler*

Joachim Henne bzw. Hennen
(um 1630/40? – nach 1707)
um 1670/80

Elfenbein
ZUSTAND original zugehörige Trommel verloren, Trommelstöcke wohl spätere Ergänzung.

Höhe 235 mm

Victoria and Albert Museum, London
INV. NR. 2582–1856

Der trommelnde Tod von Joachim Hennen gehört zu den virtuosesten Kleinskulpturen des 17. Jahrhunderts. Er besticht nicht nur durch seine exzellente Schnitzarbeit, seine ausgewogene Komposition und ein Höchstmaß an Expressivität. Der Elfenbeinschnitzer hat alle Register seiner Kunstfertigkeit gezogen, um das Material Elfenbein bis zu den äußersten Grenzen auszureizen und dabei eine Skulptur in bemerkenswertem Gleichklang von Lebendigkeit und Artifizialität zu erzeugen. Dies ist charakteristisch für viele Objekte, die

einst als Auftragsarbeiten für die fürstlichen Kunstkammern Europas entstanden. Obgleich Joachim Hennen nachweislich im Dienst der fürstlichen und königlichen Höfe von Gottorf (1665–1671), Kopenhagen (1671–1676) und Berlin (1702–1707) stand, kann für den trommelnden Tod nach der bisherigen Quellenkenntnis kein ursprünglicher Bestimmungsort nachgewiesen werden. In den überlieferten Kunstkammerinventaren aus Gottorf und Kopenhagen finden sich keine Hinweise auf dieses *Memento mori*-Bildwerk.

Mit gegrätschten Beinen und hochgerissenen, angewinkelten Armen holt der Trommler zum nächsten Wirbel auf der einst vermutlich vor ihm stehenden, heute verlorenen Trommel aus. Die stumpfen, leeren Augenhöhlen, die Verwesungsspuren an Lippen, Nase und Geschlecht charakterisieren die Figur als Toten, während der übrige, ausgemergelte Körper der eines Alten ist, mit welkem Fleisch und eng um das Knochengerüst gespannter Haut. Unter dem weit nach hinten gezogenen, geckenhaften Federhut mit eingekerbter Krempe lugt noch das kurze Haupthaar hervor. Das Leichentuch umflattert den wieder erstandenen Toten in dynamischen Bahnen, die Tuchenden scheinen sich, von der heftigen Bewegung des Musikanten motiviert, aufzuplustern und in ein voluminöses Gefältel zu stauen, eine sorgfältig gebundene Schleife über der linken Brustwarze offenbart als fast zynisches

Detail die Vergänglichkeit des Menschen. Mit weit geöffnetem Mund, in dem die gelichteten Zahnreihen sichtbar sind, lacht der Trommelnde.

Der Tod als Spielmann, der den Menschen zum letzten Tanz zwingt, taucht seit dem 15. Jahrhundert in vielfältigen Variationen besonders in den Totentanzdarstellungen auf. Das Motiv der virtuos und kraftvoll über dem Kopf geschwungenen Trommelstöcke (im Originalzustand vermutlich sehr ähnlich), die sich bei dem Londoner Trommler hinter den scheinbar wippenden Hutfedern kreuzen, findet sich unter anderem in den *Icones mortis* von Hans Holbein d. J. (Kat. Nr. 95).

Wie bei allen *Memento mori*-Bildwerken ist der Vergleich mit anderen Skulpturen und die Zuschreibung an einen Künstler aufgrund des speziellen Sujets nicht einfach. Eigenheiten in der Gewanddraperie und der Körperbehandlung verweisen aber überzeugend auf Joachim Hennens Werke der 1670er Jahre, wie etwa die Neptunfigur in Kopenhagen (Statens Museum for Kunst, Inv. Nr. 5521). MB

LITERATUR Lonhurst 1929; Christian Theuerkauff, Jacob Dobbermann und Joachim Hennen – Anmerkungen zu einigen Kleinbildwerken, in: *Alte und moderne Kunst* 161 (1979), S. 26 (Nachtrag); *Dürers Verwandlung in der Skulptur zwischen Renaissance und Barock,* hg. von Herbert Beck und Peter C. Bol, Ausst. Kat. Liebighaus Museum alter Plastik Frankfurt am Main, Frankfurt am Main 1981.

100 *Tanzender Tod*

Joachim Henne bzw. Hennen
(um 1630/40? – nach 1707) oder Umkreis
um 1680

Elfenbein
ZUSTAND rechter Fuß und unterer Teil des Unterschenkels verloren; linker Fuß oberhalb des Knöchels abgebrochen und wieder angeleimt.

Höhe 133 mm, Breite 103 mm

Museum Schnütgen, Köln
INV. NR. B 151

In einem delikaten Tanzschritt tänzelt der personifizierte Tod, den ‚Blick‘ aus leeren Augenhöhlen nach unten gerichtet, während die angewinkelten Arme in diagonaler Ausrichtung der makabren, kleinen Figur eine zusätzliche Dynamik verleihen. Das Grabtuch umweht den knochigen Leichnam in rund geschwungenen Bahnen mit flatternden Zipfeln. Nur der Kopf ist vollständig skelettiert, während der übrige Körper zwar Spuren der Verwesung zeigt, indem das Knochengerüst eng unter der gespannten Haut hervorschimmert und die Weichteile im Bauchbereich eingefallen sind, sonst aber noch eine intakte Oberfläche aufweist.

Seit dem 15. Jahrhundert mahnt der personifizierte Tod in der Kunst zur Vorbereitung auf die eigene Todesstunde, die über Heil oder Unheil im Jenseits entscheiden konnte, je nachdem, ob ein ‚guter Tod‘, das heisst eine von Reue erfüllte Todesstunde, das Erdenleben beschließt.

Verschiedene Attribute weisen auf die Übermacht des Todes hin, der allen Vergnügungen des Diesseits ein Ende setzt, obwohl er paradoxerweise im Tanz, dem Ausdruck der Lebensfreude schlechthin, erscheint. In der rechten Hand hielt der tanzende Tod ursprünglich wahrscheinlich einen Speer als Zeichen des Lebensauslöschers. Die sich ringelnde Schlange, die er mit seiner Linken fest umgreift, erscheint hier als Symbol der Erbsünde und damit zugleich Attribut des Todes. Das um den Schädel geknotete Stoffband geht vermutlich als verblasstes bzw. missverstandenes Motiv auf hochmittelalterliche Darstellungen des Todes mit der Augenbinde zurück. Dadurch sollte das blinde Walten des Todes ohne Ansehen der Person versinnbildlicht werden.

Die bisherige Zuschreibung an den Bildschnitzer Joachim Hennen basiert auf der Ähnlichkeit von extrem bewegtem Figurenumriss, Gewanddraperie und einzelnen anatomischen Details zu dem trommelnden Tod im Victoria and Albert Museum in London (Kat. Nr. 99), der allerdings von einer kraftvolleren Körperlichkeit ist als das um ein Drittel kleinere, filigrane Kölner Objekt, das einige Motive, wie etwa die zipfeligen Brustwarzen, eher zitierend wiederholt, als dass sie sich logisch aus der divergierenden körperlichen Disposition ergeben würden. Es ist fraglich, ob beide Figuren wirklich einer Meisterhand zuzuschreiben sind oder ob es sich um eine Arbeit aus dem unmittelbaren Umkreis handelt. Die Vita Hennens, der als Wanderkünstler an verschiedenen europäischen Höfen arbeitete, weist viele Lücken auf und hilft ebenso wenig weiter wie die ihm sicher zugeschriebenen Werke. Ob das Kölner Werk einer späteren Stilstufe in Hennens Œuvre angehört, die laut Rasmussen (1978, S. 34) von einer preziöseren Gefälligkeit der zierlicheren, „aber auch kraftloser(en) und gleichförmiger(en)“ Skulpturen gekennzeichnet sei, muss mangels adäquater Vergleichsstücke ebenfalls zunächst offen bleiben. Für die vermutete Zugehörigkeit zu einer größeren Gruppe tanzender und musizierender Totengeripse gibt es keine Belege.   MB

LITERATUR Ulrich Bock, *Memento Mori,* (= Schnütgen-Museum, Wege durch die Sammlung 3), Köln o. J.; Jörg Rasmussen, Joachim Henne. Ein höfischer Kleinmeister des Barock, in: *Jahrbuch der Hamburger Kunstsammlungen* 23 (1978), S. 25–64; Hiltrud Westermann-Angerhausen, Schnütgen-Museum Köln. Neuerwerbungen 1994, in: *Wallraf-Richartz Jahrbuch* LV (1994), S. 397f.; Hiltrud Westermann-Angerhausen und Dagmar Täube (Hg.), *Das Mittelalter in 111 Meisterwerken aus dem Museum Schnütgen Köln,* Köln 2003.

Mönch und Tod

Süddeutschland
um 1520

Lindenholz, farbig gefasst

Höhe 395 mm

Olbricht Collection, Essen
Inv. Nr. ANO–MM 042

Auf einem niedrigen Sockel sind ein Mönch und der Tod – dargestellt als Hautskelett – vereint. Von der rechten Schulter des Todes ausgehend ist ein Tuch um seinen Unterkörper geschlungen, das von dort zur Erde fällt. Er scheint den Mönch in seinem Ordensgewand fest im Griff zu haben und ihn in eine bestimmte Richtung zu lenken. Je ein Bein nach vorn gesetzt – unter der Kutte ist deutlich das rechte Knie des Mönchs zu erkennen – scheinen sich die beiden Figuren zu bewegen. Dass der Mönch nur widerwillig mitgeht, ist an seinem von Kummer gekennzeichneten Gesicht abzulesen.

Obwohl kein Tanzmotiv erkennbar ist, erinnert die Darstellung eines vom Tod begleiteten Standesvertreters an die Totentänze. Bereits in den frühesten Totentänzen gehörte der Mönch zum festen Personal. In den begleitenden Texten wurden ihm regelmäßig Fresssucht und Bereicherung auf Kosten anderer vorgeworfen (dazu: Wolgast 1997). Ob die Skulptur zu einem umfangreicheren Zyklus gehörte, ist schwer zu sagen, doch sind uns vor dem Zizenhausener Totentanz (Kat. Nr. 98) nur reliefierte Totentänze bekannt. Ebenso wenig kennen wir weitere Beispiele für die Vereinzelung der Gruppe ‚Mönch und Tod‘.

Nur bedingt vergleichbar in der Kombination eines Mönchs mit dem Tod ist die deutlich größere (104 cm!) Lindenholzstatue *Tod in Mönchskutte* im Badischen Landesmuseum Karlsruhe (Inv. Nr. 61/59), die ins späte 15. Jahrhundert datiert wird. Hier ist unter der Kapuze der Mönchskutte ein Totenschädel zu erkennen. Der Mönch selbst ist zur Personifikation des Todes geworden.

Formal ähnlich, jedoch in der Aussage nicht vergleichbar ist eine Holzskulptur im Schweizerischen Landesmuseum Zürich (Inv. Nr. LM 10833), die den heiligen Fridolin als Mönch mit dem Skelett des Urso zeigt. Die Legende erzählt, dass Urso zum Wiedergänger wurde, da er in einem Gerichtsstreit benötigt wurde (Himmel, Hölle, Fegefeuer 1994, S. 248–251). In Darstellungen dieser Legende wird Fridolin im allgemeinen als Hauptperson ausgewiesen, die Urso mit sich führt – nicht umgekehrt.   StK

LITERATUR Himmel, Hölle, Fegefeuer (1994); Eike Wolgast, Die Klerusdarstellungen in den oberdeutschen Totentänzen und in Holbeins ‚Bildern des Todes‘, in: K. Krimm, *Bild und Geschichte,* 1997, S. 197–219; Laue (2002).

The English Dance of Death / in / Twenty-four Monthly Numbers, / from the Designs of / Thomas Rowlandson / accompanied with / Metrical Illustrations, / by the Author of / ‚Doctor Syntax.‘ (..) / London: / Printed by J. Diggens, St. Ann's Lane; / Published at R. Ackermann's Repository of Arts, 101 (…)

Thomas Rowlandson (1756–1827)
1814–16

Farbige Aquatintaradierungen

ca. 120 x 210 mm (variiert von Blatt zu Blatt)

Graphiksammlung „Mensch und Tod" der Heinrich-Heine-Universität Düsseldorf
INV. NR. B 2332–2405

The English Dance of Death von Thomas Rowlandson ist eine kolorierte Aquatintaradierfolge. Sie besteht aus einem Frontispiz, einem Titelblatt und 72 Blättern. Die begleitenden Verse verfasste William Combe (1741–1823), mit dem Rowlandson schon bei der Folge *The Tour of Doctor Syntax in the Search of the Pictoresque* (1812) erfolgreich zusammengearbeitet hatte. Zwischen dem 1. April 1814 und dem 1. März 1816 erschienen zunächst die 72 Blätter der Folge als monatliche Serie von je drei Blättern mit begleitenden Versen. Im Jahre 1816 wurden sie als zweibändiges Buch publiziert.

The English Dance of Death ist eine schwungvoll gezeichnete, farbenfrohe Folge voller Ironie und karikaturistischer Übertreibung. Rowlandson bedient sich des Totentanzes, um eine wirkungsvolle Satire auf die englische Gesellschaft seiner Zeit zu schaffen und menschliche Schwächen, Torheiten und Laster zu entlarven. Rowlandson weicht jedoch von der Jahrhunderte langen Tradition der mahnenden Ständerevue ab. Der religiöse Leitgedanke, der bisher die sinngebende Konstante sämtlicher Totentanzdarstellungen war, tritt in den Hintergrund. Stattdessen schafft Rowlandson Szenen, in denen der Tod die Menschen bei falschem oder leichtsinnigem Verhalten überrascht. Im Gegensatz zu dem zeitgleichen moralisierenden Totentanz Johann Rudolf Schellenbergs (Kat. Nr. 105), der, beeinflusst

102a

durch die pädagogischen Ziele der Aufklärung, den Betrachter belehren und von einer besseren Lebensführung überzeugen möchte, will Rowlandson mit seiner Folge den Betrachter erheitern und unterhalten.

Er schafft mit humorvollen Details lebhaftbewegte Szenen, die den Tod in allen nur erdenklichen Rollen und Lebenssituationen zeigen. Viele der Blätter nehmen vollkommen neue Themen in den Totentanz auf – wie etwa den Boxkampf, die Fuchsjagd, das Pferderennen oder das Schlittschuhlaufen – die den zeitgemäßen Freizeitspaß der Engländer zu Beginn des 19. Jahrhunderts widerspiegeln.

In der Darstellung *The Virago* (Der Zankteufel, Drachen) erscheint der Tod als Erlöser, jedoch in ungewohntem Sinn, nämlich als Erlöser des alten Ehemannes, den er von seinem zänkischen Weib befreit. Zu nächtlicher Stunde holt das Gerippe seine wütende und schreiende alte Frau – den ‚Zankteufel‘. Sein

Her tongue & temper to subdue:
Can only be perform'd by you.

Gesichtsausdruck und die Tatsache, dass er tatenlos in der Tür stehen bleibt, zeigen, dass er schon lange auf diesen Augenblick gewartet hat. Seine Frau versucht sich lebhaft gegen den Tod zu wehren. Fassungslos schaut sie auf den Ehemann zurück, droht ihm mit Fäusten und keift ihn selbst in der letzten Stunde an. Was dieser antwortet, ist in dem Zweizeiler unter dem Bild zu lesen: „Her tongue and temper to subdue / Can only be performed by you." (Ihre Zunge und Wut kleinzukriegen, kann nur dir gelingen). Hinter ihm ist bereits ein junges Mädchen zu sehen, mit dem er nun wahrscheinlich seinen Lebensabend verbringen wird. Aus einiger Entfernung verfolgt der Nachtwächter entsetzt diese Szene. Keinerlei Notiz von diesem Ereignis nehmen dagegen ein betrunkener Mann und zwei Frauen weiter im Hintergrund. Die beiden Begleiterinnen wollen den Betrunkenen entweder stützen oder – wie es bei Rowlandson wahrscheinlicher ist – seine Hilflosigkeit ausnutzen, um ihn zu berauben.

Die Szene *The Courtship* (Das Werben, Balzen; Abb. 102 a) zeigt eine schöne junge Frau inmitten vieler Heiratsanwärter, die um ihre Gunst buhlen. Ihr nachdenklicher Gesichtsausdruck verrät, dass sie sich für keinen entscheiden kann. Dies ist nachvollziehbar, wenn man die Figuren, die sie umgeben, genauer betrachtet: ein magerer General, ein dickbäuchiger

Arzt, ein fetter Richter, ein glatzköpfiger Pfarrer, ein Quacksalber und ein ältlicher Adliger. Ein weiterer Mann steht mit grimmigem Gesichtsausdruck in der Tür, denn er sieht, dass ihnen allen der Tod zuvor gekommen ist. Das Todesskelett steht bereits hinter der jungen Frau und sagt ihr (im Zweizeiler unter dem Bild stehend): „It is in vain that you decide: / Death claims you as his destin'd Bride." (Du brauchst dich nicht zu entscheiden, denn der Tod beansprucht dich als seine ihm bestimmte Braut).

Die übertrieben hässlichen Profile der Männer kontrastieren mit dem schönen, an klassische Statuen erinnernden Profil der jungen Frau. Mit diesen Karikaturen schafft Rowlandson ‚Typenporträts', Charakterskizzen, die das Aussehen und das Verhalten eines mit bestimmten Eigenschaften behafteten Menschen beschreiben sollen. Besonders deutlich wird dies an der Gruppe der Heiratsanwärter, deren Profil, Figur und Gestik mit ihnen verbundene Charakterzüge karikiert. DL

LITERATUR Grego 1880; Hardie 1906; Rümann 1931; Stephan Kozaky, *Geschichte der Totentänze, 3 Bde.,* Budapest 1936–1944; Baum 1938; Wark 1966; Hayes 1972; Paulson 1972; Samuels 1974; Tooley 1974; Kurtz 1975; Wark 1975; Ray 1976; Schuster 1989; Hubertus Schulte Herbrüggen, Der Totentanz in der englischen Karikatur, in: Link 1993, S. 161–187; Totentanz 2001.

103 *Totentanzflugblatt*

Johann Elias Ridinger (Entwurf) und
Johann Jakob Ridinger (Ausführung)
Mitte des 18. Jahrhunderts

Schabkunstblatt

675 x 500 mm (beschnitten)

Graphiksammlung „Mensch und Tod" der
Heinrich-Heine-Universität Düsseldorf
INV. NR. E 0515.

Die Komposition dieses hochformatigen Schabkunstblattes schuf Johann Elias Ridinger (1698–1767). Sie wurde von dessen Sohn Johann Jakob Ridinger (1736–1784) um die Mitte des 18. Jahrhunderts ausgeführt.

Das Blatt ist in ein mittleres Feld und eine breite Umrahmung unterteilt. Im Zentrum tanzen neun Skelette mit neun Frauen einen Kreiskettenreigen um einen geöffneten Sarg, in dem zwei skelettierte Tote liegen. Die kleinen Kreuze auf den Grabhügeln und die sie umfassende niedrige Mauer lassen den Ort dieses Tanzes als Friedhof erkennen. Allerdings befinden sich nur die hinteren Tanzenden innerhalb des Friedhofs. Die Vorderen stehen vor der Friedhofsmauer. An der linken Seite ist diese Mauer geöffnet, so dass der Reigen in den Friedhof hineintanzen kann.

Um dieses mittlere Feld sind zwölf Medaillons angeordnet, in denen jeweils ein Skelett einen männlichen Ständevertreter zum Tanzen zwingt. Durch Kleidung und Attribute wird der gesellschaftliche Stand der einzelnen Männer näher beschrieben. Die Medaillons sind hierarchisch geordnet und zeigen im Uhrzeigersinn links oben beginnend: Papst, Kaiser, König, Kardinal, Bischof, Herzog, Graf, Edelmann, Bürger, Bauer, und zusammengefasst in jeweils einem Medaillon Bettler und Kriegsmann, Narr und Kind. Unter den Medaillons befindet sich in einer Kartusche ein Text, der sowohl in Latein als auch in Deutsch das Schicksal des jeweiligen Mannes beschreibt: „Der Papst gewalt den Tod nicht halt", „Der baur auch muß unters Tods fuß" oder „Kind & Narrn zugleich gehoren in mein reich". Da vor dem Tod alle gleich sind, müssen die Männer ihre Attribute auf dem Boden liegen lassen. Zwischen den Medaillons befinden sich verschiedene Vanitassymbole wie Totenschädel, Stundenglas, Kerzen, Weihwassergefäß, Totenbahre mit Totengräberwerkzeug und Sarg mit Bahrtuch. Sie dekorieren die Zwischenräume und gliedern gleichzeitig das Blatt.

Das Thema Totentanz wird in seinen zwei traditionellen ikonografischen Formen dargestellt: einerseits durch den Kreisreigen im mittleren Feld, andererseits durch die einzelnen Totentanzpaare in den rahmenden Medaillons. Der Reigen ist in der Druckgraphik eine Seltenheit und eher das Charakteristikum der spätmittelalterlichen Totentänze, wohingegen die Aufreihung einzelner Paare von Standesvertretern und

Todesgerippen in der Druckgraphik geläufiger ist. Der Kreisreigen verdeutlicht dem Betrachter, dass jeder Mensch sterben muss. Die Totentanzpaare in den Medaillons hingegen erlauben dem Betrachter eine Nahsicht auf die Sterbenden und ermöglichen die Identifikation mit einem der Dargestellten.

Die monumentalen Totentänze waren visuelle Bußpredigten der Bettelorden, in denen am Anfang häufig ein Prediger auf der Kanzel dargestellt war, auf den sich der Tanzreigen zu bewegte. Der Prediger forderte im beigefügten Text den Betrachter auf, ein bußfertiges Leben zu führen, um auch auf einen plötz-

103a

lichen Tod vorbereitet zu sein. Das Blatt Ridingers beinhaltet eine vergleichbare Komponente, denn im zentralen Feld sind in den Ecken vier Bibelszenen angeordnet. Unter dem Reigentanz sind links der Sündenfall, rechts die Höllenqualen und dazwischen eine Kartusche mit folgendem Text zu sehen: „Den Todt und ewige höllische / Pein / Hat veruhrsagt die Sünd / allein." Über dem Reigentanz ist links Christus am Kreuz, als Symbol für die Überwindung des Todes und rechts das jüngste Gericht angeordnet mit folgendem Text in der mittleren Kartusche: „Der Todt Christi zu nicht hat / gmacht / Den Todt und s'Leben wider= / bracht." Dieses Blatt kann daher als Bußaufruf und Erbauungsblatt angesehen werden, denn es stellt – neben dem Hinweis auf die Gleichheit aller im Tod – Sünde und Erlösung gegenüber, wodurch dem Betrachter wirkungsvoll vor Augen geführt wird, welche Strafe einerseits den sündigen und welche Gnade den bußfertigen Menschen nach dem Tod zuteil wird.

Die Komposition dieses Bildtypus' stammt nicht von Ridinger selbst. Sie existiert seit dem späten 16. Jahrhundert und wurde seitdem immer wieder neu aufgelegt. Es sind mehrere Versionen bekannt, die sich alle in Details unterscheiden. Die früheste bekannte Version ist ein anonymer Kupferstich (Abb. 103a) aus dem Verlag des zwischen 1633 und 1666 in Nürnberg tätigen Paulus Fürst (1608–1666). Die wesentlichen Unterschiede zwischen den beiden Blättern sind der Sarg

und die Friedhofmauer, die im älteren Stich fehlen. Alle Versionen gehen vermutlich auf eine ältere, heute unbekannte Vorlage zurück. DL

LITERATUR Charles Le Blanc, *Manuel de l'Amateur d'Estampes, 4 Bde.,* Paris 1854–1859; Thienemann 1856; Hampe 1914; Stephan Kozaky, *Geschichte der Totentänze, 3 Bde.,* Budapest 1936–1944; Briesemeister 1970; Wend 1975–1981; Koller 1980; Schuster 1983; Wolfgang Harms u. a. (Hg.), *Deutsche illustrierte Flugblätter des 16. und 17. Jahrhunderts, Bd. 3: Die Sammlung der Herzog-August-Bibliothek in Wolfenbüttel,* Tübingen 1989; Schuster 1989; Imke Lüders, Das Totentanztuch im Hessischen Landesmuseum, in: Europäische Totentanzvereinigung (Hg.), *Totentanz-Forschungen: 9. Internationaler Totentanz-Kongress 17.-20. September 1998,* Düsseldorf 1998, S. 84–96; Tanz der Toten 1998; Lüders 2000; Lüder Hainfried Niemeyer, Die Vanitas-Symbolik bei Johann Elias Ridinger (Ulm 1698–Augsburg 1767), in: *L'Art Macabre* 2 (2001), S. 95–112; Totentanz 2001.

104 *Totentanz*

Daniel Nikolaus Chodowiecki (1726–1801)
1791

Radierungen

Jeweils 85 x 50 mm (Bild), 210 x 375 mm (Platte)

Graphiksammlung „Mensch und Tod" der Heinrich-Heine-Universität, Düsseldorf
INV. NR. F 0132.–0143.

Der Pabst.

1792 wurden in der Publikation *Königl. / Grosbri-tannischer / Historischer / Genealogischer / CALENDER / für 1792 / mit Kupfern von Chodowiecki / im gemeinschaftlichem Verlag / von Berenberg in Lauenburg / und / der Jägerischen Buchhandlung / in Frankfurt a / m.* zwölf radierte Totentanzbilder von Daniel Nikolaus Chodowiecki veröffentlicht. Chodowiecki war mehrere Jahrzehnte, von 1768 bis zu seinem Tod 1801, jedes Jahr mit Illustrationen am *Genealogischen Calender* beteiligt, der von der Akademie der Wissenschaften in Berlin herausgegeben wurde. Kleinformatige Kalender mit allmonatlichen Bildern und Texten zu genrehaften oder moralischen Themen waren damals vor allem als Weihnachts- oder Neujahrsgeschenk beliebt. Der Kalender für das Jahr 1792 enthält insgesamt 205 Seiten, darunter sechs „Modekupfer" und die zwölf Totentanz-„Monathskupfer".

Bereits 1780 hatte Chodowiecki zwölf Totentanz-Zeichnungen geschaffen, höchstwahrscheinlich die gleichen, die er 1791 für den *Genealogischen Calender für 1792* radierte (von Oettingen 1895, S. 208; Geismeier 1993, S. 142). 1780 legte Chodowiecki seine Totentanz-Zeichnungen der Akademie der Wissenschaften für den Kalender von 1781 vor. Die Akademie wünschte sich aber ein fröhlicheres Sujet und lehnte die Zeichnungen ab. Auch der Lauenburgische Verlag Berenberg, bei dem der Kalender publiziert wurde, erklärte Chodowiecki, dass man vor allem die Veröffentlichung eines Totentanzes in den katholischen Ländern als schwierig erachtete und mit finanziellen Verlusten verbunden sah (Geismeier 1993, S. 142). Erst zehn Jahre später gelang es Chodowiecki, die Veröffentlichung seines Totentanzes durchzusetzen.

Chodowiecki gibt die hierarchische Ordnung – wie sie im Totentanz seit seiner Entstehung bestand – zugunsten einer Reihenfolge auf, die jeglicher Ordnung entbehrt. Beginnend mit der Mutter folgen General, Freudenmädchen, Königin, Fischweib, Papst, König, Bettler, Ahnenstolzer, Kind, Schildwache und Arzt. Das Fischweib kommt vor dem Papst, der sonst in allen monumentalen Totentänzen und in Holbeins *Icones mortis* (Kat. Nr. 95) an erster Stelle der Stände-revue stand. Chodowiecki zeigt, angelehnt an Holbein, wie der Tod den jeweiligen Ständevertreter in charak-teristischen Alltagssituationen überrascht. Vor allem im Blatt *Der Papst* (Abb. 104) lassen sich kompositorische Übernahmen vom Holbeinschen Totentanz (Abb. 94a) erkennen.

Der Ahnenstolze.

104a

In einigen Blättern der Folge erscheint der Knochenmann als besonders angriffslustig. Die Tötungsart ist grobschlächtig, wenn zum Beispiel der Ahnenstolze mit einem Knochen erschlagen wird (Abb. 104a): „Der Ahnenstolze Edelmann wird von seinem Gegner mit einem Knochen seines Stammhalters erschlagen." (Chodowiecki schickt dem Verleger in einem Brief diese und die folgenden Bildbeschreibungen; abgedruckt in: Engelmann 1857, S. 352). Das Fischweib wird von der Sense des Todes umgemäht: „Das Fischweib stirbt in einer Zänkerey mit ihren Nachbarn vor Zorn." Viel sanfter behandelt der Tod das Kleinkind, das er als geflügelter Tod sanft in seine Arme nimmt und küsst: „Das Kind das durch seine Wärterin im Schlaf zu stark gewiegt worden und herausgefallen war hascht der Tod auf und trägt es davon."

Es ist darüber hinaus auffällig, dass die anderen Dargestellten teilweise das Geschehen mit größter

Genugtuung verfolgen, da sie aus dem Tod der be-
troffenen Person einen Vorteil ziehen können. Chodowiecki beschreibt beispielsweise den Kardinal im Blatt
Der Papst folgendermaßen: „Den Papst tödtet der
Aberglaube zur Zeit da einer seiner Untergebenen ihm
den Pantoffel küsst und andere ihm ihre Devotion
bezeugen. Der stehende Kardinal freut sich seiner Ab-
fahrt, vielleicht kommt er an seine Stelle." Chodowiecki
stellt den Kardinal lächelnd dar, in der Hoffnung an
die Stelle des Sterbenden zu treten. Dies verleiht der
Szene einen bissigen Humor.

Wenn man davon ausgeht, dass die Käufer des
Genealogischen Kalenders genau wie die Leser von
Büchern vor allem aus dem gehobenen Bürgertum
stammten, dann konnten sie sich nur mit wenigen
dargestellten Personen der Folge identifizieren – vielleicht mit der Mutter, dem Ahnenstolzen oder dem

Arzt. Die übrigen in Chodowieckis Folge dargestellten Personen stammen alle nicht aus dieser sozialen
Gruppe. Der Totentanz scheint daher eine Belustigung
und Unterhaltung dieser Schicht auf Kosten der unteren Schichten und der Mächtigen zu sein.   DL

LITERATUR Engelmann 1875; von Oettingen 1895; Stephan
Kozaky, *Geschichte der Totentänze*, 3 Bde., Budapest 1936–
1944; Massmann 1963; Kleimenhagen 1969; Bauer 1982;
Schuster 1989; Geismeier 1993; Wunderlich 1997; Uli
Wunderlich, Zwischen Kontinuität und Innovation – Toten-
tänze in illustrierten Büchern der Neuzeit, in: *Ihr müßt alle
nach meiner Pfeife tanzen: Totentänze vom 15. bis zum 20. Jahr-
hundert aus den Beständen der Herzog August Bibliothek Wolfen-
büttel und der Bibliothek Otto Schäfer Schweinfurt*, hg. von
Winfried Frey und Hartmut Freytag, Ausst. Kat. Bibliothek
Otto Schäfer Schweinfurt u. a., Wiesbaden 2000, S. 137–202;
Totentanz 2001.

105 *Freund / Heins Erscheinungen / in Holbeins Manier / von / J. R. Schellenberg. / Winterthur, / bey Heinrich Steiner und Comp. / 1785.*

Johann Rudolf Schellenberg (1740–1806)
Winterthur 1785

Kupferstiche

Jeweils etwa 120 x 80 mm bis 135 x 95 mm (Platte)

Graphiksammlung „Mensch und Tod" der Heinrich-Heine-Universität, Düsseldorf
INV. NR. B 2494.–2518.

Im Herbst 1785 erschien bei dem Verlag Heinrich
Steiner und Comp. in Winterthur das Buch *Freund
Heins Erscheinungen in Holbeins Manier von J. R.
Schellenberg*. Die darin veröffentlichte Totentanzfolge
mit einem Frontispiz und 24 Blättern schuf der vor-
nehmlich als Buchillustrator tätige Künstler Johann
Rudolf Schellenberg ohne Auftrag. Sein Interesse an
diesem Thema entstand, als Schellenberg 1780 an der
Neuausgabe des Holbein-Zyklus' *Icones mortis* (Kat. Nr.
95) des Künstlers Christian von Mechel mitarbeitete
(Wunderlich 2000, S. 182–183). Zwischen Dezember
1783 und August 1785 entwarf und stach der Künstler

die Platten zu *Freund Heins Erscheinungen*, die er
unmittelbar nach Fertigstellung an den Verleger
Heinrich Steiner verkaufte. Erst dann verfasste der
Märchensammler Johann Carl Augustus Musäus
(1735–1787) zu jeder Szene eine eigenständige
Geschichte, in die der Kupferstich später in der
Buchausgabe eingebettet war. Musäus blieb dem Leser
der ersten Ausgabe jedoch namentlich unbekannt. Erst
in der zweiten Ausgabe von 1803, die verkleinerte
Nachstiche der Blätter Schellenbergs von dem Wiener
Künstler Johann Georg Mansfeld enthielt, wurde
Musäus namentlich als Autor genannt.

Dass der Tod im Titel kameradschaftlich ‚Freund Hein‘ genannt wird, ist begründet in der aufklärerischen Debatte über die Darstellung des Todes im 18. Jahrhundert. Diese Debatte wurde ausgelöst durch Lessings Abhandlung *Wie die Alten den Tod gebildet* von 1769, in der er fordert, dass der Tod nicht länger hässlich und Schrecken erregend dargestellt werden soll. Lessing plädiert für den antiken Todesgenius Thanatos. Schellenberg reiht sich in den durch Lessings Abhandlung entfachten Todesdiskurs ein, denn auch er erstrebt eine veränderte Todesdarstellung. Er zeigt den Tod jedoch als Skelett, das im Gegensatz zu Thanatos in der christlichen Ikonographie tief verwurzelt ist. Dieses Skelett bezeichnet er als ‚Freund Hein‘, eine Worterfindung, die er Matthias Claudius’ *Wandsbecker Boten* entlehnt. Dieser neue Name soll es den Menschen erleichtern über den Tod zu reden.

Schellenberg geht im Frontispiz seiner Totentanzfolge thematisch auf die Debatte um das Angst erregende Skelett ein. Hier sind mehrere Menschen vor dem Standbild eines grinsenden Gerippes versammelt und betrachten es mit unterschiedlichsten Gefühlen: eine Frau verbirgt ängstlich ihr Gesicht hinter einem Fächer, so dass sie das Skelett nicht anschauen muß, ein Mann im Hintergrund ringt verzweifelt mit den Händen, ein anderer schaut melancholisch gen Himmel. Die beiden Männer im Vordergrund hingegen begegnen dem ‚Freund Hein‘ mit einem stoischen Lächeln.

Von dem im Titel betonten Vorbild („nach Holbeins Manier“) ist in der Totentanzfolge wenig zu spüren. Die Folge ist vielmehr eine von der Tradition abweichende, moderne Totentanzformulierung. Die traditionellen Totentänze von Holbein bis Rentz verweisen durch zusätzliche Szenen der Genesis (Sündenfall, Vertreibung aus dem Paradies, u. a.), und des Jüngsten Gerichts auf ein jenseitiges Leben. Schellenbergs Werk verzichtet als erster Totentanz auf diese rahmenden Szenen, in denen die christliche Todesanschauung dargelegt wird. Zudem werden in diesem modernen Totentanz aktuelle Themen wie eine Ballonfahrt, die Aufhebung eines Klosters oder die Freimaurerloge dargestellt.

Die Folge ist eine ironische und geistreiche Schilderung des zeitgenössischen Milieus, deren szenische Abfolge kein Ordnungsprinzip erkennen lässt. Bild und Text beschreiben und bewerten die Dargestellten zum Teil spöttisch oder ironisch als Beispiele schlechter oder unsinniger Lebens- und Verhaltensweisen. Mal weist die Folge auf eine selbstverschuldete Todesart des Protagonisten hin (Der Aerostat), mal macht sie auf christliche Sünden wie Geiz (Der Wucherer) oder Völlerei (Der Schlemmer) aufmerksam. Dem Bücherfreund wird seine Lieblingsbeschäftigung zum Verhängnis, da er in seinem Studierzimmer unter einem umfallenden Bücherregal begraben wird (Raub der Falle; Abb. 105). Ironisch betrachtet Schellenberg auch die Hoffnungen des „Lottospielers", der sein Leben lang auf einen Gewinn hoffte, doch als dieser nun eintritt, stirbt er. Und die modisch gekleidete Dame aus „Wienerin und Römerin" gibt Schellenberg dem Spott preis, da er sie unmittelbar neben einer ‚natürlich' gekleideten Dame zeigt.

Die 25 humorvollen Szenen Schellenbergs zeigen meist Personen des Bürgertums. Vor allem das gehobene Bürgertum, das Käufer und Leser solcher Bücher war, sollte sich mit den abgebildeten Personen identifizieren können. Der Totentanz scheint von Schellenberg als erzieherisches Instrument im Sinne der Auf-

klärung verwendet zu werden. Er droht jedoch nicht mit ewiger Verdammnis, sondern betont das diesseitige Leben und appelliert an die Vernunft. DLF

LITERATUR Charles Le Blanc, *Manuel de l'Amateur d'Estampes, 4 Bde.,* Paris 1854–1859; Rümann 1931; Briesemeister 1970; Koller 1980; Totentänze aus 6 Jahrhunderten 1982; Schadewaldt 1985; Richard W. Gassen, Pest, Endzeit und Revolution – Totentanzdarstellungen zwischen 1348 und 1848, in: *Thema Totentanz: Kontinuität und Wandel einer Bildidee vom Mittelalter bis Heute.* Ausst. Kat. Mannheimer Kunstverein, Mannheim 1986, S. 11–26; Thanner 1986; Schuster 1989; Wunderlich 1996; Wunderlich 1997; Wunderlich, Schellenbergs ‚Freund Heins Erscheinungen' in Holbeins Manier, in: ders. 1998, S. 51–71; Wunderlich, Zwischen Kontinuität und Innovation – Totentänze in illustrierten Büchern der Neuzeit, in: Ihr müßt alle nach meiner Pfeife tanzen 2000, S. 137–202; Totentanz 2001; Triebs 2001.

106 *Der Totentanz von Basel*

HAP Grieshaber (1909–1981), 1966

Buchdruck / Siebdruck auf Japanpapier

jeweils etwa 275 mm x 173 mm

Graphiksammlung „Mensch und Tod" der Heinrich-Heine-Universität, Düsseldorf
INV. NR. F 0429.–0468.

HAP (Helmut Andreas Paul) Grieshaber, der als Schriftsetzer ausgebildet war und sich selbst als Drucker und Holzschneider sah, hat den Totentanz zwischen 1965 und 1966 geschaffen. Anlass für dieses künstlerische Vorhaben war ein Besuch der Kunstgewerbeschule in Basel im Jahr 1965, bei dem er als Geschenk einen Nachdruck der Kupferstiche von Matthäus Merian dem Älteren (Kat. Nr. 97) erhielt.

Entsprechend der Abfolge im ursprünglichen Basler Totentanz ruft der Tod zuerst den Papst. Ihm folgen Kaiser, Kardinal, Ritter, Jurist, Jungfrau, Maler etc., so dass insgesamt 40 selbständige Darstellungen entstanden. Jede Darstellung zeigt den Tod in Begleitung eines Standesvertreters. Grieshaber gab seinem *Totentanz von Basel* eine ganz neue Erscheinung. Zu jeder Darstellung in seinem Buch gehört eine Seite mit Texten in französischer und englischer Sprache.

Der deutsche Dialog zwischen Tod und Standesvertreter nimmt die zwei folgenden Seiten ein und dann folgt die bildliche Darstellung. In jeder Sprache bestehen die Texte aus einem Aufruf des Todes zum Tanz und einer vierzeiligen Antwort des angesprochenen Standesvertreters. Die französischen und die englischen Texte stammen größten Teils aus dem 18. Jahrhundert, die Vorlage für die deutschen Texte fertigte Albert Kapr an.

Grieshaber folgte in der Motivik der Vorlage von Merian, entschloss sich aber für eine farbliche Darstellung und gab so seinem Totentanz eine sehr expressive Erscheinung. In einer intensiven Farbauffassung stellt der Künstler *Tod und Ritter* (Abb. 106) dar. Die schwarz gemalten Figuren werden durch grell grüne Schatten von dem grauen Bildhintergrund hervorgehoben. Kompositorisch wird das Bild in zwei

gleich große Hälften geteilt. Hier wird ein bekanntes Motiv umgesetzt, welches nicht nur traditionell zum Totentanz gehörte, sondern auch oft einzeln von Künstlern wie beispielsweise Dürer erarbeitet wurde (Abb. 106 a). Bei Grieshaber treten aber Tod und Ritter in einen Zweikampf. Vor einem grauen Hintergrund erheben sich die zwei Figuren, die die ganze Bildfläche einnehmen. Der Tod selbst trägt eine Ritterrüstung: einen Helm auf dem Schädel, vor der Brust einen Schild mit einem inkrustierten Schädel. Die Lanze des Ritters ist zerbrochen. Gegenüber dem Tod sind seine Waffen machtlos. Mit einem grimmigen Gesicht erreicht der Tod mit seiner Lanze das Herz des Ritters. Aus der Wunde tropft schon das Blut. Der Ritter und der Kardinal sind die einzigen Vertreter, die sich gegen den Tod wehren. Alle anderen ergeben sich dem Tode friedlich und akzeptieren ihn als einen Freund.

Grieshaber stellt den Tod als einen freundlichen Lebensbegleiter dar, der die Menschen am Ende befreit.

Mit jedem Paar erlebte Grieshaber das Sterben und den Tod erneut und schrieb: „Es wird immer schwerer, jede Woche einen Tod zu überwinden" (Rotermund 1969, S. 14). Den seines eigenen ‚Standesvertreters‘, des Malers/Druckers (Abb. 106 b), hatte er im Schaffensprozeß an den Anfang gestellt, obwohl es sich um das letzte Bild des ursprünglichen Basler Totentanzes handelt. Dazu meinte er: "Dass ich dieses Blatt zuerst und für mich arbeitete, ist von daher zu verstehen, dass ich mich selbst vorausnahm" (Rotermund 1969, S. 11). Das Bild zeigt den Tod als Knochenmann hinter dem Maler. In den Händen hält er eine Geige und spielt. Mit der Musik und folgenden Worten: „hast du schon greulich gmachet mein Leib, Tantz hehr muest mir jetzt werden gleich" fordert er

den Maler zum Tanz auf. Der Maler, dem Betrachter zugewandt, hält Pinsel und Palette. Hinter ihm steht eine Staffelei mit einer gespannten weißen Leinwand. Für Grieshaber als Künstler war es wichtig, wie er selbst oft sagte: „die leere Fläche und ihren weißen Tod zu überspielen" (Rotermund 1969, S. 11). Der Maler im Bild konnte ihn nicht überwinden, genau so wie der reale Maler, Grieshaber, auch nicht den eigenen Tod überwinden kann.   LN

LITERATUR Künstle 1908; Grieshaber 1966; Rotermund 1969; Swiridoff 1970; Mensch und Tod 1976; Brinkhus 1979; Bilder und Tänze des Todes 1982; Güse, 1984; Fürst 1989; Göbel 1989; Schuster 1989; Grieshaber 1990; Schulte 1990; Wunderlich 2001; Rödiger-Diruf 2003.

106a

106b

ALTER

Die Alten

Am meisten liebe ich die Alten

Die ihren Kaffee selber

Und nach eigenem Rezept

Brauen

Die immer härter werden

Mit wachsendem Muskelschwund

Die sagen:

Wenn ihr unter Altersweisheit versteht

Daß man sich abfindet

Sucht euch einen Jüngeren.

Rainer Malkowski (1939–2003)

Niederlande
1. Hälfte des 16. Jahrhunderts

Elfenbein

Höhe 57 mm, Breite 32 mm
Höhe mit Sockel 167 mm

Herzog-Anton-Ulrich Museum, Braunschweig
INV. NR. Elf 18

„Aus einem Akanthusblatt wachsen drei mit dem Rücken aneinandergefügte, durch blattähnliche Scheidewände voneinander getrennte Büsten hervor. Die eines jungen Mannes mit flacher Kappe, unter dem das Haar in die Stirn und über die Ohren fällt, fein gefältetem Wams und offenem Mantel. Ferner die eines alten Mannes, der sterbend mit schmerzhaft verzerrten Zügen dargestellt ist und eine Haube sowie ein fein gefältetes Hemd trägt, und schließlich die eines menschlichen Skeletts, auf dem Würmer und eine Maus oder eine Kröte herumkriechen." (zitiert nach Scherer 1931, S. 38).

Der schmerzverzerrte Gesichtsausdruck des sterbenden Mannes zeigt den Versuch einer naturgetreuen Nachbildung und Gestaltung selbst von Emotionen, wie es im 16. Jahrhundert gängig war. Auch die korrekte Darstellung des Totenkopfes ist im Zuge der anatomischen Forschungen dieser Zeit zu sehen. Die darauf kriechenden Tiere sind symbolisch zu verstehen und unterstreichen die Bedeutung sowohl des Schädels als auch die Gesamtbedeutung der Skulptur. Die Würmer stehen stellvertretend für die Verwesung. Die

Maus wird seit der Antike mit grenzenloser Gefräßigkeit in Verbindung gebracht. Seither gilt sie als zerstörerisches Element, als Todessymbol (Dittrich / Dittrich 2004, S. 298 ff).

Es handelt sich wohl um den Knauf eines Stockes oder Stabes, möglicherweise eines Richterstabes oder Spazierstocks. Dreiköpfige Büsten treten vereinzelt als Mahnbild an Stockknäufen aus Elfenbein auf. Bei Spazierstöcken sind in den Griff geschnitzte Köpfe für das 16. Jahrhundert allerdings eher selten, erst im 18. und 19. Jahrhundert erleben solch detailgenaue Kunstwerke in diesem Gebrauchszusammenhang eine Blütezeit (Kat. Nr. 77). Gerichtsstäbe waren prachtvolle Zeichen der Macht (Klever 1984, S. 19), deren Knäufe bereits im 13. Jahrhundert mit dreiköpfigen Büsten verziert wurden. Hierbei handelt es sich meist um einen Christus-, einen Frauen- und einen Totenkopf. Es ist jedoch denkbar, dass derartige Büsten in abgewandelter Form auch auf andere Gegenstände übertragen wurden.

Die Büste stellt mit den Bildern von Jugend, Alter und Tod die Vergänglichkeit des menschlichen Lebens dar. NK

LITERATUR Christian Scherer, Die Braunschweiger Elfenbeinsammlung. Katalog der Elfenbeinbildwerke des Herzog-Anton-Ulrich-Museums in Braunschweig, Leipzig 1931; Klever 1980; Lebenstreppe 1983; Eckart 1983; Klever 1984; Sears 1986; Hegemann 1988; Wollgast 1992; Wirag 1995; Dittrich/Dittrich 2004.

Garstige Alte

Oberrhein
um 1500

Buchsbaumholz

Höhe 160 mm

Städtische Galerie Liebieghaus, Museum alter Plastik,
Frankfurt am Main
Inv. Nr. 905

Eindrucksvoll, dabei nicht ohne Widersprüche, wird in dieser kleinen Buchsbaum-Statuette eine den Blicken des Betrachters schutzlos ausgelieferte nackte, alte Frau präsentiert. Deutliche Spuren des Alterungsprozesses finden sich hier ebenso wie scheinbar jugendliche Partien. So schockiert uns die Vorderansicht vor allem mit den schlaff herunterhängenden faltigen Brüsten, die durch den Griff zum Tuch eher betont als verdeckt werden. Die Haut, die sich über dem Schlüsselbein, dem Brustbein und über ihre Wirbelsäule spannt, erscheint dünn und welk. Der faltige Hals der Alten weist einen Kropf auf. Die linke Hand schiebt die Haut des rechten Oberschenkels ein wenig zusammen, dennoch sind Beine, Bauch und Gesäß insgesamt straff und weich gerundet. Auf diese Art der Aktmodellierung, die naturalistische Einzelbeobachtungen von Alterserscheinungen mit Zügen eines jugendlichen Körpers mischt, wurde in der Literatur schon mehrfach hingewiesen: „Während die Rückenansicht noch einen Körper von makelloser Schönheit erwarten läßt, revidiert die Vorderansicht die Erwartung des Betrachters." (Jezler 1994, S. 180)

Die Erwartung des Betrachters wird aber auch noch in anderer Weise irritiert. Das Bewegungsmotiv der alten Frau zitiert eindeutig den antiken Typus der *Venus pudica,* der schamhaften Venus. Eines der wahrscheinlich bekanntesten Beispiele für dieses Motiv ist die *Kapitolinische Venus* (2. Jahrhundert v. Chr., Kapitolinisches Museum, Rom), die dem Künstler der Garstigen Alten durch römische Kleinbronzen oder Antikenkopien der italienischen Renaissance bekannt gewesen sein dürfte (Spätgotik am Oberrhein 1970, Nr. 96, S. 150). Die herausragende Stellung der *Garstigen Alten* innerhalb der Kleinplastik liegt nun zum einen darin begründet, dass sie eines der frühesten Beispiele der deutschen Skulptur darstellt, in dem die Verwendung eines antiken Motivs eindeutig zu erkennen ist, zum anderen markiert die um 1500 entstandene Statuette in vielen Punkten den Übergang vom Spätmittelalter zur deutschen Renaissance. Als Indizien hierfür sind zu nennen: die sich aus einzelnen Detailbeobachtungen zusammensetzende Aktmodellierung, das tänzerisch-labile Standmotiv mit dem nur halb aufgesetzten rechten Fuß, aber auch die über die Schulter gezogene Kopfbedeckung. Diese Merkmale lokalisieren die Alte zugleich mit großer Wahrscheinlichkeit in das Gebiet der oberrheinischen Schnitzkunst (von Götz-Mohr 1989, S. 12). Trotz des angestrebten Naturalismus in der Aktgestaltung, betonte der Künstler die Eigenwertigkeit des, abgesehen von dem Kopftuch und den Augen, ungefassten Holzes, wie man es beispielsweise auch von den etwa zeitgleichen spätgotischen Skulpturen eines Tilman Riemenschneiders oder Veit Stoß kennt (Rasmussen 1975, S. 6).

Die *Garstige Alte* ist keine würdevolle, weise alte Frau. Hier wird Alter mit Hässlichkeit und Vergänglichkeit gleichgesetzt. Behaftet mit dem abschreckenden Makel des Alters erinnert sie jene, die sich noch jung und gesund schätzen dürfen, an die Vergänglichkeit aller Schönheit sowie an die Sinnlosigkeit aller Eitelkeit. Der Gestus der schönen, jugendlichen Liebesgöttin wird dazu benutzt, den offensichtlichen körperlichen Verfall einer alten Frau bloß zu stellen und ihre einstige Schönheit zu karikieren (vgl. den Beitrag von Stefanie Knöll im Aufsatzband).

Die wenig schmeichelhafte Darstellung kann damit als moralisierende Ermahnung verstanden werden, die in dem Verfall eines weiblichen Körpers die Endlichkeit des Diesseitigen an sich thematisiert. Die Ambivalenz dieser kleinen Statuette macht sie dabei besonders raffiniert. Zum einen vereint sie Altersdarstellung und antikes Schönheitszitat, das der (gelehrte) Betrachter zunächst einmal assoziieren muss, um es auf die Statuette im Umkehrschluss anwenden zu können. Zum anderen „gelang es dem unbekannten Künstler, die ansonsten übliche mehrfigurige Abfolge der Lebensalter von der Jugend über die Reife bis zum Greisenhaften in diesem Figürchen zusammenzufassen" (Biegel 1993, S. 229). Es bleibt allerdings zu fragen, ob diese besondere Leistung der *Garstigen Alten* vom Künstler wirklich derart beabsichtigt war, oder ob die

Divergenzen in der Aktdarstellung nicht auch in dem Aufeinanderprallen spätgotischer Darstellungsprinzipien mit Anklängen der aufkommenden Renaissance begründet liegen.

In der älteren Literatur wird der Künstler vor allem mit dem Ulmer Bildschnitzer Jörg Syrlin in Verbindung gebracht; zuweilen wird die Statuette auch dem Freiburger Künstler Hans Wydyz zugeschrieben. Da sich keine dieser beiden Spuren zufriedenstellend verfolgen lässt, beschränkt man sich auf die kunsttopographische Einordnung ‚oberrheinisch', ein Gebiet, das im Mittelalter durch die kulturellen und wirtschaftlichen Zentren Straßburg, Basel und Freiburg geprägt war.

Ausgehend von dem kleinen Format, dem wertvollen Material Buchsbaum und der virtuosen Ausführung kann man die Statuette als Kabinettstück bezeichnen. Sie wurde wohl als Liebhaberstück für die private Sammlung eines adeligen oder wohlhabenden bürgerlichen Auftraggebers angefertigt, der mit der Garstigen Alten ein Sinnbild der *Vanitas mundi,* der Vergänglichkeit alles Irdischen in seinem privaten Umfeld aufstellte. AP

LITERATUR Bange 1928; Eva Zimmermann, Zur spätgotischen Plastik am Oberrhein, in: *Spätgotik am Oberrhein: Meisterwerke der Plastik und des Kunsthandwerks 1450–1530,* Ausst. Kat. Karlsruhe 1970, S. 69–76; Rasmussen 1975; Borscheid 1987; Brita von Götz-Mohr, *Die deutschsprachigen Länder: 1500–1800,* (= Liebieghaus-Museum alter Plastik: Nachantike kleinplastische Bildwerke), Melsungen 1989; Biegel 1993; Jezler 1994; Christoph Brockhaus (Hg.), Altersbildnisse in der abendländischen Skulptur, Ausst. Kat. Wilhelm Lehmbruck Museum Duisburg, Duisburg 1996.

109 *Nackte Alte*

Daniel Mauch (1477–1540)
Lüttich (?)
um 1530/40

Buchsbaumholz

Höhe 207 mm

Städtische Galerie Liebieghaus, Museum alter Plastik, Frankfurt am Main
Inv. Nr. 606

Völlig unbekleidet gibt die *Nackte Alte* den Blick auf ihren welken Körper frei, der sich durch schlaff herabhängende Brüste, faltige Haut an Bauch und Gesäß sowie an den Knien auszeichnet. Ihr Gesicht weist Spuren des Alterungsprozesses auf. In dem geöffnetem Mund ist ein lückenhaftes Gebiss erkennbar, ihre Stirn ist gerunzelt. Das lange, leicht gewellte Haar ist in der Mitte gescheitelt und fällt auf ihren Rücken und ihren linken Oberarm herab. Während ihr Kopf sich ein wenig nach rechts wendet, ist der Oberkörper sanft zur linken Seite gedreht. Der Blick der *Nackten Alten* gilt einem heute verlorenen Gegenstand, den sie in der rechten Hand ihres erhobenen Armes gehalten hat. Der linke Arm ist leicht angewinkelt, die Hand geöffnet.

Die *Nackte Alte* steht der *Garstigen Alten* (Kat. Nr. 108) an Drastik und Hässlichkeit in nichts nach, und doch unterscheiden sich beide Statuetten ganz wesentlich voneinander. Zunächst einmal erscheint die *Nackte Alte* insgesamt viel hagerer als die partiell weich gerundete *Garstige Alte*. Noch auffälliger sind aber die unterschiedlichen Temperamente der beiden Figuren: von einer schamhaften Geste, dem Versuch, den nackten Körper zu bedecken, ist die selbstbewusste *Nackte Alte* weit entfernt. Völlig gelöst und ungehemmt tritt sie dem Betrachter entgegen, die Beine geöffnet, die Arme vom Körper entfernt. Insgesamt ist das Standmotiv weniger labil und der Körper wirkt deutlicher gegliedert. Das Gesicht zu einem grimassenhaften Lächeln verzogen, widmet sich die Figur dem (verlorenen) Gegenstand in ihrer Hand.

Neben diesen grundsätzlichen Unterschieden gibt es aber auch Charakteristika, die beide Kleinplastiken miteinander verbinden. Wie bei der *Garstigen Alten,* fallen auch bei dieser Figur Widersprüche in der Aktgestaltung auf. So harmonieren die kräftigen Beine nicht mit dem mageren schlaffen Oberkörper, der jedoch in der Leistengegend wiederum einen über deutlich akzentuierten Muskelstrang aufweist. Die Falten an den Knien wirken schematisch addiert, um den muskulösen Beinen doch noch den Anschein von Gebrechlichkeit zu verleihen. Auch die *Nackte Alte* besteht aus einer Zusammenstellung einzelner naturalistischer Details, die sich letztendlich zu einem unstimmigen Ganzen zusammenfügen. Und doch ist diese Statuette bereits der Renaissance verpflichtet, weil „sie im Interesse einer anatomisch getreuen Wiedergabe des menschlichen Körpers ein eingehendes Naturstudium voraussetzt" (Naegele 1996, S. 78).

Der Auftraggeber und somit der ursprüngliche Bestimmungsort können nicht mehr ermittelt werden. Nach Legners Einordnung als „deutsch" hat sich mittlerweile die Zuschreibung an den Ulmer Künstler Daniel Mauch durchgesetzt. Durch die Einführung der Reformation (1529) bedingt, war der gläubige Katholik Mauch gezwungen, Ulm zu verlassen und sich in Lüttich, der Hochburg des Katholizismus, eine neue Existenzgrundlage zu schaffen (Wagini 1995, S. 26). Mauch musste nun Anschluss an die Kunstanschauungen und Wünsche der neuen Auftraggeber finden, die für ihre Kabinette und Kunstkammern auch profane Kunstwerke nach Art der *Nackten Alten* erwarteten (vgl. Kat. Nr. 110).

Der verlorene Gegenstand in der Hand der *Nackten Alten* erschwert eine genaue Einordnung. Handelte es sich vielleicht um einen Spiegel oder tatsächlich um einen Blumenstrauß, wie aus einer alten Aufnahme aus der Photothek des Museums für Kunst und Gewerbe, Hamburg hervorgehen soll (Rasmussen 1973, S. 142, Anm. 34)? Unter Vorbehalt wird die *Nackte Alte* in die Nähe der *Vanitas*-Ikonographie

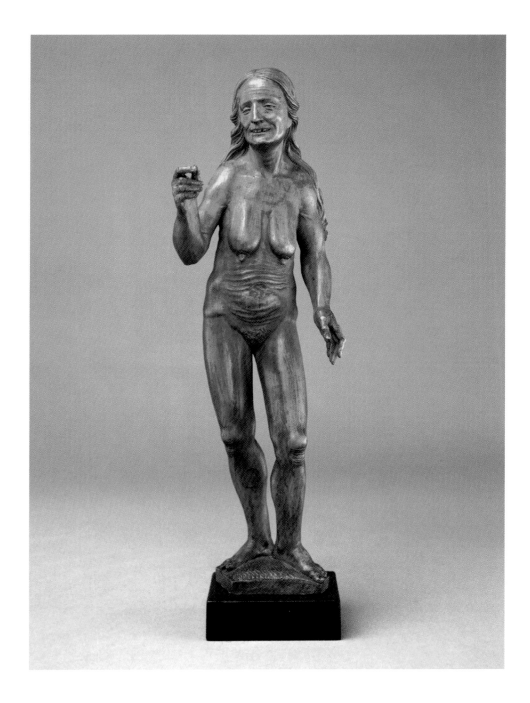

gebracht und somit wird ihr, wie auch der *Garstigen Alten,* eine an die Vergänglichkeit irdischer Schönheit mahnende Funktion zugeschrieben. Dabei kommt die *Nackte Alte* ebenso wie die *Garstige Alte* ohne die übliche mehrfigurige Gegenüberstellung mit einem jungen Mädchen oder einem jungen Paar aus.

Die Art und Weise, wie sie ihren nackten Körper präsentiert, lässt auch an die Darstellung einer ‚lüsternen Alten‘ denken (Maier-Lörcher 1996). Darstellungen ‚lüsterner‘ alter Frauen gab es bereits in der Antike in Form von kleinen Terrakotten, die dem in der griechischen Komödie beliebten Typus der *komischen*

Alten Nahe standen (Biegel 1993, S. 19 ff). Auch aus der gleichzeitigen Malerei und Druckgraphik sind etliche Darstellungen bekannt, in denen alte Frauen ihrer vermeintlichen Wollust wegen bloßgestellt werden. (Borscheid 1987, S. 34)   AP

LITERATUR Anton Legner, *Kleinplastik der Gotik und Renaissance aus dem Liebieghaus,* Frankfurt a. M. 1967; Jörg Rasmussen, Eine Gruppe Kleinplastischer Bildwerke aus dem Stilkreis des Conrat Meit, in: *Städel-Jahrbuch* Band 4 (1973), S. 121–144; Borscheid 1987; von Götz-Mohr 1988; Biegel 1993; Desel 1993; Wagini 1995; Gerhard Naegele (Hg.), *Funkkolleg Altern: Einführungsbrief,* Tübingen 1996; Maier-Lörcher 1996.

Alte Frau, sitzend

Deutschland (Augsburg oder Nürnberg)
um 1520–1525

Birnbaumholz, teilweise pigmentiert

Höhe 159 mm

Victoria and Albert Museum, London
Inv. Nr. 62–1865

Auf einer ornamental verzierten Bank sitzt eine alte nackte Frau, die dem Betrachter frontal zugewendet ist. Sie beugt sich leicht nach vorn, neigt ihren Kopf nach links und kreuzt ihre beiden Arme unter ihrer Brust. Beide Beine stehen parallel nebeneinander. Die Füße ruhen auf einer Basis, die die Standfläche für die gesamte Komposition bildet. Der Körper der Frau ist ausgezehrt und dünn. Die Haut spannt sich um Knochen und Sehnen, wirkt dabei fast schon transparent. Besonders auffällig wird dies am Rücken, an dem jeder Knochen sichtbar ist, sowie an Schultern und Knien, die deutlich hervorstechen. Ihr Alter ist am ganzen Körper zu erkennen, tritt jedoch mit besonderer Deutlichkeit an ihren Brüsten zutage. Das ovale Gesicht mit der leicht gerunzelten breiten Stirn wird von dem hohen Haaransatz und strengen Mittelscheitel betont. Die Frau blickt den Betrachter direkt an. In ihrem Ausdruck liegt eine Mischung von Trauer und Müdigkeit.

Die vollplastisch gearbeitete Figur ist aus drei Holzstücken zusammengesetzt. Ein Schnitt oberhalb ihrer Knie verdeutlicht, dass beide Beine getrennt voneinander gefertigt wurden. Die Bank mit ihren vier Pfeilern, die den Sitz tragen, ist separat geschnitzt und dann zusammengesetzt worden (Jopek 2002, S. 93). Es existieren noch weitere ähnliche Exemplare, die thematisch und in der Art und Weise ihrer Darstellung dieser Skulptur gleichen, wie eine Bronzeplastik in der Bibliothèque Nationale in Paris (Abb. 110a). Varianten dieser im oberitalienischen Padua zu verortenden Bronzefigur bewahrten früher die Sammlung Dr. Wittmann in Budapest und das Kaiser Friedrich-Museum in Berlin auf. Eine weitere Holzstatuette befindet sich heute in der Sammlung Paul Gerngroß in Wien (Planiscig 1927, S. 90–91; Otto 1954, S. 251; Jopek 2002, S. 93).

Gertrud Otto ordnet die alte Frau aus dem Victoria and Albert Museum dem in Augsburg tätigen Künstler Gregor Erhart zu und belegt dieses am Kopftypus der Frau und an der Art der Darstellung, die den Austausch zwischen Paduaner und Augsburger Kunst manifest werden lässt (Otto 1954, S. 251). Andere Zuschreibungen nennen den ebenfalls in Augsburg tätigen Stephan Schwarz (Augsburger Renaissance 1955, S. 78) oder lokalisieren die Kleinplastik nach Nürnberg. Ein wichtiges Datierungskriterium ist die Bank, die bei allen anderen Exemplaren fehlt und die eine Datierung um 1525 nahelegt (Baxandall 1967, S. 7). Die vorliegende Skulptur stammt aus der Sammlung Pourtalès in St. Petersburg und wurde 1865 vom Victoria and Albert Museum als deutsche Arbeit erworben. Auf die ursprüngliche Herkunft der Skulptur aus Habsburger Besitz könnte ein unterseitig angebrachter Zettel mit den Worten „Asiento de la Viexa" (Sitz der Alten)

hinweisen. Gregor Erhart hat wiederholt Aufträge von Maximilian I. erhalten; das könnte, so Otto, die spätere Verbringung der Skulptur nach Spanien erklären (Otto 1954, S. 251; Jopek 2002, S. 93, 94 und 13).

Leo Planiscig sieht in den Statuetten der alten nackten Frauen Darstellungen von Hexen, vielleicht auch die Verkörperung einer Maria Magdalena oder eine *Vanitas*-Darstellung. Von der Vorstellung es handele sich um eine Hexe ist an-

gesichts des milden Gesichtsaus-drucks der alten Frau wohl eher Abstand zu nehmen. Wahrscheinlicher ist eine *Vanitas*-Darstellung, die im Bild des alten Frauenkörpers die Vergänglichkeit des Irdischen zum Ausdruck bringt (Planiscig 1927, S. 91; Otto 1954, S. 251). Da mehrere Bronzefassungen dieser Figur existieren, bestünde auch die Möglichkeit, dass die Londoner Holzstatuette als Modell für die Bronzen gedient haben könnte (Jopek 2002, S. 94). AF

LITERATUR Pollen 1874; Maskell 1911; Pinder 1924; Feulner 1926; Planiscig 1927; Sauerlandt 1927; Bange 1928; E. Buchner, Ph. M. Halm und A. Feulner, *Augsburger Kunst des 16. Jahrhunderts,* Augsburg 1928; Braun 1953; G. Otto, Schwäbische Plastik in ausländischen Sammlungen, in: *Schwäbische Heimat* 5 (1954), S. 251ff.; Augsburger Renaissance 1955; Baxandall 1967; Rasmussen 1975; Baxandall 1980; Fooken 1980; Feinson 1985; Hoffmann 1989; Hinz 1993; Smith 1994; Kelperi 2000; Jopek 2002.

Auff und Nidergang Deß Weiblichen alters III

Köln
um 1650 (?)

Kupferstich

272 mm x 383 mm

Graphiksammlung „Mensch und Tod" der Heinrich-Heine-Universität, Düsseldorf
INV. NR. E 0755.

Bezeichnet in der Platte unten rechts „G. Altzenbach exc." und betitelt o. M.

Das Blatt *Auff und Nidergang Deß Weiblichen alters* entstand um die Mitte des 17. Jahrhunderts in der Kölner Kupferstecherei des Gerhard Altzenbach. Der Stecher dieser Komposition ist unbekannt, wobei nicht auszuschließen ist, dass Altzenbach selbst das Blatt gestochen hat (Lebenstreppe 1983, S. 116). Die querrechteckige Komposition wird von einem monumentalen Doppeltreppenbau beherrscht, auf dem zehn Frauen unterschiedlichen Alters angeordnet sind. Von links nach rechts steigt die Treppe an, ab der fünften

Stufe führt sie wieder nach unten. Es handelt sich bei dieser Art der Darstellung um eine Lebenstreppe. Jede Treppenstufe markiert einen Altersabschnitt im Leben der Frau. In diesem Fall wird mit einhundert Lebensjahren gerechnet und zehn Jahre entfallen auf jede Stufe. Jeder Person ist ein entsprechendes Tiersymbol und ein Vers beigefügt. Die gesamte Szenerie wird auf der linken Bildhälfte von einem belaubten und auf der rechten Bildhälfte von einem fast gänzlich verdorrten Baum eingerahmt. Über dem Treppenbau ist der Titel

des Stichs in einem flatternden Spruchband wiedergegeben. In den beiden oberen Bildecken ist je eine Roll-
werkkartusche mit Reimen angebracht. Links ist zu
lesen: *Der Jung: vnd alten Leuth ihr Zeit / Daß grön
vnd DurHoltz vnderscheidt / Theils mutig gehen, starck
vnd geschwindt / Der Todt, vnd grab sie alle gewindt.*
Rechts steht geschrieben: *Der Mensch geborn geht auff,
vnd ab / Bleibt nimmer stehn biß zu dem grab / Die
Trappen sichs du heir gestelt / Von allen er dem Todt
zufält.* Die Figuren sind in folgender Anordnung auf
der Treppe wiedergegeben: Im unteren linken Bildrand liegt ein Wickelkind mit einem Breipfännchen.
Darüber befindet sich ein kleines Mädchen mit einer
Puppe in einem Laufstuhl. Neben dem Mädchen werden zwei blühende Rosensträuche gezeigt. Dann auf
den eigentlichen Stufen: 10 Jahre: Mädchen mit einer
Rose in der rechten Hand und einem Affen auf dem linken Arm *(Tiersymbol: Küken).* 20 Jahre: Vornehm gekleidete Jungfrau *(Wiedehopf).* 30 Jahre: Vornehme
Dame mit großem Federhut und Fächer *(Pfau).* 40
Jahre: Schwangere Frau im Mantel und Barett *(Gluck-
henne).* 50 Jahre: Frau im Mantel und Barett, mit
Handschuhen *(Kranich).* 60 Jahre: Bürgersfrau mit
Handschuhen in der Rechten und mit Mantel und

Barett auf dem linken Arm *(Gans).* 70 Jahre: Ältere
Frau, die Hände gefaltet *(Adler).* 80 Jahre: Alte Frau,
einen Rosenkranz betend *(Eule).* 90 Jahre: Greisin auf
Krücken, von zwei Kindern verspottet *(Fledermaus).*
100 Jahre: Greisin auf dem Sterbebett, einen
Rosenkranz in der Hand. Neben ihr steht der Tod mit
emporgehaltenem Stundenglas und ein Engel. Die
Greisin befindet sich, wie das Wickelkind und das
kleine Mädchen unterhalb der Treppenstufen. Den
Figuren sind folgende Verse zugewiesen, die die
Tiersymbolik erläutern: Wickelkind: *Der RosenKnopf
in windlein ligt.* Kleines Mädchen: *Die Roß hir völlig
sich außgibt.* 10 Jahre: *Daß Röslein richt, dz hunelein
spist.* 20 Jahre: *Der wittop heir sich schmückt vnd ziert.*
30 Jahre: *Die Juffer wie ein pfaw stoltzert.* 40 Jahre:
Wie ein Hün ich mein Kinder nehr. 50 Jahre: *Wie ein
Kranich bin ich wachtsam.* 60 Jahre: *Wie ein ganß ich
mich mesten kan.* 70 Jahre: *Der Adler hoch fleucht, ich
zu Gott.* 80 Jahre: *Ich wie ein Eull bin der welt spott.*
90 Jahre: *Ich Fladermauß dz hauß verwahr.* 100 Jahre:
Ich sege die welt, zum Himmel fahr.

Unterhalb dieser Verse sind in die Treppenstufen
Nischen eingelassen, in denen sich Totenschädel über
gekreuztem Gebein befinden. Weiter sind in den Trep-

penbau drei Rundbögen eingelassen. Der mittlere und größte Bogen gibt dem Betrachter den Blick auf eine Kirche mit Friedhof und Beinhaus frei. Hinter den beiden anderen Bögen sind eine Geburtszene und eine Leichenprozession zu sehen. Über dem mittleren Bogen steht geschrieben: *Der Mensch gebohren geht auff und ab, Ist Elendts voll biß zu dem Grab.* Über dem linken Bogen ist zu lesen: *Von allen Trappen Her zu Kompt* und über dem Rechten: *Gewiß ist der Todt, ungewiß die stündt.* Ein Schild unten in der vorderen Bildmitte trägt die Inschrift: *Wachet, dan ihr wist noch den tag, noch die stundt. Math: C.25. V.13. Selig ist die, die Gottes will, auf alle trappen stelt sein Zill. Beim Richter wirdt sie woll bestehn. Sein lohn wirt frewdt vnd triumph sein.* Links von dem Schild sitzt ein Putto mit einer Schrifttafel: *Bestell dein Haus zu deinem best. Der Todt dem leben folgt zu letz. Kein bleiben ist hir auff erdt. Such droben nur was ewig werdt.* Neben ihm liegen ein Kreisel mit Peitsche, ein Lineal, ein Maßstab, eine ABC-Tafel, ein Fidelbuch, ein Bücherbrett, ein Leuchter mit Kerze und eine Sanduhr. Rechts neben dem Schild sitzt der Tod als Skelett in einem Sarg. In der linken Hand hält er einen Pfeil und in der Rechten eine Schrifttafel: *Bedencken lehrt uns alle zeit Daß wir dem todt zugehen bereit, Damit Keiner betrogen sey Mag dis all zeit bedencken frey.* Neben dem Tod liegen eine Öllampe mit erlöschendem Licht, ein zerbrochenes Stundenglas, ein Knochen, ein Spaten, eine große Gabel und eine Krücke.

Dieser Kupferstich ist als Pendant zu einem anderen Werk gedacht, das ebenfalls in der Mitte des 17. Jahrhunderts entstanden und aus dem Verlag Gerhard Altzenbachs hervorgegangen ist. Es trägt den Titel *Auff und Nidergang Deß Manlichen alters* (Abb. 111a) und zeigt die männlichen Lebensalter mit ihren Bezugstieren. Die Stiche gleichen sich völlig in ihrem kompositionellen Aufbau, doch fehlen die Nischen mit den Totenköpfen und die Szene im mittleren Bogen zeigt das Jüngste Gericht (Coupe 1966–67, S. 171; Wirag 1995, S. 229–230). Der alte Mann wird hier ins-

gesamt positiver bewertet als die alte Frau. Bei ihr überwiegt der Hinweis auf ihre Gebrechlichkeit und die nachlassende Attraktivität. Ausserdem fällt auf, dass dem weiblichen Geschlecht ausschließlich Vogelarten zugeordnet werden (Schuster 1989, S. 421; von der Gabelentz 1939, S. 21; vgl. den Beitrag von Stefanie Knöll im Aufsatzband), während den Männern Säugetiere entsprechen. AF

111a

LITERATUR Zacher 1891; Firmenich-Richartz 1895; Englert 1907; Diederichs 1908; Freybe 1909; Kristeller 1922; von der Gabelentz 1939; Hollstein 1954; Coupe 1966–67; Lebenstreppe 1983; Sears 1986; Schuster 1989; Schöller 1992; Wirag 1995; Jan Nicolaisen, Einige Beobachtungen zur Privatisierung des gedruckten Bildes im 15. Jahrhundert. Publikum und Gebrauch des Kupferstichs, in: Frank Matthias Kammel (Hg.), *Spiegel der Seligkeit. Privates Bild und Frömmigkeit im Spätmittelalter,* Nürnberg 2000, S. 84–96; Appold/Speler 2004.

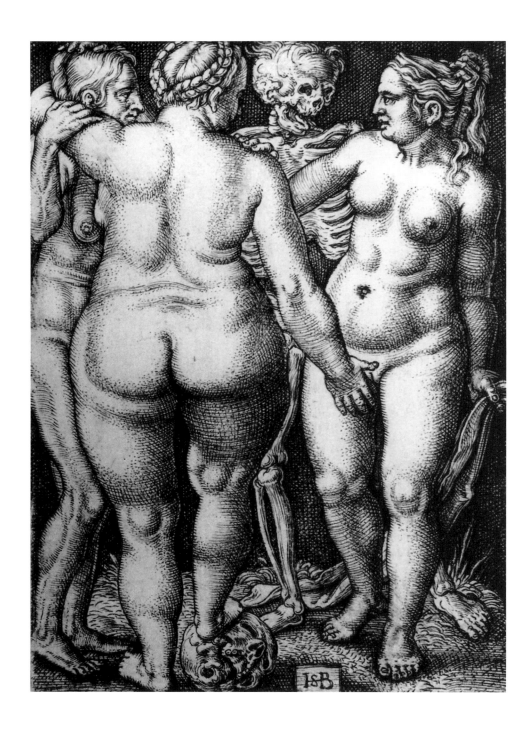

112 *Der Tod und die drei nackten Weiber*

Hans Sebald Beham (1500–1550)
1. Hälfte des 16. Jahrhunderts

Kupferstich

750 x 550 mm (Blatt beschnitten),
monogrammiert in der Platte

Graphiksammlung „Mensch und Tod" der Heinrich-Heine-Universität, Düsseldorf
INV. NR. E 0027.

Das Motiv stammt ursprünglich von Barthel Beham. Nach dem Tod seines Bruders hat Hans Sebald Beham dessen Platte überstochen und mit seinem Monogramm versehen.

Auf dem Blatt sind drei Frauen sowie ein Skelett zu erkennen. Am rechten Rand steht die offensichtlich jüngste der drei Frauen mit dem Betrachter zugewandten Körper, das Gesicht im linksseitigen Profil. Sie ist von schlanker Statur, ihre langen Haare sind zu einem lockeren Zopf zusammengefasst. Links neben ihr ist die zweite Frau nur von der Rückseite zu sehen. Ihr fülliger Körper nimmt nahezu die Hälfte der Bildfläche ein. Ihre Beleibtheit und die zu einem Kranz geflochtenen Haare deuten auf ein mittleres Alter hin. Mit dem rechten Fuß steht sie auf einem Totenschädel. Ihre rechte Hand scheint in den Schambereich der jüngsten Frau zu greifen, während sie ihren linken Arm um den Hals der dritten Frau links neben ihr schlingt. Deren ausgemergelter Körper und die hängenden Brüste weisen auf ein fortgeschrittenes Alter hin. Ihr rechter Arm umschließt den der Frau im mittleren Lebensalter. Durch die Verschränkung der Arme und die Körperstellung der Figuren entsteht der Eindruck eines Kreises, der geschlossen wird durch das Skelett im Hintergrund, dessen Profil sich der jüngsten Frau zuwendet und diese sowie die Greisin am Schopfe packt.

Der Tod wird als viertes und letztes Glied des (Lebens-)Kreises betrachtet. Er weist auf die Hinfälligkeit des irdischen Lebens hin. Durch die Gegenüberstellung mit den schönen, erotischen Frauen wird diese Mahnung umso deutlicher wahrgenommen. Der schamlose Griff in den Genitalbereich der jüngsten Frau muss mit einer eindeutig unzüchtigen Handlung assoziiert werden.

Die Ausführung als Kupferstich lässt auf eine relativ große Verbreitung des Blattes schließen, da die dem Kupferstich zugrunde liegende Technik zum massenhaften Abdruck auf Papier befähigte (Schmidt 2000, S. 69). Die Blätter wurden auf Messen und Märkten entweder einzeln verkauft oder in Büchern gebunden, so dass der Kupferstich Einzug in Privathaushalte hielt. Da das vorliegende Blatt beschnitten ist, ist es wahrscheinlich, dass es aus einem Buch stammt.

NK

LITERATUR Hollstein 1954; Choisy 1962; LoDuca 1968; Gert Von der Osten und Horst Vey, *Painting and sculpture in Germany and the Netherlands 1500 to 1600,* Harmondsworth 1969; Pauli 1974; Zschelletzschky 1975; Eckart 1983; Sears 1986; Schuster 1989; Wollgast 1992; Peter Schmidt, Bildgebrauch und Frömmigkeitspraxis. Bemerkungen zur Benutzung früher Druckgraphiken, in: Frank Matthias Kammel (Hg.), *Spiegel der Seligkeit. Privates Bild und Frömmigkeit im Spätmittelalter,* Nürnberg 2000, S. 69–79.

VANITAS

Es ist alles Eitel

Dv sihst / wohin du sihst nur Eitelkeit auff Erden.

Was diser heute baut / reist jener morgen ein:

Wo itzund Städte stehn / wird eine Wisen seyn /

Auff der ein Schäfers-Kind wird spilen mit den Herden:

Was itzund prächtig blüht / sol bald zutretten werden

Was itzt so pocht und trotzt ist Morgen Asch und Bein /

Nichts ist / das ewig sey / kein Ertz / kein Marmorstein.

Itzt lacht das Glück uns an / bald donnern die Beschwerden.

Der hohen Thaten Ruhm muß wie ein Traum vergehn.

Soll denn das Spil der Zeit / der leichte Mensch bestehn?

Ach! was ist alles diß / was wir vor köstlich achten /

Als schlechte Nichtikeit / als Schatten/ Staub und Wind;

Als eine Wisen-Blum / die man nicht wider find't.

Noch will was Ewig ist / kein einig Mensch betrachten!

Andreas Gryphius (1616–1664)

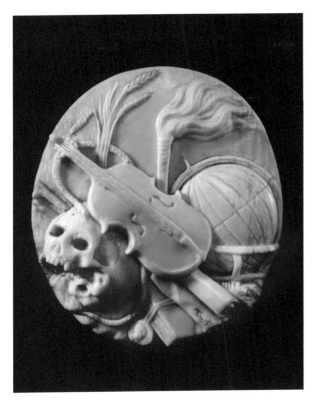

Allegorische Darstellung auf Vergänglichkeit 113
und Nachruhm

Theophilus Wilhelm Freese (um 1696–1763),
2. Viertel des 18. Jahrhunderts (um 1730?)

Hochovales Relief aus gelblichem, stellenweise vergilbtem, rückseitig grauem Elfenbein

Höhe 59 mm, Breite 49 mm

Sammlung Reiner Winkler

Allegorische Darstellung auf die Vergänglichkeit 114
(und ein Leben nach dem Tod)

Theophilus Wilhelm Freese (um 1696–1763),
2. Viertel des 18. Jahrhunderts (um 1730?)

Hochovales Relief aus gelblichem, stellenweise
vergilbtem, rückseitig grauem Elfenbein

Höhe 60 mm, Breite 46 mm

Sammlung Reiner Winkler

Theophilus Wilhelm Freese (auch Friese oder Frese) gilt als Hauptmeister des Rokoko in Bremen. Er war ein Sohn des Regimentspfeifers und „Pietschierstechers" Wilhelm Freese (gest. 1744), bei dem er zunächst auch in die Lehre ging, bevor er ein Schüler des Bildhauers Johann Mentz wurde. Eine Studienreise nach Italien ist nicht bestätigt, aber gilt als wahrscheinlich. 1727 versuchte Freese vom Bremer Senat die Freimeisterschaft zu erlangen, bekam sie aber erst 1730. Trotzdem musste er 1732 als Mitglied im Amt der Steinhauer beitreten, um Gesellen aufnehmen und auch dekorative Arbeiten ausführen zu dürfen.

114a

In diesem kleinformatigen Bildwerk aus Elfenbein (Kat. Nr. 113) sind verschiedene Gegenstände dicht gedrängt über- und hintereinander angeordnet. Links ein Totenschädel, um den sich von unten nach oben eine dünne Schlange windet; ihr Kopf liegt an der Stirnfläche und scheint in sie hineinzubeißen (Theuerkauff 1994, S. 36). Hinter dem Totenschädel sind Knochenteile zu erkennen, und aus dem Schädel wächst ein Ährenbündel. In der Mitte erscheint diagonal von links oben nach rechts unten eine Geige. Dahinter steht

eine brennende Fackel, deren Flammen und Rauch nach rechts wehen. Am unteren Rand ist ein geschlossenes Buch sichtbar, auf dem eine nur wenig entrollte Schriftrolle mit einem Siegel liegt. Auf dieser Schriftrolle befindet sich auch das Monogramm des Künstlers „T.W.F.". Rechts ist ein Globus zu sehen.

Die Komposition des zweiten hochovalen Reliefs (Kat. Nr. 114) ist großzügiger angelegt. Aus der aufgebrochenen Kieferhöhle des – nach rechts blickenden – Totenschädels ragt ein Knochen hervor, in den eine dünne Schlange beißt. Links ringelt sich eine zweite Schlange um eine Sanduhr. „Mit der sind zwei Flügel verbunden, der eines Vogels und der einer Fledermaus" (Theuerkauff 1994, S. 38). Davor liegt ein Knochen und eine kleine Eidechse. Dem Schädel entwächst ein Ährenbündel, das von einer Sense flankiert wird. Rechts hinter dem Schädel erscheint eine flackernde Kerze.

In beiden Reliefs hat Freese häufig verwendete Motive der *Vanitas*-Stillleben eingefügt (Henkel/ Schöne 1978, Sp. 100, 1367, 1342f.). Die brennende Fackel symbolisiert das Licht des Lebens, das leicht auslöschbar ist, während die aus dem Totenschädel wachsenden Ähren für die Auferstehung nach dem Tod stehen. Als Attribut des Todes gilt die Sense. Die Geige – wie Musikinstrumente im allgemeinen – verweist auf die Flüchtigkeit der Musik. Die Schlangen korrespondieren als Symbol der Vergänglichkeit. Sie können auch als Zeit und Schicksal verstanden werden, da sich die eine um die Sanduhr windet und die andere in den Totenkopf kriecht (Elfenbein 2001, S. 44).

All diese Motive, wie auch einige, die hier nicht dargestellt wurden, z.B. der Spiegel, sind schon aus der Malerei und Graphik seit dem 17. Jahrhundert bekannt. In der holländischen Stilllebenmalerei des 17. Jahrhunderts (Stillleben in Europa 1980, S. 191ff.), von der Freese stark beeinflusst wurde, findet man solche Darstellungen, die an die Vergänglichkeit und an die Nichtigkeit des irdischen Lebens nach dem Tod erinnern. Freeses Reliefs zeigen also nicht nur Hinweise auf die Nichtigkeit und die Vergänglichkeit, sondern auch Sinnbilder für die Überwindung des Todes mit der Hoffnung und Gewissheit auf ein neues Leben sowie das Fortbestehen menschlicher Leistungen im Nachruhm (Buch, Globus). Die Reliefs sind typische Kunstkammergegenstände. Eine ähnliche Vanitas-Darstellung von Freese befindet sich im St. Annen-Museum in Lübeck (Abb. 114a; Rasmussen 1977, S. 564ff.). Auch auf diesem feinteilig gearbeiteten, stilllebenhaften Relief finden sich zahlreiche Hinweise auf die Nichtigkeit und Vergänglichkeit des menschlichen Lebens. Dicht gedrängt werden Gegenstände wie Totenschädel, Bücher und Schriftrollen sowie Musikinstrumente über- und hintereinander gezeigt. Gleichzeitig finden sich hier ein Helm, ein Panzer, ein Urnengrabmal und eine Grabpyramide. Ergänzt wird die Komposition durch die Figur eines nackten alten Mannes in der Pose des Herkules Farnese. Sie spielt auf die Vergänglichkeit der Jugend und Kraft an. EK

LITERATUR Scherer 1897; A. Schröder, Theophilus Wilhelm Freese als Elfenbeinplastiker, in: *Niedersachsen* 8 (1926), S. 657–662; von Philippovich 1961; Rasmussen 1977; Henkel / Schöne 1978; Stillleben in Europa 1980; Theuerkauff 1986; Hegemann 1988; Harald Olbrich (Hg.), Lexikon der Kunst, Leipzig 1994; *Lexikon der Kunst, Architektur, Bildende Kunst, angewandte Kunst, Industrieformgestaltung, Kunsttheorie*, Bd. 12, Leipzig 1994; Theuerkauff 1994; Johannes Jahn, *Wörterbuch der Kunst*, Stuttgart 1995; Jane Turner (Hg.), *The Dictionary of Art*, New York 1996; Hartmann 1999; Elfenbein 2001; Andreas Klimt (Hg.), *Sauer, Allgemeines Künstler Lexikon*, Bd. 44, München / Leipzig 2005.

Frau Welt 115

Frankreich (?)

2. Drittel des 19. Jahrhunderts

Elfenbein

Höhe 210 mm, Sockel 66 mm x 78 mm

Deutsches Elfenbeinmuseum, Erbach

INV. NR. 1539

Die Figurengruppe steht auf einem achteckigen, profilierten Sockel. Die dargestellte Frauenfigur ist bis auf einen kleinen Schleier auf dem Hinterkopf, der über die rechte Schulter fällt, pantinenartigen Schuhen und einem Tuch, das sich von links um ihren Körper windet und das sie mit der rechten Hand vor Bauch und Scham hält, nackt. In der linken Hand hält sie eine Rose. Auffällig ist die Frisur: sie trägt die Haare unter dem Schleier offen, die hohe Stirn mit dem weit oben ansetzenden Haaransatz folgt einem Schönheitsideal der Renaissance. Rücken an Rücken mit der Frauendarstellung steht ein Skelett, dessen Körper von einem Tuch, das über die linke Schulter nach vorne fällt und unter der rechten Achsel über den rechten Arm gezogen wird, verdeckt wird. Eindeutig zu erkennen ist nur ein stilisiert gearbeiteter Teil des Brustkorbes sowie die Beine, um die sich Schlangen winden. Durch den Unterkiefer schlängelt sich eine Eidechse, deren Schwanz in die Kehle hinunterhängt und deren Kopf durch die Zahnreihen zu sehen ist. Auch auf dem Kopf des Skelettes finden sich drei eidechsenartige Tiere.

Anscheinend fehlt ein Zepter oder Stab in der rechten Hand des Skeletts. Um die Doppelfigur herum sind drei Tiere – Affe, Hund, und Löwe – sowie ein Fabelwesen, ein Drache mit Totenkopf, versammelt.

Das Schaustück dient der täglichen Erinnerung an die Vergänglichkeit alles Irdischen und soll den Betrachter dazu anhalten, ein Leben in Tugend und Sittsamkeit zu führen.

Das Motiv der *Frau Welt* verkörpert die verderbenbringende Sinnlichkeit. Diese Deutung wird noch unterstrichen durch die Tiere, die sie umgeben. Äffchen und Hund treten häufig im Zusammenhang mit erotischen Szenen auf und verweisen auf die triebhafte Begierde und menschliches Fehlverhalten (Glanz 2005, S. 58). Der Löwe kann sowohl als Machtsymbol als auch als Verkörperung des Bösen betrachtet werden. In der christlichen Ikonographie wird er daher von Christus zertreten. *Frau Welt* offenbart ihre wahre Natur nur dem, der ihre Rückseite zu Gesicht bekommt, also ,hinter die Dinge' schauen kann. Meist handelt es sich hierbei um Darstellungen, die sich – in Stein

gehauen – an Kirchenportalen finden. Als bekannteste Beispiele können hier die Portalplastiken an den Münstern von Basel sowie Freiburg und Worms genannt werden, die alle aus dem Hochmittelalter stammen.

Bereits Walther von der Vogelweide (um 1170 – um 1230) befasst sich mit dem Thema, er widmet Frau Welt ein Gedicht, in dem es heißt „Frau Welt, ich hab zu lang an Deiner Brust gelegen, ich will mich entwöhnen…Als ich Dir gerade ins Gesicht sah, da war Deine Schönheit wunderbar anzusehen…Doch war des Schändlichen so viel, als ich Dich von rückwärts

erblickte." (Wapnewski 1998, S. 103) Das Objekt ist – ebenso wie das sehr ähnliche Exemplar im Besitz der staatlichen Museen Berlin (Inv. Nr. 8554) – bislang nicht genau datiert. Es wird angenommen, dass es sich in beiden Fällen um Nachbildungen aus dem 19. Jahrhundert handelt.   IGB

LITERATUR Engelbert Kirschbaum (Hg.), *Lexikon der christlichen Ikonographie,* Band 1–3, Freiburg i. B. 1968; Theuerkauff 1986; Hegemann 1988; Wapnewski 1998; Katharina Anna Glanz, De arte honeste amandi – Studien zur Ikonographie der höfischen Liebe, unveröffentl. Diss. Universität Jena 2005.

Frau Welt   116

Deutschland
wohl 19. Jahrhundert

Elfenbein

Höhe ohne Sockel 130 mm

Olbricht Collection, Essen
Inv. Nr. ANO-MM 061

Die kleine Doppelstatuette aus Elfenbein besteht aus zwei Figuren. Der skelettförmige Tod erscheint hier im Zustand der Verwesung. Sein Körper ist mit Würmern, Schlangen und Kröten bedeckt. Das Skelett steht frontal und hält in seinen Händen einen Stab, den es gegen seine linke Schulter stemmt (wohl Reste einer Sense). Ein Leichentuch fällt über seine rechte Schulter den Rücken entlang und endet über seinem linken Bein. Ein kleiner Hund spingt an ihm hoch und stützt sich auf sein linkes Bein. An seinen Rücken gelehnt ist eine Frau. Ihre Körperhaltung sowie die Position ihrer Hände entsprechen der des Todes. Die junge Frau wird fast nackt dargestellt. Ein Tuch fällt von ihrem Kopf über die rechte Schulter nach vorn. Sie hält es mit der rechten Hand vor Bauch und Scham. In der linken Hand hält sie eine Blume, die als Sinnbild der Weltfreude und ihrer Vergänglichkeit zu verstehen ist. An den Füßen trägt die junge Frau pantoffel- oder pantinenartige Schuhe (Theuerkauff 1986, S. 335–341). Das Gesicht der Frau ist oval, die Haare sind nach hinten gekämmt und vom Tuch bedeckt. Den Blick hat sie gesenkt und die Lippen zusammengekniffen.

Der Typus der *Frau Welt* stammt aus der gelehrten Vermittlung der antiken Tradition. Anders als im Lateinischen, wo der Begriff *Mundus* männlich ist, begegnet im deutschsprachigen Raum – wohl erstmals bei Walther von der Vogelweide (um 1170 – um 1230; vgl. Kat. Nr. 115) – die Frau Welt, entprechend dem femininen Artikel in der deutschen Sprache. Damit einher geht auch eine negative Konnotation dieser Allegorie, die bis ins 17. Jahrhundert nachgewiesen ist (Stammler 1959, S. 22–35). *Frau Welt* wird als Verführerin und Sinnbild der *Voluptas* geschildert, die mit ihren Reizen die Menschen lockt und sie von ihrer Verantwortung gegenüber Gott und ihren Mitmenschen abhält. Die Verwesungsmerkmale am Knochenkörper des Todes sowie die Würmer, Schlangen und Kröten unterstreichen als Attribute der Verdamnis die Vergänglichkeit und die Sündhaftigkeit der Menschen. Der Hund, der am Bein des Todes steht, wird in diesem Zusammenhang auch als ein Sinnbild für das Böse verstanden.

Die Doppelstatuette wurde wohl im 19. Jahrhundert nach einem Vorbild des 16. Jahrhunderts erschaffen. Sie ist in gutem Zustand, jedoch ohne Sockel. Der Künstler hatte Schwierigkeiten, die richtigen Proportionen des menschlichen Körpers wiederzugeben.

Beide Figuren haben einen zu langen Oberkörper und kurze Beine.

Als Meditationsobjekt dient die *Frau Welt* der ständigen Mahnung an die Verlockungen der Welt. Durch die Darstellung des Todes an der Rückseite der jungen Frau wird die unmittelbare Folge der Verfehlungen drastisch vor Augen geführt.

Eine weitere Darstellung der *Frau Welt* befindet sich in Berlin. Es handelt sich um dasselbe Motiv einer Doppelstatuette mit Mädchen und Tod aus Elfenbein, wobei diese nach Frankreich lokalisiert und ins 19. Jahrhundert datiert wird. Die Kleinskulptur aus Berlin besteht ebenfalls aus zwei Hauptansichten und die Haltung der beiden Figuren sowie ihre Attribute (Schlangen, Kröten, Würmer, Tuch, Blume und Stab) sind identisch. Bei dieser Skulptur ist auch der achteckige Sockel, auf dem die Figuren stehen, erhalten. Unter jeder Figur befinden sich jeweils ein „Narr" mit Zepter oder Schwert und zwei Tiere (Affe, Hund, Löwe, Drachen). Sie verweisen auf Sebastian Brants *Narrenschiff* (Theuerkauff 1986, S. 335–341).   ET

LITERATUR Stammler 1959; Cushing 1962; Rosenfeld 1974; Ariés 1980; Theuerkauff 1986; Zauber der Medusa 1987; Hegemann 1988.

117 *Handtuchhalter*

17. Jahrhundert

Holz, farbig gefasst

Höhe 480 mm, Breite 400 mm

Tiroler Volkskundemuseum, Innsbruck
INV. NR. F. 289

Der Handtuchhalter hat die Form einer geteilten Büste mit angewinkelten Armen, zwischen denen eine Stange als Aufhängung für das Handtuch dient.

Er zeigt rechts eine schöne, junge Frau, und links ein Skelett. Die Frau trägt ein modisches Kleid, das für die Entstehung des Handtuchhalters im 17. Jahrhundert spricht, dazu eine Perlenkette und eine Krone sowie einen Perlenohrring. Sie ist wohlgenährt, wie der Ansatz eines Doppelkinns zeigt und schaut mit verlorenem Blick ins Nichts. Ihre vollen Lippen sind leicht aufgeworfen.

Die linke Hälfte der Büste wird von einem Skelett gebildet, das den Betrachter aus hohlem Auge anstarrt. Neben den Rippen sind die Armknochen zu sehen, die mumienhaft scheinen und um die sich bis hoch zum Schultergelenk eine Schlange zu winden scheint. Diese setzt gleichsam die üppige Halskette der jungen Frau in makabrer Weise fort.

Es handelt sich bei dem Objekt um einen Gebrauchsgegenstand des täglichen Lebens, der vermutlich in der
Nähe einer Waschschüssel angebracht war. Die
Darstellung sollte den Benutzer darauf hinweisen, dass
alles, vor allem aber Jugend, Schönheit und Prunk vergänglich sind und so dazu beitragen, dass er sich seiner
eigenen Vergänglichkeit bewusst wurde und auch
blieb. Diese Mahnfunktion geht auf mittelalterliches
Gedankengut zurück, in dem die Vanitas, das
Bewusstsein über die Vergänglichkeit alles Irdischen,
ein täglicher Gedanke war. Im Hinblick auf die Datie-

rung des Objektes kommt aber auch noch eine andere
Funktionsmöglichkeit in Betracht: Im 17. Jahrhundert
wird erstmals die Wichtigkeit der Hygiene erkannt
und die Ärzte jener Zeit entdecken, dass Unsauberkeit
einer der Gründe für die verheerenden Epidemien war,
die immer wieder grassierten. Zum Verdruss der
damaligen Mediziner, die sich mit der Erforschung der
Ursachen von Krankheiten befassten, war es aber
üblich, eher die Folgen denn die Ursachen zu behan-
deln. Wasser galt als ungesund, waschen an sich war
verpönt, lieber übertünchte man den eigenen Geruch

mit Parfums und starken Duftölen. Im Gegensatz zum Mittelalter war Körperhygiene, besonders das Baden, nicht gesellschaftsfähig. Gab es im Mittelalter noch die Tradition des Badehauses, das für jedermann zugänglich war, sofern er nicht offensichtlich an einer ansteckenden Krankheit litt, so entwickelte sich in der Neuzeit eine regelrechte Abneigung gegen die Badekultur. Das kann sowohl mit der strengen Sittenregelung in Zusammenhang gebracht werden, als auch mit der Zunahme von Geschlechtskrankheiten, für die man die öffentlichen Badehäuser mit ihren lockeren Sitten verantwortlich machte. Die Kirche unterstütze die Abneigung gegen Körperhygiene mit verschiedenen Heiligenlegenden, um ihre Moralvorstellungen zu festigen und in die Gesellschaft zu integrieren. So galt es als besonders asketisch, dem Genuss des Bades zu widersagen, wie es schon der heilige Antonius getan haben soll, der seinen Körper nur mit Wasser in Berührung brachte um zu trinken oder aber

durch einen Bach zu waten. Der Handtuchhalter kann vor diesem Hintergrund verschiedenen anderen Deutungen zugeordnet werden. Zur Vanitas-Idee tritt auch eine medizinisch begründbare Warnung vor der Vernachlässigung der Körperpflege.

Im Museum Kurhaus Kleve befindet sich ein vergleichbares, aber wesentlich früheres Stück, das um 1540 datiert und dem Künstler Arnt van Tricht zugeschrieben wird. Hier umarmt ein Narr eine junge Frau, die ihre Reize deutlich zur Schau stellt.   IGB

LITERATUR Gisela Reineking von Bock, *Bäder, Duft und Seife, Kulturgeschichte der Hygiene,* Ausstellungsbegleitbuch des Kunstgewerbemuseums Köln, Köln 1976; Guido de Werd, Een handdoekrek door de Kalkarse beeldhouwer Arnt van Tricht (ca. 1540), in: *Antiek* XVI/1 (1981), S. 33–56; Himmel, Hölle, Fegefeuer 1994; Uwe Gross, Archäologische Beitrage zur Hygiene im Mittelalter und in der frühen Neuzeit, in: *Denkmalpflege in Baden-Württenberg* 24/3 (1995), S. 137–143.

118 *Medaille mit dem Porträt des Hans Asper (1499–1571) und einem Totenschädel*

Hans Jacob I Stampfer (1505–1579)
1540

Blei, gegossen, bemalt, gelocht

Durchmesser 43,2 mm

Schweizerisches Landesmuseum, Zürich
INV. NR. LM GU 2853

Die Medaille mit einem Durchmesser von 43,2 mm zeigt auf der Vorderseite das Profilbildnis des nach links blickenden Hans Asper, des Malers der Reformationszeit in Zürich. Er ist unbekleidet, das markante Profil wird durch den geraden Haarschnitt auf Höhe der Ohrläppchen und einen kurzen Bart zusätzlich betont. Schwarze Farbreste in Haar und Bart, der Fleischton des Inkarnats sowie Spuren von Rot und

Grün in Medaillengrund und Schriftband lassen die ursprüngliche Bemalung erahnen. (Zürcher Kunst 1981, S. 192). Aus der Inschrift geht hervor, dass das Brustbild den Maler im Alter von 41 Jahren abbildet: IMAGO IOANNIS ASPER PICTORIS ANNO AETATIS SUAE 41 *1540 (Bildnis des Malers Johannes Asper im Alter von 41 Jahren *1540). Auf der Rückseite tritt uns im Dreiviertelprofil nach rechts gewandt ein Toten-

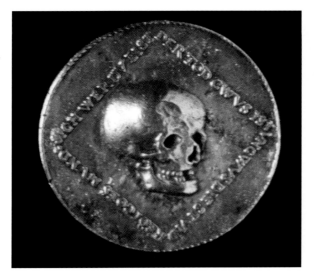

schädel plastisch entgegen; er wird gerahmt von einer Inschrift, die innerhalb der Medaille ein auf die Spitze gestelltes Quadrat beschreibt. Jeder Seite des Quadrats entspricht eine Zeile der im Flachreflief herausgearbeiteten Inschrift, die in der Mitte links beginnt: SICH WER DU BIST / DER TOD GWUS IST / UNGWUS DIE STUND / REDT GOTTES MUND. Die Rahmung zentriert den Blick des Betrachters auf den mit vielen anatomischen Details skulptierten Schädel, dessen Kalotte im Kontrast zu der kleinteiligen Buchstabenrahmung als beherrschende Fläche hervortritt.

Der Medaillenkunst widmete sich der Züricher Jacob Stampfer schon bald nach seiner Goldschmiedelehre; in Augsburg und Nürnberg, den Zentren der Medaillenkunst, eignete er sich weitere Kenntnisse in der Kunst des Stempelstechens. Stampfer war einer der ersten und zugleich bedeutendsten Medailleure im deutschsprachigen Raum. 1533 lässt er sich als Meister in Zürich nieder; bis in die 1540er Jahre entstehen eine Reihe Bildnismedaillen zeitgenössischer Züricher Persönlichkeiten. (Schwarz 1983, S. 455f.). Eine Medaille dient der Erinnerung an ein Ereignis oder an eine Person, es handelt sich also um eine Gedenkmedaille an Hans Asper, der zu jener Zeit in der Blüte seines Lebens stand. Doch verweist die Inschrift darauf, dass er sich seiner Vergänglichkeit bewusst war: „Sieh, wer du bist" ist eine Übertragung des *nosce te ipsum (erkenne dich selbst),* jener Lebensweisheit, die Erasmus von Rotterdam in seiner Sprichwörtersammlung ausdrücklich hervorhob, und auch die folgenden Worte

entstammen einer bekannten lateinischen Sentenz: *mors certa, hora incerta* (Himmel, Hölle, Fegefeuer 1994, S. 179). Das Motiv des Totenschädels auf Reversseiten von Medaillen tauchte in Italien bereits vor der Jahrhundertwende auf; hier liegt auch der Ursprung für die Form der Vergänglichkeitsdarstellung, die nördlich der Alpen auf den Reversseiten eine viel größere Verbreitung erfahren hatte: diejenige des Putto mit Totenschädel, die zwischen 1532 und 1557 häufig zu finden ist (vgl. Kat. Nr. 124; Maué 2000, passim; Scher 1994, S. 102f.). Von Jan de Vos hat sich eine Silbermedaille aus dem Jahre 1612 erhalten, die eine Skelettbüste als Pendant zu einer Frauenbüste zeigt (Scher 1994, S. 299). Stampfer goss die Medaille vermutlich als Gegenleistung für das von Hans Asper 1540 gemalte Porträt seines alten Vaters Hans Ulrich Stampfer (Zürcher Kunst 1981, S. 192).   AHE

LITERATUR *Zürcher Kunst nach der Reformation. Hans Asper und seine Zeit,* Ausst. Kat. Helmhaus Zürich, Zürich 1981; Dietrich Schwarz, Zürcher Medailleure, in: E. M. Lösel (Hg.), *Zürcher Goldschmiedekunst,* Zürich 1983, S. 455ff.; Himmel, Hölle, Fegefeuer 1994; Scher 1994; Hermann Maué, Classical Subjects on Erzgebirge Medals, in: Stephen K. Scher (Hg.), *Perspectives on the Renaissance Medal,* New York 2000, S. 201–219.

Munde Paris tibi Vanus eram nunc offeror umbra.
Luciferaque comes gloria nostra perit.
Ein feder Alamodo Hanß war ich der Welt ein Gott verquant
Mit Luciferiert aber soll In Todt ins grab in Hollen Quall

En Alamodo Helenam ditenq Leuem q Superbam
Ossea Iudicium quod feret ista notr bes?
D Alamodo Helena Laichfertig reich stolz wie ein Pfow
Gedenck an Gottes Gericht behend So wirstu han ein gutes end:

119 Der Tod als Kavalier und als modische Dame

Köln
um 1630

Zwei Kupferstiche auf einem Blatt (beschnitten)

248 x 364 mm (Blatt), etwa 248 x 148 mm (Stich)

Graphiksammlung „Mensch und Tod" der Heinrich-Heine Universität, Düsseldorf
Inv. Nr. E 0753.

Bezeichnet im ersten Stich unten Mitte
„Gerhardt Altzenbach excudit."

Das aus dem bekannten Kölner Verlag des Kupferstich-
druckers und -händlers Gerhard Altzenbach (nachweisbar 1609–1674) stammende Blatt mit zwei Stichen eines
unbekannten Künstlers war Bestandteil der ehemaligen
Berliner Sammlung Block, die 1976 für die Graphiksammlung der Heinrich-Heine Universität Düsseldorf
erworben wurde.

Die beiden hochformatigen Kupferstiche zeigen
je ein in kostbare Kleider gehülltes Skelett. In stolzer,
eleganter Pose wenden sie sich als weibliches und
männliches Pendant einander zu. Der Herr wird im
oberen Bildteil von einer Darstellung des Engelsturzes,
die Dame von einer Szene des Jüngsten Gerichtes hinterfangen. Zusätzlich sind schemenhaft angedeutete

Begräbnisszenerien auf einem Friedhof beziehungsweise auf einem Kirchplatz zu erkennen. Beide Szenerien werden von Versen in lateinischer und deutscher Sprache erläutert, die am Bildgrund in verzierten Kartuschen zu lesen sind: „Ein feder-Alamodo-Hanß war ich der Welt ein Gott verquantz/mit Lucifer jetzt aber fall, Im Todt ins Grab, in Höllen Quall" (links) und „O Allamodo Hellena Leichtfertig, reich stolz wie ein Phow, / Bedenck an Gottes Gericht behendt, So wirstu han ein gutes endt" (rechts).

Die von den beiden Skeletten getragenen üppigen Kleider entsprechen der höfischen französischen Mode, die im Zuge des Dreißigjährigen Krieges in Deutschland eingeführt und als *Alamode* bezeichnet wurde: Zum breitkrempigen straußenfederbesetzten Hut ist das männliche Gerippe in eine Schaube gekleidet, einen kniekurzen, gefalteten Mantel, unter dem ein zweigeteiltes kurzes Wams und die gerüschten Ärmel seines Hemdes sichtbar werden. Ein flacher Spitzenkragen, die bis auf die Knie fallenden weiten Hosen, sowie Stiefel mit breitem Schaft und Sporen runden die äußere Erscheinung eines barocken Kavaliers ab.

Durch typische Elemente der französischen Damenmode zeichnet sich auch die Kleidung des weiblichen Gegenparts aus. Charakteristisch sind dafür die bodenlange, weich fallende Robe mit hüftenbetonendem Rock und massigen Ärmeln, der weitdekolletierte Spitzenkragen, ein spitzenbesetztes Mieder und der in Händen gehaltene Federfächer. Als Träger dieser prunkvollen neuesten Modeerscheinungen werden die abgebildeten Figuren des Hochmuts und der Eitelkeit beschuldigt. Übermäßig verzierte Kleidung wurde als die Todsünde der Hoffart, der Superbia, angeprangert, die sich über alle Konventionen und Gesetze erhebt und in der mittelalterlichen Moraltheologie zur „Wurzel allen Übels" erklärt wurde (Schöller 1995, S. 17). Die Darstellungen von Engelsturz und Jüngstem Gericht - die Anfang und Ende der Herrschaft der Sünde auf Erden versinnbildlichen – sowie die Texte in den Kartuschen führen in drastischer Weise die Folgen eines an äußeren Werten orientierten Verhaltens vor Augen (Langemeyer 1984, S. 281f.). Dass dem modischen Kavalier und seiner weiblichen Gefährtin vorgeworfen wird, nicht die

eigene Vergänglichkeit und die aller weltlichen Güter zu bedenken, sondern sich mit letzteren in überschwänglicher Weise zu schmücken, wird durch die Begräbnisszenen im Hintergrund und den davor postierten Prunkgegenständen noch betont. Dabei handelt es sich um *Vanitas*-Symbole: Musikinstrumente und zerbrochene Krüge sind Zeichen der vergänglichen Sinnesfreude. Mannigfaltig erscheinen die Symbole für materielle Besitztümer und Insignien der Macht wie Krone, Waffen, Geldsäckchen, Wappenschilder und kostbare Gefäße (Sterling 1985, S. 49f.). Ergänzt werden diese durch den Spiegel als Attribut der Eitelkeit *(Vanitas)*. Die als extrem wertvoll angesehene Tulpe, die in den Händen beider Skelette verwelkt, ist einerseits auf Grund ihrer kurzen Blütezeit ein Hinweis auf die begrenzte Lebensdauer und Fragilität des Menschen, andererseits verweist sie auf die Scheinhaftigkeit materieller Güter, im Gegensatz zu den als dauerhaft propagierten christlichen Tugenden (Olbrich 1994, S. 552).

Schon lange wurden auffällige Modeerscheinungen als ein „Machwerk des Teufels" (Langemeyer 1984, S. 280) beklagt und in Wort und Bild verhöhnt. Die Anfänge dieser Tradition reichen bis in die Gotik zurück (Luijten 1996, S. 147). In der sogenannten *Alamode*-Kritik, deren Frühphase zwischen 1600 und 1650 anzusiedeln ist und in deren Kontext das beschriebene Blatt zu verorten ist (Badelt 1996, S. 9), kulminiert dann die Anklage gegen Modenarren aus höfischen und städtischen Kreisen. Neben der Veröffentlichung *Alamode*-kritischer Texte in Form von Erbauungsliteratur, kursierten zahlreiche Flugblätter, die anhand satirischer Illustrationen das *„alamodische Wesen"* karikierten (Badelt 1996, S. 9ff.). Bernadette Schöller sieht die Entstehung des Stiches im Kontext dieser satirischen Flugblätter, die in Deutschland gegen Ende der 1620er Jahre verbreitet wurden. Sie datiert das Blatt daher zwischen 1626 und 1630 (Schöller 1995, S. 17).

In dem 1989 erschienenen Bestandskatalog der Graphiksammlung *Mensch und Tod* wurde das Blatt um 1650 datiert in Analogie zu einem ähnlichen Stich aus dem Germanischen Nationalmuseum in Nürnberg mit dem Titel *Schnöder Stutzer und Freche Venusdame* (Abb. 119a), der um 1650 entstanden sein soll.

Die abgebildete Mode auf den Nürnberger Stichen weist jedoch signifikante Unterschiede zu den Kleidern auf, die auf dem Kölner Blatt zu sehen sind. Entsprechen die oben ausführlich beschriebenen Kleidungsstücke eindeutig denen eines Kavaliers und seiner Dame um 1630 (Koch-Mertens 2000, S. 265), so ist bei der Mode auf den Nürnberger Stichen der Einfluss der Hofmode Ludwigs XIV. (ab 1643, gest. 1715) schon deutlich sichtbar. Sowohl der lange mit Knöpfen besetzte Überrock, die weite gebundene Kniehose, die Halbschuhe mit Absatz des Mannes und der bauschig in die Höhe geraffte Rock der Frau, als auch die lockigen Perücken beider, weisen auf eine fundamentale Veränderung in der Mode hin, die sich erst mit der Machtübernahme Ludwigs XIV. vollzog (Lehner 1984, S. 142 ff.). Sind also durchaus motivische Parallelen zwischen den Nürnberger und den Kölner Stichen vorhanden, so ist jedoch bei der abgebildeten Mode eine enorme Wandlung zu beobachten. Die Darstellungen können demnach nicht gleichzeitig entstanden sein. Die Kleidungsdetails liefern eindeutige Hinweise, dass die Düsseldorfer Stiche bereits um 1630 zu datieren sind.   SWe

LITERATUR Krudewig 1911; Wolfgang Bruhn, Art. ‚à la mode‘, in: *Reallexikon zur Deutschen Kunstgeschichte,* hg. von Otto Schmitt, Band 1, Stuttgart 1937, S. 324–327; Wäscher 1953; Coupe 1966–67; Henkel/Schöne 1978; Bilder und Tänze des Todes 1982; Totentänze aus sechs Jahrhunderten 1982; Langemeyer 1984; Lehner 1984; Sterling 1985; Schuster 1989; Schilling 1990; Schöller 1992; Harald Olbrich (Hg.), *Lexikon der Kunst,* Leipzig 1994; Schöller 1995; Badelt 1996; Ger Luijten, Frills and furbelows: satires on fashion and pride around 1600, in: *Simiolus* 1996, S. 140–160; Koch-Mertens 2000; Totentanz 2001.

120 *Die Jugend und das Alter*

Matthäus Greuter (1564/1566–1638)
Anfang des 17. Jahrhunderts

Kupferstich

188 x 260 mm

Graphiksammlung „Mensch und Tod" der Heinrich-Heine-Universität, Düsseldorf
INV. NR. E 0214.

„Erheb dich nit deinr schönen gstalt. Denck das du auch wirst heßlich alt." Diese im Arkadenzwickel des Kupferstiches von Matthäus Greuter angebrachte Inschrift fasst die moralische Quintessenz der Darstellung sinnfällig zusammen. Das Blatt – in der Platte mit „M. Geut=ter fec." und auf dem Postament einer Säule mit „ICV. exc." bezeichnet – ist leicht beschnitten.

Jugend und Alter stehen in diesem Stich kontrastierend nebeneinander. Zwei Paare, getrennt durch eine Säulenarkatur, symbolisieren die beiden Lebensalter. Die Arkaden sind überschrieben mit „Die Jugent. Juventus" beziehungsweise mit „Das Alter. Senectus".

Links sehen wir das Brustbild einer jungen Frau in prächtigem Gewand, den Körper leicht aus der Frontalen zur rechten Seite gedreht. Ihren Kopf wendet sie nach rechts einem ebenfalls reich gewandeten Mann mittleren Alters zu. Er steht unmittelbar hinter ihr und nähert sich mit seinem Kopf über ihre rechte Schulter dem ihrigen. Sie scheinen sich tief in die

Die Jugent. Juventus. Erheb dich nit deiner schönen gstalt. Denck, das du auch wirst hesslich allt. Das Alter. Senectus.

Augen zu blicken. In der linken Hand hält die junge Frau grazil eine Blüte, die ihr der Kavalier vielleicht als Geschenk mitgebracht hat. Seine rechte Hand kommt der ihren ganz nah.

Unter dem rechten Arkadenbogen befindet sich ein Paar in ähnlicher Pose, doch diesmal wird uns eine alte, hässliche Frau gezeigt. Mit der linken Hand muss sich die Greisin auf einen Stock stützen. Ihr abgemagerter Körper ist nach rechts gewendet, als blicke sie auf das junge Paar. Der Eindruck wird dadurch verstärkt, dass die Alte mit ihrem rechten Zeigefinger in die Richtung der beiden deutet. Die Augen wirken aber leer, so dass sich die Szene lediglich vor ihrem geistigen Auge abzuspielen scheint. Sie zeigt dem Gerippe ihre Vergangenheit, die Beischrift scheint ihre Worte wiederzugeben: „So war ich auch schön wolgestallt. Jetz bin ich runtzlig grau und allt. Verlassen blöd schwach und erkallt: der Todt mich bulen will mit gwallt." Als junge Frau konnte sie noch überheblich sagen: „Schön bin ich des rüehm ich mich. Holdselig zart jung. Adenlich kein alter mann erwirbet mich ein

junges hertz erfreue ich." Doch jetzt wendet sich der Tod ihr zu, wie einst der Kavalier. Der Knochenmann, mit modischem Hut und Kragen, steht in ganz ähnlicher Haltung wie sein formales Pendant und berührt mit der rechten Hand die Kette der alten Frau aus sich windenden Schlangen und Knochen. Eine weitere Inschrift in lateinischer Sprache in der unteren Blattmitte erklärt dem Betrachter zusätzlich die Darstellung: „FORMOSA MODO ERAT QUAE VETULA IAM HIC STAT." (Eine Schöne war (sie) gerade noch, die hier nun als Alte (da)steht).

Matthäus Greuter gilt in vieler Hinsicht als bedeutender Künstler, und dennoch fehlt bis heute eine monographische Bearbeitung seines Oeuvres und vor allem ein kritisches Werkverzeichnis. Viele Zuschreibungen an Greuter sind umstritten, auch weil sein Schaffen starke stilistische Unterschiede aufweist. In seiner Frühzeit zeigt er den deutlichen Einfluss der Niederländer (vgl. Wyss 2000, S. 369), wohingegen er sich in seiner Zeit in Rom ab 1604, wo er auch 1638 stirbt, zu einem Manieristen wandelt. Greuter ist bis

1594 in Straßburg nachweisbar. Im selben Jahr geht er nach Lyon, ab 1603 ist er in Avignon tätig (Falk 1983, Bd. XII, S. 107 f.).

Der hier gezeigte Stich wird in der spärlichen Literatur zu Greuter nicht genannt. Es ergeben sich deshalb Probleme bei der zeitlichen und thematischen Einordnung dieses Werkes. Nur im Katalog *Das Bild vom Tod* findet sich die ungefähre Datierung auf den Anfang des 17. Jahrhunderts (Das Bild vom Tod 1992, S. 93). Der Stil des Stiches weist auf die voritalienische Zeit Greuters. Das Thema Tod nimmt nur einen ganz geringen Teil in Greuters Werk ein. Im weiteren Sinne ikonographisch vergleichbare Blätter sind zum einen die Petrarca-Illustrationen, hier die Blätter *Triumph des Todes und Triumph des Ruhms,* und zum anderen eine undatierte *Memento mori*-Darstellung, die einen Totenschädel zeigt. Die Petrarca-Stiche entstanden 1595 in Lyon, in einer Zeitspanne „[…] relating to Henry's [IV] conversion to Catholicism and to his wise governance, religious allegories, a series of Virtues and copies after Dürer's engraved *Passion*." (Wyss 2000, S. 348). Vielleicht wurde Greuter in diesem Zusammenhang zu der *Vanitas*-Darstellung inspiriert. Der konkrete Funktionszusammenhang des Stiches bleibt unklar, falls es überhaupt angemessen ist, eine solche Graphik funktional zu betrachten.

Kunsthistorisch gesehen vereinigt *Die Jugend und das Alter* von Greuter verschiedene Bildtraditionen und erweist sich damit als äußerst komplex: *Vanitas,* Lebensalterdarstellung, *Memento mori* und im weiteren Sinne auch ‚Tod und Mädchen'. Die Zuordnung zur *Vanitas*-Ikonographie lässt sich mit Döring gut begründen: „Der Kontrast von alt und jung war seit den Anfängen der Vanitasallegorie ihr wohl elementarstes, sinnfälligstes Motiv, das Themen verschiedenster Herkunft […], um eine unterschwellig wirkende Vergänglichkeitssymbolik bereichern konnte." (Döring 1993, S. 21).

Schmerzlich wird den Menschen die Vergänglichkeit vor Augen geführt. Einst war die Frau jung und schön, doch nun sagt sie: „Der Todt mich bulen will mit gwallt". Der Tod tritt hier an die alte Frau heran, wie man es sonst in den Darstellungen zu Tod und Mädchen sieht. Er schmiegt sich von hinten an ihre Seite und greift ihr ins Dekolleté.

Eine vergleichbare Motivik findet sich im Berner Totentanz: Eine junge Frau wird von hinten von einem Skelett mit Kopfschmuck umarmt, das ihr in den Ausschnitt greift (Abbildung im Beitrag von Urs Zahnd im Textband). Die formale Gestaltung des Blattes sowie den engen Bezug von Bild und Text, beschreibt Tanabe zu recht als emblematisch (Totentanz 2001, S. 241). Der Vergleich mit Emblemen erweist sich auch als sinnvoll, um die beiden wichtigsten Symbole der Graphik zu entschlüsseln: Die Schlangenkette und die Rose in der Hand der jungen Frau. Aus einem Emblem der Bildnissammlung des Théodore de Bèze erfahren wir, dass Schlangen die Begleiter Satans sind (Henkel/Schöne 1978, S. 644). Die Schlange verweist demnach nicht nur auf den Sündenfall, sondern auch auf den Höllenfürsten und damit indirekt auf das mögliche Schicksal eines Sünders. In der *Morosophie* des Guillaume de la Perrière verdichtet sich in der Rose die in Greuters Stich angestrebte moralische Aussage: „An einem Tag blüht und verwelkt die Rose, ihre Schönheit wird in kurzer Zeit zunichte. Das Alter auch, ohne lang zu rasten, furcht die früher straffe Haut." (zitiert nach Henkel/Schöne, 1978, S. 290).

SC

LITERATUR Jan Bialostocki, *Stil und Ikonographie. Studien zur Kunstwissenschaft,* Dresden 1965; Henkel/Schöne 1978; Tilman Falk (Hg.) und Friedrich Wilhelm Heinrich Hollstein (Begr.), *Hollstein's German engravings, etchings and woodcuts. Volume XII. Conrad Grale to Johann Georg Guttwein,* Amsterdam 1983; Schuster 1989; Das Bild vom Tod 1992; Thomas Döring, Bilder vom alten Menschen – Anmerkungen zu Themen, Funktionen, Ästhetik, in: *Bilder vom alten Menschen in der niederländischen und deutschen Kunst 1550–1750,* Braunschweig 1993, S. 17–36; Wyss 2000; Totentanz 2001; Scribner 2002.

Mortalia facta peribunt 121

Monogrammist M, Italien
Beginn 16. Jahrhundert

Kupferstich

350 x 246 mm (Blatt beschnitten)

Graphiksammlung „Mensch und Tod" der Heinrich-Heine Universität, Düsseldorf
Inv. Nr. E. 0411.

Inschrift am unteren rechten Bildrand
„MORTALIA FACTA PERIBVNT"; auf einer Tafel: „M"

Das 1976 aus der ehemaligen Berliner Sammlung Block für die Heinrich-Heine-Universität erworbene Blatt zeigt – zentral im Vordergrund stehend – eine nackte junge Frau, die fast in voller Höhe das hochrechteckige Bildformat einnimmt. Dem Betrachter präsentiert sie in aufreizender, offener Pose ihren kräftigen, muskulösen Körper, während sie selbst – rücklings den Kopf über die linke Schulter gedreht – versucht, den oberen Teil ihres Körpers in einem großen, hinter ihr angebrachten Spiegel zu betrachten. Um den Blick auf sich selbst richten zu können, hat die junge Schöne eine völlig unnatürliche, instabile

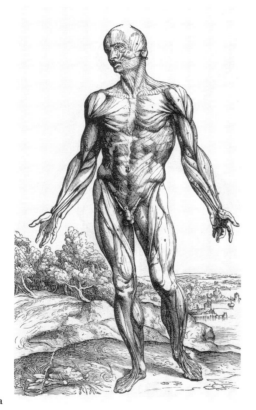

121 a

Haltung eingenommen: leichtfüßig tänzelnd, das Spielbein angewinkelt, überstreckt sie ihren Kopf in Richtung des Spiegels. In diesem wird, ausschnitthaft und inkorrekt konstruiert, die Reflexion des weiblichen Körpers sichtbar. Konzentriert und mit kontemplativem Ausdruck fixiert die Frau ihr Abbild, ohne dabei die sie umgebenden Geschehnisse und Gegenstände wahrzunehmen.

Aus den dunklen Tiefen der linken oberen Bildecke tritt unerwartet, in breiter Schrittstellung der Tod hinter einem Türausschnitt hervor und – wie auf eine Bühne – in die Szenerie herein. Ein Stundenglas

haltend, steht er als ausgezehrte, mumifizierte Gestalt in krassem Gegensatz zum plastisch modellierten Körper der jungen Schönheit. Die Szene wird ergänzt von einem aufgestellten, hölzernen Rad, welches – positioniert zwischen Tod und Frau – beide gleichermaßen voneinander trennt wie formal zusammenführt. Der am Boden liegende Flügel und das Rad der Fortuna versinnbildlichen den schnellen unbestimm baren Lauf des Schicksals. Zusammen mit Stundenglas und Spiegel fungieren die Bildelemente als Symbolträger der *Vanitas* und führen Vergänglichkeit und Unbeständigkeit der hier gezeigten körperlichen Reize – und somit die „Scheinhaftigkeit alles Sterblichen" – angesichts des Todes vor Augen (Zauber der Medusa 1987, S. 292). Die Inschrift „Mortalia facta peribunt" (Was Menschen tun, wird vergehen) verstärkt die Aussage dieses christlichen Warnbildes (Zauber der Medusa 1987, S. 274 ff.).

Unterhalb des Spiegels, in der rechten Bildecke verweist ein kleines Täfelchen mit dem Buchstaben „M" auf den Urheber des Stiches, jedoch herrscht in der Forschung bisher Uneinigkeit darüber, welcher Künstler sich hinter dem Monogrammisten M verbirgt. Als Stecher des Blattes wird Agostino Veneziano oder Benedetto Montagna vermutet (Steinmann 1926, S. 425; Bartsch 1813, S. 541; Nagler 1871, S. 452), während die Zeichnung Agostino dei Musi oder seiner Schule, Marcantonio Raimondi (Schuster 1989, S. 218) oder der Schule Michelangelos (Veca 1981, S. 212) zugeschrieben wird. Das „M" auf dem Täfelchen deuten die meisten Autoren als einen Hinweis auf Michelangelo, beziehungsweise auf eine Entstehung des Blattes in seinem Umfeld. Begründet wird diese Vermutung einerseits mit der Nähe der skulptural anmutenden weiblichen Figur mit Kopftuch zur Aurora der Medici-Gräber Michelangelos (Steinmann 1926, S. 425) sowie mit der Anregung zu einer solchen Gestaltung durch Michelangelos *Apollo* (Zauber der Medusa 1987, S. 292). Zwar findet sich das Motiv von weiblichem Akt – sich im Spiegel betrachtend – in Gegenüberstellung zu der Personifikation des Todes in Italien selten, nördlich der Alpen hingegen häufig, allerdings zeigt die Gestaltung des weiblichen Körpers markante Unterschiede zu derjenigen der nordalpinen Künstler. Nicht nur weist der anatomisch inkorrekte Aufbau der

Muskeln Ähnlichkeiten zu den männlichen Akten Pontormos auf (Zauber der Medusa 1987, S. 292), auch das starke wissenschaftliche Interesse an Aufbau und Anatomie des Menschen, welches sich zu Beginn des 16. Jahrhunderts in Italien – mit Padua als Zentrum – ausbreitet und in anatomischen Lehrbüchern seinen Niederschlag findet (Vollmuth 2004, S. 71), scheint in die Gestalt eingeflossen zu sein. Die analytischen männlichen ‚Muskelmenschen‘ des von Andreas Vesal verfassten und 1543 in Basel veröffentlichten Traktats *De humani corporis fabrica libri septem* (Abb. 121a; vgl. Kat. Nr. 78; Vollmuth 2004, S. 108) sind augenscheinlich vom Künstler studiert und in der Gestaltung umgesetzt worden. So manifestiert sich in der gleichermaßen aus männlichen und weiblichen Elementen wie aus anatomischen Einzelteilen zusammengefügten ‚Kompositfigur‘ das zeitgenössische Verständnis einer neuen Körperlichkeit und lädt das hier gezeigte Motiv mit neuer Intensität auf (Zauber der Medusa 1987, S. 274). Die schöne Frau mit Spiegel – seit dem Mittelalter als Allegorie der

Vanitas (Eitelkeit) zum Sinnbild der Sünde verdammt – erhält am Beginn der Neuzeit einen neuen Selbstwert. Sie gilt als Quelle der Schönheit und Mysterium der Verführung, die sich in der Bewusstwerdung durch ihr Spiegelbild gleichsam noch verstärkt (Melchior-Bonnet 2002, S. 212 f.). Kompositionell zentral im Bild angelegt, verschränkt die weibliche Figur genau diese ambivalenten Seiten in sich: nimmt die junge Frau nur sich selbst und die Reflexion ihrer körperlichen Reize wahr, so offenbart sich dem Betrachter –angezogen von denselben – mit einem Blick auch die vernichtende Kehrseite ihres Tuns.   SWe

LITERATUR Adam von Bartsch, *Le Peintre-Graveur: Les graveurs de l'école de Marc-Antoine Raimondi,* Bd. 15, Wien 1813; Le Blanc 1854–1859; Nagler 1871; Steinmann 1907; Mireur 1911–1912; Steinmann 1926; Gustav Friedrich Hartlaub, *Zauber des Spiegels: Geschichte und Bedeutung des Spiegels in der Kunst,* München 1951; Schwarz 1952; Pigler 1974; Eichenberg 1976; Schadewaldt 1978; Cox-Rearick 1981; Veca 1981; Vesal 1982; Zauber der Medusa 1987; Schuster 1989; Totentanz 2001; Ketelsen 2002; Melchior-Bonnet 2002; Vollmuth 2004.

Nonnenspiegel

Deutschland
18. Jahrhundert

Hinterglasmalerei

Höhe 350 mm, Breite 280 mm

Museum Schnütgen, Köln
INV. NR. M 280

122

Auf der Spiegelfläche sind die üblichen Attribute eines barocken *Vanitas*-Stilllebens platziert. Im Zentrum der Bildkomposition befindet sich ein großer Schädel ohne Unterkiefer mit zwei unter ihm liegenden gekreuzten Knochen. Diese menschlichen Überreste ruhen auf einem üppigen roten Kissen mit zwei Quasten an den Seiten. Darunter liegen übereinander ein Zettel mit zwei in gotischer Schrift verfassten Zeilen und ein transparentes Blatt mit der Darstellung eines seifenblasenden Putto. Auf dem Zettel steht: „Siehe mich an wie du wilt / ich bin doch dein eben bildt" – eine unverkennbare Aufforderung an jeden, der in diesen Spiegel schaut. Dieses Zitat stammt aus der „Legende der drei Lebenden und der drei Toten", die in der ganzen abendländischen Literatur verbreitet war. Das zum Teil den Zettel verdeckende, verkehrt liegende und mit dieser Lage noch ein wenig mehr zu dem rätselhaften Charakter der Darstellung beitragende Bild ist auf sehr zerbrechlicher, durchscheinender Fischblasenhaut gemalt (Benner 1999, S. 160). Durch die Beschaffenheit des Materials wird die allegorische Bildbedeutung noch zusätzlich unterstrichen. Die Seifenblasen, deren Dasein von sehr kurzer Dauer ist, versinnbildlichen die Flüchtigkeit des Augenblickes. Weitere Symbole der Vergänglichkeit sind um den Schädel verteilt: eine gerade eben erloschene Kerze mit der Rauchwolke, die das Aushauchen des letzten Atemzuges versinnbildlicht, eine Sanduhr und zwei verwelkte rosafarbene Blumen, die ihre Blütenblätter verlieren. Die mahnende Inschrift *Memento mori* verschriftlicht den Bildgedanken und fußt offenbar auf der literarischen Tradition des sprechenden Schädels. Künstlerisch hat das wohl in Deutschland entstandene Bild, das sehr laienhaft und schematisch gemalt ist, keinen hohen Wert und wird in das 18. Jahrhundert datiert.

Als Gebrauchsgegenstand, dessen eigentliche Anfänge bis in die Bronzezeit zurückreichen, bestand der Spiegel im Altertum aus Metall und erst seit römischer Zeit aus Glas. Mit der Christianisierung rückt die religiöse Deutung in den Vordergrund. Demnach schaut der Mensch im Spiegel entweder sich selbst an oder Gott und dessen Wirken.

Als Nonnenspiegel werden jene Spiegel bezeichnet, die religiöse Darstellungen mit Kruzifixen oder Vergänglichkeitssymbolen aufweisen (Ritz 1972, S. 42).

Das Bildmotiv ist aus barocker Stilllebenmalerei mit der *Vanitas*-Thematik entlehnt, die im 18. Jahrhundert durch die Druckgraphik populär wurde und ihrerseits auf die mittelalterliche Überlieferung der Vergänglichkeitsikonographie zurückzuführen ist.

Ein bebilderter Spiegel gehört der Sondergattung der Hinterglasmalerei an. Man wendet dabei zwei unterschiedliche Techniken an: Die erste Möglichkeit besteht darin, die für die vorgesehene Darstellung gedachte Fläche aus einem Spiegel auszukratzen und sie dann auszumalen; andernfalls wird zunächst die Glastafel bemalt und erst dann mit dem Quecksilberbelag überzogen.

Es ist nicht belegt, dass diese Spiegel ausschließlich für den klösterlichen Gebrauch bestimmt waren. Höchstwahrscheinlich haben sie ihren Anfang in Klöstern genommen, weshalb sie auch ihren Namen *Nonnenspiegel* bekommen haben. Die Nonnen sollten sich nicht im Spiegel anschauen, ohne an die Endlichkeit ihres irdischen Daseins erinnert zu werden (Wildhaber 1954, S. 4–5) und dabei das tiefste Gefühl der Nichtigkeit sowie das tiefste Verlangen nach Gott zu empfinden. Sie sollten vor Eitelkeit bewahrt werden und jedes ihrer Gebrauchsgüter für die Todesmeditation nutzen können. Mit der Zeit haben die Nonnenspiegel ihren Platz auch in der häuslichen Andacht gefunden.

Einen ähnlichen Spiegel, der um 1650 entstand, besitzt das Schweizerische Landesmuseum in Zürich (Inv. Nr. LM 13238). Das Stillleben ist hier auf drei Objekte reduziert: den Totenschädel, die beinahe abgebrannte Kerze in einem sehr aufwändig gestalteten Kandelaber und die verwelkende Rose. Die *Vanitas*-Attribute präsentieren sich auf einem reich geschmückten, in Gesteinsimitation gemalten Sockel mit der Inschrift „memento mori / memorare novissima".

Der Spiegel, der einerseits dazu verführt, an die Ewigkeit der Reize zu glauben und den Tod zu vergessen und andererseits an die Eitelkeit mahnt, gehört selbst zu den häufigsten Vergänglichkeitsallegorien. In einem französischen Stillleben aus dem Louvre (Inv. Nr. R. F. 1946–15) findet ein Spiegel unter zahlreichen anderen *Vanitas*-Symbolen Platz. Darin spiegelt sich ein Totenkopf. Im Bayerischen Nationalmuseum in

München befindet sich ein Spiegelrahmen von Paul Egell (um 1720–1725, Inv. Nr. 82/66), der im unteren Bereich von einem halb verwesten Schädel dominiert wird.

Beim Nonnenspiegel wird die Bedeutung des gemalten Stilllebens durch den Spiegel als eigentlichen Bildträger intensiviert. Die Wirklichkeitsebenen werden verschoben (Lymant 1981, S. 19). Jedem, der sich in diesem Spiegel näher betrachten will, wird sofort der drastische Kontrast zwischen Leben und Verwesung, Diesseits und Jenseits und der ins Bild gefasste Gedanke der Endlichkeit alles Irdischen und vor allem seiner selbst augenfällig. Auf diese Weise sollte der Mensch zu der Abwendung von Eitelkeit und zum Wechsel des Lebenswandels bekehrt werden.   TS

LITERATUR Gustav Hartlaub, *Zauber des Spiegels: Geschichte und Bedeutung des Spiegels in der Kunst,* München 1951; Robert Wildhaber, Spiegelbilder und Nonnenspiegel, in: *Schweizer Volkskunde* 44 (1954), S. 1–6; Gislind Ritz, *Hinterglasmalerei: Geschichte Erscheinung Technik,* München 1972; Stilleben in Europa 1979; Brigitte Lymant, Wie in einem Spiegel, in: *Museen der Stadt Köln, Bulletin* 2 (1981), S. 19–21; Klaus Lankheit, *Der kurpfälzische Hofbildhauer Paul Egell 1691–1752,* München 1988; Iris Benner, …ich bin doch dein eben bildt, in: Wie Zeit vergeht, hg. von Werner Schäfke, Ausst. Kat. Kölner Stadtmuseum, Köln 1999, S. 161; Spiegel der Seligkeit 2000.

Zwei seifenblasende Knaben 123

Köln
um 1530

Glasmalerei

820 x 580 mm

Museum Schnütgen, Köln
INV. NR. M 572

Die beiden kleinen Jungen im gefliesten Raum sind vertieft in ihr Spiel mit den Seifenblasen. Der eine lässt gerade eine neue Blase entstehen, während der andere den aufsteigenden Kugeln mit großen Augen nachschaut. Sein Stielnäpfchen hat er sinken lassen. Daumen und Zeigefinger seiner Rechten halten den Endzipfel eines flatternden Spruchbandes. Beide Kinder sind puttenähnlich dargestellt: nackt, mollig, mit goldgelben Locken. Die Umgebung ist von einer Hügellandschaft und einem Gebäudekomplex geprägt. Am unteren Bildrand ist ein Teil einer Notenzeile eingelassen.

Der Glasmaler hat die Scheibe mit Silbergelb und tonigem Braunlot auf dünnem Glas gestaltet. Das Silbergelb in unterschiedlichen Abstufungen macht die Grisaille-Malerei nicht bunt, aber doch lebhaft (Legner 1991, S. 314). Diese elegante Farbgebung lässt auf eine Kölner Werkstatt schließen (Täube 1998,

S. 70). Bei den weich und plastisch wirkenden Körpern der Kinder hat der Künstler eine Verbindung von grober Stupftechnik mit dem Borstenpinsel und Schraffuren angewandt. Mit Lichtern ging er sparsam um. Der Erhaltungszustand der Scheibe gilt als ausgezeichnet, eine Fehlstelle zwischen den Kindern wurde kürzlich restauriert.

Das Seifenblasenspiel verweist auf den Spruch „Homo Bulla" – der Mensch ist wie eine Seifenblase. Dieser Spruch aus der *Adagia,* der zweiten Auflage der antiken Sprichwörtersammlung des Humanisten Erasmus von Rotterdam, dürfte zur Schaffung des Glasbildes inspiriert haben. Erasmus bezieht sich auf Varros *Rerum rusticarum* und den Roman *Satyricon* von Petron. So schnell wie die Seifenblase platzt, so schnell können Schönheit, Besitz und Leben vergehen. Auch das Spruchband über den Kindern weist auf die Vergänglichkeit hin: „Sic (transit) gloria mundi"

(so vergeht der Ruhm der Welt) wird der Betrachter belehrt. Nicht auszuschließen ist, dass die Scheibe oben beschnitten wurde, wodurch das Wort „transit" verloren ging.

Am unteren Rand der Scheibe sind auf hellem Grund Tonartzeichen, zwei Noten und das Wort „petii" zu lesen sind. Nach Lymant (1981) handelt es sich um den Beginn der Antiphon nach Ps. 26,4 (unam petii a domino): „Dies eine habe ich erbeten von JHWH, dies suche ich: Mein Wohnen im Haus JHWHs [...]" (Zenger 1998, S. 14). Wegen der drohenden Gefahr sucht der christlich Denkende nach einer greifbaren Gestalt, die hilft, das Haus JHWHs zu erreichen. Diese bietet sich in den Anfangsversen des Psalms (26,1) (Zenger 1998, S. 14): „JHWH ist mein Licht und meine Rettung [...] JHWH ist die Fluchtburg meines Lebens."

In der Seifenblase auf dem Näpfchen des Kindes sind ein Fenster und Meridiane der Erdkugel zu erkennen. Ein derartiges Fenster – ein Rechteck, unterteilt in vier Lichteinfälle – ist auf Gemälden oft in Objekte eingesetzt (Brosche, Glasflasche). Es ist weder eine Wandöffnung noch eine Spiegelung. Wie Gottlieb (1982) zeigt, taucht dieses „paranormal" oder „mystical window" erstmals bei dem Meister von Flémalle auf. Dieses Fenster-Motiv stellt eine Verbindung zwischen dem zentralen Bildteil und der Notenzeile her, die damit einen Sinn im Bildganzen erhält. In der obersten Seifenblase, die den Turm der Festung auf dem Berge berührt, ist das Fenster ebenfalls sichtbar. Vielleicht darf man hier die drei göttlichen Hilfen bei der drohenden Gefahr für die *Gloria mundi* in Zusammenschau sehen wie in Ps. 26,1: Licht, Rettung (Kreuz) und Fluchtburg. CK

LITERATUR Lymant 1981; Gottlieb 1982; Zehnder 1990; Legner 1991; Täube 1998; Zenger 1998.

Schlafender Putto mit Totenschädel 124

Südliche Niederlande
Mitte des 17. Jahrhunderts

Elfenbein

Höhe ca. 45 mm, Breite 135 mm

Museum Schnütgen, Köln
INV. NR. B 154

Die kleine, handgroße Elfenbeinskulptur zeigt einen nackten, auf der Seite liegenden, schlafenden Putto, dessen Kopf erhöht gelagert ist. Davor liegt ein Totenschädel, auf dem seine kleinen Hände ruhen.

Die im 16. und 17. Jahrhundert häufig anzutreffende Darstellung hat ihre Wurzeln vermutlich in einer Bilderfindung des Venezianischen Medailleurs Giovanni Boldú aus dem Jahre 1458 (Janson 1937, S. 429f.). Boldús Darstellung zeigt einen nackten jungen Mann, der in einer Geste der Verzweiflung den Kopf in die Hände gelegt hat, und einen geflügelten Putto, der sich auf einen Schädel stützt. In seiner rechten Hand hält der Putto ein Gefäß, aus dem Flammen züngeln. In der Figur des Puttos scheinen sich zwei Vorstellungen zu vereinen: der Genius des Todes und der Engel, der die Seelen in den Himmel trägt. In der Folge verselbständigt sich das Motiv des Puttos mit Schädel als *Memento mori*-Formel. Die Bedeutung des Puttos als Todesgenius tritt dabei zurück, in den Vordergrund rückt der Gegensatz zwischen dem kindlichen Körper und dem Schädel. Ein frühes Beispiel für solche Darstellungen bietet ein norditalienischer Holzschnitt vom Ende des 15. Jahrhunderts (einziges bekanntes Exemplar in der Bibliothèque National, Paris). Hervorzuheben an der mit „L'hora passa" übertitelten Darstellung ist die liegende Haltung und der kontemplative Gestus des in die Hand gestützten Kopfes. Der Totenschädel erscheint hier nicht bloß als symbolisch

aufgeladene Beigabe, sondern als Objekt der Meditation. Ergänzt wird die Darstellung durch ein Stundenglas.

Horst W. Janson zufolge musste eine derartige Bilderfindung nördlich der Alpen zu Missverständ-

nissen führen (Janson 1937, S. 436 f.). Zunächst einmal entspreche die Geste des in die Hand gestützten Kopfes der im Norden üblichen Darstellung eines Schlafenden. Und ein schlafender Putto wiederum erscheine geradezu zwangsläufig als Sinnbild der Trägheit. Des Weiteren sei die in Italien geläufige Funktion des Totenschädels als Meditationsobjekt noch weitgehend unbekannt. Der Schädel stehe vielmehr für die Allgegenwärtigkeit des Todes. Und von daher werde der Schädel in ganz konkreter Weise als Hinweis auf den bevorstehenden Tod des Putto gedeutet.

Tatsächlich finden wir den Putto mit Totenschädel in der süddeutschen Graphik um 1520–1530 erstmals mit geschlossenen Augen dargestellt (Bartel Beham u.a.). Gleichwohl bleibt anzumerken, dass der von Janson skizzierte Rezeptionsvorgang in weiten Teilen auf reinen Spekulationen beruht. Hier bedürfte es einer differenzierteren Betrachtung. Überdies geht Janson eindeutig zu weit, wenn er behauptet, dass in den Gesichtern der Putten mitunter ein qualvoller Todeskampf zum Ausdruck komme (Janson 1937, S. 438). Ein solcher Todeskampf ist bei keinem der von ihm herangezogenen Beispiele anschaulich nachvollziehbar. Nicht das Sterben ist Gegenstand der Darstellung, sondern die bereits in der Antike bekannte

Vorstellung vom Schlaf als Bruder des Todes. So heißt es in der Bildunterschrift eines Stiches von Jean Haniere aus dem Jahre 1640: „Que cet Enfant qui dort / Montre que sommes tels / Et freres de la Mort" („So wie das Kind, das schläft, zeigt es, dass der Schlaf der Bruder des Todes ist").

Eine weitere Bedeutungsebene offenbart das Motiv des schlafenden Putto mit Totenschädel in einem 1667 in Zürich publizierten Stich von Conrad Meyer. Unter der Darstellung heißt es: „Des Frommen Tod dem Schlaf sich gleicht, / Drum Todes forcht von ihme weicht." Die auf den ersten Blick erschreckende Darstellung transportiert also durchaus etwas Tröstliches.

Aus dem 16. Jahrhundert ist uns der schlafende Putto mit Totenschädel vornehmlich in Werken der Druckgraphik und der Malerei überliefert. Im 17. Jahrhundert hingegen wird er zu einem überaus beliebten Motiv der Kleinplastik. Die meisten Stücke sind – wie auch das Kölner – in Elfenbein gearbeitet. Weitere Beispiele finden sich unter anderem in folgenden Sammlungen: Staatliche Museen Schwerin (Abb. 124a),

Kestner-Museum Hannover, Herzog-Anton-Ulrich-Museum Braunschweig. Aus dem Umkreis von Leonhard Kern sind zudem zwei Darstellungen in Alabaster bekannt (Kunsthistorisches Museum Wien; Privatbesitz).

Das Motiv des schlafenden Putto mit Totenschädel war im Übrigen wohl auch vorbildlich für entsprechende Darstellungen des Jesuskindes. MO

LITERATUR Friedrich Zoepfl, Das schlafende Jesuskind mit Totenkopf und Leidenswerkzeugen, in: *Volk und Volkstum* 1 (1936), S. 147–164; Horst W. Janson, The putto with the Dead's head, in: *The Art Bulletin* XIX. (1937), S. 423–449; Liese Lotte Möller, Schlaf und Tod. Überlegungen zu zwei Liegefiguren, in: *Festschrift für Erich Meyer zum sechzigsten Geburtstag 29. Oktober 1957*, Hamburg 1957, S. 237–248; Harald Siebenmorgen (Hg.), *Leonard Kern (1588–1662). Meisterwerke der Bildhauerei für die Kunstkammern Europas*, Sigmaringen 1988, S. 245–246 und Kat. Nr. 124, 125; Ewald Jeutter, Die Liegefigur ‚Mortis Imago' von Leonard Kern: Bildhafte Umsetzung einer barocken Todesvorstellung, in: *Württembergisch Franken* 81 (1997), S. 91–103; Hiltrud Westermann-Angerhausen, Schenkungen, Stiftungen, Neuerwerbungen, in: *Jahresbericht Verein Pro arte medii aevi* 1998, S. 10–11.

Schlafender Jüngling mit Chronos oder Tod 125

David Heschler (?),Ulm
Mitte des 18. Jahrhunderts

Elfenbeinrelief, queroval, teilweise vollplastisch, flache Rückseite, möglicherweise ursprünglich gerahmt.

Höhe 60 mm, Breite 144 mm, größte Tiefe 28 mm

Hessisches Landesmuseum, Darmstadt
INV. NR. PL 36:70

Mit zurückgeworfenem Kopf und geöffnetem Mund, dem Schlaf völlig hingegeben, den Oberkörper vor angedeutetem alten Mauerwerk an ein weiches Kissen gelehnt, die Hände erschlafft, präsentiert sich der schöne, kräftige Jüngling dem Betrachter. Sein Anblick löst Anteilnahme und Wohlgefallen aus, Gefühle, die sich auch im Gesicht der zweiten Person in der Darstellung zu spiegeln scheinen.

Auch der Körper der deutlich älteren Männergestalt, der hinter dem Jüngling erscheint, ist stark

und kräftig geschildert, mit breitem Brustkorb, muskulösen Armen und zudem mit mächtigen Schwingen. Erschreckend kontrastiert damit der halb skelettierte, von einem Blätterkranz bekrönte Kopf. Die Haut ist straff über die Knochen gespannt, die Nase reduziert, die Augen in den tiefen Höhlen fast erloschen. Beinahe zärtlich beugt sich der Alte von hinten über den jungen Körper, den ausgestreckten linken Arm mit der qualmenden Fackel hat er sorgsam abgewendet, in der Hand des anderen, angewinkelten Armes hält er Pfeil

oder Speer so, als zögere er vor dem Stoß. Die beiden Gestalten umgibt eine Fülle von Attributen, die aus dem emblematischen Bilderschatz bekannt sind, und auf Vergänglichkeit und Eitelkeit des Lebens deuten. Neben Kopf und Schultern des Jünglings liegen verwelkende Blüten und ein Stundenglas, das geflügelt ist, wie der Genius, der Pfeil und Fackel trägt. Er kann als Personifikation der fliehenden Zeit – Chronos – oder des Todes selbst gelesen werden. Dazu kommt die Schlange, die sich unter dem Bein des Schlafenden herauswindet und einen Apfel vor seine Hand zu schieben scheint, die Schlange, die im Paradies mit ihrer Versuchung Sünde, Alter und Tod in die Welt gebracht hatte.

Offenbar ist hier weit mehr gemeint als das ins Männliche gewendete Bild von ‚Tod und Mädchen‘. Erinnert wird nicht nur an den schlafenden Adam im Paradies, sondern an den Menschen, oder die Jugend an sich, unschuldig und unbewusst im Schlaf, scheinbar herausgelöst aus Zeit und Leid und dennoch vom Lauf der Zeit bedroht. Das Bild hat damit auch eine wesentlich vielschichtigere Dimension als die geläufigeren Bilder des Puttos, der auf dem Totenschädel schläft (vgl. Kat. Nr. 124) oder mit anderen Symbolen der Vergänglichkeit dargestellt ist.

Der Künstler des meisterlich geschnitzten und komponierten Reliefs, wahrscheinlich der Ulmer Bildhauer David Heschler (Memmingen 1611–1667 Ulm), schöpfte aus einprägsamen Bildvorstellungen der italienischen Renaissance wie auch des Barock. Michelangelos Fresko des von Gottvater ins Leben gerufenen Adam hat ebenso Pate gestanden wie Berninis Heilige Theresa, die in ihrer Verzückung durch einen den Pfeil haltenden Engel genauso teilnahmsvoll betrachtet wird, wie hier der schlafende Jüngling vom Tod oder der Personifikation der Zeit.

Möglicherweise war das Elfenbein Teil eines größeren Zyklus. Verwandt im Inhalt und vergleichbar in der Form ist eine im Kunsthandel bekannt gewordene Elfenbeingruppe, in der der Tod einer Mutter ihr Kind entreißt.

HWA

LITERATUR Christian Theuerkauff, Fragen zur Ulmer Kleinplastik im 17./18.Jahrhundert, I. David Heschler und sein Kreis, in: *Alte und moderne Kunst,* 190/191 (1983), S. 23, Abb. 1ff; S. 24, Abb 7; Fritz Fischer, *Bildwerke des 17. und 18. Jahrhunderts,* Kataloge des Hessischen Landesmuseums Darmstadt 17, 1991, S. 56. Zur Mutter mit Kind: Auktionskatalog Christie's London, 9.4.1987, S. 17, Nr. 27; *Ivory, a history and Collector's guide,* London 1987, S. 120, Abb. 120; Zum Blätterkranz des Chronos: F. Nordström, The Crown of Life and the Crowns of Vanity. Two Companion Pieces by Valdés Leal, in: *Idea and Form. Studies in the History of Art* (Figura, N.S.1), Stockholm 1960, S. 127–137 ; José Guidol-Ricart, La peinture de Valdés Leal et sa valeur picturale, in: *Gazette des Beaux Arts* VI/L (1957), S. 123–135.

Tintenfass mit allegorischer Frauenfigur

Peter Vischer der Jüngere (c. 1487–1528)
1515–1520

Bronze

Gesamthöhe 166 mm,
Höhe der Figur 157 mm;
Sockelplatte 115 x 1095 mm

Ashmolean Museum, Oxford
Inv. Nr. WA 1899.CDEF.BIO85

Tintenfass mit Vanitas-Allegorie

Peter Vischer der Jüngere (c. 1487–1528)
um 1525

Bronze

Gesamthöhe 192 mm,
Höhe der Figur 183 mm,
Höhe des Tintenfasses 83 mm;
Sockelplatte 1115 x 111 mm

Ashmolean Museum, Oxford
Inv. Nr. 1899.CDEF.BIO86

Beide Tintenfässer stammen aus der Vischer-Werkstatt in Nürnberg, die durch das Sebaldusgrab (1508/09), an dem Vater und Sohn Peter Vischer gemeinsam gearbeitet haben, berühmt wurde. Tintenfässer sind konkret jedoch nur von Peter Vischer dem Jüngeren überliefert. Das erste Tintenfass zeigt eine – bis auf einen geflügelten Helm - unbekleidete Frau, die ihren rechten, zurückgestellten Fuß auf einen Totenschädel setzt, während sie sich mit der linken Hand leicht auf dem Rand des Tintenfasses abzustützen scheint. Der rechte Arm ist angewinkelt erhoben, mit dem rechten Zeigefinger deutet sie auf sich selbst. Nachdenklich blickt sie über den Rand des Tintenfasses hinweg zu Boden (vgl. auch Abb. 127a, Georg Vischer, Tintenfass mit sinnender Frau, Nürnberg 1547). Hinter ihrem linken Fuß liegt ein Szepter, dessen Spitze unter dem Tintenfass zu liegen kommt; gegen die hintere Breitseite des Fässchens ist ein sechseckiger und unten spitz zulaufender Schild gelehnt. Ihr zu Füßen und vor dem Tintenfass liegt eine Schrifttafel, auf der das Motto der Bronzegießerfamilie Vischer eingemeißelt ist: VITAM. / NON MORTEM / RECOGITA (An das Leben denke, nicht an den Tod!). Das Emblem der

Familie Vischer, ein Fisch, der auf einen Pfeil gespießt ist, befindet sich an allen vier Unterseiten des Tintenfasses. Speer, Helm und Schild lassen die Figur als Fortuna ansprechen, umso mehr, als es ein konkretes Vorbild auf der Reversseite einer Medaille des Veroneser Medailleurs Giovanni Maria Pomedelli aus den Jahren 1511–17 gibt. In diesem Fall wäre die Kugel, auf der sie normalerweise steht, durch den kleinen Totenschädel ersetzt (Warren 1999, S. 62). Fortuna als Schicksalsgöttin steht hier für die Wechselfälle des Lebens, die letztlich unwichtig sind, denn der Betrachter soll nicht an das irdische Leben, sondern an das Leben nach dem Tode denken (Smith 1994, S. 277 f.).

Während sich der Bezug zur Vanitas-Thematik bei dem ersten Tintenfass deutlich erst mit der Inschrift erschließt, kann die Frauenfigur des zweiten Tintenfasses auf den ersten Blick als Vanitas-Allegorie angesprochen werden. Im leichten Kontrapost und mit zurückgenommenen Schultern steht die Figur neben einem Tintenfass in Form einer Amphore; die linke Hand liegt auf dem Rand des Fässchens auf, während die rechte zum Himmel deutet. Ihr Kopf ist leicht nach links geneigt, der Blick ebenfalls nach oben gerichtet. Eine Inschrifttafel mit demselben Motto wie bei dem ersten Tintenfass ist aufrecht gegen die Amphore gelehnt; unter der Inschrift stehen sowohl das Fisch-Emblem wie auch die Buchstaben P und V für den Namen des Künstlers. Rechts daneben liegt, den Betrachter aus hohlen Augen anblickend, ein Totenschädel ohne Unterkiefer. Hinter der Frauenfigur liegen ein Schwert und ein Buckelschild. Auf der Unterseite ist die Datierung mit dem Jahr 1525 angegeben. Figur und Amphore sind schwarz lackiert, die Ornamente der Amphore, Schwert, Schild, Inschrifttafel, Totenschädel und das Haar der Frauenfigur sind vergoldet. Diese Machart ist besonders in Norditalien, in Padua und Venedig zu finden; seit langem wird angenommen, dass Peter Vischer der Jüngere dort die Anregung sowohl für die Frauenallegorien und die Form beider Tintenfässer als auch für die spezielle Behandlung der Bronze gefunden hat (Warren 1999, S. 66).

Es fällt auf, dass die früher datierte Bronzefigur einen klareren Kontur und eine glattere Oberfläche hat; auch sind die einzelnen Gesichtspartien, die Finger und die Zehen deutlicher herausmodelliert. Gerade im Zusammenhang mit der Technik des Bronzegusses haben neuere Forschungen ergeben, dass beide Figuren möglicherweise von einem Wachsmodell stammen, das für den zweiten Guss nur leicht variiert wurde. Die Unterschiede in der Bearbeitung wären dann mit der wiederholten Benutzung des Wachsmodells zu erklären (Diemer 1996).

Dass mit beiden Tintenfässern ein Wahlspruch der Familie Vischer verbunden ist, der auf das Leben nach dem Tode abhebt, wird durch die Tatsache belegt, dass derselbe Spruch für die Grabplatte der Frau Peter Vischers des Älteren im Jahre 1522 Verwendung fand. Die Grabplatte trägt darüber hinaus den Zusatz: „der leib hie ruet, Ir sel in got lebet", wodurch ohne Zweifel das Leben nach dem Tode akzentuiert wird (Der Mensch um 1500, S. 150). Vermutlich wurden beide Tintenfässer für Humanisten in Nürnberg gefertigt, denen die Familie Vischer nahe stand. Im Zusammenhang mit den Gelehrten impliziert das *Memento mori*-Gedenken anhand der Tintenfässer auch, dass das geschriebene Wort den Ruhm der Humanisten weit über ihren Tod hinaus bewahren, dass es also in diesem Sinne auch ein Weiterleben auf Erden geben wird (Smith 1994, S. 278). AHE

LITERATUR Wilhelm von Bode, Kleinbronzen der Söhne des älteren Peter Vischer, in: *Jahrbuch der Preußischen Kunstsammlung* 29 (1908), S. 30–43; Hans R. Weihrauch, *Europäische Bronzestatuetten: 15.–18. Jahrhundert,* Braunschweig 1967; *Der Mensch um 1500: Werke aus Kirchen und Kunstkammern,* Ausst. Kat. Skulpturengalerie Staatliche Museen Berlin, Preussischer Kulturbesitz, Berlin 1977, S. 148–151; Smith 1994; Jeremy Warren, Bode and the British, in: Thomas W. Gaethgens (Hg.), Kennerschaft, (= Jahrbuch der Berliner Museen, Jg. 38. Beiheft), Berlin 1996, S. 121–142; Dorothea Diemer, Zur Gusstechnik des Sebaldusgrabes, in: *Von allen Seiten schön. Bronzen der Renaissance und des Barock. Wilhelm von Bode zum 150. Geburtstag,* hg. von Volker Krahn, Ausst. Kat. Skulpturengalerie Staatliche Museen Berlin, Preussischer Kulturbesitz, Berlin 1996, S. 51–58; Jeremy Warren, *Renaissance Master Bronzes from the Ashmolean Museum, Oxford. The Fortnum Collection,* Oxford 1999, S. 62–67.

128 *Compassio et Poenitentia*

Gregor Bischoff
2004

Menschlicher Schädel, Bergkristall, Silberdraht, mexikanische Knochenschnitzereien

Im Besitz des Künstlers

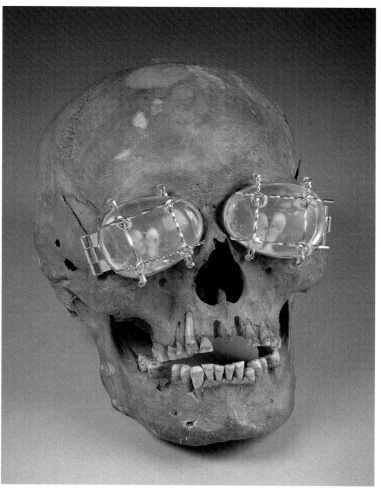

Die Schädelinstallation von Gregor Bischoff entstand im Rahmen der Ausstellung „Mittelalter Jetzt!" im Museum Schnütgen, in der Kölner Künstler sich 2004 in der Sammlung des Museums ‚Dialogobjekte' ausgesucht haben, zu denen sie jeweils eine eigene Arbeit herstellten.

Bischoff antwortet mit seiner Installation auf die gegenüberliegende Nische der Vorkrypta in der Cäcilienkirche. Dort sieht man seit dem Umbau anlässlich einer Neueinrichtung der Sammlungen 1977 eine bei Bauarbeiten zutage gekommene, aus einem einzigen Sandsteinstück geschlagene, vergitterte kleine Fensteröffnung. Sie verband einmal den Innenraum von St. Cäcilien mit einem kleinen, südlich an die Außenmauer der Kirche anschließenden Raum. In dem darin vorgefundenen Bauschutt wurde auch ein Schädel mit Kleinfunden und weiteren Knochenteilen geborgen. An der nördlichen Außenwand der Cäcilienkirche berichten die Quellen von der Errichtung einer Inkluse im 14. Jahrhundert. Ob der kleine Raum bei der Vorkrypta im Süden einmal einem ähnlichen Zweck diente, also der gleichnamige Lebensraum für eine Inkluse, einen in Sicht- und Hörkontakt zum Gotteshaus eingeschlossenen Einsiedler oder eine Einsiedlerin gewesen sein könnte, ist nicht beweisbar. Immerhin vergegenwärtigt der dort gefundene Schädel quasi reliquienhaft die Geschichte und Baugeschichte der ehemaligen Klosterkirche St. Cäcilien.

Bischoff stellt diesem mehrdeutigen Befund einen Schädel gegenüber, der aus dem Besitz seiner Familie stammt. Ihm verleiht er mit den in die leeren Augenhöhlen eingesetzten Bergkristallkapseln gleichsam einen Blick nach innen wie auch nach außen, wobei die gezwirnten silbernen Drähte bewusst das Motiv des vergitterten Fensters gegenüber aufnehmen: „Geteiltes Leid ist halbes Leid – Mitleid liegt immer im Auge des Betrachters" (Bischoff). Die eingeschlossenen, miniaturhaft kleinen Knochenschädel, mexikanischen Devotionalien, verkörpern das alte Thema des *Memento mori*. Damit macht Bischoff die Kristallkapseln mit ihrem Inhalt innerhalb des Schädels zu vieldeutigen, reliquienhaften Vehikeln von Erinnerung an und Vorausschau auf Mitleid, Buße und letztendlich den Tod. HWA

UNVERÖFFENTLICHT

DER TOD UND DAS MÄDCHEN

Das Mädchen

Vorüber! Ach vorüber!

Geh, wilder Knochenmann!

Ich bin noch jung, geh, Lieber!

Und rühre mich nicht an.

Der Tod

Gib deine Hand, du schön und zart Gebild!

Bin Freund und komme nicht zu strafen.

Sei guten Muts! Ich bin nicht wild,

Sollst sanft in meinen Armen schlafen!

Matthias Claudius (1740–1815)

Tonmodel Tod und Mädchen 129

Mittelrheinisch

2. Hälfte des 15. Jahrhunderts

Weißer Pfeifenton

Höhe 54 mm, Breite 37 mm, Tiefe 7 mm

Stadtmuseum, Sindelfingen

Das Model – aus weißem Pfeifenton gearbeitet – wurde im Jahr 1973 bei Ausgrabungen unter der Propstei des ehemaligen Chorherrenstifts Sindelfingen gefunden und befindet sich heute im dortigen Stadtmuseum.

Die Schauseite weist eine umrahmende Vertiefung auf, durch die das eigentliche Bildfeld hervorgehoben wird. Vor einem mit Blumen und Gras geschmückten Hintergrund sowie von zwei Spruchbändern mehrfach umschlungen, agieren ein junges Mädchen und der Tod. Die junge, schöne Frau im rechten Bildbereich ist lediglich mit einem Tuch um ihre Hüften bekleidet und trägt eine Halskette.

Gerade im Begriff zu gehen, neigt sie ihren Kopf leicht zurück und nach unten dem Tod zu, der sie anscheinend aufhalten will. Mit beiden Händen berührt das Mädchen ein Spruchband. Spiegelverkehrt steht dort geschrieben: „ich bin / wol ge / than / vn(d) lebe / lang / su(n)de(r) wan" (Scholkmann 1977, S. 142; Seeliger-Zeiss 1999, S. 44). Im unteren linken Bildbereich hockt dem Mädchen zugewandt der Tod in Form eines Knochenmannes. Seinen Kopf hat er zum Mädchen hin erhoben. Mit beiden Händen berührt er die junge Frau; seine rechte Hand liegt auf ihrem Oberschenkel, seine linke Hand scheint ihr Gesäß zu berühren. Er wird von einem zweiten Spruchband umschlungen, auf dem, ebenfalls in Spiegelschrift, folgende Worte zu lesen sind: „ach du armer sack fvn erde(n) daz ich bin da(s) mustu werde(n)" (Seeliger-Zeiss 1999, S. 44). Die spiegelverkehrten Schriften werden lesbar, sobald von dem Model ein Abdruck genommen wird.

Das gut erhaltene Tonmodel wird in die zweite Hälfte des 15. Jahrhunderts datiert. Es spiegelt die mittelalterliche Alltagskultur wieder und gehört zu einer größeren Gruppe spätgotischer Model aus Ton oder Stein. Ihre mittelrheinische Herkunft ist stilistisch durch den auf dem Spruchband verwendeten Dialekt und durch das Material, den weißen Ton, zu bestimmen (vgl. Arens 1971, S. 106ff; Flüeler-Grauwiler 1992, S. 194; Scholkmann 1977, S. 135–149). Hergestellt werden die Tonmodel durch das Eindrücken eines vorher ausgearbeiteten Reliefs aus Metall, Stein oder Knochen in feinsten Ton, der anschließend gebrannt und lackiert wird. Die so produzierten Negativmodel können mehreren Zwecken dienen. Zum einen können sie für erneute Abdrücke in Ton genutzt werden, zum anderen aber auch für die Herstellung von Gebäck oder auch als Schmuck von Kästchen aus Papiermaché oder von Glocken dienen. Auf den bislang bekannt gewordenen mittelrheinischen Tonmodeln finden sich vielfach auch *Memento mori*-Darstellungen (vgl. Arens).

CE

LITERATUR W. von Bode und W. Volbach, Mittelrheinische Ton- und Steinmodel aus der ersten Hälfte des XV. Jahrhunderts, in: *Jahrbuch der preußischen Kunstsammlungen* 38 (1918), S. 89–134; Arens 1971; Scholkmann 1977; Flüeler-Grauwiler 1992; Gerhard Strauss (Begr.) und Harald Olbrich (Hg.), *Lexikon der Kunst, Band 4*, Leipzig 1992; Gerhard Strauss (Begr.) und Harald Olbrich (Hg.), *Lexikon der Kunst, Band 7*, Leipzig 1994; Seeliger-Zeiss 1999; Spiegel der Seligkeit 2000.

Der Tod und das Mädchen

Nordfrankreich oder südliche Niederlande
um 1530

Elfenbein

Höhe 145 mm

Bayerisches Nationalmuseum, München
Inv. Nr. MA 2045

Provenienz Bis 1802 angeblich im Zisterzienserkloster
Mariae Himmelfahrt in Kaisheim bei Donauwörth.
Erstmals nachweisbar in den 1830 er Jahren in der
Dienstwohnung des Regierungspräsidenten von
Link in Augsburg; 1836 in der Regierungsverwaltung
(Spiegel der Seligkeit 2000, S. 419)

Die vollplastische Elfenbeingruppe zeigt eine junge
Frau, der sich der Tod in Gestalt eines Skelettes nähert.
Das Mädchen, dessen Haare im vorderen Bereich geflochten und mit einer Blume verziert sind, ist völlig
nackt bis auf ein Tuch, das ihre Scham bedeckt. Sie
hält das Tuch mit ihrer linken Hand auf Höhe der
Hüfte und fasst es mit ihrer Rechten über ihrer rechten Schulter, wo es von ihrem Rücken kommend nach
vorne fällt. Das herabhängende Ende bedeckt ihre
rechte Brust.

 Die junge Frau steht barfuß auf einem Kissen,
das auch die Standfläche für das dazugehörige Skelett
bildet. Es kniet zur Rechten des Mädchens und streckt
ihm ein Kruzifix entgegen. Um die Knochen des
Skeletts windet sich eine Schlange, die auf Höhe seines
Halses den Kopf nach vorne streckt. Die Schlange hat
einen Apfel im Maul, der den Tod als Folge des
Sündenfalls kenntlich macht (vgl. Kat. Nr. 54–55).

 Dass das Tödlein gleichzeitig das Kruzifix hält,
hat zu Spekulationen über die Entstehung der Figur
im 19. Jahrhundert geführt. Kammel und Theuerkauff
sehen jedoch keinen Anlass für einen solchen Verdacht
(Spiegel der Seligkeit 2000, S. 419; Theuerkauff 1986,
S. 333).

 Für eine Datierung in das frühe 16. Jahrhundert
spricht auch die kniende Haltung des Skelettes, das an
die des etwa zeitgleich entstandenen Tödleins in der
Szene ‚Tod und Maler' in Niklaus Manuels Berner
Totentanz (Abb. im Beitrag von Urs Zahnd im Text-

band) erinnert. Obwohl diese Haltung auch bei anderen Darstellungen – beispielsweise in einem seit den
1920 er Jahren verschollenen Buchsbaumrelief des
Meisters P.S aus der Sammlung List (datiert 1529, Abb.
bei Wirth 1979, Fig. 153) – aus dem frühen 16. Jahrhundert begegnet, wurde ihre Bedeutung bislang nicht
näher untersucht.

Kammel hat bereits auf die ‚Gewaltlosigkeit' der hier gezeigten Begegnung von Tod und Mädchen hingewiesen. Man möchte hinzufügen, dass sie – im Vergleich mit zeitgenössischen Gemälden und Graphiken – auch keine erotische Begegnung zwischen den beiden Figuren zum Ausdruck bringt. Dass das Mädchen dennoch als verführerische Schönheit verstanden werden soll, ist unbestritten. Diese Aussage wird unterstrichen durch das Kissen, das Kammel als Symbol von „Wohlleben und Bequemlichkeit" (Spiegel der Seligkeit 2000, S. 418) interpretiert hat. Eine Zeichnung Peter Vischers d. J. lässt gar vermuten, dass es ein geläufiges Kennzeichen der Voluptas war.

Die kleine Statuette stellt die einzige vollplastische Umsetzung des Motivs *Tod und Mädchen* dar, die aus der Frühen Neuzeit auf uns gekommen ist. Die Kombination der todgeweihten verführrerischen Schönheit mit der die Erlösungstat Christi anscheinend reuevoll annehmenden Sünderin macht die Elfenbeingruppe auch ikonographisch einzigartig.   StK

LITERATUR Berliner 1926; Wirth 1979; Theuerkauff 1986; Spiegel der Seligkeit 2000.

131 *Der Tod und das stehende Weib*

Hans Sebald Beham (1500–1550)
1547

Kupferstich

74 x 48 mm (Blatt beschnitten)

Graphiksammlung „Mensch und Tod" der Heinrich-Heine-Universität, Düsseldorf
INV. NR. E 0025.

In diesem Stich Hans Sebald Behams aus dem Jahre 1547 paart sich nicht nur der Tod mit einer nackten Frau, sondern auch die Kunstauffassung der italienischen Renaissance mit dem Kunstverständnis des 16. Jahrhunderts nördlich der Alpen.

Eine junge, dralle Frau füllt gänzlich das Bild aus. Dicht an sie gedrängt steht hinter ihr der geflügelte Tod. In der oberen Bildhälfte wird die Art des Miteinanders der beiden ungleichen Gestalten inszeniert. Die den oberen Bildraum fast komplett einnehmenden Flügel der Todesdarstellung sind die attraktive Folie, vor der die Spannung dieser Begegnung aufgebaut wird.

Die untere Bildhälfte ist mehrfach geteilt. Am vorderen Bildrand befindet sich eine Bühne, auf der die beiden Protagonisten stehen und auf der die Attribute, eine Sanduhr und ein hochformatiges Steinrecht-

eck mit Inschrift, platziert sind. Während das Architekturfragment die volle Höhe des unteren Bildraumes einnimmt, wird hinter der abgestellten Sanduhr eine Art Mauer sichtbar, die den Blick auf eine Stadtlandschaft frei gibt.

Im oberen Bildraum gibt vor allem die Art, wie die Arme der beiden Gestalten ineinander geschoben sind, Aufschluss über die Art des Miteinanders: Mit seiner Linken hat der Tod das linke Handgelenk seines Opfers fest im Griff, seine Rechte liegt auf ihrer rechten Schläfe. Nicht zu entscheiden ist, ob die Frau seine Hand dort hingelegt hat oder ob sie mit ihrer leicht auf seiner Rechten aufliegenden Hand den Versuch unternehmen möchte, diese wegzuziehen. Die Intention des Todes scheint eindeutig: Durch die Haltung seiner rechten Hand will er ihren Kopf noch näher zu seinem ziehen, damit sein Mund ihrem Ohr ganz nahe ist. Was er bereit ist zu sagen oder bereits angefangen hat auszusprechen, das lesen wir auf der Steininschrift: „Omnem in homine venustatem mors abolet" (Der Tod vernichtet alle Schönheit im Menschen).

Was an dieser scheinbar eindeutigen *Memento mori-Szene* irritiert ist die ‚Konsistenz' des Todes. Kein reines Gerippe greift hier herzhaft zu, sondern ein Wesen in einem Zustand des Übergangs zwischen praller männlicher Lebens- und Fleischesfülle und Verwesung. Was von seinen Armen sichtbar wird, ist dem Leben näher als der Verwesung, das Stück seines Oberkörpers, das hinter ihrer Hüfte sichtbar wird, scheint pures Fleisch zu sein. Blendet man einen Moment die Art der Erscheinung im oberen Bildraum aus, so lässt die Konsistenz von Füßen und Beinen dort nur die eine Aussage zu: Hier steht ein Mann hinter einer Frau.

Die Gemütsverfassung der Dargestellten ist für den Betrachter schwer erkennbar. Ist die vom Tod Ergriffene willig oder wehrlos? Das passiv Unentschiedene scheint das einzig Benennbare zu sein, ganz im Gegensatz zu vergleichbaren Bildbeispielen Hans Baldung Griens, in denen ebenfalls das Motiv *Tod und Mädchen* in der Darstellung einer Frau beziehungsweise eines jungen Mädchens, die der Tod von hinten ergreift, formuliert wird. Hier gibt es keine Frage: Die Dargestellten wehren sich nach Leibeskräften und befinden sich in einem Zustand der Todesangst im wahrsten Wortsinn. Der Tod ist zwar ebenfalls seiner Konsistenz nach nicht wirklich tot, doch die Seelenverfassung der Frau ist eine ins Bild gebrachte Todesangst. Hier geht es um Brutalität und Verzweiflung, hier ist die Warnung vor der Vergänglichkeit der Schönheit und der prophezeiten Strafe für unsittliches Verhalten eindeutig.

In dem kleinen Stich Behams, dessen Format für eine mögliche Funktion als Exlibris spricht, wird die Verknüpfung zweier unterschiedlicher Kunstauffassungen deutlich, die auf ein elitäres Publikum gerichtet ist: Während das Motiv *Tod und Mädchen* im Kulturkreis nördlich der Alpen zu lokalisieren ist, sind die Einzelheiten in der Ausführung eine Reminiszenz an das italienische Cinquecento. Die nackte Frau ist als idealisierte klassische Figur gegeben, die geflügelte Todesdarstellung ist in der italienischen Tradition beheimatet und die Szenerie, die Architekturfragmente als Ruinen beinhaltet, entsprach dem Geschmack der italienischen Humanisten und ist in der Kunst südlich der Alpen entsprechend häufig zu finden (Levy 1988, S. 165).

PK

LITERATUR Bartsch 1803–1821; Rosenberg 1875; Weber/Holländer 1923; Hollstein 1954; Pauli 1974; Mensch und Tod 1976; Wirth 1979; Levy 1988; Schuster 1989; Kaiser 1995; Gert Kaiser, Frauen sind stärker als der Tod, in: Totentanz 2001, S. 56–62; Bettina Pohle, Namenlose Furcht. Weiblichkeitsentwürfe zwischen Abscheu und Wollust, in: Karin Tebben (Hg.), *Frauen – Körper – Kunst*, Göttingen 2000, S. 86–102; Totentanz 2001; Jutta Kleinknecht u.a., *Graphik der Dürerzeit: Albrecht Dürer, die Brüder Beham und andere*, Düsseldorf 2003; Kiening 2003; Das Mädchen und der Tod 2004.

132 Der Tod und das schlafende Weib

Hans Sebald Beham (1500–1550)
(gegenseitige Kopie nach einem Kupferstich
Barthel Behams)
1548

Kupferstich

56 x 81 mm (Blatt, beschnitten)

Graphiksammlung „Mensch und Tod" der Heinrich-Heine-Universität, Düsseldorf
Inv. Nr. E 0026.

Eine nackte junge Frau liegt schlafend ausgestreckt auf einem Holzbett. Ihr Kopf, den sie in ihren angewinkelten, rechten Arm gelegt hat, ist auf mehreren Kissen hoch aufgepolstert und gibt damit im linken, oberen Bildviertel den Auftakt einer Bilddiagonalen vor, die im Oberkörper weiter geführt wird, allerdings in den Schamlippen abrupt endet.

Während das linke Bein nur leicht angewinkelt auf der Bettstätte ruht, ist das rechte Bein derart angewinkelt, dass die Fußspitze bereits den Boden berührt. Selbst das generell als verhüllendes Element eingesetzte Laken wird hier mit gegenteiligem Effekt genutzt.

Im linken, unteren Bildteil auf den Boden drapiert, gibt es den Auftakt für eine Bilddiagonale, die von links unten nach rechts oben zum Flügel des Todesgerippes und der Signatur Behams führt. Die Mitte dieser Diagonalen und damit den Schnittpunkt beider Diagonalen bildet das weibliche Geschlecht.

Dem weiblichen Körper, der regelrecht im Bild aufgespannt wird, nähert sich der Tod in Gestalt eines geflügelten Gerippes. Lediglich das obere rechte Bildviertel ist sein Bildraum, den er mit seinen Federflügeln, dem von hinten über die Bettstätte gebeugten Brustkorb und seinem Totenschädel füllt. Es scheint so,

als ob das linke Knochenbein bereits über die Rück-
wand der Bettstätte geführt sei und die Todesgestalt
sich gerade auf das Lager gekniet habe. Der linke
Knochenarm scheint gerade aufgesetzt, während der
rechte Arm weit ausgestreckt eine Sanduhr hinter der
linken Schulter der Schlafenden hält.

Das im Kontext des *Memento mori* eindeutig vor
dem Verrinnen der Zeit warnende Attribut soll im
Rahmen dieses Bildwerks überhaupt nicht der Schlafenden gezeigt werden. Muss der Stich so gelesen werden, dass die vom Tod erhobene Sanduhr dem Betrachter gezeigt wird (Totentanz 2001, S. 239)? Wohl kaum,
denn der Blick des Betrachters wird immer nur zu den
Schamlippen der Frau geführt. Die am oberen Bildraum mehr abgeschobene als hoch gehobene Sanduhr
ist eher schmückendes Beiwerk oder amüsantes Pendant
zum vor dem Bett postierten Nachttopf.

Der Betrachter spiegelt in seiner ihm geradezu
zwanghaft oktroyierten Rolle des Voyeurs die Todesgestalt wider, die offensichtlich nicht warnen, sondern
sehen möchte. Und um das zu sehen, was dem Betrachter auf den ersten Blick dargeboten wird, muss das
Skelett sich strecken.

Eine Erotisierung des Themas wird allgemein
und gern konstatiert. Gert Kaiser interpretiert solche
Behandlungen des Themas als „moderne Sehweise",
indem sich das Motiv aus dem ursprünglichen Kontext
emanzipiere, den Vergänglichkeitsrahmen sprenge und

eine eigene „deutlich, erotische Ausstrahlung gewin-
ne". „Die Augen- und Sinnenlust an der schönen Frau,
die Lust am gewagten Motiv tritt in den Vordergrund"
(Totentanz 2001, S. 57).

Janey Levy interpretiert die erotischen Stiche
Behams als „deutsche Interpretation eines Renaissance
Themas", wobei sie diese Art der Erotika in ein entsprechendes europäisches Umfeld einbettet und nicht
als singuläre Erscheinung wertet (Levy 1988). Ihr zufolge haben Beispiele aus Behams Werk die Grenze des
Erotischen bereits eindeutig verlassen und zeigen statt
dessen sexuell provokante Posen. Für Robert Scribner
führt das Eingeständnis des „voyeuristischen Blickes" in
der letzten Konsequenz zur „Pornographie des Todes",
und damit verlagert er die Darstellungen im Kontext
des Motivs von der – keinesfalls als unangenehm emp-
fundenen – erotischen Aufladung hin zu einer pornogra-
phischen Konnotation (Scribner 1992, S. 323 f.).   PK

LITERATUR Bartsch 1803–1821; Rosenberg 1875; von
Lichtenberg 1897; Hollstein 1954; Pauli 1974; Mensch und
Tod 1976; Wirth 1979; Levy 1988; Schuster 1989; Scribner
1992; Memento Mori 1994; Kaiser 1995; Gert Kaiser, Frauen
sind stärker als der Tod, in: *Totentanz* 2001, S. 56–62; Bettina
Pohle, Namenlose Furcht. Weiblichkeitsentwürfe zwischen
Abscheu und Wollust, in: Karin Tebben (Hg.), *Frauen – Körper
– Kunst,* Göttingen 2000, S. 86–102; *Totentanz* 2001; Kiening
2003; Jutta Kleinknecht u.a., *Graphik der Dürerzeit: Albrecht
Dürer, die Brüder Beham und andere,* Düsseldorf 2003; Ruvoldt
2004.

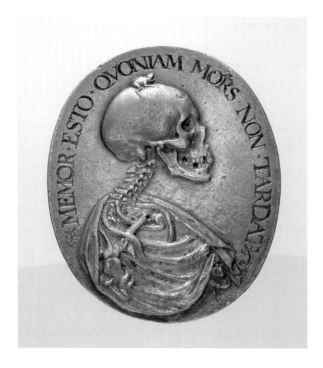

Vanitas-Medaille

Jan de Vos (1578–nach 1619)
1612

Silber

Höhe 58,6 mm, Breite 48 mm

Institut für Numismatik, Universität Wien,
Brettauer Collection
INV. NR. 5005

Die 1612 entstandene Medaille von Jan de Vos ziert
eine *Vanitas*-Darstellung. Die eine Seite der ovalen
Medaille zeigt eine Frau im linken Profil. Sie trägt eine
aufwändige Frisur und Haarschmuck, Ohrringe und
eine Brosche, ihre Brüste sind unbedeckt. Die Inschrift
in den oberen zwei Dritteln der Medaille lautet: „NE
GLORIES IN CRASTINUM" (Brüste Dich nicht mit
dem Morgen). Die Inschrift beginnt mit einem
Blumenornament und endet in einem Ranken-
ornament. Die Initalien „IDV" (Jan de Vos) sind zwischen den Zahlen der Jahresangabe 1612 eingraviert
(Scher 1994, S. 299).

   Die andere Seite der Medaille zeigt ein Skelett,
dessen Kopf die Halswirbel wie durch zu hohes Gewicht
verbiegt, so dass der Kopf nach vorne übergebeugt ist.
Die betont spitzen Halswirbel unterstreichen die unge-
wöhnliche Haltung. Der ausladende Brustkorb des
Gerippes wirkt ebenfalls ungewöhnlich und aus der
Sicht des Betrachters fast entstellt. Zwischen den
Rippen des Knochenmannes windet sich eine
Schlange, auf seinem Kopf sitzt eine Kröte. Die
Inschrift, die über dem Kopf des Skelettes entlangläuft,
lautet: „MEMOR ESTO QUONIAM MORS NON
TARDAT" (Bedenke, dass der Tod sich nicht verspä-
tet). Auch auf dieser Seite der Medaille beginnt die
Inschrift mit einem Blumenornament und endet in
einer Ranke (Scher 1994, S. 299). Insgesamt macht das
Skelett einen zerzausten Eindruck – es fehlen Zähne
und der Umhang ist verrutscht.

   Die beiden Seiten der Medaille verdeutlichen den
Kontrast zwischen Leben und Vergänglichkeit, Jugend
und Tod. Die direkte Gegenüberstellung wird besonders in den Details zum Ausdruck gebracht. An der
Stelle, an der die junge Frau eine Brosche trägt, ist bei
dem Skelett ein kleiner Totenkopf zu sehen. Der

Halsschmuck der Frau entspricht der sich durch die Rippen windenden Schlange des Skeletts, und die Brüste haben ihr tödliches Pendant in den vorstehenden Rippenbogen des Knochenmannes. Die Kröte, das Symbol des Todes, steht zusammen mit dem prominent kahlen Kopf in starkem Kontrast zu der aufgetürmten Frisur der Frau. Die Fliegen, die die junge Frau als Ohrringe trägt, sind ein Symbol der Verwesung. Damit hat sich selbst in der scheinbar nie endenden Jugend die Vergänglichkeit längst eingenistet.

Die Zusammenstellung von floralen Elementen und Insekten erinnert an das kalligraphische Schriftmusterbuch für Rudolf II. Jan de Vos arbeitete zur Zeit der Entstehung der Medaille als Goldschmied am Hof Rudolfs II. in Prag. Rudolf II. starb in dem Jahr, in dem die Medaille entstand. Nach einer Theorie über die Identität der dargestellten weiblichen Person handelt es sich um die Mätresse Rudolfs II. Einen Tag bevor er starb, habe sie ihm eine Tochter geboren. Vor dem Hintergrund dieser Theorie nimmt die Kröte anstelle einer Krone auf dem Haupt des Skeletts eine

besondere Rolle ein (Scher 1994, S. 300). Denn hier wird klar, dass die von Gott gegebene Königswürde durchaus genauso vergänglich ist wie das Leben selbst.

Abformungen der Medaille sind in mehreren Sammlungen vertreten. Herausragend ist ihre Einarbeitung in einen Silberbecher (Privatbesitz; Laue 2002, Nr. 94; Abb. 133a). Die Lebend-Seite ist von außen zu erkennen, während sich das Portrait des Skeletts erst zeigt, wenn der Becher geleert wird.   AH

LITERATUR Da Costa Kaufmann 1988; Lee Hendrix, An Introduction to Hoefnagel and Bocksay's Model *Bool of Calligraphy* in the J. Paul Getty Museum, in: Eliska Fuāíková (Hg.), *Prag um 1600 – Beiträge zur Kunst und Kultur am Hofe Rudolfs II.*, Freren 1988, S. 110–117; Klaus Pechstein, Kaiser Rudolf II. und de Nürnberger Goldschmiedekunst, in: Eliska Fuāícová (Hg.), *Prag um 1600 – Beiträge zur Kunst und Kultur am Hofe Rudolfs II.*, Freren 1988, S. 232–243; Stephen K. Scher, *The Currency of Fame – Portrait Medals of the Renaissance*, New York 1994; Lars Olof Larsson, Portraits of Emperor Rudolf II., in: Eliska Fuāíková, James M. Bradburne, Beket Bukovinská u.a. (Hg.), *Rudolf II. and Prague*, London 1997, S. 122–129; Laue 2002.

Replik des Grabmals der Maria Magdalena Langhans   134

Johann Valentin Sonnenschein (1749–1828),
nach dem Original von Johann August Nahl d. Ä. (1710–1785)
spätes 18./frühes 19. Jahrhundert

Terrakotta

Höhe 395 mm, Breite 310 mm

Bernisches Historisches Museum, Bern
INV. NR. 1032

Das 1751/52 entstandene Grabmal der Maria Magdalena Langhans, das sich in der Pfarrkirche zu Hindelbank befindet, ist in jeder Beziehung etwas Außergewöhnliches.

1741 und 1746 ist Johann August Nahl im Dienste Friedrichs des Großen tätig, bevor er sich als freischaffender Künstler 1746 in Reichenbach bei Bern niederlässt und nur noch Aufträge des Standes Bern annimmt. In den späten 1740er Jahren beauftragt der

Herr von Hindelbank, Albert Friedrich von Erlach, Nahl mit einem großen Grabmonument für die Kirche des Ortes, um damit an seinen verstorbenen Vater zu erinnern. Während der Dauer des Auftrages wohnt Nahl jedoch nicht im Schloss des Auftraggebers sondern im Pfarrhaus, wo er mit dem Pfarrherrn Georg Langhans und seiner Frau Maria Magdalena Langhans Freundschaft schließt. Es scheint reines Schicksal zu sein, dass die junge Pfarrersfrau ausgerechnet zu die-

sem Zeitpunkt an den Folgen einer Totgeburt stirbt. Nahl ist persönlich ergriffen, starb sein Neugeborenes doch nur acht Tage zuvor. Tröstlich und bedeutsam erscheint es, dass die junge Frau am Samstag vor Ostern starb. Ihr Grabmal soll deshalb einen Hinweis auf die Auferstehung beinhalten.

Die nun von Nahl gefertigte Platte aus grauem Sandstein (2250 x 1180 mm) ist zehn Zentimeter unterhalb des Bodenniveaus im Chor der Kirche in Hindelbank eingelassen. Im oberen Bereich des Monumentes befindet sich das Wappen Langhans und Wäber. Darunter nimmt ein von architektonischem Zierat und Ranken umfasstes Feld eine Inschrift auf

(Gampp 1995, S. 73 ff.). Durch einen vertikal verlaufenden Spalt in der Platte erblickt der Betrachter gleichsam in dem angenommenen Raum unter der Platte die junge Frau und ihr Kind, das die rechte Schulter samt der kleinen Hand in die Höhe streckt. Sie hält den oberen Stein, ihre Hand auf das Tuch stützend, fest und blickt in diese Richtung. Ihre Körperhaltung ist nach rechts geneigt, so dass der Betrachter durch den schmalen Spalt ihren Körper zum Teil erkennen kann. Nur ihr rechter Unterschenkel sowie die Haare sind in ein Tuch gehüllt. Beide Figuren drängen nach außen und führen ihre Auferstehung vor Augen. In einer in zwei Teile zerbrochenen Kartusche ist zu lesen: „Herr / Hier bin ich und / das Kind, / so du mir gegeben / hast". Darunter folgt ein vierzeiliges Gedicht, das Albrecht von Haller, ein bekannter Schweizer Dichter, eigens zu diesem Anlass verfasste.

> „Horch! Die Trompete ruft, sie schallet durch das Grab,
>
> Wach' auf, mein Schmerzenskind, leg deine Hülle ab,
>
> Eil deinem Heiland zu, vor ihm flieht Tod und Zeit,
>
> und in ewig Heil verschwindet alles Leid."

Bald gehörte das Grabmal zu den zeitgenössischen Sehenswürdigkeiten und lockte Persönlichkeiten wie Johann Wolfgang von Goethe nach Hindelbank. Die große Beliebtheit des traurigen, anrührenden und doch von Hoffnung bestimmten Motivs führte bald zu zahlreichen Nachbildungen aus Porzellan und Terrakotta. Sonnenschein fertigte mehrere Terrakotta-Repliken, die zuweilen deutliche Unterschiede aufweisen.

Johann Valentin Sonnenschein war ein Stuttgarter Stukkateur und Bildhauer des Neuklassizismus und wurde 1779 von Zürich nach Bern berufen, wo er seine Stellung als neuer Professor an der Berner Kunstschule antrat (Fallet 1970, S. 212 f.).

Nach einer Brandkatastrophe im Jahre 1911 wie durch ein Wunder gerettet, wurde das Original-Grabmal in die Erlachkapelle verlegt. Heute ist es wieder in den Boden der Kirche eingelassen. NZ

LITERATUR Legband 1910; Breitbart 1912; Bleibaum 1933; W. Doenna, Eine Terrakottagruppe von V. Sonnenschein, in: *Pro Arte* 6/67–68 (1947), S. 504; Dreiheller 1968; Fallet 1970; Marianne Heinz, Die Kasseler Bildhauer Nahl und Ruhl, in: Staatliche Kunstsammlungen Kassel (Hg.), *Aufklärung und Klassizismus,* Ausst. Kat. Kassel 1979, S. 88–91; Bucher 1989; Sabine Schulze (Hg.), *Goethe und die Kunst,* Ausst. Kat. Schirn Kunsthalle Frankfurt und Kunstsammlungen zu Weimar, Frankfurt 1994; Ulrich Schmidt, Sabine Fett, Michaela Kalusok (Hg.), *Die Künstlerfamilie Nahl. Rokoko und Klassizismus in Kassel,* Ausst. Kat. Staatliche Museen Kassel, Kassel 1994; Gampp 1995; Weidner 1995, S. 51–102.

Das Mädchen und der Tod 135

Edvard Munch (1863–1944)
1894

Kaltnadelradierung

305 x 220 mm

Graphiksammlung „Mensch und Tod" der Heinrich-Heine-Universität, Düsseldorf
INV. NR. E 0422

Die Kaltnadelradierung stammt aus der Sammlung Block und wurde 1976 zusammen mit etwa 1000 weiteren Blättern angekauft. Diese Sammlung bildet den Grundstock der Graphiksammlung der Universität.

Die Graphik wurde in braunschwarzer Tinte mit zartem Plattenton ausgeführt und ist unten rechts mit „E Munch" signiert. Tintenfarbe und Papierqualität sowie die zweite Signatur links unten belegen einen Druck bei Felsing in Berlin, was die Entstehung des Blattes zeitlich zwischen 1902 und 1915 eingrenzt (Woll 2001, S. 38).

Das Motiv geht auf ein Ölgemälde Munchs von 1893 zurück (Abb. 135b), welches eine junge unbekleidete Frau und ein Skelett in inniger Umarmung zeigt. Dieses Paar findet sich in der hochformatigen Graphik seitenverkehrt und mit einigen formalen Änderungen wieder. Das Mädchen hat seine Arme um den Hals des personifizierten Todes geschlungen, auf Zehenspitzen reckt sie sich ihm entgegen. Der Knochenmann umfasst mit beiden Händen ihren Rücken und schiebt sein linkes Bein zwischen ihre Schenkel. Spermienfäden und Embryonen, die schon im Gemälde die seit-

244

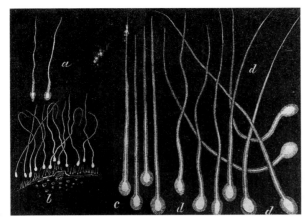

135a

lichen Bildränder einnehmen, bilden in der Graphik einen Rahmen um das Paar, abgesetzt durch parallel zum Blattrand verlaufende Linien. Drei kauernde Embryonen besetzen den unteren Blattrand, die Spermien schlängeln sich umlaufend von links unten nach rechts unten. Durch die Rahmenmotive erweitert Munch das traditionelle Thema von Mädchen und Tod um die Aspekte Empfängnis und Geburt.

Wie die Rahmenzeichnung ist auch der Körper des Mädchens in zarten Linien erfasst, wenige Binnenstrukturen ergänzen die Kontur. Der Körper ist hell, nahezu schattenlos. Nur ihr geschlossenes Auge und das lange, über den Rücken fallende Haar sind dunkel betont. Das Skelett hat Munch in kurzen, kräftigen Strichen gezeichnet, seine dunkle Gestalt bildet einen harten Kontrast zum Frauenkörper. Die Knochen der Arme und Beine sind dünn, Hände und Füße klein und vereinfacht ausgeführt. Einige Strähnen des Frauenhaares fallen über ihre rechte Schulter bis zur Brust, eine Locke ringelt sich vor dem Schädel des Todes. An seinem Hinterkopf fließen die Linien der Haare in die Schädelkontur ein, schaffen eine Verbindung zum Skelett, umfangen es. Im Gegensatz zum Gemälde erwidert das Skelett den Kuss des Mädchens jedoch nicht: Der Schädel ist abgewandt, sodass ihre Lippen nur das Jochbein treffen.

Die Kaltnadelradierung gehört zu den ersten Graphiken des norwegischen Künstlers, der sich im Spätherbst 1894 in Berlin zunächst dem Kupferstich und wenig später weiteren grafischen Techniken zuwandte. Diese Blätter waren von Beginn an für den Kunstmarkt geschaffen, Munch wollte seiner wachsenden Bekanntheit als Künstler finanziellen Erfolg folgen lassen (Edvard Munch 1995, S. 10 f.). Daneben

boten sich ihm neue künstlerische Perspektiven: Schon in dem hier besprochenen frühen Blatt wird das charakteristische Vermögen Munchs, ein Gemäldemotiv durch die Umsetzung in eine Graphik zu klären und durch formale Reduktion den Ausdruck zu konzentrieren, überaus anschaulich.

Das Mädchen und der Tod steht innerhalb des Werks des Malers und Graphikers den Motivkomplexen *Madonna* und *Kuss* nahe, Themen die Munch seit den 1880er Jahren variierte und später dem *Lebensfries* zurechnete. Der Frauentypus entspricht dem der *Madonna* und ist auch dort schon mit Embryonen und Spermien als Rahmenmotiven kombiniert. In der Reihe der Kuss-Variationen eröffnet die Radierung die Serie, in denen das Paar unbekleidet erscheint.

Rodolphe Rapetti verweist auf die motivische Nähe des Blattes zu Arbeiten Félicien Rops (Rapetti 1992, S. 162), auch Odilon Redon wird als Vorbild genannt (Svenæus 1968, S. 114). Als direkte Vorlage für das Spermienmotiv führt Arne Eggum eine Platte in K. G. Doblers *Ein neues Weltall* an (Abb. 135 a), das sich auch in der Bibliothek des Künstlers befand (Eggum 2000, S. 163). Die Embryonen am unteren Bildrand lassen sich mit denen auf einem Kupferstich Johann Melchior Füsslis vergleichen (Abb. 135 c; Nürnberg, 1731; Totentanz 2001, S. 244).

135b

135c

Inhaltliche Deutungen spannen das Verhältnis der beiden Protagonisten vom Ausgeliefertsein des unerfahrenen Mädchens (Berman/van Nimmen 1997, S. 117) über ein gleichberechtigtes Miteinander (Gerner 1993, S. 66) bis zur Überwindung des Todes durch die Lebenskraft, „personifiziert in sexuell aggressiver Weiblichkeit" (Messer 1989, S. 66). Gert Kaiser betont besonders die Verbindung von sexueller Fortpflanzung und Tod als Grundlage für das Überleben der Gattung Mensch; er sieht in der Darstellung des Paares eine „kulturelle Ausprägung […] der Grundgegebenheit aller höhere[n] Lebewesen" (Kaiser 2000, S. 124).

Dies ist ein hoher Anspruch an ein Motiv, dessen Frauenbild in der Kunst fast ausschließlich von Männern geprägt wurde. Zunächst zeigt das Blatt die Verbindung von Liebe, Leben und Tod als ein Grundthema im Werk Edvard Munchs. Da sie sich unveränderlich zueinander verhalten, gibt es letztlich keinen Sieger. IM

LITERATUR Svenæus 1968; Messer 1989; Rodolphe Rapetti, Munch im Kontext des Symbolismus: Französische Einflüsse, in: *Munch in Frankreich,* hg. von Sabine Schulze, Ausst. Kat. Schirn Kunsthalle Frankfurt, Stuttgart 1992, S. 155–187; Gerner 1993; Edvard Munch 1995; Berman/van Nimmen 1997; Eggum 2000; Kaiser 2000; Totentanz 2001; Woll 2001.

136 *Todeskuss*

Edvard Munch (1863–1944)
1899

Lithographie

295 x 455 mm

Graphiksammlung „Mensch und Tod" der Heinrich-Heine-Universität, Düsseldorf
INV. NR. E 0423

Die Lithographie ist unten rechts mit „Edv Munch" signiert und gelangte 1976 mit der Sammlung Block in die Graphiksammlung der Universität Düsseldorf. Sie wurde bei Petersen & Waitz in Oslo ausgeführt (Woll 2001, S. 151).

Das querformatige Blatt zeigt einen Totenschädel und den Kopf einer jungen Frau, dünne Linien bilden einen Rahmen um das Motiv. Die einander zugewandten Köpfe sind leicht angehoben, sie berühren sich sanft am Kinn; eine Haarsträhne der Frau schafft eine Verbindung zur linken Augenhöhle des Schädels. Leicht aus der Bildmitte nach links verschoben, haben die beiden Köpfe unterschiedlichen Abstand zu den seitlichen Rahmenlinien. Den freibleibenden Bereich rechts neben dem Frauenkopf füllt im unteren Teil ihr Haar in einer dynamischen Welle, um darauf dunkel und voll den gesamten unteren Motivrand einzunehmen. Der Totenkopf ist dagegen eng an

die Rahmenlinie herangerückt, er ist fest verspannt zwischen Rahmen, Frauenkopf und ihrem Haar. Die Frau schaut ihr Gegenüber nicht an. Ihr Gesicht ist weiter als das des Skeletts dem Betrachter zugewandt, ihr Blick fällt unter gesenkten Lidern aus dem Bild heraus ins Unbestimmte.

Formal wird der Schädel durch schmale Umrisslinien bestimmt; an Hinterkopf, Jochbein und Schläfe modellieren flächige Schatten die Form. Augen- und Nasenhöhle sind schwarz mit hellen Reflexen. Am Kiefergelenk strudeln mehrere Linien kreisförmig umeinander. Die mehrfache Strichführung entlang des Jochbeins nach oben verstärkt den Eindruck des Grinsens. Gesicht und Haar der Frau sind dagegen von Flächen bestimmt: tiefe Schatten liegen um Augen, Halsansatz, Wangenknochen und Oberlippe, nur die Unterlippe ist in flüchtigen, zarten Strichen ausgeführt. Ihren Ursprung hat die Lithographie in einer Zeichnung Munchs zu August Strindbergs Einakter *Samum,* welche sich heute in einer Privatsammlung befindet (Woll 2001, S. 151). Das Drama wurde im Januar 1899 zusammen mit vier Illustrationen des norwegischen Künstlers in der Zeitschrift *Quickborn* ver-

öffentlicht (Svenæus 1969, S. 20). Dort ist der Frauenkopf mit dem Totenschädel dem Stück vorangestellt. Munchs Zeichnungen verbildlichen keine konkrete Szene, stehen dem Drama jedoch inhaltlich nahe. Den Höhepunkt bildet die Tötung eines französischen Offiziers durch die arabische Hexe Biskra mittels Suggestion: Sie hält dem Soldaten einen skelettierten Schädel entgegen. Im Glauben, sein eigenes Antlitz im Spiegel zu sehen – also bereits tot zu sein – stirbt er tatsächlich vor Entsetzen (Strindberg 1899, S. 4–9).

Wie in Kat. Nr. 135 greift Munch motivisch auf frühere Werke zurück. Der Frauentyp ist dem Themenkomplex *Madonna* in Munchs Werk der 1890er Jahre zuzurechnen, eine Zeichnung von 1894 könnte als direkte Vorlage gedient haben. Zwei aneinander gelegte Köpfe variiert das *Liebespaar in den Wellen* von 1896. Hier ist die wellenförmige Ausbreitung des Frauenhaares vorbereitet, wobei dieses den Kopf des Mannes fast völlig verbirgt, während das Haar im Todeskuss den Totenschädel berührt, aber nicht umfängt. Als Vorbilder für die Komposition aus Frauenkopf und ihrem die Bildbreite einnehmenden, fließenden Haar kommen Odilon Redons Lithographie *La*

136a

Mort: mon ironie dépasse toutes les autres sowie Paul Gauguins Zeichnung *Madame la Mort* (Abb. 136a) in Frage (Svenæus 1968, S. 132).

Die inhaltliche Nähe zur Kaltnadelradierung *Das Mädchen und der Tod* (1894; Kat. Nr. 135) ist offensichtlich. Auch in der Literatur werden beide Blätter zumeist gemeinsam behandelt, eigene Deutungsansätze sind spärlich. Neben Svenæus, der in dem Schädel als Gegenüber der Frau „eine Seite ihrer eigenen Vergangenheit" erblickt (Svenæus 1968, S. 132),

vergleichen Mikinosuko und Maria Lydia Tanabe das Gegenüber der Köpfe mit dem traditionellen *Frau Welt*-Motiv. Sie interpretieren die Frau in Munchs Lithographie als Allegorie der Natur, die zum „Verknüpfungsmoment von Leben und Tod" wird, einer anderen Natur, welche der biologischen gegenübergestellt ist (Totentanz 2001, S. 244).

Das Blatt erscheint wie eine Ausschnittvergrößerung der älteren Kaltnadelradierung. Wie zur nochmaligen Konzentration ist das Thema jetzt auf die Köpfe der Protagonisten beschränkt, unterstützt durch das große Format. Das Verkeilen des Schädels in der linken Bildhälfte zeigt fortgesetzt die aktive Rolle der Frau und doch hat sich ihre Haltung angesichts des Todes verändert: Aus stürmischer Hingabe ist – trotz der körperlichen Nähe – gelassene Distanz geworden. IM

LITERATUR Strindberg 1899, S. 4–9; Svenæus 1968; Svenæus 1969; Eggum 2000; Totentanz 2001; Woll 2001.

Tod packt Frau 137

Käthe Kollwitz (1867–1945)
1934–1937

Lithographie

510 x 365 mm

Graphiksammlung „Mensch und Tod" der Heinrich-Heine-Universität, Düsseldorf
Inv. Nr. F 0696

Signiert u.r. „Käthe Kollwitz" und bezeichnet u. l. „27/100".

Käthe Kollwitz hat ihr ganzes Leben lang ein Gespräch mit dem Tod geführt und sich mit ihm auseinander gesetzt. Nicht etwa aus einer Neigung zum Makabren, sondern aus „Mitleid und Liebe zum Leben" (Schuster 1992, S. 21). 1867 in Königsberg geboren, erlebt sie den Ersten Weltkrieg, in dem einer ihrer Söhne fällt, und stirbt kurz vor Beendigung des Zweiten Weltkrieges. Den Tod ihres Sohnes konnte die Künstlerin bis zu ihrem Lebensende nicht verwinden (Bohnke-Kollwitz 1992, S. 13). Diese persönliche Erfahrung stellt die vor allem von der Mutter-Kind-Thematik bestimmten Werke der durch politische Anti-Kriegs-Plakate, Flugblätter und Kampagnen berühmt gewordenen Künstlerin in ein besonderes Licht.

Die zwischen 1934 und 1937 entstandene Lithographie stammt aus der Folge Tod. Käthe Kollwitz wartete bis 1934 mit dieser Folge von Lithographien, weil sie glaubte, sich im Alter intensiver mit dem Tod auseinandersetzen zu können. Sie musste feststellen, dass dies nicht der Fall war, dass das Alter sie aber produktiver machte. Der Tod wird mit dem Alter für Kollwitz hinter allem sichtbar (Schneede 1981, S. 52). So auch in dieser Lithographie, die eine Frau in frontaler Ansicht zeigt, die von einer Gestalt angegriffen wird. Sie stellt, lediglich durch knochige Schultern und eingefallene Wangen angedeutet, den Tod dar. Der Kontrast zwischen Tod und Leben entsteht hier vor allem durch die Gegenüberstellung der kräftigen Frau und der knochigen Gestalt. Die Arme der Mutter, die sich um den kleinen Kinderkörper legen, um ihn festzuhalten, umhüllen diesen wie einen Schutzmantel. Diese Art der Darstellung von Mutter und Kind bildet eines der Hauptthemen im Werk von Käthe Kollwitz (Bohnke-Kollwitz 1992, S. 12). Die Todesangst wird verdeutlicht durch die in Panik aufge-

rissenen Augen der Mutter und ihre angespannte Körperhaltung. Kollwitz verzichtet hier – wie sehr häufig in ihrem Werk – vollständig auf einen Hintergrund. Der Blick des Betrachters konzentriert sich auf die drei dargestellten Figuren. Das Geschehen wird ausschließlich durch die Körpersprache, Gestik und Mimik, ausgedrückt. Besonders in dieser Lithographie werden Isolation und Hilflosigkeit der Dargestellten unterstrichen. Die Auswegslosigkeit wird durch die leere Fläche hervorgehoben und eine Flucht scheint unmöglich.

Käthe Kollwitz hat in ihren Darstellungen von Mutter und Kind nicht nur ihren persönlichen Verlust verarbeitet. Sie wollte ihre Bilder auch politisch verstanden wissen. Mutterliebe und Mutterleid werden nicht als biologische oder individuelle Situationen, sondern aus der Verbundenheit der Künstlerin mit der vom Krieg gezeichneten Gesellschaft dargestellt (Strauss 1951, S. 12). Das Blatt *Tod packt Frau* hat vor dem Hintergrund der Nachkriegszeit also eine politisch-soziale Botschaft. Käthe Kollwitz hat verstanden, dass Todesangst, das Ringen mit dem Tod bei den Arbeiterfamilien der Nachkriegszeit ständig präsent ist. „Je länger, je mehr verstehe ich das typische Unglück in Arbeiterfamilien", schrieb Kollwitz in ihr Tagebuch (Strauss 1951, S. 13). Bedrohtes Mutterglück, gefährdete Kinder und die Allgegenwart des Todes in ihren Werken sind Schilderungen der typischen Existenzbedingungen der Arbeiterklasse (Strauss 1951, S. 13). Gleichzeitig sind die Arbeiten von Kollwitz Ausdruck ihrer eigenen Hilflosigkeit gegenüber der Situation. AH

LITERATUR Strauss 1951; Kollwitz 1952; Schneede 1981; Parkes 1987; Mensch und Tod 1989; Bohnke-Kollwitz 1992; Schuster 1992; Ochsmann 1993.

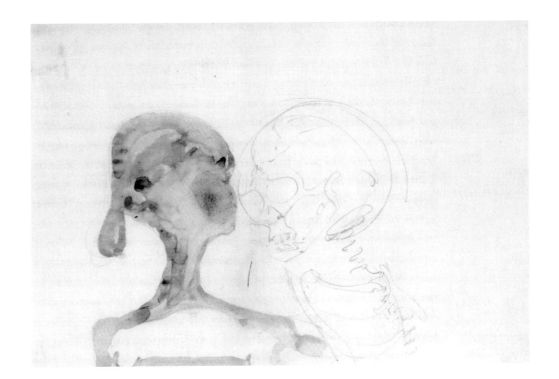

Der Tod und das Mädchen 138

Joseph Beuys (1921–1986)
1957

Bleistift und Wasserfarbe auf Papier

211 mm, 297 mm

Stiftung Museum Schloß Moyland, Sammlung van der Grinten
Joseph Beuys Archiv des Landes Nordrhein-Westfalen
INV. NR. MSM 0053

BEZEICHNET VERSO „Beuys 1957 der Tod und das Mädchen“

Der aus einer freien Kreisform entwickelte Schädel mit großen Augenhöhlen, zart und präzise angegebenen Kranialnähten, Brauenwülsten, Kiefergelenk und Gebiss schwankt auf dem kaum wahrnehmbaren Rückgrat. Er scheint sich spielerisch und fast werbend an die kompakte weibliche Silhouette mit den weiß ausgesparten Brüsten anzulehnen. Feine Gegensätze kennzeichnen das für die Zeichnungen von Joseph Beuys vergleichsweise große Blatt. Gerade aufgerichtet steht die farbig angelegte Frauengestalt dem wie sprechend erscheinenden Totenkopf gegenüber, der von den nur angedeuteten Halswirbeln kaum zu tragen ist. Ein zartes Schlüsselbein verbindet die Halswirbel mit dem ebenfalls nur angedeuteten Armknochen, der die Schräge der Wirbelsäule aufnimmt und gegen den

waagrecht ausgestreckten Armstumpf der Frau stößt. Obwohl nur die klare Umrisslinie des Kinns, nicht aber Nase und Mund ihres Gesichtes erkennbar sind, wirkt der Kopf mit dem fast zufälligen und dennoch gezielt akzentuierten Farbverlauf der Brauntöne wach und präsent. Wie mit dem Finger mit Kohle oder Bleistift hinein gewischt erscheint die Wangenpartie, deren Kontur gegen die Wölbung des Totenschädels gesetzt ist. Fast alles ist hier rundlich, lebendig, fest; die Büste ist stabil und gerade auf den unteren Bildrand aufgesetzt. Der schlanke Hals trägt den im Verhältnis großen Kopf sicher, die Haarkalotte und der Haarzopf am Hinterkopf sind gut gegen die große Gesichtsfläche mit dem abgeflachten Profil ausgewogen. Davor erscheint die mit dünnen, fließenden

Strichen hingeschriebene Todesgestalt geisterhaft un- wirklich und wie in einer anderen Realitätsebene. Fremd und durch ihre Lebendigkeit scheinbar geschützt begegnet das Mädchen dem Tod in diesem Werk. Trotz der zunächst auffallenden motivischen Ähnlichkeit mit der vergleichbaren Lithographie von Munch (vgl. Kat. Nr. 136) ist bei Beuys wenig von der erotisch auf- geladenen Spannung zwischen den beiden Gestalten zu spüren, die im Blatt von Munch, ausgedrückt etwa durch die Masse der Haare, wie eine Naturgewalt

erscheint. Dagegen wirkt die Konfrontation von Tod und Mädchen in der Arbeit von Beuys wie ein vorsich- tiges, ruhiges Gespräch.   HWA

LITERATUR Joseph Beuys, Ausstellungskatalog Moderna Museet, Stockholm 1971, Nr. 59; Hiltrud Westermann-Anger- hausen (Hg.), Joseph Beuys und das Mittelalter, Köln 1997, Nr. 51, Abb. S. 165 und S. 35–36.

139 *Der Tod und das Mädchen*

Salvador Dalí y Domenech (1904–1989)
1967

Radierung, teils koloriert
Blatt 10 einer Folge von 18 Originalradierungen (davon acht Vignetten)
„Apollinaire – Poèmes secrets", Édition Argillet, Paris 1967

317 x 240 mm (Platte)

Graphiksammlung „Mensch und Tod" der
Heinrich-Heine-Universität, Düsseldorf
INV. NR. E 0093

SIGNIERT u. r. „Dalí" und auf der Rückseite Prägedruck „Dalí"

In seinen graphischen Werken setzte sich Dalí mit einer Reihe literarischer Zyklen auseinander. Eine die- ser Werkreihen, die zu Guillaume Apollinaires gehei- men Gedichten, einer Hommage an seine Geliebte Madeleine, gehören, ist *Der Tod und das Mädchen*.

Die Werkreihe besteht aus achtzehn Radie- rungen, davon sind acht Vignetten auf Japanpapier, wobei die Zehnte eine Darstellung von Frau, Pferd und Tod zeigt. In einer Einzeledition erschien zusätz- lich eine weitere Vignettenreihe von 145 Aquarellen auf Japanpapier und unter dem Titel „Petits nus d'Apollinaire" erschien eine Auflage von 59 Exempla- ren auf Japanpapier, die auch zum Teil als Weihnachts- karten gedruckt wurden (Michler 1994, S. 154ff.). Alle Radierungen besitzen eine ähnliche räumliche Anord- nung: stets erscheint die Frau als Rückenakt, und ein Motiv im Hintergrund ist sowohl in inhaltlicher als auch in deutender Hinsicht mit der Frau verbunden.

So zeigt diese Radierung eine junge, sinnliche Frau als Rückenakt, die die vordere Bildebene in ihrer Größe und Schönheit völlig einnimmt. Mit ausgeprägten weiblichen Rundungen lockt sie eindeutig den Tod, der als Gerippe zu Pferd mit einer Gitarre à l'espagnol in der erhobenen rechten Hand dargestellt ist. Gerade die räumlich weite Entfernung intensiviert die gegen- seitige Anziehung, die sich in der aufreizenden Pose des Mädchens und der Handbewegung des Gerippes äußert, und betont den erotisch-leidenschaftlichen Aspekt.

Der Tod als Reiter erscheint häufig als Einzel- figur vom Ende des Hochmittelalters bis in unsere Zeit, seltener ist die Darstellung des Todes mit einem Musikinstrument, wobei Streich- und Blasinstrumente häufiger vorkommen als die für Spanien typischere Gitarre. Der Gitarre spielende Tod versucht mit der Zauberkraft der Musik das Mädchen anzuziehen. Im

Hintergrund erblickt man eine miniaturhaft skizzierte Gestalt mit Posaune auf einem turmartigen Gebilde sitzend, die in der Literatur als eine Allegorie des jüngsten Gerichts interpretiert wird.

Das Motiv der Kreise, das sich im ganzen Bild wiederholt, verbindet die Figuren miteinander.

Die Blumen zur Rechten des Mädchens berühren die Wolken, auf denen der Tod reitet. Die Wolken über dem Tod blenden mit Strahlen das Mädchen, wodurch sich ihr rechter Handgestus erklärt. Die Kreisformen zur Linken des Mädchens stellen eine Verbindung zwischen ihr und der kleineren Turm-

darstellung her. Variiert wird das Motiv mit den Kreisen in der Haarpracht des Mädchens und beim Pferdesschweif. Zwar fassen diese parallelen Motive bildlich die vier Figuren zu einer geschlossenen Einheit zusammen, doch bleiben sich die Figuren trotz dieser räumlichen Verbindung fremd. Das Mädchen lockt unwissend und naiv, aber der Tod bleibt ihr fern. Die Darstellung verdeutlicht in dieser Figurenkonstellation die erotische Präsenz des Mädchens, die so stark ist, dass sogar der Tod ihr fern bleibt. Der Plan des Todes, das Mädchen zu locken, geht nicht in Erfüllung. Während der Tod vorüberzieht, scheint das

Mädchen mit verhaltener Gestik den Tod zu beobachten. Von den üppigen und unwiderstehlichen Reizen des Mädchens scheint das Gerippe durchaus angetan zu sein. Der sonst gefährlich und teuflisch dargestellte Tod ist nun das lächerlich wirkende Opfer und gewinnt einen lustigen Charakter; er wird als ungefährlich hingestellt. Dieses eher komische Element wird reflektiert durch die Bildmotive der Kreise, etwa, wenn man deren Gestaltung im Bereich des Gesäßes

des Mädchens betrachtet. Deutlich wird bei dieser Radierung Dalís, dass hier das ewig lockende Weib im Mittelpunkt steht, dessen erotische Reize vielleicht sogar den Tod überlisten können.   NZ

LITERATUR Totentänze von Dürer bis Dalí 1972; Salvador Dalí 1982; Berger/Inge 1987; Schuster 1989; Schuster 1992; Bronfen 1994; Michler 1994; Guthke 1997; Jung-Kaiser 1999

140 *Liebesszene (Tod und Mädchen)*

Horst Janssen (1929–1995)
1985

Radierung in Gelbbraun

300 x 210 mm (Platte)

Graphiksammlung „Mensch und Tod" der Heinrich Heine Universität, Düsseldorf
INV. NR. E 0300

IN DER PLATTE MONOGRAMMIERT U. L. UND BEZEICHNET U. L. „bis dass Hayn uns vereit", „Griffelkunst Langenhorn" und „indigo oder Ochsenblut oder indisch-gelb bitte" (in Spiegelschrift); monogrammiert u. r. Blindstempel des Verlags „Griffelkunst" u. l.

Der Hamburger Zeichner und Graphiker Horst Janssen trat bereits im Alter von sechzehn Jahren der Landeskunstschule in Hamburg bei und wurde Schüler bei Alfred Mahlau. Janssen schuf eine nahezu unüberschaubare Anzahl von Werken verschiedener Themen (Mädchenbilder, Landschaften bis hin zu Selbstbildnissen) und Techniken (Holzschnitt, Lithographie, Radierungen u.a.), mit denen er beim Publikum nicht selten für großes Aufsehen sorgte. Bei der hier vorliegenden Radierung handelt es sich um eines dieser Aufsehen erregenden Werke, bei denen Janssen mit dem Motiv ‚Der Tod und das Mädchen' ein seit Jahrhunderten existierendes Thema aufgreift, um es unverblümt zu interpretieren. Er präsentiert dem Betrachter eine in sich geschlossene Szene, bei der dieser lediglich als Zuschauer fungiert, nicht aber in das Geschehen hineingezogen wird. Der Tod, in Form des Knochenmannes, und das junge Mädchen sind eng umschlungen und vollziehen gerade den Geschlechtsakt. Keineswegs kann hier eine Abneigung zwischen ihnen erkannt werden, vielmehr scheint es sich um eine intensive Liebesbeziehung zu handeln. Allerdings eine Liebesbeziehung an deren Ende möglicherweise der Tod steht, denn die Inschrift unten links im Bild besagt: „bis dass Hayn uns vereit". Das junge, sehr schlanke Mädchen ist lediglich mit einem leichten Stoff um die Schultern bekleidet; sie umklammert und küsst den Knochenmann und scheint sich ihm völlig hinzugeben. Der Knochenmann kann hier als Personifikation des alten Mannes gesehen werden, der sich vor dem Sterben fortpflanzt (Janssen 1986, S. 306), und durch das zur Schau stellen seines Genitals (Leopold/ Moster-Hoos/Tietken 2004, S. 22), vermenschlicht wird. Er klemmt das Mädchen, das junge Leben, zwischen seinen Beinen ein und umfasst mit seinen Händen ihren Oberkörper und ihre Brust. Obwohl hier zwei

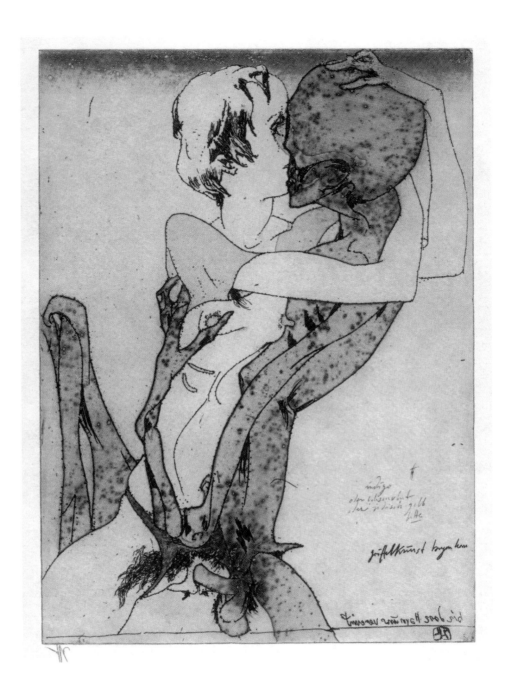

Kontraste, nämlich alt (der Tod) und jung (das Leben) aufeinandertreffen, scheinen sie förmlich miteinander zu verschmelzen und ineinander überzugehen.

Die Entwicklung dieser besonderen Tod-Mädchen-Konstellation in den Werken Horst Janssens beginnt in seiner Radierfolge *Der große Totentanz* (1973/1974) mit dem Motiv des alten Mannes und des jungen Mädchens. Es bildet sich in der *Bettina-Serie* aus den Jahren 1973–1975, die während seiner Liaison mit der um viele Jahre jüngeren Bettina, einer Tochter von Freunden, entsteht, weiter und setzt sich in den

Radierungen zu *Tod und Mädchen* in den 1980er Jahren fort (vgl. Blessin 1984, S. 380–400). Janssen greift mit diesem Motiv Werke seiner Vorgänger Edvard Munch und Egon Schiele auf. Allen drei Künstlern gemeinsam ist die Auseinandersetzung mit dem prekären Thema der erotisch oder auch anzüglich dargestellten Frau in Verbindung mit dem Tod (vgl. Kat. Nr. 135–136). CE

LITERATUR Blessin 1984; Janssen 1986; Arnold 1994; Totentanz 2001; Leopold/Moster-Hoos/Tietken 2004.

141 *Human Space*

Jean-Pierre Raynaud (*1939)
1995

Metallstrebenkonstruktion, weiße Beschichtung
außen, quadratische weiße Kacheln mit
Fotoreproduktionen innen

Höhe 3,80 m, Durchmesser 6 m

Leihgabe der Sammlung Ludwig

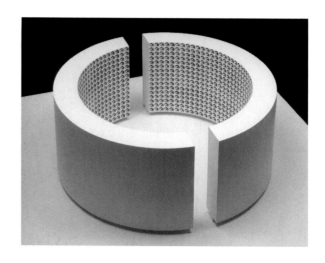

Human Space ist eine begehbare Installation, die den Betrachter in vielfacher Weise gefangen nimmt, ihn geradezu bedrängt. Der kreisrunde Raum wird aus zwei hohen und dicken, halbkreisförmigen Mauern gebildet, die außen glatt weiß verkleidet sind und zwischen sich nur zwei kleine Durchlässe erlauben. Die Halbkreise stehen jeweils auf einer kaum sichtbaren Schiene in der Mitte der Mauerdicke, so dass die schweren Halbzylinder zu schweben scheinen. Der Innenraum ist mit einer unübersehbar großen Anzahl von weißen Kacheln ausgekleidet. Sie zeigen alle das Bild vom Schädel eines Urmenschen, der 1856 in der Nähe von Düsseldorf, im Neandertal, gefunden wurde (Abb 66a). Raynaud evoziert mit der Gleichförmigkeit der Bilder eine schier endlose Zahl von Vorfahren, zugleich stellt sich aber auch die Assoziation der massenhaft in Beinhäusern gestapelten Totenschädel ein oder die gehäufte zur Schau Stellung von ‚Heiligen Häuptern‘ in großen Reliquiensammlungen. Mit der quasi antiseptischen Oberfläche des kreisrunden Innenraumes verbindet sich außerdem die Anmutung von Operationssälen oder auch den kreisförmig angelegten anatomischen Theatern des Barock. Die fast geschlossene, nur nach oben offene Rundung entwickelt eine sehr suggestive Akustik, in der sich sogar das Echo des eigenen Atems vielfach trifft.

Der Werktitel evoziert zusammen mit dem Raumeindruck die Beschränktheit und Unausweichlichkeit menschlicher Existenz seit der Urzeit, einen ‚Lebensraum‘, der gleichsam immer schon die Perspektive des Sterbens und der Vergänglichkeit beinhaltet hat und beinhalten wird.

Die Installation, die zur Ausstellung *Unser Jahrhundert* 1995 im Museum Ludwig, Köln, entstand, bezieht sich vielfach auf Raynauds Œuvre, vor allem auf die *Èspace Raynaud* auf der Biennale Venedig XVLV, 1993, wo der gleiche Schädel auf Kachelwänden eines mehrteiligen, rektangulären Raumgebildes auftaucht. Der Installation gehen aber auch Arbeiten voraus, wie der *Container Zéro* von 1988, Musée National d'Art Moderne, Centre Pompidou, Paris. Dies ist ein kubischer, durch zwei Flügeltüren verschließbarer, ganz mit weißen Kacheln ausgekleideter Raum, in den Raynaud in einer Aktion Rosen gelegt hat. Dazu sagte er: "The creation of an energetic emptiness is, it seems to me, part of any work of art. I experience this by living alone and by the dematerialization that I put into practice with the ceramic used in this container: a veritable sound box that relates unto itself. My relationship to absence being obvious here, the energetic emptiness that is produced helps me to evoke my fear of confronting matter – for example by accepting the presence of a flower in this space." Wesentlich für die Genese von *Human Space* ist auch die Arbeit *Pierre Tombale* von 1976: eine Grabplatte, wiederum aus weißen Kacheln mit den typischen dicken schwarzen Putzlinien dazwischen, die Raynaud 1976 inmitten der rechteckig ausgerichteten Gräber auf dem Friedhof von Saint-Ouen installierte, wobei er das im Werktitel eingeschlossene Wortspiel mit seinem Vornamen zum

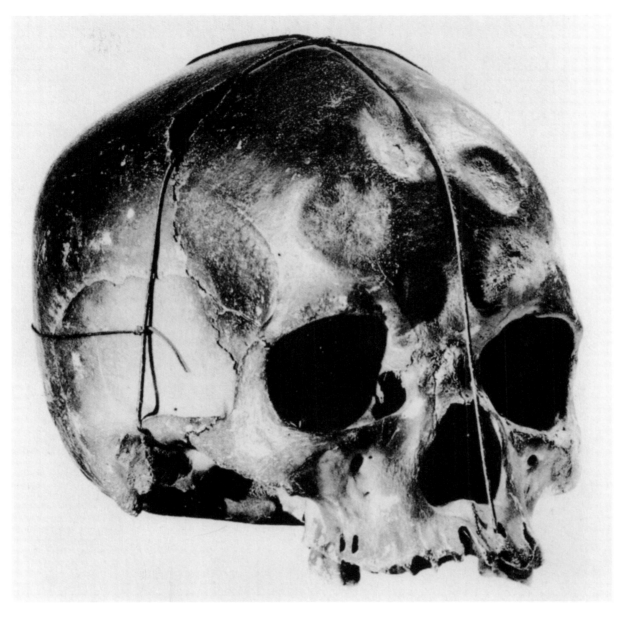

Bestandteil der Arbeit machte. In einer späteren Arbeit für die Ausstellung *La Mort n'en saua rien* 1999 in Paris hat Raynaud einen realen Totenschädel einzeln auf einen schmalen, hohen Fliesensockel gestellt. Während er in *Human Space* die unübersehbare Vervielfältigung der Schädel zum Träger einer Aussage macht, wird in der Arbeit *Crane* der Schädel als Gegenstand des *Memento mori* schlechthin mit allen damit verbundenen Assoziationen gleichsam museal vereinzelt.

HWA

LITERATUR *Jean Pierre Raynaud,* Ausst. Kat. Galérie Henrico Navarra Paris, Paris 1995; Jean Hubert Martin, Le musée, sanctuaire laïc, in: *La Mort n'en saura rien,* Ausst. Kat. Paris 1999, fig. 1, S. 23; *Unser Jahrhundert – Menschenbilder – Bilderwelten,* Ausst. Kat. Köln 2000.

ANHANG

Bibliographie

Editorische Notiz

Diese Bibliographie enthält unter anderem sowohl die abgekürzt zitierte Literatur des Katalogbandes als auch die des Aufsatzbandes.

Ausstellungskataloge

500 Jahre Rosenkranz 1475–1975, hg. vom Erzbischöflichem Diözesan Museum Köln, Ausst. Kat. Erzbischöfliches Diözesan Museum Köln, Köln 1975.

A Reveiller les morts. La mort quotidienne dans l'Occident médiéval – Exposition Bibliothèque Municipale de Lyon La Part-Dieu, hg. von Danièle Alexandre-Bidon, Ausst. Kat. Lyon 1993.
Alle Wunder dieser Welt. Die kostbarsten Kunstwerke aus der Sammluang Erzherzog Ferdinand II., hg. von Wilfried Seipel, Ausst. Kat. Kunsthistorisches Museum Wien, Wien 2001.
Andy Warhol – Vanitas: Skulls and self-portraits 1976–1986, hg. von Trevor Fairbrother, Ausst. Kat. Anthony d'Offay Gallery London, London 1995.
Apokalypse. Zwischen Himmel und Hölle, hg. von Richard Loibl und Herbert W. Wurster, Ausst. Kat. Oberhausmuseum Passau, Regensburg 2000.
Ars vivendi – ars moriendi, hg. von Joachim M. Plotzek, Ausst. Kat. Erzbischöfliches Diözesanmuseum Köln, München 2001.
Augsburger Renaissance, hg. von Norbert Lieb, Hannelore Müller und Günther Thiem, Ausst. Kat. Städtische Kunstsammlungen Augsburg, Augsburg 1955.

Barockplastik in Norddeutschland, hg. von Jörg Rasmussen, Ausst. Kat. Museum für Kunst und Gewerbe Hamburg, Mainz 1977.
Basler Buchillustration 1500–1545, hg. von Frank Hieronymus, Ausst. Kat. Universitätsbibliothek Basel, Basel 1984.
Bilder und Tänze des Todes: Gestalten des Todes in der europäischen Kunst seit dem Mittelalter, hg. von Karl B. Heppe, Ausst. Kat. Evangelische Stadtkirche Unna und Erzbischöfliches Diözesanmuseum Paderborn, Unna/Paderborn 1982.
Bilder vom alten Menschen in der niederländischen und deutschen Kunst 1550–1750, hg. von Jutta B. Desel, Ausst. Kat. Herzog-Anton-Ulrich-Museum Braunschweig, Braunschweig 1993.
Bilder vom Menschen in der Kunst des Abendlandes, hg. von Brigitte Hüfler, Ausst. Kat. Preußische Museen Berlin, Berlin 1980.
Bilder vom Tod, hg. von den Museen der Stadt Wien, Ausst. Kat. Historisches Museum der Stadt Wien, Wien 1992.
Bildersturm: Wahnsinn oder Gottes Wille?, hg. von Cécile Dupeux, Peter Jezler und Jean Wirth, Ausst. Kat. Historisches Museum Bern, München 2000.

Catalog zu Ausstellungen im Museum für Kunsthandwerk Franckfurt am Mayn (15.09–07.11.1993) und im Kunstmuseum Basel (28.11.1993–13.02.1994) als Unsterblich Ehren-Gedächtnis zum 400. Geburtstag des hochberühmten Delineatoris (Zeichners), Incisoris (Stechers) et Editoris (Verlegers) Matthaeus Merian des Aelteren, hg. von Wilhelm Bingsohn und Ute Schneider, Ausst. Kat. Frankfurt a. M. 1993.

Das Mädchen und der Tod. Exlibris und Kleingraphik, hg. von Wolfram Körner, Ausst. Kat. Frederikshavn 2004.
Death, love and the maiden. A multimedia exhibition following a great theme in European art through 2500 years: arranged in cooperation with the Department of speech, theatre and of music, hg. von The University of Pittsburgh, Ausst. Kat. University Art Gallery Frick, Fine Arts Building Pittsburgh, Pittsburgh 1975.
Der heilige Rosenkranz, hg. von Heinz Finger, Ausst. Kat. Erzbischöfliche Diözesan- und Dom-Bibliothek Köln, Köln 2003.
Der Kampf der Geschlechter. Der neue Mythos in der Kunst 1850–1930, hg. von Helmut Friedel, Ausst. Kat. Städtische Galerie im Lenbachhaus München, Köln 1995.
Der Leib verwest. Lebendig bleibt das Wort. Todesphantasien aus sechs Jahrhunderten, hg. von Ina Brueckel und Marie-Louise Schaller, Ausst. Kat. Zentralbibliothek Luzern, Luzern 1996.
Der Riss im Himmel: Clemens August und seine Epoche, hg. von Frank G. Zehnder, Ausst. Kat. Schloß Augustusburg Brühl u. a., Köln 1999.
Der Rosenkranz: Andacht – Geschichte – Kunst, hg. von Urs-Beat Frei und Freddy Bühler, Ausst. Kat. Museum Bruder Klaus, Bern 2003.
Der Tod: Zur Geschichte des Umgangs mit Sterben und Trauer, hg. von Walter Stolle, Ausst. Kat. Hessisches Landesmuseum Darmstadt, Darmstadt 2001.
Die Angst vor dem Tod. Eine Ausstellung des Zentralinstitutes für Sepulkralkultur Kassel, hg. von Cornelius Steckner, Ausst. Kat. Neue Galerie Kassel, Kassel 1980.
Die Brüder Wierix. Graphik in Antwerpen zwischen Breugel und Rubens, hg. von Michael Eissenhauer, Ausst. Kat. Kupferstichkabinett Veste Coburg, Coburg 1995.
Die Erfindung des Menschen. Schöpfungsträume und Körperbilder 1500–2000, hg. von Richard von Dühnen, Ausst. Kat. Völklinger Hütte, Wien/Köln/Weimar 1998.
Die Künstlerfamilie Nahl: Rokoko und Klassizismus in Kassel, hg. von Ulrich Schmidt, Ausst. Kat. Neue Galerie Kassel, Kassel 1994.
Die Lebenstreppe. Bilder der menschlichen Lebensalter, hg. von Peter Joerißen, Ausst. Kat. Städtisches Museum Haus Koekkoek Kleve und Niederrheinisches Museum für Kunst und Kulturgeschichte Kevelaer u. a., Bonn/Köln 1983.
Duft und Seife, Kulturgeschichte der Hygiene, hg. von Reineking von Bock und Gisela Bäder, Ausst. Kat. Kunstgewerbemuseum Köln, Köln 1976.

Dürers Mutter. Schönheit, Alter und Tod im Bild der Renaissance, hg. von Michael Roth, Ausst. Kat. Kupferstichkabinett Staatliche Museen zu Berlin, Berlin 2006.

Ebenbilder: Kopien von Körpern – Modelle des Menschen, hg. von Jan Gerchow, Ausst. Kat. Ruhrlandmuseum Essen, Ostfildern-Ruit 2002.
Edvard Munch, hg. von Gert Woll, Ausst. Kat. Munch-museet Oslo, Oslo 1995.
Egon Schiele – Horst Janssen. Selbstinszenierung, Eros und Tod, hg. von Rudolf Leopold, Jutta Moster-Hoos und Antje Tietken, Ausst. Kat. Leopold-Museum Wien und Horst-Janssen-Museum Oldenburg, Hamburg 2004.
Elfenbein: Einblicke in die Sammlung Reiner Winkler, hg. von Jutta Kappel, Ausst. Kat. Deutsches Elfenbeinmuseum Erbach im Odenwald, Staatliche Kunstsammlungen Dresden, Albertinum u. a., Wolfratshausen 2001.

Feste feiern, hg. von Eva Kreissl, Andrea Scheichl und Karl Vocelka, Ausst. Kat. Oberösterreichische Landesausstellung Stift Waldhausen, Linz 2002.

Galanterie. Oggetti di lusso e di piacere in Europa fra Settecento e Ottocento, Ausst. Kat. Neapel 1997.
Goethe und die Kunst, hg. von Sabine Schulze, Ausst. Kat. Schirn Kunsthalle Frankfurt und Kunstsammlungen zu Weimar, Ostfildern 1994.
Graphik der Dürerzeit: Albrecht Dürer, die Brüder Beham und andere, hg. von Jutta Kleinknecht, Armin Kunz und Katharina Mayer Haunton, Ausst. Kat. Düsseldorf 2003.
Grieshaber, das Werk: Hommage zum 80. Geburtstag, hg. von Margot Fürst, Ausst. Kat. Städtisches Kunstmuseum Spendhaus Reutlingen und Schleswigholsteinisches Landesmuseum Kloster Cismar, Stuttgart 1989.
„Gwüss ist der Tod, Ungwüss sein Zeit", hg. von Claudia Hermann, Ausst. Kat. Historisches Museum Luzern, Luzern 1996.

Hans Baldung Grien. Ausstellung unter dem Protektorat des I.C.O.M., hg. von der Staatlichen Kunsthalle Karlsruhe, Ausst. Kat. Staatliche Kunsthalle Karlsruhe, Karlsruhe 1959.
Hans Holbein d. J. (1497/98–1543), hg. von Christoph Emmendörffer, Ausst. Kat. Städtische Kunstsammlungen Augsburg, Augsburg 1997.
Hans Holbein: Painting, prints and reception, hg. von Mark Roskill und John O. Hand, Ausst. Kat. Washington National Gallery of Art, New Haven/London 2001.
Hans Vredeman de Vries und die Renaissance im Norden, hg. von Heiner Borggrefe, Vera Lüpkes und Paul Huvenne, Ausst. Kat. Weserrenaissance-Museum Schloß Brake und Koninklijk Museum voor Schone Kunsten Antwerpen, München 2002.
HAP Grieshaber – Figuren-Welten, hg. von Erika Rödiger-Diruf, Ausst. Kat. Städtische Galerie Karlsruhe, Künzelsau 2003.
Himmel, Hölle, Fegefeuer. Das Jenseits im Mittelalter, hg. von Peter Jezler, Ausst. Kat. Schweizerisches Landesmuseum Zürich, Zürich 1994.

Ihr müsst alle nach meiner Pfeife tanzen: Totentänze vom 15. bis 20. Jahrhundert aus Beständen der Herzog-August-Bibliothek, Wolfenbüttel und der Bibliothek Otto-Schäfer, Schweinfurt, hg. von Winfried Frey, Ausst. Kat. Bibliothek Otto Schäfer Schweinfurt, Herzog-August-Bibliothek Wolfenbüttel und Hansestadt Lübeck, Stadtbibliothek, Wiesbaden 2000.
Images of Death. Rubens copies Holbein, hg. von Kristin Belkin-Lohse und Carl Depauw, Ausst. Kat. Rubenshuis Antwerpen, Antwerpen 2000.
Images of love and death in late medieval and renaissance art, hg. von Clifton C. Olds, Ausst. Kat. University of Michigan and Museum of Art Ann Arbor, Michigan 1976.

Joseph Beuys und das Mittelalter, hg. von Hiltrud Westermann-Angerhausen, Ausst. Kat. Museum Schnütgen Köln, Stuttgart 1997.

Körperwelten. Einblicke in den menschlichen Körper, hg. von Kai Budde, Ausst. Kat. Mannheim und Heidelberg, Mannheim 1998.

La Mort n'en saura rien, Ausst. Kat. Musée National des Arts d'Afrique et d'Océanie Paris, Paris 1999.
Langsamer Abschied. Tod und Jenseits im Kulturvergleich. Mit einem Beitrag von Ute Ritz-Müller, hg. von Maria S. Cipolletti, Ausst. Kat. Museum für Völkerkunde Frankfurt, Frankfurt a. M. 1989.
Lebendiger Tod. Todesbilder im Barock, hg. von Uli Wunderlich, Ausst. Kat. Benediktinerstift Admont, Admont 2002.
L'empire du temps: mythes et créations, hg. von Laurence Posselle, Ausst. Kat. Musée du Louvre Paris, Paris 2000.
Les vanités dans la peinture au XVIIe siècle. Meditations sur la richesse, le dénuement et la rédemption, hg. vom Musée des Beaux-Arts Caen, Ausst. Kat. Musée des Beaux-Arts Caen und Musée du Petit Palais Paris, Paris 1990.
Leven na de dood. Gedenken in de late Middeleeuwen, hg. von Truus van Bueren, Ausst. Kat. Museum Catharijneconvent Utrecht, Tournhout 1999.
Love and Loss: American portrait and mourning miniatures, hg. von Robin Jaffee Frank, Ausst. Kat. Yale University Art Gallery, New Haven u. a. 2000.
Lo scheletro e il professore. Senso e addomesticamento della morte nella tradizione culturale europea. Giornate di Studio, hg. vom Circulo Culturale Baradello und der Regione Lombardia, Ausst. Kat. Archivio di Stato di Bergamo, Clusone 1999.
LudwigsLust. Die Sammlung Irene und Peter Ludwig, hg. von Michael Eissenhauer, Ausst. Kat. Germanisches Nationalmuseum Nürnberg, München 1993.

Matthäus Merian d. Ä. – Ätzkünstler und Verleger, hg. von Karin Hack, Ausst. Kat. Bibliothek Otto Schäfer und Stadtarchiv Schweinfurt, Schweinfurt 2003.
Meister E. S. – Ein oberrheinischer Kupferstecher der Spätgotik, hg. von der Staatlichen Graphischen Sammlung München, Ausst. Kat. Staatliche Graphische Sammlung München und Kupferstichkabinett Staatliche Museen Preußischer Kulturbesitz Berlin, München 1986.

Melancholie: Genie und Wahnsinn in der Kunst, hg. von Jean Clair, Ausst. Kat. Galeries nationales du Grand Palais Paris und Staatliche Museen zu Berlin, Ostfildern-Ruit 2005.
Memento mori: der Tod als Thema der Kunst vom Mittelalter bis zur Gegenwart, hg. von Klaus Wolbert, Ausst. Kat. Hessisches Landesmuseum Darmstadt, Darmstadt 1984.
Memento mori. Ausstellung zeitgenössischer Kunst zum Thema Tod und Sterben: Malerei, Plastiken, Objekte, hg. von Klaus Hoffmann, Ausst. Kat. Kulturforum der Evangelischen Medienzentrale Hannover, Hannover 1990.
Memento Mori. Visions of Death 1500– 1994, hg. von Reiko Kokatsu und Michiko Sagawa, Ausst. Kat. Tochigi Prefectural Museums of Fine Arts, Machida City u. a., Tokyo 1994.
Memento mori – Dansen met de Dood. De dodendans in boek en prent, hg. von Leo Kerssemakers, Ausst. Kat. Universitätsbibliothek Amsterdam, Amsterdam 2000.
Memento mori!: zur Kulturgeschichte des Todes in Franken, hg. von Birke Grießhammer, Ausst. Kat. Stadtmuseum Erlangen, Erlangen 1990.
Mensch und Tod. Totentanzsammlung der Universität Düsseldorf aus fünf Jahrhunderten, hg. von Margarete Bartels und Dieter Graf, Ausst. Kat. Städtisches Kunstmuseum Düsseldorf, Düsseldorf 1976.
,...mit schwarzem Schmucke oder mit Perlen'. Trauerschmuck vom Barock bis zum Art Déco, hg. von Wolfgang Neumann, Ausst. Kat. Museum für Sepulkralkultur Kassel, Kassel 1995.
Moritz der Gelehrte: ein Renaissancefürst in Europa, hg. von Heiner Borggrefe, Ausst. Kat. Weserrenaissance-Museum Schloß Brake, Eurasburg 1997.
Munch and Women. Image and Myth, hg. von Patricia Berman und Jane van Nimmen, Ausst. Kat. Alexandria 1997.
Munch in Frankreich, hg. von Sabine Schulze, Ausst. Kat. Schirn Kunsthalle Frankfurt, Stuttgart 1992.
Nackt. Die Ästhetik der Blöße, hg. von Wilhelm Hornbostel und Nils Jockel, Ausst. Kat. Museum für Kunst und Gewerbe Hamburg, München 2002.

Niklaus Manuel Deutsch: Maler, Dichter, Staatsmann, hg. vom Kunstmuseum Bern, Ausst. Kat. Bern 1979.
Niclaus Manuel im Kunstmuseum Bern. Katalog der Gemälde, Zeichnungen und Holzschnitte sowie der Kopien seiner zerstörten Wandbilder, hg. von Sandor Kuthy, Ausst. Kat. Kunstmuseum Bern, Bern 1999.

Ognia omo more. Immagini macabre nella cultura bergamasca dal XV. al XX. secolo, hg. von Circolo Culturale Baradello, Ausst. Kat. Clusone 1998.

Prag um 1600: Kunst und Kultur am Hofe Rudolfs II., hg. von Jürgen Schultze, Ausst. Kat. Kulturstiftung Ruhr: Villa Hügel Essen, Freren 1988.
Projekt Totentanz – Memento Mori. Aspekte des Todes in der Kunst, hg. von Peter Spielmann, Ausst. Kat. Museum Bochum, Bochum 1998.

Puppen Körper Automaten – Phantasmen der Moderne, hg. von Pia Müller-Tamm und Katharina Sykora, Ausst. Kat. Kunstsammlung Düsseldorf, Düsseldorf 1999.
Pygmalions Werkstatt. Die Erschaffung des Menschen im Atelier von der Renaissance bis zum Surrealismus, hg. von Helmut Friedel, Ausst. Kat. Lenbachhaus München, München 2001.

Rudolf II. and Prague: the court and the city, hg. von Eliska Fucíková, Ausst. Kat. London, London 1997.
Salvador Dali. Literarische Zyklen, hg. Gerd Tuchel, Ausst. Kat. Schloß Drachenburg, Königswinter 1982.
SchatzKunst: 800–1800. Kunsthandwerk und Plastik der Staatlichen Museen Kassel im Hessischen Landesmuseum Kassel, hg. von Ekkehard Schmidberger, Ausst. Kat. Hessisches Landesmuseum Kassel, Wolfratshausen 2001.
Scienza e Miracoli nell'arte dell' 600. Alle Origini della medicina moderna, hg. von Sergio Rossi, Ausst. Kat. Rom, Mailand 1998.
Skulpturen und Kunstgewerbe der Renaissance und des Barock. Italienische Majolika, Glas, Goldschmiedekunst, frühe Möbel, Kunstkammerobjekte, hg. von Rainer Zietz, Ausst. Kat. Hannover 1975.
Snuffboxes oder von der Sehnsucht der lüsternen Nase, hg. von Herbert Rupp, Ausst. Kat. Österreichisches Tabakmuseum Wien, Wien 1991.
Spätmittelalter am Oberrhein: Alltag, Handwerk und Handel 1350–1525, hg. von Sönke Lorenz und Thomas Zotz, Ausst. Kat. Badisches Landesmuseum Karlsruhe, Ostfildern 2001.
Spectacular Bodies. The art and science of the human body from Leonardo to now, hg. von Martin Kemp und Marina Wallace, Ausst. Kat. London/Berkeley/Los Angeles 2000.
Spiegel der Seligkeit: privates Bild und Frömmigkeit im Spätmittelalter, hg. von Frank M. Kammel, Ausst. Kat. Germanisches Nationalmuseum Nürnberg, Nürnberg 2000.
Stilleben in Europa, hg. von Gerhard Langemeyer, Ausst. Kat. Westfälisches Landesmuseum für Kunst und Kulturgeschichte Münster und Staatliche Kunsthalle Baden-Baden, Münster 1979.

Tanz der Toten – Todestanz: der monumentale Totentanz im deutschsprachigen Raum, hg. von Wolfgang Neumann, Ausst. Kat. Museum für Sepulkralkultur Kassel, Dettelbach 1998.
Tanzend ins Jenseits. Vorstellungen – Darstellungen – Erfahrungen zu Sterben und Tod in Mittelalter und Gegenwart, hg. von Theo Bächtold, Ausst. Kat. City-Kirche Offener St. Jakob am Stauffacher, Zürich 2002.
The ingenious machine of nature: Four centuries of art and anatomy, hg. von Mimi Cazort, Ausst. Kat. Ottawa, Ottawa 1996.
The physician's art: representations of art and medicine, hg. von Julie Hansen, Ausst. Kat. Duke University Museum of Art, Durham 1999.
The quick and the dead. Artists and anatomy, hg. von Deanna Petherbridge und Ludmilla Jordanova, Ausst. Kat. London 1998.

The World in Miniature. Engravings by the German Little Masters 1500–1550, hg. von Stefan Goddard, Ausst. Kat. Spencer Museum of Art, University of Kansas u. a., Lawrence 1988.

Theater der Natur und Kunst: Wunderkammern des Wissens, hg. von Horst Bredekamp und Jochen Brüning, Ausst. Kat. Berlin, Berlin 2000.

Thema Totentanz: Kontinuität und Wandel einer Bildidee vom Mittelalter bis heute, hg. von Friedrich W. Kasten, Ausst. Kat. Mannheimer Kunstverein, Mannheim 1986.

Todesbilder in der zeitgenössischen Kunst mit einem Rückblick auf Hodler und Munch, hg. vom Kunstverein Hamburg, Ausst. Kat. Hamburg 1983.

Totentanz – vom Spätmittelalter bis zur Gegenwart. Eine Ausstellung ausgewählter Werke der Graphiksammlung „Mensch und Tod" der Heinrich-Heine-Universität Düsseldorf, hg. von Raimund Kast und Eva Schuster, Ausst. Kat. National Museum of Western Art Tokyo und Stadthaus Ulm, Ulm 2001.

Totentänze aus fünf Jahrhunderten: von Holbein bis Grieshaber, hg. von Hans Schadewaldt, Ausst. Kat. Städtische Kunsthalle Recklinghausen, Recklinghausen 1977.

Totentänze aus sechs Jahrhunderten, hg. von Rolf H. Schmitz, Ausst. Kat. Stadtmuseum Ratingen, Ratingen 1982.

Totentänze von Dürer bis Dali: Zeichnungen und Originalgrafik aus der Sammlung Prof. Dr. Werner Block, hg. von Werner Block, Ausst. Kat. Hannover 1972.

Triumph des Todes?, hg. vom Museum Österreichischer Kultur Eisenstadt, Ausst. Kat. Museum Österreichischer Kultur Eisenstadt, Eisenstadt 1992.

Vergänglichkeit für die Westentasche. Miniatursärge und Betrachtungssärglein, hg. vom Museum für Sepulkralkultur Kassel, Ausst. Kat. Museum für Sepulkralkultur Kassel, Kassel 2005.

Von der Kunstkammer zum Museum: Plastik aus dem Schlossmuseum Gotha DDR, hg. von Michel Herbecker und Wolfgang Steguweit, Ausst. Kat. Duisburg 1987.

Vom Totenbaum zum Designersarg: zur Kulturgeschichte des Sarges von der Antike bis zur Gegenwart, hg. vom Zentralinstitut und Museum für Sepulkralkultur, Ausst. Kat. Museum für Sepulkralkultur Kassel, Kassel 1993.

Weltenharmonie. Die Kunstkammer und die Ordnung des Wissens, hg. von Susanne König-Lein und Alfred Walz, Ausst. Kat. Herzog-Anton-Ullrich-Museum Braunschweig, Braunschweig 2000.

Werden und Vergehen: zeitgenössische Grafik aus Sachsen, hg. vom Institut für Geschichte der Medizin Dresden, Ausst. Kat. Dresden 1993.

Wie die Alten den Tod gebildet. Wandlungen der Sepulkralkultur 1750–1850, Ausst. Kat. Zentralinstitut für Sepulkralkultur der Arbeitsgemeinschaft Friedhof und Denkmal e. V. Kassel, Kassel 1981.

Zauber der Medusa: Europäische Manierismen, hg. von Werner Hofmann, Ausst. Kat. Wiener Künstlerhaus, Wien 1987.

Zeugnisse der Angst in der modernen Kunst, hg. von Hans-Gerhard Evers, Ausst. Kat. Stadt Darmstadt zum 8. Darmstädter Gespräch Mathildenhöhe, Darmstadt 1963.

Sekundärliteratur

Adolphs, Volker, *Der Künstler und der Tod. Selbstdarstellungen in der Kunst des 19. und 20. Jahrhunderts,* Köln 1993.

Aertsen, Jan A. (Hg.), *Ende und Vollendung eschatologischer Perspektiven im Mittelalter, mit einem Beitrag zur Geschichte des Thomas-Instituts der Universität zu Köln anlässlich des 50. Jahrestages der Institutsgründung,* Berlin 2002.

Agoston, Laura C., Sonnet, sculpture, death: the mediums of Michelangelo's self-imaging, in: *Art History* 20/4 (1997), S. 534–555.

Aka, Christine, *Tot und vergessen? Sterbebilder als Zeugnis katholischen Totengedenkens,* (= Schriften des Westfälischen Freilichtmuseums Detmold – Landesmuseum für Volkskunde Bd. 10), Detmold 1993.

Alexandre-Bidon, Danièle, Le mort dans les livres d'heures, in: *A Reveiller les morts La mort quotidienne dans l'Occident médiaval – Exposition Bibliothèque Municipale de Lyon La Part-Dieu,* hg. von Danièle Alexandre-Bidon, Ausst. Kat. Lyon 1993, S. 83–94.

dies., Danièle und Cécile Treffort, Un quartier pour les morts: images du cimetière medival, in: *A Reveiller les morts La mort quotidienne dans l'Occident médiaval – Exposition Bibliothèque Municipale de Lyon La Part-Dieu,* hg. von Danièle Alexandre-Bidon, Ausst. Kat. Lyon 1993, S. 253–273.

Altschwager, Gerda, *Stufen des Lebens – der Mensch in Bild und Gedicht,* Hamburg 1989.

Amundson, Darrel W., Medical Deontology and Pestilential Disease in the Late Middle Ages, in: *Journal for the History of Medicine* 32 (1977), S. 403–421.

Andersen, William, Totentänze, in: *Lübecker Jahrbuch* 7 (1925), S. 54–56.

Andreas, Peter und Hans Bender, *Im Totengarten. Porträts berühmter Gräber,* (= Die bibliophilen Taschenbücher Bd. 392), Stuttgart 1983.

Andronikos, Manoles, *Totenkult,* (= Archaeologia Homerica Bd. 4), Göttingen 1968.

Anonym, *Here Begynneth al Lytell Treatyse Shortlye Compyled, and Called Ars Moriendi / That is to Saye the Crafte to Dye, for the Helth of Mans Soule Westmynstre* [1497], (= Early English Books 1475–1640), o. O. 1762.

Anz, Thomas, Der schöne und der häßliche Tod. Klassische und moderne Normen literarischer Diskurse über den Tod, in: Karl Richter (Hg.), *Klassik und Moderne. Die Weimarer Klassik als historisches Ereignis und Herausforderung im kulturgeschichtlichen Prozess,* Stuttgart 1983, S. 409–432.

Aoyama-Shibuya, Aika, Ein bisher unbekanntes Vorbild für Dürers ‚Thronender Greis und kniender Jüngling': zum Entstehungsprozess der Werke Dürers aus den Wanderjahren, in: *Anzeiger des Germanischen Nationalmuseums* (2005), S. 7–24.

Arbeitsgemeinschaft Missionarische Dienste in der EKD (Hg.), *Kirche im Tourismus. Dokumentation über das Seminar Barock,* Berlin 2000.

Arens, Fritz, Die ursprüngliche Verwendung gotischer Stein- und Tonmodelle, in: *Mainzer Zeitschrift* 66 (1971), S. 106–108.

Ariès, Philippe, La sociologie de la mort, in: *Archives des Sciences Sociales des Réligions* 39 (1975), S. 3–59.

ders., *Geschichte des Todes,* München / Wien 1980.

ders., *La mort aujourd'hui,* (= Cahiers de Saint-Maximin), Marseilles 1982.

ders., *Bilder zur Geschichte des Todes,* München / Wien 1984.

Arné, François, Les images de la mort dans les livres d'heures XIIe–XVe siècles, in: *La Maison-Dieu* 145 (1981), S. 127–148.

Arnold, Matthias, *Edvard Munch,* Hamburg 1994.

Aschof, Maria, *Die Darstellung des Todes in der Kunst und ihre Beziehung zur anatomischen Wissenschaft,* Med. Diss. Münster 1950.

Assmann, Jan (Hg.), *Tod, Jenseits und Identität. Perspektiven einer kulturwissenschaftlichen Thanatologie,* (= Veröffentlichungen des Instituts für Historische Anthropologie e.V. Bd. 7), Freiburg i. Br. u. a. 2002.

Atkinson, David W., *The English Ars moriendi. Renaissance and Baroque Studies and Texts,* (= Renaissance and Baroque Bd. 5), New York u. a. 1992.

Ayres, Harry, *The Dance of Death,* in: *The Review* 1 (1919), S. 35–39.

Bächtiger, Franz (Red.), *Berner Totentanz. Niklaus Manuel in den Nachbildungen von Albrecht Kauw,* hg. von Adolf Fluri, Bern 1984.

ders., *Vanitas. Schicksalsdeutung in der deutschen Renaissancegraphik,* Phil. Diss. München 1970.

ders., Der Tod als Jäger: ikonographische Bemerkungen zum Schlussbild des Berner Totentanzes, in: Rudolf Fellmann (Hg.), *Jagen und Sammeln: Festschrift für Hans-Georg Bandi zum 65. Geburtstag,* (=Jahrbuch des Bernischen Historischen Museums in Bern Bd. 63/64), Bern 1985, S. 23–30.

Badelt, Brigitte, Die Alamodekritik im gesellschaftlichen Kontext, in: *Frühneuzeit-Info,* 7/1 (1996), S. 9–18.

Baltes, Paul B. und Jürgen Mittelstraß (Hg.), *Zukunft des Alterns und gesellschaftliche Entwicklung,* Berlin 1992.

Bange, Ernst F., *Die Kleinplastik der deutschen Renaissance in Holz und Stein,* Florenz / München 1928.

Barloewen, Constantin van (Hg.), *Der Tod in den Weltkulturen und Weltreligionen,* Leipzig 2000.

Barnet, Peter (Hg.), *Images in Ivory: Precious Objects of the Gothic Age,* Princeton 1997.

Barth, Susanne, *Lebensalter-Darstellungen im 19. und 20. Jahrhundert. Ikonographische Studien,* Phil. Diss. München 1970.

Bartsch, Adam von (Hg.), *Le Peintre-Graveur,* Bd. 1–21, Wien 1803–21.

ders. (Hg.), *Le Peintre-Graveur: Les graveurs de l'école de Marc-Antoine Raimondi,* Bd. 15, Wien 1813.

Bartrum, Giulia, *German Renaissance prints 1490–1550,* London 1995.

Bartz, Gabriele und Eberhard König, Die Illustrationen des Totenoffiziums in Stundenbüchern, in: Hansjakob Becker, Bernhard Einig und Peter-Otto Ulrich (Hg.), *Im Angesicht des Todes. Liturgie als Sterbe- und Trauerhilfe. Ein interdisziplinäres Kompendium,* (= Pietas Liturgica Bd. 3/4), St. Ottilien 1987, S. 487–529.

Baschet, Jérome, *Les justices de l'au-delà: Les représentations de l'enfer en France et en Italie XIIe–XVe siècle,* (= Bibliothèque des Ecoles Françaises d'Athènes et de Rome Bd. 279), Rom 1993.

Basset, Steven (Hg.), *Death in Towns. Urban responses to dying and the dead 100 – 1600,* Leicester 1992.

Batchen, Geoffrey (Hg.), *Forget me not: Photography and remembrance,* New York 2004.

Bätschmann, Oskar und Pascal Griener, *Hans Holbein,* Köln 1997.

Battke, Heinz, *Geschichte des Ringes in Beschreibung und Bildern,* Baden-Baden 1953.

Bauch, Kurt, *Das mittelalterliche Grabbild. Figürliche Grabmäler des 11.–15. Jahrhunderts in Europa,* Berlin/New York 1976.

Baudrillard, Jean, *Der symbolische Tausch und der Tod,* München 1982.

Bauer, Roger (Hg.), *Fin de siècle: zur Literatur und Kunst der Jahrhundertwende,* Frankfurt a. M. 1977.

Bauer, Jens H., *Daniel Nikolaus Chodowiecki (Danzig 1726–1801 Berlin). Das Druckgraphische Werk. Die Sammlung Wilhelm Burggraf zu Dohna-Schlobitten,* Hannover 1982.

Baum, Richard, A Rowlandson Chronology, in: *The Art Bulletin* XX/3 (1938), S. 237–250.

Baust, Günter, *Sterben und Tod. Medizinische Aspekte,* Berlin 1988.

Baxandall, Michael, *Victoria and Albert Museum. German wood statuettes 1500–1800,* London 1967.

ders., *The limewood sculptors of Renaissance Germany,* New Haven 1980.

Bayard, Florence, *L'art du bien mourir au XVe siècle: étude sur les arts du bien mourir du bas moyen âge à la lumière un ars moriendi allemand du XVe siècle,* Paris 2000.

Bayerl, Peter und Helmut Pfleger, Wenn ich doch den Tod überlisten könnte!, in: *Musik + Medizin* 7 (1982), S. 27–32.

Beaty, Nancy Lee, *The Craft of Dying: A Study in the Literary Tradition of the Ars Moriendi in England,* (= Yale Studies in English), London u. a. 1970.

Becker, Vivienne, *Antique and Twentieth Century Jewellery,* London 1980.

Becker, Hannelore, Alibi für pralle Erotik? Totentänze, Vampire und schöne Frauen, in: *Neues Rheinland* 3 (1996), S. 12–13.

Becker, Hansjakob, Bernhard Einig und Peter-Otto Ulrich (Hg.), *Im Angesicht des Todes. Liturgie als Sterbe- und Trauerhilfe. Ein interdisziplinäres Kompendium,* (= Pietas Liturgica Bd. 3/4), St. Ottilien 1987.

Beer, Ellen J., Norberto Gramaccini, Charlotte Gutscher-Schmid u. a. (Hg.), *Berns große Zeit. Das 15. Jahrhundert neu entdeckt,* Bern 1999.

Beerli, Conrad-André, Nicolas Manuel dans le mouvement de son temps: la part de la musique et de la danse, in: *Zeitschrift für Schweizerische Archäologie und Kunstgeschichte* XXXVII/4 (1980), S. 289–296.

Begemann, Verena, *Aus der Tabuzone ins Leben: Hospizarbeit als Beitrag einer modernen Ars moriendi,* (= Theologie im Gespräch Bd. 9), Essen 2001.

Bellarmine, Roberto F., *The Art of Dying Well,* translated by Edward Coffin, o. O. 1622.

Bellm, Richard, *Wolgemuts Skizzenbuch im Berliner Kupferstichkabinett. Ein Beitrag zur Erforschung des graphischen Werkes von Michael Wolgemut und Wilhelm Pleydenwurff,* Strassburg 1959.

Belting, Hans (Hg.), *Quel corps?: Eine Frage der Repräsentation,* München 2002.

ders., Repräsentation und Anti-Repräsentation. Grab und Porträt in der frühen Neuzeit, in: Belting, Hans (Hg.), *Quel corps?: Eine Frage der Repräsentation,* München 2002, S. 29–52.

Benecke, Mark, Ursprünge der modern angewandten rechtsmedizinischen-kriminalistischen Gliedertierkunde bis zur Wende zum 20. Jahrhundert, in: *Rechtsmedizin* 9 (1999), S. 41–45.

ders., A brief history of forensic entomology, in: *Forensic Science International* 120 (2001), S. 2–14.

Bencard, Mogens und Jørgen Hein, Die Preziosen des Gottorfer Herzogshauses – eine private Kunstkammer?, in: *Gottorf im Glanz des Barock. Kunst und Kultur am Schleswiger Hof 1544–1713,* Bd. II: Die Gottorfer Kunstkammer, hg. von Mogens Bencard, Jørgen Hein, Bente Gundestrup und Jan Drees, Ausst. Kat. Schleswig 1997, S. 49–57.

Benkard, Ernst, *Das ewige Antlitz. Eine Sammlung von Totenmasken,* Berlin 1927.

Benthien, Claudia (Hg.), *Körperteile. Eine kulturelle Anatomie,* Reinbek 2001.

Berg, Arie van den, ,De bitterheyd des Doods geweerd': De Dood op Nederlandse kinderprenten, in: *Memento mori – Dansen met de Dood. De dodendans in boek en prent,* hg. von Leo Kerssemakers, Ausst. Kat. Universitätsbibliothek Amsterdam, Amsterdam 2000, S. 81–90.

Bergdolt, Klaus, Zur antischolastischen Arztkritik des 13. Jahrhunderts, in: *Medizinhistorisches Journal* 26/3–4 (1991), S. 264–282.

ders., Die Meditatio Mortis als Medizin. Betrachtungen zur Ethik der Todesangst im Spätmittelalter und heute, in: *Würzburger medizinhistorische Mitteilungen* 9 (1991/92), S. 249–258.

ders., Arzt, *Krankheit und Therapie bei Petrarca. Die Kritik an Medizin und Naturwissenschaft im italienischen Frühhumanismus,* Weinheim 1992.

ders., *Der schwarze Tod in Europa. Die große Pest und das Ende des Mittelalters,* München 1994.

ders., Totentanz und Ars moriendi im Spätmittelalter, in: *Forum Medizinische Universität Lübeck* 3 (1996), S. 3–16.

Berger, Klaus, *Ist mit dem Tod alles aus?,* Stuttgart 1997.

Berger, Renate und Inge Stephan (Hg.), *Weiblichkeit und Tod in der Literatur,* Köln/Wien 1987.

Berliner, Rudolf, *Die Bildwerke des Bayrischen Nationalmuseums. IV. Abteilung,* Augsburg 1926.

Berlioz, Jacques und Colette Ribaucourt, Mors est timendum. Mort, mots et moments dans la prédication médiévale. L'exemple de l'Alphabet des récrets d'Arnold de Liège (début du XIV siècle), in: *A Reveiller les morts. La mort quotidienne dans l'Occident médiéval – Exposition Bibliothèque Municipale de Lyon La Part-Dieu,* hg. von Danièle Alexandre-Bidon, Ausst. Kat. Lyon 1993. S. 17–30.

Bernheimer, Richard, Theatrum Mundi, in: *The Art Bulletin* 38/4 (1956), S. 225–247.

Berswordt-Wallrabe, Kornelia von (Hg.), *Elfenbein: Kunstwerke des Barock: Bestandskatalog Staatliches Museum Schwerin,* Schwerin 2000.

Betz, Irene, *Der Tod in der deutschen Dichtung des Impressionismus,* Tübingen/Würzburg 1937.

Betz, Gerhard, *Der Nürnberger Maler Michael Wolgemut und seine Werkstatt. Ein Beitrag zur Geschichte der spätgotischen Malerei in Franken,* Phil. Diss. Freiburg i. Br. 1955.

Bialostecki, Jan, *Stil und Ikonographie. Studien zur Kunstwissenschaft,* Dresden 1966.

ders., Tor und Tod bei Friedrich, in: *Wissenschaftliche Zeitschrift der Ernst-Moritz-Arndt-Universität Greifswald* Sonderband (1977), S. 31–33.

ders., *Vom heroischen Grabmal zum Bauernbegräbnis. Todesmotive in der Kunst des 18. und 19. Jahrhunderts,* Mainz 1977.

ders., The door of death. Survival of a classical motif in sepulchral art, in: *Jahrbuch der Hamburger Kunstsammlungen* 18 (1978), S. 7–32.

Biedermann, Günther, Les Dances Macabres du Moyen Age à la Renaissance, in: *L' Estampille* 189 (1986), S. 14–21.

Biegel, Gerd (Hg.): *Geschichte des Alters in ihren Zeugnissen von der Antike bis zur Gegenwart,* Braunschweig 1993.

Binski, Paul, *Medieval death: ritual and representation,* Ithaca/New York 1996.

Bitterli, Dieter, Barockemblematik, Memento mori und Totentanz: Die Embleme in der Beinhauskapelle von Ettiswil, in: *Zeitschrift für Schweizerische Archäologie und Kunstgeschichte* 58 (2001), S. 143–158.

Bleibaum, Friedrich, *Johann August Nahl. Der Künstler Friedrich des Großen und der Landgrafen von Hessen-Kassel,* Baden bei Wien/Leipzig 1933.

Blessin, Stefan, *Horst Janssen. Eine Biographie,* Hamburg 1984.

Blickle, Peter und André Holenstein (Hg.), *Macht und Ohnmacht der Bilder: Reformatorischer Bildersturm im Kontext der europäischen Geschichte,* München 2002.

Bloching, Karl Heinz, *Tod,* (= Projekte zur theologischen Erwachsenenbildung), Mainz 1973.

Block, Werner, *Der Arzt und der Tod in Bildern aus sechs Jahrhunderten,* Stuttgart 1966.

Blöcker, Susanne, *Studien zur Ikonographie der sieben Todsünden in der niederländischen und deutschen Malerei und Graphik von 1450–1560,* Münster/Hamburg 1993.

Blom, Philipp, *Sammelwunder, Sammelwahn. Szenen aus der Geschichte einer Leidenschaft,* Frankfurt a. M. 2004.

Blösch, Emil, *Das Grabmal der Frau Pfarrer Langhans in Hindelbank und der Bildhauer Johann August Nahl*, o. O. 1879.

Blum, Paul Richard (Hg.), *Studien zur Thematik des Todes im 16. Jahrhundert*, (= Wolfenbütteler Forschungen Bd. 22), Wolfenbüttel 1983.

Blum, Claude, *La Représentation de la mort dans la littérature française de la Renaissance*, Paris 1989.

Blum, Gernot, *Der Tod im Exlibris. Mit einem Vorwort von Prof. Dr. Hans Schadewaldt*, Wiesbaden 1990.

Blumenthal-Barby, Kay, *Tausend Türen hat der Tod. Gesammeltes Sterben in Europa*, Berlin 1997.

Boehlke, Hans-Kurt, Der Zwillingsbruder des Schlafes. Der verdrängte und der angenommene Tod. Zur Ikonographie sepulkraler Zeichen im Klassizismus und in der Romantik, in: Franz Link (Hg.), *Tanz und Tod in Kunst und Literatur*, (= Schriften zur Literaturwissenschaft Bd. 8), Berlin 1993, S. 337–361.

ders. (Hg.), *Vom Kirchhof zum Friedhof. Wandlungsprozesse zwischen 1750 und 1850. Symposion vom 11.–13. Mai 1981 in Mülheim/Ruhr zum Forschungsprojekt Erfassung und Dokumentation der Sepulkralkultur des Klassizismus, der Romantik und des Biedermeier*, Kassel 1984.

Boerlin, Paul-Henry, *Der Basler Prediger-Totentanz. Geschichte und erste Restaurierungsergebnisse*, Basel 1967.

Böhm, Gabriele, *Mittelalterliche figürliche Grabmäler in Westfalen: von den Anfängen bis 1400*, Münster 1993.

Böhme, Wolfgang (Hg.), *Der Arzt und das Sterben*, (= Herrenalber Texte Bd. 37), Karlsruhe 1981.

Bohnke-Kollwitz, Jutta (Hg.), *Briefe an den Sohn 1904–1945*, Berlin 1992.

Bohunovsky-Bärnthaler, Irmgard (Hg.), *Was aber ist das Schöne? Vortragsreihe der Galerie Carintha im Stift Ossiach vom 17. bis 19. August 2000*, Klagenfurt u. a. 2001.

Bolin, Norbert, *„Sterben ist mein Gewinn". Ein Beitrag zur evangelischen Funeralkomposition der deutschen Sepulkralkultur des Barock 1550–1750*, (= Kasseler Studien zur Sepulkralskulptur Bd. 5), Kassel 1989.

Boll, Franz, Die Lebensalter, in: *Neue Jahrbücher für das klassische Altertum* 31 (1913), S. 89–145.

Boros, Ladislaus, *Mysterium mortis. Der Mensch in der letzten Entscheidung*, Olten u. a. 1962.

Berscheid, Peter, *Ehe, Liebe, Tod. Zum Wandel der Familie, der Geschlechts- und Generationsbeziehungen in der Neuzeit*, (= Studien zur Geschichte des Alltags Bd. 1), Münster 1983.

ders., *Geschichte des Alters 16.–18. Jahrhundert*, (= Studien zur Geschichte des Alltags Bd. 7.1), Münster 1987.

ders., *Geschichte des Alters vom Spätmittelalter zum 18. Jahrhundert*, München 1989.

ders., Historische Altersforschung, in: *Sozial und Wirtschaftsgeschichte. Arbeitsgebiete–Probleme–Perspektiven. 100 Jahre Vierteljahrschrift für Sozial- und Wirtschaftsgeschichte*, (= VSWG Beihefte Bd. 169), Stuttgart 2004, S. 359–374.

Borsos, Béla, *Alte Jagdpulverhörner: Ungarische Pulverhörner aus Hirschgeweih*, Budapest 1982.

Borst, Arno (Hg.), *Tod im Mittelalter*, (= Konstanzer Bibliothek Bd. 20), Konstanz 1993.

Böse, Georg, *Im blauen Dunst. Eine Kulturgeschichte des Rauchens*, Stuttgart 1957.

Bourdelais, Patrice, *L'âge de la vieillesse. Histoire du vieillissement de la population*, Paris 1997.

Bourget, Paul, *Des Todes Sinn*, Zürich 1916.

Boyd, Zacharie, *The Last Battel of the Soule in Death*, Edinburgh 1628.

Braet, Hermann und Werner Verbeke (Hg.), *Death in the Middle Age*, Leuven 1983.

Brand, Renée, *Zur Interpretation des Ackermanns aus Böhmen*, (= Basler Studien zur deutschen Sprache und Literatur Bd. 1), Basel 1944.

Brand, Roger, *Der Totentanz mit Figuren: eine phänomenologisch-typologische Untersuchung unter besonderer Berücksichtigung des Knoblochtzer-Drucks von ca. 1488*, Phil. Diss. Konstanz 2001.

Brandon, Samuel G., The personification of death in some ancient religions, in: *Bulletin of the John Rylands Library Manchester* XLIII (1961), S. 317–335.

Brandsch, Juliane R., Die Friedensteinische Kunstkammer Herzog Ernst I. des Frommen von Sachsen-Gotha und Altenburg (1601–1675), in: *Ernst der Fromme (1601–1675), Bauherr und Sammler. Katalog zum 400. Geburtstag Herzog Ernst I. von Sachsen-Gotha und Altenburg*, hg. von Gotha Kultur, Ausst. Kat. Gotha 2001, S. 21–29.

Braun, Edmund W., *Kleinplastik der Renaissance*, Stuttgart 1953.

Braun-Balzer, Ines, Der Basler Totentanz. Im Blickpunkt, in: *Kunst + Architektur in der Schweiz* 54/1 (2003), S. 54–57.

Brauneck, Manfred, *Religiöse Volkskunst*, Köln 1978.

Braungart, Richard, Krieg und Kunst, in: *Die Kunst* 29 (1914), S. 553–568.

Bredt, Ernst W., *Sittliche und unsittliche Kunst? Eine historische Revision mit 50 Bildern*, München 1919.

Breede, Ellen, *Studien zu den lateinischen und deutschsprachlichen Totentänzen des 13. bis 17. Jahrhunderts*, Halle 1931.

Breicha, Otto und Sigrun Loos, *Dunkle Szenen. Meisterwerke zyklischer Graphik von Goya bis Dubuffet*, Salzburg 1992.

Breitbart, Owsei, *Johann Valentin Sonnenschein 1749–1828*, Phil. Diss. Zürich 1912.

Brenk, Beat, Zum Problem des Altersbildnisses in der spätantik-frühchristlichen Kunst, in: *Arte medievale* 1 (2003), S. 9–16.

Briesemeister, Dietrich (Hg.), *Bilder des Todes*, Unterschneidheim 1970.

Brinkhus, Gerd, *Grieshaber und das Buch*, Tübingen 1979.

Brocher, Tobias, *Stufen des Lebens*, Stuttgart 1977.

Brock, Bazon (Hg.), *Strategien der Meisterschaft. Zur Ausstellung 'Die Macht des Alters – Strategien der Meisterschaft' im Deutschen Historischen Museum Berlin*, Köln 1998.

ders. und Achim Preiß (Hg.), *Ikonographia: Anleitung zum Lesen von Bildern. Festschrift Donat de Chapeaurouge*, München 1990.

Brod, Walter M., Graphische Darstellungen fränkischer Trauerzüge, in: Manfred von Arnim (Hg.), *Festschrift Otto Schäfer zum 75. Geburtstag am 29. Juni*, Stuttgart 1987, S. 85–130.

Bronfen, Elisabeth, Die schöne Leiche, in: Renate Berger und Inge Stephan (Hg.), *Weiblichkeit und Tod in der Literatur*, Köln/Wien 1987, S. 87–115.

dies. (Hg.), *Die schöne Leiche. Texte von Clemens Brentano, E.T.A. Hoffmann, Edgar Allan Poe, Arthur Schnitzler u. a.*, Augsburg 1992.

dies., *Nur über ihre Leiche. Tod, Weiblichkeit und Ästhetik*, München 1994.

Brossollet, Jacqueline, Les Danses Macabres en temps de peste, in: *Jaarboek Koninklijk Museum voor schone Kunsten Antwerpen* (1971), S. 29–72.

Brown, Elisabeth, Death and the human body in the later Middle Ages. The legislation of Boniface VIII on the division of the corpse, in: *Viator* 12 (1981), S. 226–241.

Brueschweiler, Jura, Ferdinand Hodler. Le cycle de la mort d'Augustine Dupin (1909), in: *Jahresbericht und Jahrbuch des Schweizerischen Instituts für Kunstwissenschaft*, Zürich 1967, S. 161–171.

Brülisauer, Josef (Hg.), *Todesreigen, Totentanz. Die Innerschweiz im Bannkreis barocker Todesvorstellungen*, Luzern 1996.

ders. (Hg.), *Die Spreuerbrücke in Luzern. Ein barocker Totentanz von europäischer Bedeutung*, Luzern 1996.

Brüne, Gerd, Grieshaber in der DDR. Das deutsch-deutsche Projekt Totentanz von Basel, in: *HAP Grieshaber – Figuren-Welten*, hg. von der Stadt Karlsruhe, Ausst. Kat. Städtische Galerie Karlsruhe, Künzelsau 2003, S. 31–43.

Brunelli, Guiseppe A., La science de bien mourir de la médecine de l'ame de Jean Gerson, in: *Le Moyen Age* (1964), S. 265–280.

Brunet, Gilbert, Sur l'iconographie de la mort, in: *Revue archéologique* 8 (1952), S. 738–746.

Brunner, Karl, Mittelenglische Todesgedichte, in: *Archiv für das Studium der Sprachen* 167 (1933), S. 20–35.

Brunner, Urs V. und Manfred M. Lang, *Erläuterungen zur Ausstellung „Verschattungen". Krankheit und Unfall in der zeitgenössischen bildenden Kunst*, Ausst. Kat. Medizinhistorisches Museum der Universität Zürich, Zürich 1996.

Bucci, Mario, *Anatomia con arte*, (= La specola Bd. 1), Florenz 1969.

Bucher, Werner, *J. V. Sonnenschein. Ein frühklassizistischer Bildhauer und Stukkateur*, Phil. Diss. Basel 1989.

Buchheit, Gert, Spielmann Tod, in: *Gral* 18/5 (1924), S. 254–256.

ders., *Der Totentanz. Seine Entstehung und Entwicklung*, Leipzig/Berlin 1926.

ders., Gert, Aus der Geschichte des Totentanzmotivs, in: *Der Türmer* 32 (1929), S. 168–173.

Buck, Stephanie, International Exchange: Holbein at the Crossroads of Art and Craftsmanship, in: *Hans Holbein: Painting, prints and reception*, hg. von Mark Roskill und John O. Hand, Ausst. Kat. Washington National Gallery of Art, New Haven/London 2001, S. 54–71.

Bueren, Truus van, *Care for the Here and the Hereafter: Memoria, Art and Ritual in the Middle Ages*, (= Museums at the crossroads), Turnhout 2005.

Bulst, Neithard, Der schwarze Tod. Demo-graphische, wirtschafts- und kulturge-schichtliche Aspekte der Pestkatastrophe von 1347–1352. Bilanz der neueren Forschung, in: *Saeculum* 30 (1979), S. 45–67.

Burckhardt-Biedermann, Theophil, Über die Basler Totentänze, in: *Beiträge zur vater-ländischen Geschichte* 11 (1882), S. 40–92.

Burckhardt-Werthemann, Daniel, *Matthäus Merian 1593–1650*, Basel 1951.

Burdach, Konrad, *Der Dichter des Acker-mann aus Böhmen und seine Zeit*, Berlin 1926.

Burgess, Renate, The Dance of Death. An iconographic interpretation of the popular theme of death through five centuries, in: *Society for the Social History of Medicine Bulletin* 26 (1980), S. 25–37.

Bürgin Dieter, *Das Kind, die lebensbedro-hende Krankheit und der Tod*, Bern 1978.

Busch, Harald (Hg.), *Gotische Plastik in Europa*, Frankfurt a. M. 1962.

Busch, Gabriele C., *Ikonographische Studien zum Solotanz im Mittelalter*, (= Inns-brucker Beiträge zur Musikwissenschaft Bd. 7), Innsbruck 1982.

Buschor, Ernst, *Die Musen des Jenseits*, München 1944.

Buske, Norbert, *Der Wolgaster Totentanz*, Schwerin 1998.

Butsch, Albert F. (Hg.), *Ars Moriendi. Lithographisches Facsimile des in der Fürstlich-Furstenbergischen Hofbibliothek zu Donaueschingen verwahrten Exemplars*, Augsburg 1874.

Bynum, Caroline, *Fragmentation and Redemption. Essays on Gender and the human body in Medieval Religion*, New York 1991.

Caccia, Francesco, La carne e la morte nella predicazione cappuccina del Seicento. Un testo inedito sulla morte, in: *Studi i fonti di storia lombarda* 6 (1986), S. 61–81.

Caldwell, Taylor, *Dynasty of death*, London 1973.

Campbell, Erin J., Old age and the politics of judgment in Titian's Allegory of Prudence, in: *Word & image* 19 (2003), S. 261–270.

Capitani, Ovidio (Hg.), *L'attesta della fine dei tempi nel Medioevo*, Bologna 1990.

Carli, Enzo und Paolo E. Arias, *Il Camposanto di Pisa*, Rom 1937.

Carroll, Jane L. (Hg.), *Saints, sinners, and sisters: gender and Northern art in medieval and early modern Europe*, Aldershot u. a. 2003.

Carus, Paul, The skeleton as a representation of death and the dead, in: *The Open Court* 22 (1908), S. 620–635.

Castelli, Enrico (Hg.), *Retorica e Barocco. Atti dell III. congresso internazionale di studi umanistici Venezia 1954*, Rom 1955.

Cavarra, Berenice und Valentina Gazzaniga, ,Imagini di morti e di morte'. L'angoscia della dissoluzione fisica prima e dopo la peste nera XIVe XV secolo, in: *Medicina nei Secoli. Arte e Scienza. Giornale di Storia della Medicina* 8/1 (1996), S. 105–123.

Caxton, William, *Ars Moriendi*, (= Early English Books 1475–1640), London 1491.

Chadour, Anna B. und Rüdiger Joppien, *Schmuck 1: Hals-, Ohr-, Arm-, und Gewandschmuck*, (=Kataloge des Kunstgewerbemuseums Köln Bd. 10), Köln 1985.

Chastel, André, Le Baroque et la Mort, in: Enrico Castelli (Hg.), *Retorica e Barocco. Atti dell III. congresso internazionale di studi umanistici Venezia 1954*, Roma 1955, S. 33–46.

Chastel, André, L'art et le sentiment de la mort au XVIIe siècle, in: *Bulletin de la Société d'Etudes du XVIIe siècle* 36–37 (1957), S. 287–294.

Cherraud, Alain, Analyse de la représentation des âges de la vie humaine dans les estampes populaires du XIXe siècle, in: *Ethnologie française* 1 (1971), S. 59–78.

Chiffoleau, Jacques, *La comptabilité de l'au-delà. Les hommes, la mort et la religion dans la région d'Avignon à la fin du Moyen Age vers 1320–vers 1480*, (= Collection de l'école de France de Rome Bd. 47), Rom 1980.

Choisy, Maryse, *Kunst und Sexualität*, Köln/Opladen 1962.

Choron, Jacques, *Der Tod im abendlän-dischen Denken*, Stuttgart 1967.

Choulant, Ludwig, *Geschichte und Biblio-graphie der anatomischen Abbildung nach ihrer Beziehung auf anatomische Wissenschaft und bildenden Kunst*, Leipzig 1852.

Clark, James M., *The Dance of Death in the middle ages and the Renaissance*, Glasgow 1950.

Cohen, Kathleen, *Metamorphosis of a Death Symbol. The Transi Tomb in the Late Middle Ages and the Renaissance*, (= California studies in the history of art Bd. 15), Berkeley 1973.

Cohn, Samuel K., *The cult of remembrance and the Black Death. Six Renaissance cities in central Italy*, Baltimore 1992.

Colapietra, Raffaele, *Gli Aquilani d'antico regime davanti alla morte 1535–1780*, (= Biblioteca di storia sociale Bd. 21), Rom 1986.

Cole, James, *Of Death a True Descripion*, o. O. 1629.

Colman, Walter, *La Danse Macabre or Death's Duell*, London 1632.

Condrau, Gion, *Der Mensch und sein Tod. Certa moriendi condicio*, Zürich/Einsiedeln 1984.

Conrad, Christoph und Hans-Joachim von Kondratowitz (Hg.), *Zur Kulturgeschichte des Alterns. Toward a cultural history of aging*, Berlin 1993.

ders., *Vom Greis zum Rentner. Der Struk-turwandel des Alters in Deutschland zwischen 1830 und 1930*, Göttingen 1994.

Cooper, Tarnya (Hg.), *Refashioning death: Vanitas and Memento Mori prints from Northern Europe 1514–c.1640. The College art collections*, London 1997.

Coradeschi, Sergio und Maurizio de Paoli, *Stock und Knauf*, Augsburg 1994.

Corvisier, André, La représentation de la société dans les danses des morts du XVe au XVIIIe siècle, in: *Revue d'histoire moderne et contemporaine* 16 (1969), S. 489–535.

Cosacchi, Stephan, *Geschichte der Toten-tänze*, Bd. 1–3, Budapest 1936–44.

ders., *Musikinstrumente im Totentanz*, in: *Musikforschung* 8 (1955), S. 1–19.

ders., *Makabertanz. Der Totentanz in Kunst, Poesie und Brauchtum des Mittelalters*, Meisenheim am Glan 1965.

Coupe, William A., *The German illustrated Broadsheet in the seventeenth century. Historical and iconographical studies*, Bd. 1–2, Baden-Baden 1966–1967.

Covey, Herbert C., *Images of older people in Western art and society*, New York 1991.

Cowper, William, *A Defiance to Death*, London 1616.

Cox-Rearick, Janet, *The drawings of Pontormo*, New York 1981.

Cremer, Wolfgang, *Rauch-Zeichen – Kultur und Regionalgeschichtliches zum Tabak-genuss*, Neuss 2005.

Crooke, Samuel, *Death Subdued or the Death of Death*, London 1619.

Cunningham, Andrew, *The anatomical Renaissance. The resurrection of the anatomical projects of the ancients*, Aldershot 1997.

Cushing, Harvey, *A bio-bibliography of Andreas Vesalius*, London 1962.

D'Annunzio, Gabriele, *Contemplatione della Morte*, Mailand 1912.

D'Iorio, Paolo (Hg.), *Genesi, critica, edizione*, (= Annali della Scuola Normale Superiore di Pisa, Classe di Lettere e Filosofia: Quaderni), Pisa 1999.

Da Costa Kaufmann, Thomas, *The School of Prague*, Chicago 1988.

Dassmann, Ernst, „Mitten wir im Leben sind mit dem Tod umfangen." Gesteigerte Lebenserwartung und die verlorene, „ars moriendi", in: Erich E. Geissler (Hg.), *Bildung für das Alter – Bildung im Alter. Expertisensammlung*, Bonn 1990, S. 215–255.

Day, Martin, *A Monument of Mortalitie*, (= Early English Books 1475–1640), London 1621.

Day, Barbara-Ann, Representing aging and death in French culture, in: *French-histori-cal-studies* 17/3 (1992), S. 688–724.

Dedecius, Karl, Heimlichkeiten mit den Toten: Wislawa Szymborska, in: Hans H. Jansen (Hg.), *Der Tod in Dichtung, Philosophie und Kunst*, Darmstadt 1989, S. 247ff.

Delumeau, Jean, *La Péché et le peur. La culpabilisation en Occident XIIIe–XVIIIe siècles*, Paris 1983.

ders., *Angst im Abendland. Die Geschichte kollektiver Ängste im Europa des 14. bis 18. Jahrhunderts*, Bd. 1–2, (= Rowohlts Enzyklopädie Bd. 503), Reinbek 1985.

ders., *Rassurer et protéger. Le sentiment de la sécurité dans l'Occident d'autrefois*, Paris 1989.

Demaitre, Luke E., *Doctor Bernard de Gordon Professor and Practitioner*, Toronto 1980.

Demske, James M., *Sein, Mensch und Tod: das Todesproblem bei Martin Heidegger*, (= Symposion Bd. 12), Freiburg i. Br. u. a. 1963.

Descoeudres, Georges, *Sterben in Schwyz. Beharrung und Wandlung im Toten-brauchtum einer ländlichen Siedlung vom Spätmittelalter bis in die Neuzeit. Geschichte – Archäologie – Anthropo-logie*, (= Schweizer Beiträge zur Kultur-geschichte und Archäologie des Mittel-alters Bd. 20/21), Basel 1995.

Dessoir, Max, *Das Ich, der Traum, der Tod*, Stuttgart 1947.

Dieckhöfer, Klemens, Angst der Irdischen. Zum Thema „Angst" in der Kunst, in: *Deutsches Ärzteblatt* 51–52 (1980), S. 3041–3044.

Diederichs, Eugen, *Deutsches Leben der Vergangenheit in Bildern. Ein Atlas mit 1760 Nachbildungen alter Kupfer- und Holzschnitte aus dem 15. bis 18. Jahr-hundert*, Bd. 1–2, Jena 1908.

Diekhoff, Rainer, Klappernd Gebein und nagend Gewürm. Memento mori im Schnütgen-Museum, in: Anton Legner (Hg.), *Schnütgen-Museum Köln. Kleine Festschrift zum dreifachen Jubiläum,* Köln 1981, S. 39–46.

Diepgen, Paul, Eine volkstümliche Darstellung des Todes vom Oberrhein, in: *Zeitschrift für Volkskunde* 1–2 (1930), S. 189–192.

Diers, Michaela, *Vom Nutzen der Tränen. Über den Umgang mit Leben und Tod im Mittelalter und heute,* Köln 1994.

Dike, Catherine, *Les cannes à système. Un monde fabuleux et méconnu,* Paris / Genf 1982.

Dinzelbacher, Peter, *Angst im Mittelalter. Teufels-, Todes- und Gotteserfahrung: Mentalitätsgeschichte und Ikonographie,* Paderborn 1996.

Dittrich, Siegrid und Lothar Dittrich (Hg.), *Lexikon der Tiersymbolik. Tiere als Sinnbilder in der Malerei des 14. bis 17. Jahrhunderts,* Petersberg 2004.

Dobbert, Eduard, Der Triumph des Todes im Campo Santo zu Pisa, in: *Repertorium für Kunstwissenschaft* 4 (1880), S. 1–45.

Doerr, Wilhelm, Arzt und Tod, in: Hans H. Jansen (Hg.), *Der Tod in Dichtung, Philosophie und Kunst,* Darmstadt 1989, S. 1–11.

Doren, Alfred, Fortuna im Mittelalter und in der Renaissance, in: *Vorträge der Bibliothek Warburg* 2 (1922–23), S. 71–144.

Döring-Hirsch, Erna, *Tod und Jenseits im Spätmittelalter. Zugleich ein Beitrag zur Kulturgeschichte des deutschen Bürgertums,* (= Studien zur Geschichte der Wirtschaft und Geisteskultur Bd. 2), Berlin 1927.

Drecoll, Uta, *Tod in der Liebe – Liebe im Tod. Untersuchungen zu Wolframs „Titurel" und Gottfrieds „Tristan" in Wort und Bild,* Frankfurt a. M. 2000.

Dreiheller, Fritz, *Johann August Nahl d. Ä.,* Darmstadt 1968.

Drescher, Georg, Basler Totentanz, in: *Matthäus Merian d. Ä. – Ätzkünstler und Verleger,* Ausst. Kat. Bibliothek Otto Schäfer und Stadtarchiv Schweinfurt, Schweinfurt 2003, S. 105–113.

Dubois, Henri (Hg.), *Les ages de la vie au Moyen Age: actes du colloque du Départment d'Études Médiévales de l'Université de Paris-Sorbonne et de l'Université Friedrich-Wilhelm de Bonn Provins, 16–17 mars 1990,* Paris 1992.

Du Bruck, Edelgard, Another look at ‚Macabre', in: *Romania* 79 (1958), S. 536–543.

dies., *Themes of death in French poetry of the Middle Ages and the Renaissance,* Den Haag 1964.

dies. (Hg.), *Death and Dying in the Middle Ages,* (= Studies in Humanities: Literature – Politics – Society Bd. 45), New York u. a. 1999.

Dufour, Valentin, *La danse macabre des SS. Innocents de Paris d'après l'édition de 1484, précédée d'une étude sur le cimetière, le charnier et la fresque painte en 1425,* Paris 1874.

Dumaître, Paule, *La curieuse destinée des planches anatomiques de Gérard de Lairesse peintre en Hollande – Lairess, Bidloo, Cowper,* Amsterdam 1982.

Düselder, Heike, *Der Tod in Oldenburg: sozial- und kulturgeschichtliche Untersuchungen zu Lebenswelten im 17. und 18. Jahrhundert,* Hannover 1999.

dies., Ars moriendi, in: Friedrich Jaeger (Hg.), *Enzyklopädie der Neuzeit,* Bd. 1, Stuttgart 2005, Sp. 678–681.

Ebeling, Hans, *Freiheit, Gleichheit, Sterblichkeit,* Stuttgart 1982.

Ebeling, Hans (Hg.), *Der Tod in der Moderne,* Frankfurt a. M. 1984.

Eberle, Matthias, Ein Kunstwerk und sein Gebrauch III. Über Arnold Böcklins „Selbstbildnis mit fiedelndem Tod", in: *Kunst und Unterricht* 24 (1974), S. 49–52.

Eckart, Wolfgang, Die Darstellung des Skeletts als Todessymbol in der Sinnbildkunst des 16. und 17. Jahrhunderts, in: Paul Richard Blum (Hg.), *Studien zur Thematik des Todes im 16. Jahrhundert,* (= Wolfenbütteler Forschungen Bd. 22.), Wolfenbüttel 1983, S. 21–47.

Ecker, Gisela (Hg.), *Trauer tragen – Trauer zeigen: Inszenierungen der Geschlechter,* München 1999.

Eckhardt, Nils, *Arzt, Medizin und Tod im Spiegel der von David Faßmann (1683–1744) in den Jahren 1718 bis 1739 herausgegebenen Zeitschrift ‚Gespräche in dem Reiche der Todten',* Med. Diss. Düsseldorf 1987.

Eckhardt, Holger, *Totentanz im Narrenschiff. Die Rezeption ikonographischer Muster als Schlüssel zu Sebastian Brants Hauptwerk,* Frankfurt a. M. 1995.

Egg, Erich, *Die Hofkirche in Innsbruck. Das Grabdenkmal Kaiser Maximilians I. und die Silberne Kapelle,* Innsbruck u. a. 1974.

Egger, Franz, *Basler Totentanz,* Basel 1990.

Eggum, Arne, *Edvard Munch. The Frieze of Life from Painting to Graphic Art,* Oslo 2000.

Eichberger, Dagmar, Close encounters with death: changing representations of women in Renaissance art and literature, in: Bernard J. Muir (Hg.), *Reading texts and images: essays on Medieval and Renaissance art and patronage in honour of Margaret M. Manion,* Exeter 2002, S. 273–296.

Eichenberg, Fritz, *The Art of the Print. Masterpieces. History. Techniques,* London 1976.

Einem, Herbert von, *Asmus Jacob Carstens. Die Nacht mit ihren Kindern,* (= Arbeitsgemeinschaft für Forschung des Landes NRW Geisteswissenschaften Bd. 78), Köln u. a. 1958.

Ellenius, Allan, Reminder for a young gentleman. Notes on a Dutch seventeenth-century ‚Vanitas', in: *Figura* I (1959), S. 108–126.

Elsner, Gerhard, Die Darstellungen der Legende von den drei Lebenden und den drei Toten in Überlingen am Bodensee. Neue Forschungen, in: *Das Münster* 43 (1990), S. 265–268.

Engel, William E., *Death and drama in Renaissance England: shades of memory,* Oxford u. a. 2002.

Engelhardt, Dietrich von und Fritz Hartmann (Hg.), *Klassiker der Medizin, Bd. 1: Von Hippokrates bis Christoph Wilhelm Hufeland,* München 1991.

Engelmann, Wilhelm, *Daniel Chodowiecki's sämtliche Kupferstiche,* Leipzig 1875.

Englert, Anton, Die menschlichen Altersstufen in Wort und Bild, in: *Weinholds Zeitschrift des Vereins für Volkskunde* 15/17 (1905/1907), S. 16–42.

Enklaar, Diederik Theodorus, *De dodendans een cultuurhistorische studie,* Amsterdam 1950.

Enlart, Camille, *La Volupté et la mort, à propos d'une figurine d'ivoire du Musée de Cluny Extrait des Mémoires de la Société nationale des antiquaires de France,* o. O. 1908.

Erich, Oswald A., *Die Darstellungen des Teufels in der christlichen Kunst,* Berlin 1931.

Erlemeier, Norbert, Todesfurcht – Ergebnisse und Probleme, in: Hans H. Jansen (Hg.), *Der Tod in Dichtung, Philosophie und Kunst,* Darmstadt 1989, S. 213–224.

Erzgräber, Willi, Tanz und Tod bei Oscar Wilde, W. B. Yeats und James Joyce, in: Franz Link (Hg.), *Tanz und Tod in Kunst und Literatur,* (= Schriften zur Literaturwissenschaft Bd. 8), Berlin 1993, S. 317–333.

Esche, Sigrid, *Adam und Eva: Sündenfall und Erlösung,* (= Lukas-Bücherei zur christlichen Ikonographie Bd. 8), Düsseldorf 1957.

Europäische Totentanz Vereinigung (Hg.), *Totentanz-Forschungen. Referate vom Internationalen Kongreß in Luzern 26.–29. September 1996,* Luzern 1996.

Europäische Totentanz-Vereinigung (Hg.), *Totentanz-Forschungen. 9. Internationaler Totentanz-Kongress 17.–20. September 1998,* Düsseldorf 1998.

Euw, Anton von, *Schnütgen-Museum Köln,* Köln 1984.

Evans, Joan (Hg.), *Blüte des Mittelalters,* Berlin 1966.

Falk, Franz, *Die deutschen Sterbebüchlein von der ältesten Zeit des Buchdruckes bis zum Jahre 1520,* (= Vereinsschriften Göres-Gesellschaft für 1890 Bd. 2), Köln 1890.

Fallet, Eduard M., *Der Bildhauer Johann August Nahl der Ältere: seine Berner Jahre von 1746 bis 1755,* Bern 1970.

Fare, Michel, *La nature morte en France. Son histoire, son évolution du XVIIe au XXe siècles,* Bd. 1–2, Genf 1962.

ders., *Le grand siècle de la nature morte en France. Le XVIIe siècle,* Paris u. a. 1976.

Favre, Robert, *La mort dans la littérature et la pensée française au siècle des lumières,* Lyon 1978.

Fehrmann, Carl, *Diktaren och Döden. Dödsbild och förgängelsetanke i litteraturen fran Antiken till 1700-talet,* Stockholm 1952.

Fehse, Wilhelm, *Der Ursprung der Totentänze,* Halle 1907.

ders., Der oberdeutsch vierzeilige Totentanztext, in: *Zeitschrift für deutsche Philologie* 40 (1908), S. 67–92.

ders., Freund Heins Werdegang, in: *Niedersachsen* 31 (1926), S. 398–404.

Feinson, Marjorie C., Where are the women in the history of Aging?, in: *Social Science History* 9 (1985), S. 429–452.

Feldmann, Klaus, *Tod und Gesellschaft. Eine soziologische Betrachtung von Sterben und Tod,* (= Europäische Hochschulschriften Soziologie Bd. 191), Frankfurt a. M. 1990.

ders., *Sterben und Tod. Sozialwissenschaftliche Theorien und Forschungsergebnisse,* Opladen 1997.

Fellmann, Rudolf (Hg.), *Jagen und Sammeln: Festschrift für Hans-Georg Bandi zum 65. Geburtstag,* (= Jahrbuch des Bernischen Historischen Museums in Bern Bd. 63/64), Bern 1985.

Fest, Joachim, *Der tanzende Tod. Über Ursprung und Formen des Totentanzes vom Mittelalter bis zur Gegenwart,* Lübeck 1986.

Feulner, Adolf, *Die deutsche Plastik des sechzehnten Jahrhunderts,* Florenz 1926.

Fillitz, Hermann und Pippal, Martina, *Schatzkunst. Die Goldschmiede- und Elfenbeinarbeiten aus österreichischen Schatzkammern des Hochmittelalters,* Salzburg 1987.

Firmenich-Richartz, Eduard (Hg.), *Kölnische Künstler in alter und neuer Zeit. Johann Jacob Merlos neu bearbeitete und erweiterte Nachrichten von dem Leben und den Werken Kölnischer Künstler,* Düsseldorf 1895.

Fischer, Norbert, Zur Dynamik traditioneller Formen. Tod und Trauerkultur im frühen 20. Jahrhundert, in: *Jahrbuch für Völkerkunde* (1990), S. 89–107.

Fischer, Michael, *Ein Sarg nur und ein Leichenkleid. Sterben und Tod im 19. Jahrhundert. Zur Kultur- und Frömmigkeitsgeschichte des Katholizismus in Südwestdeutschland,* Paderborn 2004.

Fisschers, Valerie, Iconografie van de wandkleedcyclus Vita dell'uomo in het Palazzo Vecchio: een hypothese, in: *Incontri* 13 (1998/1999), S. 155–169.

Fleischhauer, Günter (Hg.), *Tod und Musik im 17. und 18. Jahrhundert. XXVI. Internationale wissenschaftliche Arbeitstagung, Michaelstein, 12.–14. Juni 1998,* Blankenburg 2001.

Flüeler-Grauwiler, Marianne (Hg.), *Stadtluft, Hirsebrei und Bettelmönch,* Stuttgart 1992.

Fluri, Adolf, Niklaus Manuels Totentanz in Bild und Wort, in: *Neues Berner Taschenbuch* (1901), S. 119–266.

Fooken, Insa, *Frauen im Alter. Eine Analyse intra- und interindividueller Differenzen,* Frankfurt a. M. 1980.

Forrer, Robert, Memento-mori-Kleinkunstwerke, in: *Zeitschrift für Schweizerische Archäologie und Kunstgeschichte* (1940), S. 129–130.

Forssman, Eric, Tanz und Tod im Werk Edvard Munchs, in: Franz Link (Hg.), *Tanz und Tod in Kunst und Literatur,* (= Schriften zur Literaturwissenschaft Bd. 8), Berlin 1993, S. 299–315.

Frechet, Georges, Représentations artistiques macabres en Lorraine du XIIIe siècle à la Renaissance, in: *Lotharingia* 3 (1991), S. 335–356.

Freybe, Albert, *Das Memento mori: in deutscher Sitte, bildlicher Darstellung und Volksglauben, deutscher Sprache, Dichtung und Seelsorge,* Gotha 1909.

Freytag, Hartmut (Hg.), *Der Totentanz der Marienkirche zu Lübeck und der Nikolaikirche in Reval (Tallinn). Edition, Kommentar, Interpretation, Rezeption,* Köln 1993.

Friedrichs, Karl, *Lebensdauer, Altern und Tod in der Natur und im Menschenleben,* Frankfurt a. M. 1959.

Frimmel, Theodor von, *Beiträge zu einer Ikonographie des Todes,* Wien 1891.

Fritz, Horst, Die Dämonisierung des Erotischen in der Literatur des Fin de siècle, in: Roger Bauer (Hg.), *Fin de siècle: zur Literatur und Kunst der Jahrhundertwende,* Frankfurt a. M. 1977, S. 442–466.

Froning, Hubertus, Tizians Gemälde ‚Die drei Lebensalter'. Überlegungen zur Überlieferungsgeschichte und zur Interpretation, in: *Zeitschrift für Kunstgeschichte* 68/2 (2005), S. 177–190.

Fründt, Emil, Drei barocke Elfenbeinbildwerke. Forschungen und Berichte, in: *Staatliche Museen zu Berlin* 9 (1967), S. 125–127.

Fuchs, Werner, *Todesbilder in der modernen Gesellschaft,* Frankfurt a. M. 1973.

Fuller, Gregory, *Endzeitstimmung. Düstere Bilder in goldener Zeit,* Köln 1994.

Fürstenwald, Maria (Hg.), *Trauerreden des Barock,* Wiesbaden 1973.

Füssel, Stephan (Hg.), *Poesis et pictura: Studien zum Verhältnis von Text und Bild in Handschriften und alten Drucken. Festschrift für Dieter Wuttke zum 60. Geburtstag,* Baden-Baden 1989.

ders. (Hg.), *500 Jahre Schedelsche Weltchronik,* Nürnberg 1994.

Gabelentz, Hans von der, *Die Lebensalter und das menschliche Leben in Tiergestalt,* Berlin 1939.

Gaebel, Ulrike (Hg.), *Böse Frauen – gute Frauen: Darstellungskonventionen in Texten und Bildern des Mittelalters und der Frühen Neuzeit,* (= Literatur, Imagination, Realität Bd. 28), Trier 2001.

Gahlmann, Alfred J., Der eigene Tod – ein Tabu?, in: Hans H. Jansen (Hg.), *Der Tod in Dichtung, Philosophie und Kunst,* Darmstadt 1989, S. 571–575.

Gaimster, David R. M. und Michael Cowell, An imported Renaissance stove-tile from Dover in the collections of the Society of Antiquaries, in: *Antiquaries journal* 69/2 (1989), S. 298–303.

Gampp, Axel C., Das Grabmal der Maria Magdalena Langhans von Johann August Nahl von 1751, in: *Kunst + Architektur in der Schweiz* 46 (1995), S. 72–76.

Gardiner, Samuel, *The Devotions of the Dying Man,* London 1627.

Geismeier, Willi, *Daniel Chodowiecki,* Leipzig 1993.

Geissler, Erich E. (Hg.), *Bildung für das Alter – Bildung im Alter. Expertensammlung,* Bonn 1990.

Geissler-Kasmekat, Joachim, *Die Malerei des Psychorealismus und ihre künstlerischen Prinzipien,* Heidelberg 1964.

Geminus, Thomas, *Morysse and Damashin renewed and increased very profitable for Goldsmythes and Embroderers,* o. O. 1548.

Gerner, Cornelia, *Die Madonna in Edvard Munchs Werk. Frauenbilder und Frauenbild im ausgehenden 19. Jahrhundert,* Morsbach 1993.

Gernig, Kerstin, Skelett und Schädel: zur metonymischen Darstellung des Vanitas-Motivs, in: Claudia Benthien (Hg.), *Körperteile. Eine kulturelle Anatomie,* Reinbek 2001, S. 403–423.

Geuenich, Dieter und Otto G. Oexle (Hg.), *Memoria in der Gesellschaft des Mittelalters,* (= Veröffentlichungen des Max-Planck-Instituts für Geschichte), Göttingen 1994.

Gisi, Lucas M., Niklaus Manuel und der Berner Bildersturm 1528, in: Peter Blickle und André Holenstein (Hg.), *Macht und Ohnmacht der Bilder: reformatorischer Bildersturm im Kontext der europäischen Geschichte,* München 2002, S. 143–163.

Gittings, Claire, *Death, burial and the individual in early modern England,* London 1984.

Glixelli, Stefan, *Les cinq poèmes des trois morts et des trois vifs,* Paris 1914.

Göbel, Johannes (Hg.), *Der Holzschneider als Maler,* Bonn 1989.

Göckenjahn, Gerd, *Das Alter würdigen. Altersbilder und Bedeutungswandel des Alters,* Frankfurt a. M. 2000.

Goette, Alexander, *Holbeins Totentanz und seine Vorbilder,* Strassburg 1897.

Goetz, Werner, Die Einstellung zum Tode im Mittelalter, in: Joachim-Jungius-Gesellschaft der Wissenschaften Hamburg (Hg.), *Grenzbereich zwischen Leben und Tod. Vorträge gehalten auf der Tagung der Joachim-Jungius-Gesellschaft der Wissenschaften Hamburg, am 9. und 10. Oktober 1975,* Göttingen 1976, S. 111–153.

Goodden, Angelica, *The Eighteenth-Century Body. Art, History, Literature, Medicine,* Bern / Frankfurt a. M. 2002.

Goodwin, Sarah W. (Hg.), *Death and representation,* Baltimore 1993.

Göpfert, Walter und H.-H. Otten (Hg.), *Metanoeite: wandelt euch durch neues Denken. Festschrift für Hans Schadewaldt zur Vollendung des 60. Lebensjahres,* Düsseldorf 1983.

Gordon, Bruce, *The place of death and remembrance in late medieval and early modern Europe,* Cambridge 2000.

Göres, Jörn, Goethes Gedanken über den Tod, in: Hans H. Jansen (Hg.), *Der Tod in Dichtung, Philosophie und Kunst,* Darmstadt 1989, S. 267–277.

Gottlieb, Carla, The Window in the Soap Bubble as Illustration of Psalm 26, in: *Wallraf-Richartz-Jahrbuch* 43 (1982), S. 123–126.

Götz-Mohr, Britta von, *Italien, Frankreich, Niederlande: 1500–1800,* (= Nachantike kleinplastische Bildwerke im Liebieghaus-Museum Alter Plastik Bd. 2), Melsungen 1988.

Gouk, Penelope, *The Ivory Sundials of Nuremberg: 1500–1700,* Cambridge 1988.

Graber, Rudolf, *Die letzten Dinge des Menschen und der Welt,* Würzburg 1948.

Grabher, Gudrun M. (Hg.), *Geburt und Tod im Kunstvergleich,* Trier 1995.

Grego, Joseph, *Rowlandson the Caricaturist. A selection from his works with anecdotal descriptions of his famous caricatures and a sketch of his life, time and contemporaries,* 2 Bde., London 1880.

Greindl, Edith, *Les peintres flamands de nature morte au XVIIe siècle,* Brüssel 1956.

Greska, Christiane, *Der Transi auf Werken bayerischer Sepulkralskulptur,* unveröffentlichte Magisterarbeit, München 1990.

Grieshaber, HAP, *Der Totentanz von Basel: mit den Dialogen des mittelalterlichen Wandbildes,* Dresden 1966.

ders., *Der Totentanz von Basel,* (= Die bibliophilen Taschenbücher), Dortmund 1990.

Grössinger, Christa, *Picturing women in late medieval and Renaissance Art,* Manchester 1997.

Großmann, Georg U. (Hg.), *Von teutscher Not zu höfischer Pracht 1648–1701,* Nürnberg 1998.

Groupe de Recherches sur les Peintures Murales (Hg.), ‚Vifs nous sommes … morts nous serons'. La Rencontre des trois morts et trois vifs dans la peinture murale de France, Vendôme 2001.

Grüneisen, Karl von, Niklaus Manuel. Leben und Werke eines Malers, Dichters, Kriegers, Staatsmannes und Reformators im sechzehnten Jahrhundert, Stuttgart/Tübingen 1837.

Grünewald, Mathilde, Pilgerzeichen: Rosenkränze: Wallfahrtsmedaillen, Worms 2001.

Guardini, Romano, Die letzten Dinge. Die christliche Lehre vom Tode, der Läuterung nach dem Tode, Auferstehung, Gericht und Ewigkeit, Würzburg 1949.

Guerry, Liliane, Le Thème du ‚triomphe de la mort' dans la peinture italienne, Paris 1950.

Guidol-Ricart, José, La peinture de Valdés. Leal et sa valeur picturale, in: Gazette Des Beaux Arts VI/L (1957), S. 123–135

Guillemaud, Jean, A Combat Betwixt Man and Death, übers. Von Edward Grimeston, o. O. 1621.

Gundersheimer, Werner L. (Hg.), The Dance of Death by Hans Holbein the Younger, New York 1971.

Gundolf, Hubert, Totenkult und Jenseitsglaube, Mödling 1967.

Gurjewitsch, Aaron, Die Darstellung von Persönlichkeit und Zeit in der mittelalterlichen Kunst in Verbindung mit der Auffassung vom Tode und der jenseitigen Welt, in: Friedrich Möbius und Ernst Schubert (Hg.), Architektur des Mittelalters. Funktion und Gestalt, Weimar 1983, S. 87–104.

Güse, Ernst-Gerhard (Hg.), HAP Grieshaber. Holzschnitte und Lithographien, Münster 1984.

Guthke, Karl S., Letzte Worte. Variationen über ein Thema der Kulturgeschichte des Westens, München 1990.

ders., Der Tod und das Bild, Berlin 1995.

ders., Ist der Tod eine Frau? Geschlecht und Tod in Kunst und Literatur, München 1997.

ders., Österreich zur Zeit Kaiser Josephs II., Wien 1980.

Haas, Alois M., Die Auffassung des Todes in der deutschen Literatur des Mittelalters, in: Gerontologie 11 (1978), S. 633–644.

ders., Die Auffassung des Todes in der deutschen Literatur des Mittelalters, in: Hans H. Jansen (Hg.), Der Tod in Dichtung, Philosophie und Kunst, Darmstadt 1989, S. 165–176.

ders., Todesbilder im Mittelalter. Fakten und Hinweise in der deutschen Literatur, Darmstadt 1989.

Habrich, Christa, Eine anatomische schwangere Frau von Helfenbein, in: Jahrbuch des Deutschen medizinhistorischen Museums 6 (1986–88), S. 86–93.

Hahn, Gerhard, Der Ackermann aus Böhmen des Johannes von Tepl, Darmstadt 1984.

ders., ‚Der Ackermann aus Böhmen' – ein Streitgespräch mit dem Tod, in: Hans H. Jansen (Hg.), Der Tod in Dichtung, Philosophie und Kunst, Darmstadt 1989, S. 193–200.

Hamkens, Freerk H., Sinnbilder auf Grabsteinen von Schleswig bis Flandern. Versuch einer Deutung, Brüssel 1942.

Hammerstein, Reinhold, Diabolus in musica. Studien zur Ikonographie der Musik im Mittelalter, (= Neue Heidelberger Studien zur Musikwissenschaft Bd. 6), Bern 1974.

Hammerstein, Reinhold, Imago mortis. Simboli e rituali della morte nella cultura popolare dell'Italia meridionale, Rom 1980.

ders., Tanz und Musik des Todes. Die mittelalterlichen Totentänze und ihr Nachleben, Bern 1980.

Hampe, Theodor, Beiträge zur Geschichte des Buch- und Kunsthandels in Nürnberg: Paulus Fürst und sein Kunstverlag, in: Mitteilungen des Germanischen Nationalmuseums 15 (1914), S. 3–127.

Hansen, Julie, Resurrecting death: Anatomical art in the cabinet of Dr. Frederik Ruysch, in: Art Bulletin 78/4 (1996), S. 663–679.

Harbinson, Craig, The last judgement in sixteenth-century Northern Europe. A study of the relation between art and the Reformation, New York/London 1976.

Hardie, Martin, English Coloured Books, London 1906.

Harms, Wolfgang (Hg.), Deutsche illustrierte Flugblätter des 16. und 17. Jahrhunderts, Bd. 3: Die Sammlung der Herzog-August-Bibliothek in Wolfenbüttel, Tübingen 1989.

Harrison, Ann Tukey (Hg.), Danse macabre of women: Ms. fr. 995 of the Bibliothèque nationale, London u. a. 1994.

Hartinger, Walter, Religion und Brauch, Darmstadt 1992.

Hartmann, Jöergen, Genien des Lebens und des Todes. Zur Sepulkralikonographie des Klassizismus, in: Römisches Jahrbuch für Kunstgeschichte 12 (1969), S. 9–38.

Hartmann, Peter W., Elfenbeinkunst, Wien 1999.

Hartung, Heike (Hg.), Alter und Geschlecht. Repräsentation, Geschichte und Theorien des Alter(n)s, Bielefeld 2005.

Hasenfratz, Hans-Peter, Leben mit den Toten. Eine Kultur- und Religionsgeschichte der anderen Art, Freiburg i. Br./Basel 1998.

Hausner, Renate, „Anfaht der grimme Todesreihn, ich Herre Tod tu Tanzführer sein!" – Das Totentanzspiel des Alois Johannes Lippl, in: Winfried Schwab und Renate Hausner (Hg.), Den Tod tanzen? Tagungsband des Totentanzkongresses Stift Admont 2001, (= Im Kontext Bd. 19), Anif/Salzburg 2002, S. 63–96.

Hayes, John, Rowlandson: Watercolours and Drawings, London 1972.

Heeren, Hanns, Der Tod in der Kleingraphik unserer Zeit, in: Exlibriskunst und Gebrauchsgraphik 4 (1953), S. 112–116.

Heftrich, Eckhard, Der Totentanz in Thomas Manns Roman ‚Der Zauberberg', in: Franz Link (Hg.), Tanz und Tod in Kunst und Literatur, (= Schriften zur Literaturwissenschaft Bd. 8), Berlin 1993, S. 335–350.

Hegemann, Hans-Werner, Das Elfenbein in Kunst und Kultur Europas: ein Überblick von der Antike bis zur Gegenwart, Mainz 1988.

Heidegger, Anna M., Die anatomische Sektion in bildlicher Darstellung, Basel/New York 1967.

Heilbronner Kunst und Auktionshaus Jürgen Fischer (Hg.), Sammlung ‚Religiöse Kunst'. Katalog vom 10.06.1989, Heilbronn 1989.

Hein, Jørgen, Learning versus status? Kunstkammer or Schatzkammer?, in: Journal of the History of Collections 14 (2002), S. 177–192.

Heinz-Mohr, Gerd, Lexikon der Symbole, München 1988.

Helm, Rudolf, Skelett- und Todesdarstellungen bis zum Auftreten der Totentänze, Strassburg 1928.

Helver, Peter, Ars moriendi, Theol. Diss. Würzburg 1989.

Hempfer, Klaus W. und Gerhard Regn (Hg.), Interpretation. Das Paradigma der europäischen Renaissance-Literatur, Wiesbaden 1983.

Henkel, Arthur und Albrecht Schöne (Hg.), Emblemata. Handbuch zur Sinnbildkunst des 16. und 17. Jahrhunderts, Stuttgart 1978.

Henn, Beate und Johannes Weiss (Hg.), Tod und Sterben: Beiträge zu einem interdisziplinären Kolloquium, Duisburg 1980.

Henschen, Folke, Der menschliche Schädel in der Kulturgeschichte, Berlin/Heidelberg/New York 1966.

Herbrüggen, Hubertus Schulte, Ein frühes liturgisches Beispiel für den englischen Totentanz: ‚Hore beate marie virginis ad vsum … Saru', Paris (1521?), in: Stephan Füssel (Hg.), Poesis et pictura: Studien zum Verhältnis von Text und Bild in Handschriften und alten Drucken. Festschrift für Dieter Wuttke zum 60. Geburtstag, Baden-Baden 1989, S. 235–253.

Hermann, Iris, „Alles scheint mir aus Todtenasche geformt": Tod und Tote bei Jean Paul, in: L'art macabre 4 (2003), S. 103–112.

Hernad, Béatrice (Hg.), Die Graphiksammlung des Humanisten Hartmann Schedel, München 1990.

Hermann-Otto, Elisabeth und Georg Wöhrle, Die Kultur des Alterns von der Antike bis zur Gegenwart, St. Ingbert 2004.

Herzlich, Claudine und Janine Pierret, Kranke gestern und heute. Die Gesellschaft und das Leiden, München 1991.

Herzog, Karl, Die Gestalt des Menschen in der Kunst und im Spiegel der Wissenschaft, Darmstadt 1990.

Hettner, Hermann, Zur Charakteristik der dominikanischen Kunst des 14. Jahrhunderts. Der Triumph des Todes im Camposanto zu Pisa, in: Zeitschrift für bildende Kunst 13 (1878), S. 7–81.

Hildebrand, Reinhard, Alternative images, anatomical illustration and the conflict between art and science, in: Interdisciplinary Science Reviews 29/3 (2004), S. 295–311.

Hill, Robert, A Direction to Die Well, London 1641.

Himmel, Amelie, Michael Wolgemut, (= Frankens große Namen Bd. 3), Nürnberg 2000.

Hinz, Berthold, Nackt/Akt-Dürer und der ‚Prozess der Zivilisation', in: Städel-Jahrbuch 14 (1993), S. 199–230.

Hirsch, Renée J., Doodenritueel in de Nederlanden voor 1700, Amsterdam 1921.

Hirschberg, Leopold, Totentänze neuerer Zeit, in: Zeitschrift für Bücherfreunde 7 (1903), S. 226–242.

His, Eduard, Die Basler Archive über Hans Holbein den Jüngeren, seine Familie und einige zu ihm in Beziehung stehenden Zeitgenossen, in: Jahrbücher für Kunstwissenschaft 3 (1870), S. 115–173.

Hochradner, Thomas und Michaela Schwarzbauer, Überlegungen zu Cesar Bresgens Totentanz nach Holbein aus musikwissenschaftlicher und musikpädagogischer Perspektive, in: L'art macabre 6 (2005), S. 47–64.

Hoffmann, Detlef (Hg.), Der nackte Mensch. Zur aktuellen Diskussion über ein altes Thema, Marburg 1989.

Hoffmann, Konrad, Holbeins Todesbilder, in: Bazon Brock und Achim Preiß (Hg.), *Ikonographia: Anleitung zum Lesen von Bildern. Festschrift Donat de Chapeaurouge*, München 1990, S. 97–110.

Hofmann, Karl-Ludwig und Christmut Präger, Die Revolution als Totentanz – Alfred Rethels ,Auch ein Totentanz' von 1849, in: *Thema Totentanz: Kontinuität und Wandel einer Bildidee vom Mittelalter bis heute*, hg. von Friedrich W. Kasten, Ausst. Kat. Mannheimer Kunstverein, Mannheim 1986, S. 27–41.

Hofmeister, Wernfried, ,Wenne der tot unsir voget kom geslichin': Gesichter des Todes im Spiegel deutschsprachiger Dichtungen des Mittelalters, in: *L'art macabre* 6 (2005), S. 65–80.

Hogg, James (Hg.), *Zeit, Tod und Ewigkeit in der Renaissance Literatur*, Bd. 1, Salzburg 1987.

Holl, Adolf, *Tod und Teufel*, Stuttgart 1973.

Holländer, Eugen, *Des Todes Bild von Frederick Parkes Weber*, Berlin 1923.

Hollis, Jill (Hg.), *Princely magnificence: court jewels of the Renaissance 1500–1630*, London 1980.

Hollstein, Friedrich W., *German Engravings, Etchings and Woodcuts ca. 1400–1700*, Bd. 1, Amsterdam 1954.

Honemann, Volker, Der Tod bei Geiler von Kaysersberg, in: James Hogg (Hg.), *Zeit, Tod und Ewigkeit in der Renaissance Literatur*, Bd. 1, Salzburg 1987, S. 90–107.

Honisch, Dieter, Bilder vom Tod: Kapitel 9, in: *Bilder vom Menschen in der Kunst des Abendlandes*, hg. von Brigitte Hüfler, Ausst. Kat. Preußische Museen Berlin, Berlin 1980, S. 355–383.

Horneffer, August, *Symbolik der Mysterienbünde*, Prien 1924.

Hornung, Johann B., *Ein Beitrag zur Ikonographie des Todes*, Phil. Diss. Freiburg i. Br. 1902.

Horstmanshoff, Herman F. J., *The four seasons of human life: four anonymous engravings from the Trent Collection*, (= Nieuwe Nederlandse bijdragen tot de geschiedenis der geneeskunde en der naturweetenschappen Bd. 60), Rotterdam 2002.

Hülsen-Esch, Andrea von und Jean-Claude Schmitt (Hg.), *Die Methodik der Bildinterpretation – Les méthodes de l'interprétation de l'image. Deutsch-französische Kolloquien 1998–2000*, Göttingen 2002.

Humfrey, Peter, The patron and early provenance of Titian's ,Three ages of man', in: *The Burlington magazine* 145 (2003), S. 787–791.

Husemann, Friedrich, *Vom Bild und Sinn des Todes. Entwurf einer geisteswissenschaftlich orientierten Geschichte, Physiologie und Psychologie des Todesproblems*, Stuttgart 1954.

Hütt, Wolfgang, Totentanz als Zeitaussage. Zur Holzschnittfolge von Hans Holbein, in: *Bildende Kunst* 4 (1956), S. 203–206.

Ilg, Albert, Zur Philosophie der Todesvorstellung im Mittelalter, in: *Mitteilungen der K. K. Central-Commission zur Erhaltung der Kunst- und historischen Denkmäler* 15 (1870), S. 103–105.

ders., Todesvorstellungen vor den Totentänzen, in: *Mitteilungen der K. K. Central-Commission zur Erhaltung der Kunst- und historischen Denkmäler* 17 (1872), S. 84–87.

Illi, Martin, *Wohin die Toten gingen. Begräbnis und Kirchhof in der vorindustriellen Stadt*, Zürich 1992.

Imhof, Arthur E., *Ars moriendi: die Kunst des Sterbens einst und heute*, (= Kulturstudien Bd. 22), Wien u. a. 1991.

ders., *Im Bildersaal der Geschichte, oder: Ein Historiker schaut Bilder an*, München 1991.

ders. (Hg.), *Leben wir zu lange? Die Zunahme unserer Lebensspanne seit 300 Jahren und die Folgen. Beiträge eines Symposiums vom 27.–29. November 1991 an der Freien Universität Berlin*, Köln u. a. 1992.

ders., *Die Kunst des Sterbens. Wie unsere Vorfahren sterben lernten – Impulse für heute*, Stuttgart 1997.

Impey, Oliver und Arthur MacGregor (Hg.), *The Origins of museums. The cabinet of curiosities in sixteenth- and seventeenth-century Europe*, Oxford 1985.

Ingen, Ferdinand van, *Vanitas und Memento mori in der deutschen Barocklyrik*, Groningen 1966.

Jaeger, Friedrich (Hg.), *Enzyklopädie der Neuzeit*, Bd. 1, Stuttgart 2005.

Jaffé, Aniela, Liliane Frey-Rohn und Marie-Luise von Franz (Hg.), *Im Umkreis des Todes*, Zürich 1980.

Jansen, Hans H. und Rosemarie Jansen, Bilder des Todes aus ärztlicher Sicht, in: *Memento mori: der Tod als Thema der Kunst vom Mittelalter bis zur Gegenwart*, hg. von Klaus Wolbert, Ausst. Kat. Hessisches Landesmuseum Darmstadt, Darmstadt 1984, S. 9–17.

ders. und Rosemarie Jansen, Memento mori. Der Tod als Thema der Kunst vom Mittelalter bis zur Gegenwart, in: *Hessisches Ärzteblatt* 9 (1984), S. 608–626.

ders. (Hg.), *Der Tod in Dichtung, Philosophie und Kunst*, Darmstadt 1989.

ders. und Rosemarie Jansen, Der ,Schwarze Tod' in Chronik, Dichtung und Kunst, in: Hans H. Jansen (Hg.), *Der Tod in Dichtung, Philosophie und Kunst*, Darmstadt 1989, S. 161–190.

ders., Totenmasken der Goethe-Zeit, in: Hans H. Jansen (Hg.), *Der Tod in Dichtung, Philosophie und Kunst*, Darmstadt 1989, S. 279–300.

ders. und Rosemarie Jansen, Tod und Maske, in: Hans H. Jansen (Hg.), *Der Tod in Dichtung, Philosophie und Kunst*, Darmstadt 1989, S. 303–323.

ders., Das Totentanzthema in der modernen Kunst. Autopsie der Lebensgefühle, in: *Die Waage* 30/3 (1991), S. 102–111.

ders. und Rosemarie Jansen, Der Totentanz in der modernen Kunst, in: Eva Schuster (Hg.), *Das Bild vom Tod. Graphiksammlung der Heinrich-Heine-Universität Düsseldorf*, Recklinghausen 1992, S. 46–56.

Janson, Horst W., The Putto with the death's head, in: *The Art Bulletin* (1937), S. 423–449.

ders., A ,Memento mori' among early Italian Prints, in: *Journal of the Warburg and Courtauld Institutes* 3 (1939), S. 243–248.

Janson, Horst W., *An und für mich – Selbstisches, Briefliches, Poetisches, Hämisches, Deklamatorisches, Gesprochenes und alles Gedruckte 1981–1986*, München 1986.

ders. (Hg.), *Eros und Tod. 200 Zeichnungen, Aquarelle, Radierungen, Holzschnitte und Lithographien*, Hamburg 2002.

Joachim-Jungius-Gesellschaft der Wissenschaften Hamburg (Hg.), *Grenzbereich zwischen Leben und Tod. Vorträge gehalten auf der Tagung der Joachim-Jungius-Gesellschaft der Wissenschaften Hamburg am 9. und 10. Oktober 1975*, Göttingen 1976.

Jopek, Norbert, *German sculpture 1430–1540. A catalogue of the collection of the Victoria and Albert Museum*, London 2002.

Jordan, Louis E., *The iconography of death in western medieval art to 1350*, Indiana 1990.

Jordanova, Ludmilla J., *Sexual visions: images of gender in science and medicine between the eighteenth and twentieth centuries*, (= Science and literature), Madison 1989.

Jullien, Francois, *Vom Wesen des Nackten*, München 2003.

Jung-Kaiser, Ute (Hg.), *,...das poetischste Thema der Welt?': der Tod einer schönen Frau in Musik, Literatur, Kunst, Religion und Tanz*, Bern u. a. 2000.

Jüngel, Eberhard ,*Tod*, (= Themen der Theologie Bd. 8), Stuttgart 1971.

Jungmann, Irmgard, *Tanz, Tod und Teufel: Tanzkultur in der gesellschaftlichen Auseinandersetzung des 15. und 16. Jahrhunderts*, Kassel u. a. 2002.

Jupp, Peter C. und Glennys Howarth, *The changing face of death: historical accounts of death and disposal*, Basingstoke 1997.

Jupp, Peter C. und Clare Gittings, *Death in England an illustrated history*, Manchester 1999.

Jütte, Robert, Entdeckung des ,Inneren' Menschen 1500–1800, in: Richard von Dühnen (Hg.), *Die Erfindung des Menschen. Schöpfungsträume und Körperbilder 1500–2000*, Wien/Köln/Weimar 1998, S. 241–260.

Kaiser, Gert, Das Memento mori. Ein Beitrag zum sozialgeschichtlichen Verständnis der Gleichheitsforschung im frühen Mittelalter, in: *Euphorion* 68 (1974), S. 337–370.

Kaiser, Gert (Hg.), *Der tanzende Tod: mittelalterliche Totentänze*, Frankfurt a. M. 1983.

ders., Vom Umgang mit der Liebe und dem Tod. Der tanzende Tod in Kunst und Literatur des Mittelalters, in: *Die Waage* 30/3 (1991), S. 112–117.

ders., *Der Tod und die schönen Frauen. Ein elementares Motiv der europäischen Kultur*, Frankfurt a. M./New York 1995.

ders., ,Ist die Frau stärker als der Tod?', in: Ute Jung-Kaiser (Hg.), *,...das poetischste Thema der Welt?': der Tod einer schönen Frau in Musik, Literatur, Kunst, Religion und Tanz*, Bern u. a. 2000, S. 119–140.

Kammel, Frank M., Der Tod als Zeuge des Lebens. Barocke Memento mori zur Privatmeditation, in: Arbeitsgemeinschaft Missionarische Dienste in der EKD (Hg.), *Kirche im Tourismus. Dokumentation über das Seminar Barock*, Berlin 2000, S. 7–15.

Kanner, Leo, *Folklore of the Teeth*, New York 1928.

Kantorowicz, Ernst H., *Die zwei Körper des Königs: eine Studie zur politischen Theologie des Mittelalters*, München 1990.

Kappel, Jutta, Das ‚Tödlein' des Christoph Angermair. Ein Beitrag zu seinem letzten signierten Werk, in: *Dresdener Kunstblätter* 40 (1996), S. 15–20.

Karenberg, Axel und Irmgard Hort, Medieval Descriptions and Doctrines of Stroke Preliminary Analysis of Select Sources. Part III: Multiplying Speculations – The High and Late Middle Ages, in: *Journal of the History of Neurosciences* 7 (1998), S. 186–200.

Kaschmieder, Käthe, *David Faßmanns ‚Gespräche im Reiche der Toten' (1718–1740). Ein Beitrag zur deutschen Geistes- und Kulturgeschichte des 18. Jahrhunderts*, Phil. Diss. Breslau 1934.

Keller, Hildegard E., Totentanz im Paradies. Titelblätter und Vorreden in Geburtshilfebüchern des 16. Jahrhunderts, in: *L'art macabre* 4 (2003), S. 123–138.

Kelperi, Evangelia, *Die nackte Frau in der Kunst von der Antike bis zur Renaissance*, München 2000.

Keresteci, Aysegül, *Das alternde Gesicht und die Zahnlosigkeit im Hinblick auf die Kunstgeschichte*, Phil. Diss. Wien 1995.

Kertzer, David und Peter Laslett (Hg.), *Aging in the Past. Demography, Society, and Old Age*, Berkeley 1995.

Ketelsen, Thomas, Im Banne des Zeichens: Dürer – Raimondi – Goltzius, in: *Dresdener Kunstblätter* 46/1 (2002), S. 8–15.

Keyser, Eugénie de, A propos d'un thème célèbre dans l'imagerie populaire. Les degrés des âges, in: *Bulletin de la Société Archéologique, Historique et Artistique du Vieux Papier* 261 (1976), S. 489–500.

Kiening, Christian, *Schwierige Modernität. Der ‚Ackermann' des Johannes Tepl und die Ambiguität historischen Wandels*, Tübingen 1998.

ders., Der Tod, die Frau und der Voyeur. Bildexperimente der Frühen Neuzeit, in: Ulrike Gaebel (Hg.), *Böse Frauen – gute Frauen: Darstellungskonventionen in Texten und Bildern des Mittelalters und der Frühen Neuzeit*, (= Literatur, Imagination, Realität Bd. 28), Trier 2001, S. 195–221.

ders., *Das andere Selbst. Figuren des Todes an der Schwelle zur Neuzeit*, München 2003.

Kierdorf, Wilhelm, *Laudatio Funebris. Interpretation und Untersuchungen zu Entwicklung der römischen Leichenrede*, Meisenheim am Glan 1980.

Kilchhofer, Daniel, Der Totentanzzyklus von Niklaus Manuel. Animation des Originalzustands, in: *Unipress – Forschung und Wissenschaft an der Universität Bern* 119 (2003), S. 37–39.

Kimminich, Eva, *Des Teufels Weiber. Mittelalterliche Lasterdarstellungen und Gestaltungsformen der Fastnacht*, Frankfurt a. M./Bern/New York 1986.

Kirfel, Willibald, *Der Rosenkranz: Ursprung und Ausbreitung*, Walldorf-Hessen 1949.

Kleimenhagen, Ilka, *Chodowiecki und die Medizin*, (= Düsseldorfer Arbeiten zur Geschichte der Medizin Bd. 34), Düsseldorf 1969.

Klein, Christiane (Hg.), *Eine Zeit großer Traurigkeit. Die Pest und ihre Auswirkungen*, Marburg 1987.

Klein, Gabriele, *FrauenKörperTanz: eine Zivilisationsgeschichte des Tanzes*, Weinheim u. a. 1992.

Kleine, Philipp, Der gute Tod – Das gute Leben. Die Geisteshaltung des Memento mori und die Sterbeanleitungen der Ars moriendi, in: Sönke Lorenz und Thomas Zotz (Hg.), *Spätmittelalter am Oberrhein: Alltag, Handwerk und Handel 1350–1525*, Ostfildern 2001, S. 497–499.

Klever, Ullrich, *Stöcke*, München 1980.

ders., *Spazierstöcke. Zierde, Werkzeug und Symbol*, München 1984.

Klingenburg, Karl-Heinz, Holbeins ‚Bilder des Todes' in ihrem Bezug zur frühbürgerlichen Revolution, in: *Bildende Kunst* 23 (1975), S. 142–146.

Klug, Andreas, *Einstellungen zu Sterben, Tod und danach*, Phil. Diss. Trier 1996.

Knedlik, Manfred, Das Totentanzmotiv im deutschsprachigen Drama des 16. Jahrhunderts, in: *L'art macabre* 5 (2004), S. 85–96.

Knöll, Stefanie, *Der Zizenhauser Totentanz*, Kassel 2004.

Koch-Mertens, Wiebke, *Der Mensch und seine Kleider*, Düsseldorf 2000.

Koepplin, Dieter, Zwei Bemerkungen zum Italienischem bei Niklaus Manuel, in: *Zeitschrift für schweizerische Archäologie und Kunstgeschichte* 37 (1980), S. 269–275.

Kohli, Martin, Altern in soziologischer Perspektive, in: Paul B. Baltes und Jürgen Mittelstraß (Hg.), *Zukunft des Alterns und gesellschaftliche Entwicklung*, Berlin 1992, S. 231–259.

Koller, Erwin, *Totentanz: Versuch einer Textbeschreibung*, (= Innsbrucker Beiträge zur Kulturwissenschaft, Germanistische Reihe Bd. 10), Innsbruck 1980.

Kollwitz, Käthe, *Ich will wirken in dieser Zeit. Auswahl aus den Tagebüchern und Briefen aus Graphik, Zeichnungen und Plastik*, Berlin 1952.

Koos, Marianne, Eine Wende vom Menschen zum Mann? Zum Männlichkeitsentwurf in Tizians ‚Drei Lebensalter', in: *Kritische Berichte* 29/4 (2001), S. 20–38.

Körner, Hans, Helenas Himmelfahrt. Die ‚femme fatale' im Werk Gustave Moreaus, in: Alexander Schuller und Wolfert von Rahden (Hg.), *Die andere Kraft. Zur Renaissance des Bösen*, Berlin 1993, S. 227–250.

Körner, Gudrun, Der schöne Greis, in: Irmgard Bohunovsky-Bärnthaler (Hg.), *Was aber ist das Schöne? Vortragsreihe der Galerie Carintha im Stift Ossiach vom 17. bis 19. August 2000*, Klagenfurt u. a. 2001, S. 114–139.

Kralik, Christine, Änderungen in der Andachtspraxis und die Legende der drei Lebenden und der drei Toten in spätmittelalterlichen Handschriften, in: *L'art macabre* 6 (2005), S. 135–147.

Krämer, Günter und Jan Tomaschoff, *Alternde Jugend & jungendliches Alter*, Stuttgart/New York 1997.

Kreis Borken, (Hg.), *Der letzte Gang: Totenbrauchtum im Münsterland – Oost Nederland*, Borken 1988.

Kreisch, Claudia, Zur Todesikonographie bei Andreas Schlüter, in: Staatliche Museen Berlin (Hg.), *Forschungen und Berichte. Kunsthistorische und volkskundliche Beiträge*, Berlin 1971, S. 39–47.

Kretzenbacher, Leopold, *Sterbekerze und Palmzweig-Ritual beim ‚Marientod': zum Apokryphen in Wort und Bild bei der koimesis, dormito, assumptio der Gottesmutter zwischen Byzanz und dem mittelalterlichen Westen*, (= Sitzungsberichte der Österreichische Akademie der Wissenschaften, Philosophisch-Historische Klasse Bd. 667), Wien 1999.

Krimm, Konrad und Herwig John (Hg.), *Bild und Geschichte: Studien zur politischen Ikonographie. Festschrift für Hansmartin Schwarzmaier zum 65. Geburtstag*, Sigmaringen 1997.

Kristeller, Paul, *Kupferstich und Holzschnitt in vier Jahrhunderten*, Berlin 1922.

Krudewig, Johannes, Der Kölner Kupferstichhändler Gerhard Altzenbach und sein Plan der Festung Mülheim 1912, in: *Zeitschrift des Kölnischen Geschichtsvereins* 4 (1911), S. 45–47.

Krüger, Klein, Mimesis und Fragmentation. Körper-Bilder im Cinquecento, in: Andrea von Hülsen-Esch und Jean-Claude Schmitt (Hg.), *Die Methodik der Bildinterpretation – Les méthodes de l'interprétation de l'image. Deutsch-französische Kolloquien 1998–2000*, Göttingen 2002, S. 157–202.

Kryjanovskaja, Marta, *Westeuropäische Elfenbeinarbeiten aus der Eremitage Leningrad*, Berlin 1974.

Kugel, Alexis, *Joyaux Renaissance: Une Splendeur Retrouvée*, Paris 2000.

Kühnel, Jürgen (Hg.), *Mittelalterrezeption II. Gesammelte Vorträge des 2. Salzburger Symposiums ‚Die Rezeption des Mittelalters in Literatur, Bildender Kunst und Musik des 19. und 20. Jahrhunderts'*, Göppingen 1982.

Künkel, Hans, *Die Lebensalter*, Braunschweig 1948.

Künstle, Karl, *Die Legende der drei Lebenden und der drei Toten und der Totentanz, nebst einem Exkurs über die Jakobslegende*, Freiburg i. Br. 1908.

Kurzt, Léonhard, *The dance of death and the macabre spirit in European literature*, Genf 1975.

Kwint, Marius (Hg.), *Material memories*, Oxford u. a. 1999.

Labisch, Alfons, Frau und Tod – Medizin und Moderne. Ein medizinhistorischer Essay, in: *Gynäkologie* 26 (1993), S. 198–204.

Lamprecht, Theodor, Der Tod in der Kunst, in: *Der Sammler* 131 (1905), S. 2–4.

Landau, David und Peter Parshall, *The Renaissance Print 1170–1550*, New Haven/London 1994.

Lang, Walther K., *Der Tod und das Bild. Todesevokationen in der zeitgenössischen Kunst 1975–1990*, Berlin 1995.

Langemeyer, Gerhard u. a. (Hg.), *Bild als Waffe: Mittel und Motive der Karikatur in fünf Jahrhunderten*, München 1984.

Langenfelder, Renate, *Von den Freuden des Tabakgenusses. Sammlung von Pfeifen und Tabakdosen im Salzburger Museum Carolino Augusteum*, Salzburg 1986.

Langlois, Eustache-H., *Essai historique, philosophique et pittoresque sur les Danses des Morts*, 2 Bde., Rouen 1851.

Laslett, Peter, *The history of Aging and the Age. Family Life and Illicit Love in Earlier Generations*, Cambridge 1977.

Laue, Georg (Hg.), *Wunder kann man sammeln*, München 1999.

ders. (Hg.), *Memento mori – Kunstkammer Georg Laue*, München 2002.

ders. (Hg.), *Scientifica*, München 2004.

Laurenza, Domenico, *La ricerca dell'armonia: rappresentazioni anatomiche nel Rinascimento*, (= Biblioteca di Nuncius Bd. 47), Florenz 2003.

Le Blanc, Charles, *Manuel de l'Amateur d'Estampes*, 4 Bde., Paris 1854–1859.

Legband, Hans, Johann August Nahls des Älteren Grabmal von Hindelbank im Urteil der Zeitgenossen, in: *Hessenland* (1910), S. 327–330.

Legner, Anton (Hg.), *Schnütgen-Museum Köln. Kleine Festschrift zum dreifachen Jubiläum*, Köln 1981.

ders., *Schnütgen-Museum Köln*, Zürich 1982.

ders., *Rheinische Kunst und das Kölner Schnütgen-Museum*, Köln 1991.

Lehner, Julia, *Die Mode im alten Nürnberg*, Erlangen / Nürnberg 1984.

Lehrs, Max, Der Künstler der Ars Moriendi und die wahre erste Ausgabe derselben, in: *Jahrbuch der königlichen preußischen Kunstsammlungen* 11 (1890), S. 161–168.

Leibrecht, Philipp, Zum Todesproblem in der jüngeren Dichtung, in: *Literatur* 27 (1927), S. 641–644.

Leitholf, Otto, Zwei alte Elfenbeinfiguren für anatomische Demonstrationen in der Jenaer Medizinhistorischen Sammlung, in: *Reichtümer und Raritäten Bd. 2, Kultur- historische Sammlungen, Museen, Archive, Denkmale und Gärten der Friedrich Schiller-Universität Jena*, (= Jenaer Reden und Schriften), Jena 1981, S. 81–86.

Lemmer, Manfred, *Der Heidelberger Totentanz von 1485*, Frankfurt a. M. / Leipzig 1991.

Lenz, Rudolf (Hg.), *Leichenpredigten als Quelle historischer Wissenschaften*, Bd. 1–3, Köln/Wien 1975–1984.

Leonhardt, Tanja und Frank Scheel (Hg.), *Faksimile des Blockbuchs Ars Moriendi nach dem Original von 1470 aus dem Besitz des Gutenberg-Museums Mainz*, Mainz 2004.

Lermer, Andrea, Planetengötter im Gottes-haus. Zur Ikonographie von Guarientos Freskenzyklus der sieben Planeten und Lebensalter in der Eremitanikirche zu Padua, in: *Arte medievale* 11/1–2 (1997), S. 151–169.

Leuker, Tobias, Totengedächtnis und Memento mori: Dürers Wappen des Todes, in: *Wallraf-Richartz-Jahrbuch* 62 (2001), S. 325–328.

Levy, Janey L., The erotic Engravings of Sebald und Barthel Beham. A German Interpretation of a Renaissance Subject, in: *The World in Miniature. Engravings by the German Little Masters 1500–1550*, hg. von Stefan Goddard, Ausst. Kat. Spencer Museum of Art University of Kansas u. a., Lawrence 1988, S. 40–53.

Lichtenberg, Reinhold Freiherr von, *Ueber den Humor bei den deutschen Kupfer-stechern und Holzschnittkünstlern des 16. Jahrhunderts*, (= Studien zur deutschen Kunstgeschichte Bd. 11), Straßburg 1897.

Liebe, Paul, *Holbeins Bilder des Todes*, Berlin 1957.

Link, Franz (Hg.), *Tanz und Tod in Kunst und Literatur*, (= Schriften zur Literatur-wissenschaft Bd. 8), Berlin 1993.

Lippmann, Friedrich, *Der Totentanz von Hans Holbein*, Berlin 1879.

Litten, Julian, *The english way of death, the common funeral since 1450*, London 1991.

Llewellyn, Nigel, *The Art of Death. Visual Culture in the English Death Ritual 1500–c. 1800*, London 1991.

LoDuca, Joseph-Marie, *Eros im Bild. Die Erotik in der europäischen Kunst*, München 1968.

Löffler, Karl (Hg.), *Lexikon des gesamten Buchwesens*, Leipzig 1986.

Longhurst, Margaret H., *Catalogue of Carvings in Ivory Part II: Victoria and Albert Museum. Department of Architecture and Sculpture*, London 1929.

Louison-Lassablière, Marie-Joëlle, L'expression de la douleur et de la peur dans la Danse Macabre de 1485, in: Bernard Yon (Hg.), *La peinture des passions de la Renaissance à l'âge classique. Actes du colloque international Saint-Etienne 10–12 avril 1991*, Saint-Etienne 1995, S. 23–31.

Luccensis, Petrus, *A Dialogue of Dying Well*, übers. von Richard Vertsagen, Antwerpen 1603.

Luchner, Laurin, *Die Darstellung des Todes in der deutschen Malerei bis zu Hans Holbein d. J. (1550)*, Phil. Diss. Innsbruck 1948.

Lucke, Mechthild, Andreas Hüneke und Erich Heckel, *Lebensstufen: die Wandbilder im Angermuseum zu Erfurt*, Dresden 1992.

Lüders, Imke, *Zusammenfassung der Recherchen zum Kreisreigen*, Kiel 1999–2000.

dies., Totenreigen – Totentanz: Totentanz-illustrationen auf Flugblättern des Barock und ihre Rezeption, in: *L'art macabre* 1 (2000), S. 97–113.

Lüders, Annika, *Der Tod ist ein Bild: zum Bild des Todes in der Ästhetik*, Marburg 2005.

Lurker, Manfred, *Symbol, Mythos und Legenden in der Kunst. Die symbo-lische Aussage in Malerei, Plastik und Architektur*, Baden-Baden 1974.

Lymant, Brigitte, Sic transit gloria mundi, in: *Wallraf-Richartz-Jahrbuch* 42 (1981), S. 115–132.

Maeder, Edward, *A Study of the Dress in the Works of Niklaus Manuel Deutsch as Related to his 'Three Costumed Ladys': Fashion or Fantasy*, London 1975.

Mahringer, Wolfgang, Arzt und Tod in den Basler Totentänzen. Ein Beitrag zur Geschichte der Totentänze, in: *Deutsches Ärzteblatt* 23 (1969), S. 1757–1767.

Maier-Lörcher, Barbara, *Ulmer Kunst in aller Welt: plastische Bildwerke des 15. und 16. Jahrhundert*, Ulm 1996.

Mâle, Emile, L'idee de la Mort et de la Danse Macabre, in: *Revue des Deux Mondes* 32 (1906), S. 671–673.

ders., *L' Art religieux de la fin du moyen âge en France*, Paris 1908.

Manger, Anton, *Meerschaumpfeifen: eine Ruhlaer Legende; Geschichtliches und Kulturgeschichtliches über die Pfeifen-herstellung aus Meerschaum in Ruhla*, Neustadt an der Saale 2003.

Marguerre, Karl, Der Todesgedanke in der Musik, in: *Gerontologie* 11 (1978), S. 525–531.

Marrow, James H., In desen speigell: a new form of memento mori in fifteenth-century Netherlandish art, in: A. Logan (Hg.), *Essays in Northern Art. Presented to Egbert Haverkamp-Begemann*, Doornspijk 1983, S. 154–163.

Martin, Kurt (Hg.), *Studien zur Geschichte der europäischen Plastik. Festschrift Theodor Müller zum 19. April 1965*, München 1965.

Martini, Fritz, Die Gestalt des ‚Ackermann', in: *Zeitschrift für deutsche Philologie* 66 (1941), S. 37–54.

Maskell, William A., *Description of Ivories. Ancient and Mediaeval in the South Kensington Museum*, London 1872.

Maskell, Alfred, *Ivories*, London 1905.

ders., *Wood sculpture*, London 1911.

Massip, Francesc und László Kovács, The Dance-of-Death in the Kingdom of Aragon: iconography and performances in the Middle Ages and surviving traditions, in: *Revue des Langues Romanes* 105 / 1 (2001), S. 201–229.

Massmann, Hans F., *Die Basler Totentänze mit ergänzendem Abbildungsband*, Stuttgart / Leipzig 1847.

ders., *Literatur der Totentänze. Mit einem Nachtrag, Bibliographie der Totentänze 1830–1976 von Rainer Taepper*, Hildesheim 2002.

Matile, Heinz, Zur Überlieferung des Berner Totentanzes von Niklaus Manuel Deutsch, in: *Jahrbuch des Bernischen Historischen Museums in Bern* 51–52 (1971–72), S. 271–284.

Maubon, Catherine, Genèse de ‚L'age d'homme', in: Paolo D'Iorio (Hg.), *Genesi, critica, edizione*, (= Annali della Scuola Normale Superiore di Pisa, Classe di Lettere e Filosofia: Quaderni), Pisa 1999, S. 167–177.

May, Elisabeth, *Jung und Alt im Spiegel bürgerlicher Imagination: Bauern-romantik und Alltagsidylle in der Malerei des letzten Drittels des 19. Jahrhunderts*, (= Europäische Hochschulschriften Kunst-geschichte Bd. 356), Frankfurt a. M. 2000.

Mayer, Marianne, Totentänze als Mahnung und Ständekritik, in: *Schönere Heimat* 66 (1977), S. 435–439.

Mc Manners, John, *Death and the enligth-ment: changing attitudes to death among Christians and unbelievers in 18th century France*, Oxford 1981.

Medizinische Universität Lübeck (Hg.), *Geburt und Tod: Beginn und Ende des Lebens*, Lübeck 1996.

Meininghaus, Heiner, Memento Mori, in: *Weltkunst* 71 (2001), S. 1856–59.

Meinz, Manfred, *Pulverhörner und Pulverflaschen: aus Europa und Asien*, Hamburg/Berlin 1966.

Melchior-Bonnet, Sabine, *The Mirror: A History*, London/New York 2002.

Mérot, Alain, *Nicolas Poussin*, Paris 1999.

Messer, Thomas M., *Edvard Munch*, Köln 1989.

Metzler, Jan C., *‚Mir ward es seltsam kalt': Weiblichkeit und Tod in Heinrich Manns Frühwerk*, Hamburg u. a. 2000.

Mezger, Werner (Hg.), *Narren, Schellen und Marotten. Elf Beiträge zur Narrenidee*, (= Kulturgeschichtliche Forschungen Bd. 3), Remscheid 1984.

ders., *Narrenidee und Fastnachtsbrauch. Studien zum Fortleben des Mittel-alters in der europäischen Festkultur*, (= Konstanzer Bibliothek Bd. 15), Konstanz 1991.

Michael, Erika, *Hans Holbein the Younger. A guide to research*, (= Artists Resource Manuals Bd. 2), New York / London 1997.

Michler, Ralf (Hg.), *Salvador Dali: Das druckgraphische Werk 1924–1980*, München 1994.

Mireur, Hippolyte (Hg.), *Dictionnaire des Ventes d' Artes faites en France et à l' Etranger pendant les 18ᵉ et 19ᵉ siècle*, Bd. 6, Paris 1911–1912.

Möbius, Friedrich und Ernst Schubert (Hg.), *Architektur des Mittelalters. Funktion und Gestalt*, Weimar 1983.

Moeller, Bernd: Niklaus Manuel Deutsch: Ein Maler als Bilderstürmer, in: *Zwingliana: Beiträge zur Geschichte Zwinglis, der Reformation und des Protestantismus in der Schweiz* 23 (1996), S. 83–104.

Mohr, Rudolf, *Protestantische Theologie und Frömmigkeit im Angesicht des Todes während des Barockzeitalters, hauptsächlich auf Grund hessischer Leichenpredigten*, Marburg 1964.

Möller, Liselotte, Die Kugel als Vanitassymbol, in: *Jahrbuch der Hamburger Kunstsammlungen* 2 (1952), S. 157–177.

dies., Anatomia – Memento mori, in: *Nederlands Kunsthistorisch Jaarboek for History of Art* 10 (1959), S. 71–98.

dies., Eine französische Buchsholzfigur des 16. Jahrhunderts im Museum für Kunst und Gewerbe Hamburg, in: Kurt Martin (Hg.), *Studien zur Geschichte der europäischen Plastik. Festschrift Theodor Müller zum 19. April 1965*, München 1965, S. 245–252.

Moore, John, *A Lively Anatomie of Death: wherein you may see from whence it came, what it is by nature, and what it is by Christ, etc.*, London 1596.

ders., *A Mappe of Mans Mortalitie*, o. O. 1617.

Morent, Stefan, Pavane – Tanz des Todes, in: *L'art macabre* 6 (2005), S. 179–198.

Moser, Rüdiger, *Fastnacht – Fasching – Karneval. Das Fest der ‚Verkehrten Welt‘*, Graz/Wien/Köln 1986.

Mühlenberend, Sandra, *Surrogate der Natur – Natur der Surrogate. Die historische Anatomiesammlung der Kunstakademie Dresden*, erscheint im Herbst 2006.

Muir, Bernard J. (Hg.), *Reading texts and images: essays on Medieval and Renaissance art and patronage in honour of Margaret M. Manion*, Exeter 2002.

Müller, C. Theodor, Ein Problem deutscher Kleinplastik des 16. Jahrhunderts, in: *Zeitschrift des deutschen Vereins für Kunstwissenschaft* 10/3–4 (1943), S. 255–264.

Müller, Christian (Hg.), *Hans Holbein d. J.: Die Druckgraphik im Kupferstichkabinett Basel*, Basel 1997.

Murken, Axel H., *Joseph Beuys und die Medizin*, Münster 1979.

Murray, William, *A Short Treatise of Death in Six Chapters*, o. O. 1631.

Musper, Heinrich T., Die ‚Ars Moriendi‘ und der Meister E. S., in: *Gutenberg-Jahrbuch* (1950), S. 57–66.

Nagler, Georg K. (Hg.), *Die Monogrammisten und diejenigen bekannten und unbekannten Künstler aller Schulen, welche sich zur Bezeichnung ihrer Werke eines figürlichen Zeichens, der Initialen des Namens der Abbreviatur desselben etc. bedient haben*, Bd. 4, München 1871.

Nasse, Hermann, Die Legende der drei Lebenden und der drei Toten und die Darstellungen der Totentänze im Mittelalter, in: *Blätter für Kunst und Schrifttum* 1/2 (1928), S. 41–43.

Nathan, Helmuth und Nesrin Bingol, Der Tod und der Arzt in der Kunst, in: *Medizinische Welt* 19 (1968), S. 2845–2852.

Netzer, Nancy und Virginia Reinburg (Hg.), *Fragmented Devotion Medieval Objects from the Schnütgen-Museum Cologne*, Boston 2000.

Niemeyer, Luder H., Die Vanitas-Symbolik bei Johann Elias Ridinger: Ulm 1698–Augsburg 1767, In: *L'art macabre* 2 (2001), S. 95–112.

Nitschke, August, Tänze im Hochmittelalter und in der Renaissance. Methodische Überlegungen zur Rekonstruktion von Tänzen, in: Klaus Schreiner und Norbert Schnitzler (Hg.), *Gepeinigt, begehrt, vergessen. Symbolik und Sozialbezug des Körpers im späten Mittelalter und in der frühen Neuzeit*, München 1992, S. 263–284.

Nohl, Johannes, *Der schwarze Tod: eine Chronik der Pest 1348 bis 1720, unter Benutzung zeitgenössischer Quellen*, (= Der Kulturspiegel Bd. 2), Potsdam 1924.

Nordström, Folke, *The Crown of Life and the Crowns of Vanity. Two Companion Pieces by Valdés Leal*, in: *Idea and Form. Studies in the History of Art* (= Figura N.S.1), Stockholm 1960, S. 127–137.

O'Connor, Mary C., *The Art of Dying Well. The development of the Ars moriendi*, (= Columbia University Studies in English and Comparative Literature), New York 1942.

O'Malley, Charles D., *Andreas Vesalius of Brussels 1514–1564*, Berkeley/Los Angeles 1964.

Ochsenbein, Peter, Tod und Totentanz in spätmittelalterlichen und barocken Gebetbüchern, in: Winfried Schwab und Renate Hausner (Hg.), *Den Tod tanzen? Tagungsband des Totentanzkongresses Stift Admont 2001*, (= Im Kontext Bd. 19), Anif/Salzburg 2002, S. 25–34.

Ochsmann, Randolph (Hg.), *Lebens-Ende. Über Tod und Sterben in Kultur und Gesellschaft*, Heidelberg 1991.

ders., *Angst vor Tod und Sterben. Beiträge zur Thanato-Psychologie*, Göttingen 1993.

Oertzen, Augusta von, *Maria, die Königin des Rosenkranzes. Eine Ikonographie des Rosenkranzgebetes durch zwei Jahrhunderte deutscher Kunst*, Augsburg 1925.

Oettingen, Wolfgang von, *Daniel Chodowiecki. Ein Berliner Künstlerleben im achtzehnten Jahrhundert*, Berlin 1895.

Offermann, Rudolf, *Mittelrheinische Bildnisplastik aus drei Jahrhunderten. Eine Lichtbildfolge*, Berlin 1942.

Ohler, Norbert, *Sterben und Tod im Mittelalter*, München 1990.

ders. (Hg.), *Sterben und Tod im Mittelalter*, Düsseldorf 2003.

Olariu, Dominic, Körper, die sie hatten – Leiber, die sie waren. Totenmaske und mittelalterliche Grabskulptur, in: Hans Belting (Hg.), *Quel corps?: Eine Frage der Repräsentation*, München 2002, S. 85–104.

Oman, Charles, *British Rings 800–1914*, London 1974.

Oosterwijk, Sophie, ‚Muss ich tanzen und kann nit gan?‘ Das Kind im mittelalterlichen Totentanz, in: *L'art macabre* 3 (2002), S. 162–180.

dies., Lessons in ‚Hopping‘: The Dance of Death and the Mystery Cycle, in: *Comparative Drama* 36/3–4 (2002/03), S. 249–287.

dies., Totentanzikonographie auf Chorgestühlen und Miserikordien des Mittelalters, in: *L'art macabre* 6 (2005), S. 199–214.

Oosterwijk, Sophie, Food for worms – food for thought: the appearance and interpretation of the ‚verminous‘ cadaver in Britain and Europe, in: *Church Monuments* 20 (2005), S. 40–80 u. 133–140.

Palgi, Phyllis und Henry Abramovitch, Death: A cross-cultural perspective, in: *Annual Revue of Anthropology* 13 (1984), S. 385–417.

Palmer, Nigel F., Antiquitus depingebatur. The Roman Pictures of Death and Misfortune in the Ackermann aus Böhmen and Tkadlecek, and in the Writings of the English Classicizing Friars, in: *Deutsche Vierteljahrsschrift für Literaturwissenschaft und Geistesgeschichte* 57 (1983), S. 171–239.

Palmer, Nigel F., Ars moriendi und Totentanz. Zur Verbildlichung des Todes im Spätmittelalter, in: Arno Borst (Hg.), *Tod im Mittelalter*, (= Konstanzer Bibliothek Bd. 20), Konstanz 1993, S. 313–334.

Panafieu, Hélène de, *Les âges de la vie dans la peinture et l'estampe occidentales des XVIᵉ et XVIIᵉ siècles*, in: *Bulletin archéologique du Comité des Travaux Historiques et Scientifiques: Moyen âge, renaissance, temps modernes* 29 (2002), S. 43–79.

Panofsky, Erwin, *Grabplastik. Vier Vorlesungen über ihren Bedeutungswandel von Alt-Ägypten bis Bernini*, Köln 1964.

Paolini, Maria G., Il Trionfo della Morte di Palermo e la Cultura Internazionale, in: *Rivista dell' Instituto Nazionale d' Archelogica e Storia dell' Arte* 20 (1963), S. 301–369.

Parkes, Colin M., *Bereavement – Studies of Grief in Adult Life*, Conneticut 1987.

Pauli, Gustav, *Hans Sebald Beham. Ein kritisches Verzeichnis seiner Kupferstiche, Radierungen und Holzschnitte*, (= Studien zur deutschen Kunstgeschichte Bd. 33), Straßburg 1901.

Paulson, Ronald, *Rowlandson: A new interpretation*, London 1972.

Paxton, Frederick S., Signa Mortifera. Death and Prognostication in Early Medieval Monastic Medicine, in: *Bulletin of the History of Medicine* 67 (1993), S. 631–650.

Pelling, Margaret und Richard M. Smith (Hg.), *Life, death and the elderly. Historical perspectives*, London/New York 1991.

Peltzer, Artur R., Der Kistler und der Bildhauer Paul Reichel von Schongau, in: *Das schwäbische Museum* 6 (1930), S. 184–192.

Pennington, Margot, *Memento mori: eine Kulturgeschichte des Todes*, Stuttgart 2001.

Perkins, William, *A Salve for a Sicke Man, or a Treatise Containing the Nature, Differences, and Kindes of Death; as Also the Right Manner of Dying Well*, London 1595.

Petersmann, Frank, *Kirchen- und Sozialkritik in den Bildern des Todes von Hans Holbein d. J.*, Bielefeld 1983.

Petrasch, Ernst (Hg.), *Spätgotik am Oberrhein. Meisterwerke der Plastik und des Kunsthandwerks 1450–1530*, Karlsruhe 1970.

Pfrunder, Peter, *Pfaffen, Ketzer, Totenfresser. Fastnachtskultur der Reformationszeit – Die Berner Spiele des Niklaus Manuel*, Zürich 1989.

Philippovich, Eugen von, *Anatomische Modelle in Elfenbein und anderen Materialien*, (= Sudhoffs Archiv für Geschichte der Medizin und der Naturwissenschaften), Wiesbaden 1960.

ders., *Elfenbein: Ein Handbuch für Sammler und Liebhaber*, Braunschweig 1961.

ders., *Elfenbein: Ein Handbuch für Sammler und Liebhaber*, München 1982.

Phillippy, Patricia Berrahou, *Women, death and literature in post-Reformation England*, Cambridge 2002.

Phillips, Clare, *Jewels and Jewellery*, London 2000.

Pieske, Christa, Das Schädelkreismotiv, in: *Deutsches Jahrbuch für Volkskunde* 10 (1964), S. 292–310.

dies., Eine barocke Lebens- und Todesallegorie, In: *Jahrbuch der Hamburger Kunstsammlungen* 20 (1964), S. 7–16.

Pigler, Andor, *Barockthemen: Eine Auswahl von Verzeichnissen zur Ikonographie des 17. und 18. Jahrhunderts*, 2 Bde., Budapest 1974.

Pinder, Wilhelm, *Die deutsche Plastik vom ausgehenden Mittelalter bis zum Ende der Renaissance*, Potsdam 1924.

Planiscig, Leo, *Andrea Riccio*, Wien 1927.

Pockels, Carl F., *Charaktergemälde des Alters. Versuch einer Charakteristik des weiblichen Geschlechts*, Hannover 1801.

Pohl, Klaus-Peter, *Unheilbar Kranker und Sterbender. Problemfälle ärztlicher Deontologie*, Med. Diss. Münster 1982.

Pointon, Marcia und Kathleen Adler (Hg.), *The body imaged: the human form and visual culture since the Renaissance*, Cambridge u. a. 1993.

dies., *Strategies for showing: women, possession and representation in English visual culture 1665–1800*, Oxford u. a. 1997.

dies., Materializing mourning: hair, jewellery and the body, in: Marius Kwint (Hg.), *Material memories*, Oxford u. a. 1999, S. 39–57.

dies., Wearing memory: mourning, jewellery and the body, in: Gisela Ecker (Hg.), *Trauer tragen – Trauer zeigen: Inszenierungen der Geschlechter*, München 1999, S. 65–81.

Pollefeys, Patrick, *La Mort dans l'art*, Paris 1998.

Pollen, John H., *Ancient and Modern Furniture and Woodwork in the South Kensington Museum*, London 1874.

Pollock, Griselda, Old bones and cocktail dresses: Louise Bourgeois and the question of age, in: *The Oxford art journal* 22/2 (1999), S. 71–100.

Polzer, Joseph, Apsects of the fourteenth-century iconography of death and the plague, in: Daniel Williman (Hg.), *The black death: the impact of the fourteenth-century plague. Papers of the 11th annual conference of the Center for Medieval & Early Renaissance Studies*, (= Medieval & Renaissance texts & studies Bd. 13), Binghamton 1982, S. 107–130.

Pouchelle, Christine, La prise en charge de la mort. Médicine, médecins et chirurgiens devant les problèmes liés à la fin du Moyen Âge VIIIᵉ – XVᵉ siècles, in: *Archives Européennes Sociologiques* 17 (1976), S. 249–278.

Prokop, Otto, *Zur Todesursache von W. A. Mozart*, Berlin 1991.

Purcell, Katherine und Henri Vever, *French Jewellery of the 19th Century: an exhibition in aid of Befrienders International to coincide with the English translation by Katherine Purcell of La Bijouterie Francaise au XIXᵉ Siecle by Henri Vever*, London 2001.

Putscher, Marielene, *Geschichte der medizinischen Abbildung von 1600 bis zur Gegenwart*, München 1972.

dies., Andreas Vesalius (1514–1564), in: Dietrich von Engelhardt und Fritz Hartmann (Hg.), *Klassiker der Medizin*, Bd. 1: Von Hippokrates bis Christoph Wilhelm Hufeland München 1991, S. 113–129.

Rader, Olaf B. (Hg.), *Turbata per aequora mundi. Dankesgabe an Eckhard Müller-Mertens*, Hannover 2001.

Rudolf, Rainer, Die Ars-Moriendi-Literatur des Mittelalters, in: *Jahrbuch für internationale Germanistik* 3/1 (1971), S. 22–29.

Rasmussen, Jörg (Hg.), *Deutsche Kleinplastik der Renaissance und des Barock*, Hamburg 1975.

Ray, Gordon, *The Illustrator and the Book in England form 1790 to 1914*, Oxford 1976.

Rehm, Walther: Der Todesgedanke in der deutschen Dichtung vom Mittelalter bis zur Romantik Halle 1928.

Reinhardt, Hans, Einige Bemerkungen zum graphischen Werk Hans Holbeins des Jüngeren, in: *Zeitschrift für Schweizerische Archäologie und Kunstgeschichte* 34 (1977), S. 229–260.

Richter, Karl und J. Schonert (Hg.), *Klassik und Moderne. Die Weimarer Klassik als historisches Ereignis und Herausforderung im kulturgeschichtlichen Prozess*, Stuttgart 1983.

Richter, Detlev, *Lackdosen*, München 1988.

Ritter, Naomi (Hg.), Thomas Mann, *Death in Venice complete, authoritative text with biographical and historicacontexts, critical history, and essays form five contemporary critical perspectives*, Boston u. a. 1998.

Ritz, Gislind, *Der Rosenkranz*, München 1963.

Roberts, Kenneth B. und J. D. Tomlinson, *The fabric of the body. European traditions of anatomical illustration*, Oxford 1992.

Röhrl, Boris, *History and bibliography of artistic anatomy: didactics for depicting the human figure*, Hildesheim/Zürich/New York 2000.

Rosenberg, Adolf, *Sebald und Barthel Beham. Zwei Maler der deutschen Renaissance*, Leipzig 1875.

Rosenfeld, Hellmut, Die Entwicklung der Ständesatire im Mittelalter, in: *Zeitschrift für deutsche Philologie* 71 (1951/52), S. 196–207.

ders., Der Totentanz in Deutschland, Frankreich und Italien, in: *Letterature moderne* 5 (1954), S. 62–80.

ders., Der Totentanz als europäisches Phänomen, in: *Archiv für Kulturgeschichte* 48 (1966), S. 54–83.

ders., *Der mittelalterliche Totentanz: Entstehung, Entwicklung, Bedeutung*, (= Beihefte zum Archiv für Kulturgeschichte Bd. 3), Graz 1974.

ders., Ars Moriendi, in: Karl Löffler (Hg.), *Lexikon des gesamten Buchwesens*, Leipzig 1986, S. 145–146.

Rosenmayer, Leopold (Hg.), *Die menschlichen Lebensalter. Kontinuität und Krisen*, München/Zürich 1978.

Rotermund, Hans-Martin, *HAP Grieshaber. Der Totentanz von Basel*, Köln 1969.

Rotzler, Willy, *Die Begegnung der drei Lebenden und der drei Toten: ein Beitrag zur Forschung über die mittelalterlichen Vergänglichkeitsdarstellungen*, Winterthur 1961.

Rowland, Samuel, *A Terrible Battel between Time and Death*, o. O. 1606.

Roy, Alain, *Gérard de Lairesse (1640–1711)*, Paris 1992.

Rücker, Elisabeth, *Hartmann Schedels Weltchronik: das größte Buchunternehmen der Dürer-Zeit: mit einem Katalog der Städteansichten*, München 1988.

Rudolf, Rainer, *Ars moriendi. Von der Kunst des heilsamen Lebens und Sterbens*, Köln/Graz 1957.

ders., Bilder-Ars moriendi (,Ars Moriendi cum figuris'), in: Kurt Ruh und Gundolf Keil (Hg.), *Die deutsche Literatur des Mittelalters. Verfasserlexikon*, Berlin/New York 1978, S. 862–864.

Rudolph, Herbert, ,Vanitas': Die Bedeutung mittelalterlicher und humanistischer Bildinhalte in der niederländischen Malerei des 17. Jahrhunderts, in: *Festschrift Wilhelm Pinder zum sechzigsten Geburtstage*, Leipzig 1938, S. 405–433.

Ruffié, Jacques, *Lieben und Sterben. Zur Evolution von Sexualität und Tod*, Reinbek 1990.

Ruh, Kurt und Gundolf Keil (Hg.), *Die deutsche Literatur des Mittelalters. Verfasserlexikon*, Berlin/New York 1978.

Rümann, Arthur, *Die illustrierten deutschen Bücher des 18. Jahrhunderts*, Stuttgart 1927.

ders., *Das illustrierte Buch des 19. Jahrhunderts in England, Frankreich und Deutschland 1790–1860*, Leipzig 1930.

ders., *Das deutsche illustrierte Buch des XVIII. Jahrhunderts*, Straßburg 1931.

Russel, Daniel, Emblems and the ages of life: defining the self in early modern France, in: *Emblematica* 14 (2005), S. 23–53.

Ruvoldt, Maria, *The Italian Renaissance Imagery of Inspiration, Metaphors of Sex, Sleep and Dream*, Cambridge 2004.

Sachs, Hans, *Der Zahnstocher und seine Geschichte*, Hildesheim 1967.

Salmen, Brigitte (Hg.), *Perspektiven: Blicke, Durchblicke, Ausblicke in Natur und Leben, in Kunst und Volkskunst*, Murnau 2000.

Salmen, Walter, Mittelalterliche Totentanzweisen, in: *Die Musikforschung* 9 (1956), S. 189–190.

ders., Zur Praxis von Totentänzen im Mittelalter, in: Franz Link (Hg.), *Tanz und Tod in Kunst und Literatur*, (= Schriften zur Literaturwissenschaft Bd. 8), Berlin 1993, S. 119–126.

Salomon, Nanette, *Shifting priorities: gender and genre in 17th century Dutch painting*, Stanford 2004.

Samuels, Allen, Rudolph Ackermann and The English Dance of Death, in: *Book Collector* 23 (1974), S. 371–380.

Sauerlandt, Max, *Kleinplastik der deutschen Renaissance*, Königstein i. Ta. 1927.

Sawday, Jonathan, *The body emblazoned: dissection and the human body in Renaissance culture*, London u. a. 1995.

Schadewaldt, Hans, Totentanz und Heilberufe, in: *Jahrbuch der Universität Düsseldorf* (1980/1981), S. 171–184.

273

ders., Bilder vom Tod: Meditationen über Totentänze, in: Rolf von Winau und Peter Rosemeiser (Hg.), *Tod und Sterben*, Berlin/New York 1984, S. 77–101.

ders., Totentänze: Bemerkungen aus medizinhistorischer Sicht, in: *Deutsche Krankenpflege Zeitschrift* 38/3 (1985), S. 166–171.

Schadewaldt, Hans, Vado mori. Große Themen der Medizingeschichte: die Pest, der Totentanz und die Heilberufe, in: *Die Waage* 30/3 (1991), S. 118–128.

ders., Sterben und Tod im Mittelalter, in: *Schweiz. Rundschau Med. Praxis* 82/36 (1993), S. 986–991.

Schaefer, Hans (Hg.), *Was ist der Tod? Elf Beiträge und eine Diskussion*, (= Das Heidelberger Studio Bd. 45), München 1969.

Schaefer, Andrea, *Die Darstellung des Kindes in der Graphiksammlung ‚Mensch und Tod' der Heinrich-Heine-Universität Düsseldorf*, Med. Diss. Düsseldorf 1996.

Schäfer, Daniel, *Texte vom Tod. Zur Darstellung und Sinngebung des Todes im Spätmittelalter*, Göppingen 1995.

ders., Der sichere Tod. Medizinische und theologische Aspekte der hora incerta im Spätmittelalter, in: Europäische Totentanz Vereinigung (Hg.): *Totentanz-Forschungen. Referate vom Internationalen Kongreß in Luzern 26.–29. September 1996*, Luzern 1996, S. 65–71.

ders., Signa mortis. Antike Vorgaben und spätmittelalterliche Ausprägungen, in: *Würzburger medizinhistorische Mitteilungen* 16 (1997), S. 5–13.

ders., ‚Her artzt thut euch selber rat': Das Erkennen des Todes in der spätmittelalterlichen Medizin, in: Winfried Schwab und Renate Hausner (Hg.), *Den Tod tanzen? Tagungsband des Totentanzkongresses Stift Admont 2001*, (= Im Kontext Bd. 19), Anif/Salzburg 2002, S. 269–289.

ders., *Alter und Krankheit in der Frühen Neuzeit: der ärztliche Blick auf die letzte Lebensphase*, (= Kultur der Medizin Bd. 10), Frankfurt a. M. 2004.

Schaller, Carmen, Eine Todesdarstellung im Wandel der Zeit. Der Grossbasler Predigertotentanz, in: *Unipress – Forschung und Wissenschaft an der Universität Bern* 118 (2003), S. 23–26.

Schedel, Hartmann (Hg.), *Buch der Chronicken vnd gedechtnus wirdigern geschihte [n] vo[n] anbegyn d werlt bis auf dise vnßere zeit*, Nürnberg 1493.

Scher, Stephen K., *The Currency of Fame. Portrait Medals of the Renaissance*, New York 1994.

ders. (Hg.), *Perspectives on the Renaissance medal*, (= Garland studies in the Renaissance Bd. 11), New York 2000.

Scherer, Christian, *Studien zur Geschichte der Barockzeit*, Strassburg 1897.

ders., *Elfenbeinplastik seit der Renaissance*, Leipzig 1903.

ders., *Die Braunschweiger Elfenbeinsammlung*, Leipzig 1931.

Scherer, Valentin, Der Tod in der deutschen Kunst, in: *Westermanns Monatshefte* 119/711 (1915), S. 349–361.

Schilling, Michael, *Bildpublizistik der frühen Neuzeit. Aufgaben und Leistungen des illustrierten Flugblatts in Deutschland bis um 1700*, (= Studien und Texte zur Sozialgeschichte der Literatur Bd. 29), Tübingen 1990.

Schirrmeister, Albert (Hg.), *Zergliederungen. Anatomie und Wahrnehmung in der Frühen Neuzeit*, (= Zeitsprünge. Forschungen zur Frühen Neuzeit, Bd. 9, Heft 1/2), Frankfurt a. M. 2005.

Schlaffer, Hannelore, *Das Alter: Ein Traum von Jugend*, Frankfurt a. M. 2003.

Schmidt, Leopold, Der grimmige Tod mit seinem Pfeil, in: *Wiener Zeitschrift für Volkskunde* 37 (1932), S. 33–38.

Schmidt, Anja, *Die Verbindung von spanischer Literatur und Malerei im 17. Jahrhundert am Beispiel der Vanitas*, unveröffentlichte Magisterarbeit, Erlangen-Nürnberg 2001.

Schmitt, Jean-Claude, *Bilder als Erinnerung und Vorstellung. Die Erscheinungen der Toten im Mittelalter*, (= Historische Anthropologie Bd. 3), Köln 1993.

Schneede, Uwe, *Käthe Kollwitz. Das Zeichnerische Werk*, München 1981.

Schneider, Cornelia, *Gutenberg-Museum Mainz: Ars moriendi*, (= Kulturstiftung der Länder Bd. 108), Berlin 1996.

Scholkmann, Barbara, Ein Keller mit spätmittelalterlichen Funden unter der Propstei des ehemaligen Chorherrenstiftes Sindelfingen, in: *Forschungen und Berichte* 4 (1977), S. 135–149.

Schöller, Bernadette, *Kölner Druckgraphik der Gegenreformation. Ein Beitrag zur Geschichte religiöser Bildpropaganda zur Zeit der Glaubenskämpfe mit einem Katalog der Einblattdrucke des Verlages Johann Bussemacher*, Köln 1992.

Schöller, Bernadette, *Religiöse Drucke aus Kölner Produktionen: Flugblätter und Wandbilder des 16. bis 19. Jahrhunderts aus den Beständen des Kölnischen Stadtmuseums*, Köln 1995.

Schreiber, Wilhelm L., *Manual de l' amateur de la gravure sur bois et sur métal au XVe siècle*, Bd. 4, Leipzig 1902.

Schreiber, Wilhelm L., Ars Moriendi, in: Karl Löffler (Hg.), *Lexikon des gesamten Buchwesens*, Leipzig 1986, S. 86–87.

Schreiner, Klaus und Norbert Schnitzler (Hg.), *Gepeinigt, begehrt, vergessen. Symbolik und Sozialbezug des Körpers im späten Mittelalter und in der frühen Neuzeit*, München 1992.

Schreyl, Karl-Heinz und Fritz Eschen, *Das letzte Porträt. Totenmasken berühmter Persönlichkeiten aus Geschichte und Gegenwart*, Berlin 1967.

Schröder, Werner, *‚Der Ackermann aus Böhmen'. Das Werk und sein Autor*, München 1985.

Schubert, Dietrich, Hrdlickas Gummitod, in: *Wallraf-Richartz-Jahrbuch* 48–49 (1987/1988), S. 409–427.

Schuchard, Jutta und Horst Claussen (Hg.), *Vergänglichkeit und Denkmal. Beiträge zur Sepulkralkultur*, (= Schriften des Arbeitskreises selbstständiger Kultur-Institute Bd. 4), Bonn 1985.

Schuller, Alexander (Hg.), *Die andere Kraft. Zur Renaissance des Bösen*, (= Acta humaniora. Schriften zur Kunstwissenschaft und Philosophie), Berlin 1993.

Schulte, Brigitte, *Die deutschsprachigen spätmittelalterlichen Totentänze – unter besonderer Berücksichtigung der Inkunabel ‚Des dodes dantz' Lübeck 1489*, (= Niederdeutsche Studien Bd. 36), Köln u. a. 1990.

Schürmann, Ulrich, *Die Darstellungen des alten Menschen in der Genremalerei des 19. Jahrhunderts*, Phil. Diss. Bonn 1992.

Schuster, Eva, Erbauungsbilder in der Totentanzsammlung ‚Mensch und Tod' der Universität Düsseldorf, In: Walter Göpfert und H.-H. Otten (Hg.), *Metanoeite: wandelt euch durch neues Denken. Festschrift für Hans Schadewaldt zur Vollendung des 60. Lebensjahres*, Düsseldorf 1983, S. 41–54.

dies., Arzt, Apotheker und Tod in den Totentanzdarstellungen, in: *Apotheker Journal* 6/7 (1984), S. 47–52.

Schuster, Eva (Hg.), *Mensch und Tod. Graphiksammlung der Universität Düsseldorf*, Düsseldorf 1989.

dies., Der immerwährende Reigen. Das Totentanzthema in der Bildenden Kunst bis Ende des 19. Jahrhunderts, in: *Die Waage* 30/3 (1991), S. 91–101.

dies. (Hg.), *Das Bild vom Tod. Graphiksammlung der Heinrich-Heine-Universität Düsseldorf*, Recklinghausen 1992.

dies., ‚Mensch und Tod'. Überlegungen aus der Sicht der Betreuerin der Düsseldorfer Graphiksammlung, in: Arthur E. Imhof (Hg.), *Leben wir zu lange? Die Zunahme unserer Lebensspanne seit 300 Jahren und die Folgen. Beiträge eines Symposiums vom 27.–29. November 1991 an der Freien Universität Berlin*, Köln u. a. 1992, S. 171–185.

dies., Der Totentanz in der zeitgenössischen Graphik, in: Europäische Totentanz-Vereinigung (Hg.), *Totentanz-Forschungen. 9. Internationaler Totentanz-Kongress 17.–20. September 1998*, Düsseldorf 1998, S. 101–106.

Schwab, Winfried und Renate Hausner (Hg.), *Den Tod tanzen? Tagungsband des Totentanzkongresses Stift Admont 2001*, (= Im Kontext Bd. 19), Anif/Salzburg 2002.

Schwarz, Heinrich, The Mirror in Art, in: *The Art Quarterly* 15 (1952), S. 97–118.

Schwarz, Thomas, Der Tod im Gewande des Narren. Zur Verbindung von Narrenidee und Vanitas-Thematik, in: Werner Mezger (Hg.), *Narren, Schellen und Marotten. Elf Beiträge zur Narrenidee*, (= Kulturgeschichtliche Forschungen Bd. 3), Remscheid 1984, o. S.

Scribner, Robert, Vom Sakralbild zur sinnlichen Schau. Sinnliche Wahrnehmung und das Visuelle bei der Objektivierung des Frauenkörpers in Deutschland im 16. Jahrhundert, in: Klaus Schreiner und Norbert Schnitzler (Hg.), *Gepeinigt, begehrt, vergessen. Symbolik und Sozialbezug des Körpers im späten Mittelalter und in der frühen Neuzeit*, München 1992, S. 309–336.

ders., *Religion und Kultur in Deutschland 1400–1800*, Göttingen 2002.

Sears, Elizabeth, *The ages of man: medieval interpretations of the life cycle*, Princeton 1986.

Seeliger-Zeiss, Anneliese (Hg.), *Die deutschen Inschriften: Landkreis Böblingen*, Bd. 47, Wiesbaden 1999.

Seipel, Wilfried, *Das Weltbild der Zizenhausener Figuren. Mit Fotografien von Ulrike Schneiders*, Konstanz 1984.

Seiring, Claudia, Die juristischen Berufe in den spätmittelalterlichen und neuzeitlichen Totentanzdarstellungen des deutschsprachigen Raums, in: *Forschungen zur Rechtsarchäologie und Rechtlichen Volkskunde* 20 (2003), S. 71–74.

Shawe, George, *The Doctrine of Dying-Well or the Godly Mans Guide to Glory*, o. O. 1628.

Singer, Karin, *Vanitas und Memento mori im ,Narrenschiff' des Sebastian Brant: Motive und Metaphern*, Würzburg 1967.

Skopec, Manfred und Helmut Gröger (Hg), *Anatomie als Kunst. Anatomische Wachsmodelle des 18. Jahrhunderts im Josephinum in Wien*, Wien 2002.

Skowronek, Marianne, *Fortuna und Frau Welt. Zwei allegorische Doppelgängerinnen des Mittelalters*, Phil. Diss. Berlin 1964.

Skreiner, Wilfried A., *Studien zu den Eitelkeits- und Vergänglichkeitsdarstellungen in der abendländischen Malerei*, Phil. Diss. Graz 1964.

Sleptzoff, Lolah M., La Notion du Temps chez les artistes allemands du 16. siècle, in: *Revue d'esthétique* 27/2 (1974), S. 133–142.

Smith, Jeffrey C., *German Sculpture of the Later Renaissance c. 1520–1580*, Princeton 1994.

ders., A creative moment: thoughts on the Genesis of the German portrait medal, in: Stephen K. Scher (Hg.), *Perspectives on the Renaissance medal*, (= Garland studies in the Renaissance Bd. 11), New York 2000, S. 177–199.

Speler, Ralf-Torsten und Anja Preiß (Hg.), *Lebenslinien: allegorische Darstellungen der Lebensalter aus dem Kupferstichkabinett der Universität*, Wittenberg 2004.

Spiro, Howard M. (Hg.), *Facing death where culture, religion and medicine meet*, New Haven u. a. 1996.

Sporbeck, Gudrun, *Textile Kunst aus tausend Jahren. Meisterwerke im Schnütgen-Museum*, Köln 1996.

dies., *Die liturgischen Gewänder: 11. bis 19. Jahrhundert*, (= Sammlung des Museum Schnütgen Bd. 4), Köln 2001.

Spree, Reinhard, *Der Rückzug des Todes. Der epidemiologische Übergang in Deutschland während des 19. und 20. Jahrhunderts*, Konstanz 1992.

Stadler, Franz I., *Michael Wolgemut und der Nürnberger Holzschnitt im letzten Drittel des 15. Jahrhunderts*, Strassburg 1913.

Stammler, Wolfgang, *Die Totentänze des Mittelalters*, München 1922.

ders., *Frau Welt: eine mittelalterliche Allegorie*, Fribourg 1959.

Stechow, Wolfgang, Homo bulla. Notes and reviews, in: *The Art Bulletin* 20/2 (1938), S. 227–228.

Stefenelli, Norbert (Hg.), *Körper ohne Leben. Begegnung und Umgang mit Toten*, Wien 1998.

Stegemeier, Henri, Goethe und der Totentanz, in: *Journal of English and German Philology* 48 (1949), S. 582–587.

Stein, Ingeborg (Hg.), *Diesseits- und Jenseitsvorstellungen im 17. Jahrhundert*, (= Sonderreihe Monographien Bd. 4), Bad Köstritz 1996.

dies., Die Thematisierung des Todes im Werk von Heinrich Schütz, in: *Michaelsteiner Konferenzberichte* 59 (2005), S. 198–206.

Steinmann, Ernst, *Das Geheimnis der Medicigräber Michelangelos*, (= Kunsthistorische Monographien Bd. 4), Leipzig 1907.

ders., Kompositionen Michelangelos in seltenen Stichen, in: *Zeitschrift des Rheinischen Vereins für Denkmalpflege und Heimatschutz* 19/2 (1926), S. 420–428.

Sterling, Charles, *La Nature Morte: De L' Antiquité au XX. siècle*, Paris 1985.

Stockhorst, Stefanie, Unterweisung und Ostentation auf dem anatomischen Theater der Frühen Neuzeit, in: Albert Schirrmeister (Hg.), *Zergliederungen. Anatomie und Wahrnehmung in der Frühen Neuzeit*, (= Zeitsprünge. Forschungen zur Frühen Neuzeit Bd. 9 Heft 1/2), Frankfurt a. M. 2005, S. 273–290.

Stöckli, Rainer, *Zeitlos tanzt der Tod: das Fortleben, Fortschreiben, Fortzeichnen der Totentanztradition im 20. Jahrhundert*, (= Kulturgeschichtliche Skizzen Bd. 3), Konstanz 1996.

Storck, Willi F., Das ,Vado-mori', in: *Zeitschrift für deutsche Philologie* 42 (1910), S. 422–428.

ders., *Die Legende von den drei Lebenden und den drei Toten*, Phil. Diss. Heidelberg/Tübingen 1910–11.

ders., Aspects of death in English art and poetry, in: *The Burlington magazine* 21 (1912), S. 249–256.

Strauss, Gerhard, *Käthe Kollwitz*, Dresden 1951.

Strieder, Peter, *Tafelmalerei in Nürnberg: 1350 bis 1550*, Königstein i. T. 1993.

Strode, George, *Anatomie of Mortalitie*, London 1618.

Ströle, Ingeborg, *Totentanz und Obrigkeit: illustrierte Erbauungsliteratur von Conrad Meyer im Kontext reformierter Bilderfeindlichkeit im Zürich des 17. Jahrhunderts*, (= Europäische Hochschulschriften Kunstgeschichte Bd. 343), Frankfurt a. M. u. a. 1999.

Stumm, Lucie, *Niklaus Manuel Deutsch von Bern als bildender Künstler*, Bern 1925.

Sutton, Christopher, *Disce Mori. Learne to Die*, London 1662.

Svenaeus, Gösta, *Edvard Munch. Das Universum der Melancholie*, Lund 1968.

ders., Munch och Strindberg. Quickborn-Episoden 1898, in: *Kunst og Kultur* 52 (1969), S. 13–36.

Swiridoff, Paul, *Die Holzwege des HAP Grieshaber*, Stuttgart 1970.

Taeppen, Rainer, Der Tod in der deutschen Buchillustration, in: *Ilustration* 63 (1967), S. 34–36.

Tapié, Alain, *Les vanités de la peinture au XVIIe siècle*, Caen 1990.

Täube, Dagmar, *Glasmalerei aus vier Jahrhunderten – Meisterwerke im Schnütgen-Museum Köln*, Köln 1998.

Tavel, Hans C. von, *Niklaus Manuel: Zur Kunst eines Eidgenossen der Dürerzeit*, Bern 1979.

Taylor, Jane H. (Hg.), *Dies illa. Death in the Middle Ages: proceedings of the 1983 Manchester colloquium*, (= Vinaver studies in French Bd. 1), Liverpool 1984.

Taylor, Jeremy, *Rules and Excercises of Holy Dying*, o. O. 1651.

Taylor, Gerald and Diana Scarsbrick, *Rings from Ancient Egypt to the Present Day*, Oxford 1978.

Tebben, Karin (Hg.), *Frauen – Körper – Kunst: literarische Inszenierungen weiblicher Sexualität*, Göttingen 2000.

Tenenti, Alberto, *La vie et la mort à travers de l'art du XVe siècle*, (= Cahiers des annales Bd. 8), Paris 1952.

ders., *La vita e la morte attraverso l'arte del XV secolo*, Neapel 1996.

ders. und Pierroberto Scaramella, *Humana fragilitas: i tempi delle morte in Europa tra Duecento e Settecento*, Clusone 2000.

Tenschert, Heribert (Hg.), *Faksimile ,Ars Moriendi', das deutschsprachige Blockbuch der Donaueschinger Hofbibliothek*, Passau 1995.

Thane, Pat, *Old age in English history: past experiences, present issues*, Oxford 2000.

dies. (Hg.), *Das Alter. Eine Kulturgeschichte*, Darmstadt 2005.

Thanner, Brigitte, *Johann Rudolf Schellenberg und die schweizerische Buchillustration im Zeitalter der Aufklärung*, Phil. Diss. München 1985–86.

Theissing, Heinrich, *Dürers Ritter, Tod und Teufel. Sinnbild und Bildsinn*, Berlin 1978.

Theuerkauff, Christian, *Elfenbeinarbeiten aus dem Barock*, Hamburg 1967.

ders., *Nachmittelalterliche Elfenbeine – Die Bildwerke in Elfenbein des 16.–19. Jahrhunderts. Bestandskatalog der Stiftung Preußischer Kulturbesitz, Skulpturengalerie*, Berlin 1986.

ders., *Elfenbein: Sammlung Reiner Winkler*, Bd. II, München 1994.

Thiele, Herbert, *Studien zur Geschichte der Totentänze*, Phil. Diss. Giessen 1922.

Thienemann, Georg A., *Leben und Wirken des unvergleichlichen Thiermalers und Kupferstechers Johann Elias Ridinger mit dem ausführlichen Verzeichnis seiner Kupferstiche, Schwarzkunstblätter und der von ihm hinterlassenen großen Sammlung von Handzeichnungen*, Leipzig 1856.

Thode, Henry, *Die Malerschule von Nürnberg im 14. und 15. Jahrhundert*, Frankfurt a. M. 1891.

Thomas, Bernhard, *Anatomische Modelle aus Elfenbein*, Med. Diss. Zürich 1985.

Thomas, Carmen, *Berührungsängste? Vom Umgang mit der Leiche*, Köln 1994

Titzmann, Michael, Der Tod als Figur im Drama des deutschsprachigen Gebiets im 16. Jahrhundert. Implikationen und Transformationen, in: Klaus W. Hempfer und Gerhard Regn (Hg.), *Interpretation. Das Paradigma der europäischen Renaissance-Literatur*, Wiesbaden 1983, S. 352–393.

Tobler, Walter, Oben lebend, unten tot. Bemerkungen zum Memento mori-Motiv, in: *Schweizerische Volkskunde* 50/3 (1960), S. 37–44.

Tölle, Domenica, *Altern in Deutschland 1815–1933. Eine Kulturgeschichte*, Grafschaft 1996.

Tomaschek, Johann, Der Tod, die Welt(zeit)alter und die letzten Dinge. Bemerkungen zum ,Tanz der Skelette' in Hartmann Schedels Weltchronik von 1493, in: Winfried Schwab und Renate Hausner (Hg.), *Den Tod tanzen? Tagungsband des Totentanzkongresses Stift Admont 2001*, (= Im Kontext Bd. 19), Anif/Salzburg 2002, S. 229–249.

Tooley, Ronald V., *English Books with Coloured Plates 1790–1860. A Bibliographical Account for the most Important Books illustrated by English Artists in Colour Aquatint and Colour Lithography*, London 1975.

Triebs, Ulrike, *Johann Rudolf Schellenberg: ,Freund Heins Erscheinungen in Holbeins-Manier'. Totentänze im späten 18. Jahrhundert*, unveröffentlichte Magisterarbeit HU Berlin 2001.

Tripps, Johannes, ‚Den Würmern wirst Du Wildbret sein': der Berner Totentanz des Niklaus Manuel Deutsch in den Aquarellkopien von Albrecht Kauw 1649, (= Schriften des Bernischen Historischen Museums Bd. 6), Bern 2005.

Tuke, Thomas, A Discourse of Death, Bodily, Ghostly and Eternall, London 1613.

Uhlig, Ludwig, Der Todesgenius in der deutschen Literatur, Tübingen 1975.

Ullrich, Bettina, Das Alter in der Kunst. Die Darstellung des alten Menschen in der bildenden Kunst des 20. Jahrhunderts, Oberhausen 1999.

Unseld, Melanie, ‚Endgebilde, die nie verklingen'. Undinen- und Melusinen-Motive bei Alexander Zemlinsky und Arnold Schönberg, in: Ute Jung-Kaiser (Hg.), „...das poetischste Thema der Welt?“: der Tod einer schönen Frau in Musik, Literatur, Kunst, Religion und Tanz, Bern u. a. 2000, S. 215–226.

dies., ‚Man töte dieses Weib!' Tod und Weiblichkeit in der Musik der Jahrhundertwende, Stuttgart/Weimar 2001.

dies., Der Totentanz im Werk Dmitrij Sostakovics' – drei Einblicke, in: L'art macabre 6 (2005), S. 243–250.

Utzinger, Hélène und Bertrand Utzinger, Itinéraires des danses macabres, Chartres 1996.

Vagts, Elke, ‚Ihr müsst mich jetzt beim Totentanz begleiten': das Totentanzsujet in ikonographischer und musikalischer Deutung, in: Olaf B. Rader (Hg.), Turbata per aequora mundi. Dankesgabe an Eckhard Müller-Mertens, Hannover 2001, S. 266ff.

Vasold, Manfred, Die Pest. Ende eines Mythos, Stuttgart 2003.

Veca, Alberto, Vanitas: Il simbolismo del tempo, Bergamo 1981.

Vesal, Andreas, Anatomia. Reprint der Originalausgabe 1551, Leipzig 1982.

Vetter, Ferdinand, Über die zwei angeblich 1522 aufgeführten Fastnachtsspiele Niklaus Manuels, in: Beiträge 29 (1904), S. 80–117.

Vögele, Jörg, Urban Mortality Change in England and Germany 1870–1910, Liverpool 1998.

ders., Sozialgeschichte städtischer Gesundheitsverhältnisse während der Urbanisierung, Berlin 2001.

Vollmuth, Ralf, Das anatomische Zeitalter: Die Anatomie der Renaissance von Leonardo da Vinci bis Andreas Vesal, München 2004.

Vovelle, Michel, Mourir autrefois. Attitudes collectives devant la mort au XVIIe et XVIIIe siècles, Paris 1974.

Wächter, Emil, Der Berner Totentanz, Bern 1964.

Wackernagel, Wilhelm, Die Lebensalter, Basel 1862.

Wagini, Susanne, Der Ulmer Bildschnitzer Daniel Mauch (1477–1540). Leben und Werk, Ulm 1995.

Wagner, Harald (Hg.), Ars moriendi. Erwägungen zur Kunst des Sterbens, (= Quaestiones disputatae Bd. 118), Freiburg i. Br. u. a. 1989.

Wagner, Gabriele, Memento mori – Gedenke des Todes! Friedhofs- und Bestattungskultur in Köln gestern und heute, Köln 1995.

Wallner, B. Antonia, Die Bilder zum achtzeiligen oberdeutschen Totentanz, in: Zeitschrift für Musikwissenschaft 6 (1923), S. 65–74.

Walther, Peter, Der Berliner Totentanz zu St. Marien, Berlin 1997.

Wapnewski, Peter, Walther von der Vogelweide. Gedichte, Mittelhochdeutsche Texte und Übertragung, Mainz 1998.

Wark, Robert, Rowlandson's Drawings for the English Dance of Death, San Marino 1966.

Wark, Robert, Drawings by Rowlandson in the Huntington Collection, San Marino 1975.

Warthin, Aldred S., The Physician of the Dance of Death. Reprint Edition, New York 1977.

Wäscher, Hermann, Das deutsche illustrierte Flugblatt, Bd. 1, Dresden 1953.

Watt, Tessa, Cheap Print and Popular Piety 1550–1640, Cambridge 1991.

Weber, Frederick P., Aspects of Death and Correlated Aspects of Life in Art, Epigram and Poetry, London 1910.

Weber, Frederick P. und Eugen Holländer, Des Todes Bild. Aspects of death in art and epigram, Berlin 1923.

Wegner, Max, Zeitalter im archäologischen und kulturgeschichtlichen Überblick, Münster 1992.

Weichhardt, Jürgen, Liebe und Tod in der Malerei und Grafik der Jahrhundertwende, in: Die Waage 13 (1974), S. 55–59.

Weidner, Thomas, Die Grabmonumente von Johann August Nahl in Hindelbank, in: Berner Zeitschrift für Geschichte und Heimatkunde (1995), S. 51–102.

Weihrauch, Hans R., Die Bildwerke in Bronze und in anderen Metallen, München 1956.

Weiss, Johannes, Der Fortschritt und der Tod. Gedanken zu einem aktuellen Thema, in: Die Waage 30/3 (1991), S. 129–132.

Wend, Johannes, Ergänzendes Handbuch zu den Oeuvreverzeichnissen der Druckgraphik, 2 Bde., Leipzig 1975–1981.

Wendland, Henning, Initialen mit Todesbildern. Über den Buchschmuck des 16. Jahrhunderts in Basel und Straßburg, in: L'art macabre 2 (2001), S. 181–194.

Wenninger, Markus J. (Hg.), Du guoter tôt. Sterben im Mittelalter – Ideal und Realität; Akten der Akademie Friesach ‚Stadt und Kultur im Mittelalter', Friesach 19.–23. September 1994, (= Schriftenreihe der Akademie Friesach Bd. 3), Klagenfurt 1998.

Wentzlaff-Eggebert, Friedrich-Wilhelm, Das Problem des Todes in der deutschen Lyrik des 17. Jahrhunderts, Leipzig 1931.

ders., Der triumphierende und der besiegte Tod in der Wort- und Bildkunst des Barock, Berlin/New York 1975.

Wessely, Joseph E., Die Gestalten des Todes und des Teufels in der darstellenden Kunst, Leipzig 1876.

Westin, Robert H., Ars-Moriendi tradition and visualization of death in Roman Baroque sculpture – death education in the 17th century, in: Death Education 4/2 (1980), S. 111–123.

Whaley, Joachim (Hg.), Mirrors of mortality: studies in the social history of death, (= Europa: social history of human experience Bd. 3), London 1981.

Wilder, Thornton, Die sieben Lebensalter des Menschen, Frankfurt a. M. 1970.

Wilhelm-Schaffer, Irmgard, Ars moriendi und Totentanz als Quellen für eine spätmittelalterliche Einstellung zum Tod, in: Magazin Forschung 2 (1994), S. 22–29.

dies., Gottes Beamter und Spielmann des Teufels. Der Tod in Spätmittelalter und früher Neuzeit, Köln u. a. 1999.

Willam, Franz M., Die Geschichte und Gebetsschule des Rosenkranzes, Wien 1948.

Williman, Daniel (Hg.), The black death: the impact of the fourteenth-century plague. Papers of the 11th annual conference of the Center for Medieval & Early Renaissance Studies, (= Medieval & Renaissance texts & studies Bd. 13), Binghamton 1982.

Winau, Rolf von und Peter Rosemeiser (Hg.), Tod und Sterben, Berlin/New York 1984.

Winston-Allen, Anne, Stories of the Rose. The Making of the Rosary in the Middle Ages, Pennsylvania 1997.

Winzeler, Marius (Hg.), Dresdner Totentanz. Das Relief in der Dreikönigskirche Dresden, Halle 2001.

Wirag, Klaus T., Cursus Aetatis – Lebensalterdarstellungen vom 16. bis zum 18. Jahrhundert, Phil. Diss. München 1994.

Wirth, Jean, La jeune fille et la mort. Recherches sur les thèmes macabres dans l'art germanique de la Renaissance, Genf 1979.

Wismann, Josette A., Un miroir déformant: hommes et femmes des Danses macabres de Guyot Marchant, in: Journal of medieval and Renaissance studies 23/2 (1993), S. 275–299.

Witte, Fritz, Sammlung Schnütgen Cöln, Düsseldorf 1910.

Wodianka, Stephanie, Betrachtungen des Todes. Formen und Funktionen der meditatio mortis in der europäischen Literatur des 17. Jahrhunderts, Tübingen 2004.

Wolbert, Klein, ‚Et in Arcadia ego'. Ein Streifzug durch die Ikonographie des Todes, in: Memento mori: der Tod als Thema der Kunst vom Mittelalter bis zur Gegenwart, hg. von Klaus Wolbert, Ausst. Kat. Hessisches Landesmuseum Darmstadt, Darmstadt 1984, S. 22–36.

Woll, Gerd, Edvard Munch. The complete Graphic Works, New York/Oslo 2001.

Wolgast, Eike, Die Klerusdarstellungen in den oberdeutschen Totentänzen und in Holbeins ‚Bildern des Todes', in: Konrad Krimm und Herwig John (Hg.), Bild und Geschichte: Studien zur politischen Ikonographie. Festschrift für Hansmartin Schwarzmaier zum 65. Geburtstag, Sigmaringen 1997, S. 197–219.

Wolgast, Siegfried, Zum Tod im späten Mittelalter und in der frühen Neuzeit, (= Sitzungsberichte der Sächsischen Akademie der Wissenschaften zu Leipzig, Philologisch-Historische Klasse Bd. 132, H. 1.), Berlin 1992.

Woltmann, Alfred, Holbein und seine Zeit. Des Künstlers Familie, Leben und Schaffen, Leipzig 1874–1876.

Wörner, Karl H.: Die Darstellung von Tod und Ewigkeit in der Musik, in: Karl H. Wörner (Hg.), Die Musik in der Geistesgeschichte. Studien zur Situation der Jahre um 1910, (= Abhandlungen zur Kunst-, Musik- und Literaturgeschichte Bd. 92), Bonn 1970, S. 201–241.

ders. (Hg.), Die Musik in der Geistesgeschichte. Studien zur Situation der Jahre um 1910, (= Abhandlungen zur Kunst-, Musik- und Literaturgeschichte Bd. 92), Bonn 1970.

Wülfing, Isabella, *Alter und Tod in den Grimmschen Märchen und im Kinder- und Jugendbuch,* (= Studien zur Medizin-, Kunst- und Literaturgeschichte Bd. 11), Herzogenrath 1986.

Wunderlich, Uli, Freund Heins Erscheinungen in Holbeins Marnier. Das Totentanz-büchlein des Schweizer Kupferstechers Johann Rudolf Schellenberg (1740–1806), in: Europäische Totentanz Vereinigung (Hg.), *Totentanz-Forschungen. Referate vom Internationalen Kongreß in Luzern 26.–29. September 1996,* Luzern 1996, S. 26–33.

Wunderlich, Uli, ‚Aber, ihr Herren, der Tod ist so aesthetisch doch nicht‘. Über literarische Totentänze der Aufklärung, in: *Mitteilungen der Deutschen Gesellschaft für die Erforschung des achtzehnten Jahrhunderts 21/1 (1997),* S. 69–84.

ders., *Sarg und Hochzeitsbett so nahe verwandt! Todesbilder in Romanen der Aufklärung,* (= Schnabeliana Bd. 4), St. Ingbert 1998.

ders., *Ubique Holbein: drei Totentänze aus drei Jahrhunderten,* Zürich 1998.

ders., Ein Bild verändert sich: die Bedeutung der neuentdeckten Gouachen für die Rekonstruktion des Basler Totentanzes, in: Europäische Totentanz-Vereinigung (Hg.), *Totentanz-Forschungen. 9. Internationaler Totentanz-Kongress 17.–20. September 1998,* Düsseldorf 1998, S. 131–139.

ders., *Der Tanz in den Tod. Totentänze vom Mittelalter bis zur Gegenwart,* Freiburg i. Br. 2001.

ders., Durch die Darstellung des Schrecklichen das Schreckliche bannen?: Totentänze an der Wende vom Mittelalter zur Frühen Neuzeit, in: *Rottenburger Jahrbuch für Kirchengeschichte 20* (2001), S. 137–154.

ders., Zürcher Totentänze, (= Jahresgabe der Europäischen Totentanz-Vereinigung Bd. 3), Düsseldorf 2001.

Wüthrich, Lucas H., *Das druckgraphische Werk von Mathaeus Merian dem Älteren,* 4 Bde., Basel 1966ff.

Wyss, Edith, Matthäus Greuter’s engravings for Petrarch’s Triumph, in: *Print Quarterly* 17 (2000), S. 347–363.

Yon, Bernard (Hg.), *La peinture des passions de la Renaissance à l’âge classique. Actes du colloque international Saint-Etienne, 10–12 avril 1991,* Saint-Etienne 1995.

Zacher, Julius, Die zehn Altersstufen des Menschen, in: *Zeitschrift für deutsche Philologie 23 (1891),* S. 384–412.

Zahlten, Johannes, Das Ende und der Anfang: zum Zusammenhang von Weltaltermodellen, menschlichem Lebensalter und Sechstagewerk in der mittelalterlichen Kunst, in: Jan A. Aertsen (Hg.), *Ende und Vollendung: eschatologische Perspektiven im Mittelalter, mit einem Beitrag zur Geschichte des Thomas-Instituts der Universität zu Köln anlässlich des 50. Jahrestages der Institutsgründung,* Berlin 2002, S. 348–370.

Zahnd, Urs M., Niklaus Manuels Totentanz als Spiegel der Berner Gesellschaft um 1500, in: *L’art macabre 4 (2003),* S. 265–280.

Zehnder, Frank G., *Katalog der Altkölner Malerei,* Köln 1990.

Zenger, Erich, *Dein Angesicht suche ich – Neue Psalmauslegungen,* Freiburg i. Br./ Basel/Wien 1998.

Zerner, Henri, L’ art du mourier, in: *Revue de l’ art 11 (1971),* S. 9.

Zick, Gisela, *Gedenke mein: Freundschafts- und Memorialschmuck 1770–1870,* (= Die bibliophilen Taschenbücher Bd. 212), Dortmund 1980.

Ziegler, Jean, *Les vivants et la mort,* Paris 1978.

Zijlma, Robert, *Hollstein’s German Engravings, Etchings and Woodcuts 1400–1700,* Roosendal 1988.

Zimmermann, Rainer, *Die Überlistung des Todes – Wozu der Mensch die Kunst erfand,* München 1998.

Zinsli, Paul, *Der Berner Totentanz des Niklaus Manuel (gen. Deutsch), etwa 1484 bis 1530, in den Nachbildungen von Albrecht Kauw (1694),* Bern 1979.

Zöhl, Caroline, Mors de la pomme und Accidents de l’homme. Ein französischer szenischer Todeszyklus vor Hans Holbein, in: *L’art macabre 5 (2004),* S. 241–256.

Zschelletzschky, Herbert, *Die ‚Drei gottlosen Maler‘ von Nürnberg,* Leipzig 1975.

Nachweis der Gedichte

(in alphabetischer Reihenfolge der Autoren)

Gottfried Benn, Requiem, aus: Gottfried Benn, *Sämtliche Gedichte,* 3. Auflage, Stuttgart 2001, S. 13.

Clemens Brentano, Erntelied, aus: http://gutenberg.spiegel.de/brentano/gedichte/gdbr3109.htm

Matthias Claudius, Der Tod und das Mädchen, aus: http://gutenberg.spiegel.de/claudius/gedichte/todmaedc.htm

Robert Gernhardt, Ach. Vorabdruck mit freundlicher Genehmigung des Autors, erscheint in: Robert Gernhardt, *Später Spagat,* S. Fischer Verlag, Frankfurt am Main, 2006

Johann Georg Greflinger, An eine sehr hässliche Jungfrau, aus: http://www.lfskoeln.de/old/lfskoeln_v2000_bis2004/kulturelles/barock/barock_liebeslyrik.htm

Andreas Gryphius, Es ist alles Eitel, aus: http://gutenberg.spiegel.de/gryphius/gedichte/eitel.htm

Johann Christian Günther, Als er der Phillis einen Ring mit einem Totenkopf überreichte, aus: http://gutenberg.spiegel.de/guenther/gedichte/phillis1.htm

Heinrich Heine, Die Jungfrau schläft in der Kammer, aus: http://gutenberg.spiegel.de/heine/buchlied/heimk-22.htm

Sebastian Heyd, Ad imaginem Mortis, aus: Albert Freybe, *Das Memento mori in deutscher Sitte, bildlicher Darstellung und Volksglauben, deutscher Sprache, Dichtung und Seelsorge,* Gotha 1909, S. 225

Friedrich Hölderlin, An die Parzen, aus: Friedrich Hölderlin, *Gedichte,* Philipp Reclam Jun., Stuttgart, 1963, S. 40.

Gotthold Ephraim Lessing, Der Tabak, aus: http://gutenberg.spiegel.de/lessing/lieder/lied82.htm

Martin Luther, Mitten wir im Leben sind, aus: http://gutenberg.spiegel.de/luther/lieder/mittnwir.htm

Rainer Malkowski, Die Alten, aus: Herbert Schnierle-Lutz (Hg.), *Jeder Morgen will Abend werden. Betrachtungen über die Vergänglichkeit,* Frankfurt am Main 2000, S. 71.

Wolfgang Amadeus Mozart, Wien, 4. April 1787, aus: http://gutenberg.spiegel.de/mozart/briefe/briefe.htm

Edgar Allan Poe, Sonett an die Wissenschaft, aus: http://gutenberg.spiegel.de/poe/gedichte/sonettwi.htm

Prediger 3, Vers 1–2 und 19–20, aus: *Die Bibel. Nach der Übersetzung von Martin Luther,* hg. von der Evangelischen Kirche in Deutschland und vom Bund der Evangelischen Kirchen in der DDR, Stuttgart 1985, S. 650f.

Rainer Maria Rilke, Schlusszstück, aus: Rainer Maria Rilke, *Die Gedichte,* 12. Auflage, Frankfurt a. M. 2001, S. 423.

Georg Trakl, Dämmerung, aus: Georg Trakl, *Werke, Entwürfe, Briefe,* hg. von Hans Georg Kemper und Frank Rainer Max, Stuttgart 1998, S. 121.

Abbildungsnachweis

Kat. Nr. 1
Gutenberg-Museum, Mainz.

Kat. Nr. 2
Herzog August Bibliothek, Wolfenbüttel

Kat. Nr. 3, 9, 15, 15a, 41, 42–49, 51, 66, 79, 100, 122–124
Museum Schnütgen, Köln; Foto: RBA (Rheinisches Bildarchiv).

Kat. Nr. 4, 118
Schweizerisches Landesmuseum, Zürich.

Kat. Nr. 5
Spiegel der Seligkeit: privates Bild und Frömmigkeit im Spätmittelalter,
hg. von Frank M. Kammel, Ausst. Kat. Germanisches Nationalmuseum
Nürnberg, Nürnberg 2000, S. 366.

Kat. Nr. 6, 23, 31, 36, 38, 99, 110
Victoria & Albert Museum, London.

Kat. Nr. 7, 14, 92, 96, 134
Bernisches Historisches Museum, Bern

Kat. Nr. 8
Apokalypse. Zwischen Himmel und Hölle, hg. von Richard Loibl
und Herbert W. Wurster, Ausst. Kat. Oberhausmuseum Passau,
Regensburg 2000, S. 31.

Kat. Nr. 10, 125
Hessisches Landesmuseum Darmstadt.

Kat. Nr. 11, 18, 26, 54, 59, 69, 71, 80, 83–86, 88, 101
Olbricht Collection, Essen

Kat. Nr. 12, 32, 55, 58
Sammlung Meininghaus, Ingolstadt.

Kat. Nr. 13, 25, 50, 57, 61, 63, 67, 72, 73
Olbricht Collection, Essen;© Achim Kukulies, Düsseldorf.

Kat. Nr. 16, 20, 34, 39, 40, 53, 56, 60, 70, 74, 75, 76, 87, 89, 116
Kunstkammer Georg Laue, München.

Kat. Nr. 17
Himmel, Hölle, Fegefeuer: das Jenseits im Mittelalter, hg. von
Peter Jezler, Ausst. Kat. Schweizerisches Landesmuseum Zürich,
Zürich 1994, S. 176.

Kat. Nr. 19, 21, 22
Schmuckmuseum, Pforzheim; Foto: Rüdiger Flöter.

Kat. Nr. 24, 29
Arbeitsgemeinschaft Friedhof und Denkmal e. V. Zentralinstitut und
Museum für Sepulkralkultur, Kassel; Foto: Dieter Schwertle, Kassel.
Sammlung Meininghaus, Ingolstadt.

Kat. Nr. 27, 82
Museum für Angewandte Kunst, Köln; Foto: RBA (Rheinisches Bildarchiv).

Kat. Nr. 28
Kestner-Museum, Hannover.

Kat. Nr. 30
Arbeitsgemeinschaft Friedhof und Denkmal e. V. Zentralinstitut und
Museum für Sepulkralkultur, Kassel; Foto: Dieter Schwertle, Kassel.

Kat. Nr. 33, 35, 68
Vergänglichkeit für die Westentasche. Miniatursärge und
Betrachtungssärglein, hg. vom Museum für Sepulkralkultur
Kassel, Ausst. Kat. Museum für Sepulkralkultur Kassel,
Kassel 2005, S. 52.

Kat. Nr. 37
Korte © Luitgard Korte; Foto: Marion Mennicken.

Kat. Nr. 52, 62, 130
Bayerisches Nationalmuseum, München.

Kat. Nr. 64, 65
Staatliche Museen zu Berlin, Kunstgewerbemuseum.

Kat. Nr. 77, 78
Universitäts- und Landesbibliothek, Münster.

Kat. Nr. 81
Württembergisches Landesmuseum, Stuttgart.

Kat. Nr. 90
Stadtmuseum Landeshauptstadt Düsseldorf;
© Walter Klein, Düsseldorf.

Kat. Nr. 91
Frizot, Michel (Hg.), Neue Geschichte der Fotografie,
Köln 1998, S. 281.

Kat. Nr. 93
Museum Catharijneconvent, Utrecht.

Kat. Nr. 94, 95, 97, 102–106, 111, 112,
119–121, 131, 132, 135–137, 139, 140
Graphiksammlung „Mensch und Tod" der
Heinrich-Heine-Universität Düsseldorf.

Kat. Nr. 98
Der Zizenhausener Totentanz, in:
Friedhof und Denkmal 1/2 (2004), S. 37.

Kat. Nr. 107
Herzog-Anton-Ulrich-Museum, Braunschweig.

Kat. Nr. 108, 109
Städtische Galerie Liebighaus, Museum alter Plastik,
Frankfurt am Main

Kat. Nr. 113, 114
Sammlung Reiner Winkler.

Kat. Nr. 115
Elfenbeinmuseum, Erbach.

Kat. Nr. 117
Tiroler Volkskunstmuseum, Innsbruck.

Kat. Nr. 126–127
Smith, Jeffrey C., German Sculpture of the
Later Renaissance c. 1520–1580, Princeton 1994,
Abb. 242–243, S. 279.

Kat. Nr. 128
Bischoff © Gregor Bischoff, Foto: Marion Mennicken.

Kat. Nr. 129
Anneliese Seeliger-Zeiss (Bearb.), Die Inschriften des
Landkreises Böblingen, Die deutschen Inschriften,
Bd. 47, (= Heidelberger Reihe Bd. 13), Wiesbaden 1999,
Tafel X, Abb. 22.

Kat. Nr. 133
Institut für Numismatik und Geldgeschichte der
Universität Wien, Sammlung Brettauer.

Kat. Nr. 138
Beuys © 2006 VG-Bildkunst, Bonn.
Stiftung Museum Schloss Moyland.

Kat. Nr. 141
Raynaud © VG Bild-Kunst Bonn 2006/Unser Jahrhundert –
Menschenbilder – Bilderwelten, hg. von Marc Scheps,
Ausst. Kat. Köln 2000, S. 248–249.

Zum Sterben schön
Alter, Totentanz und Sterbekunst
von 1500 bis heute

Eine Ausstellung des Museum Schnütgen in Zusammenarbeit
mit der Heinrich-Heine-Universität Düsseldorf
in der Cäcilienkirche, Museum Schnütgen, Köln
6. September bis 26. November 2006

in Schloß Jägerhof, Goethe-Museum, Düsseldorf
3. Dezember 2006 bis 21. Januar 2007

in der Kunsthalle Recklinghausen
11. Februar bis 14. April 2007

Konzept und Projektleitung, Rahmenprogramm
Hiltrud Westermann-Angerhausen,
Andrea von Hülsen-Esch

Wissenschaftliches Ausstellungssekretariat
Stefanie Knöll

Ausstellung im Museum Schnütgen
Ausstellungsarchitektur
Ivo Rauch, Koblenz

Präsentation
Martin Streit, Köln

Konservatorische Betreuung
Anke Müller, Hendrik Strelow

Ausstellungsaufbau
Hiltrud Westermann-Angerhausen, Reinhard Köpf, Andrea Klösters

Didaktik
Museumsdienst der Stadt Köln und Seminar für Kunstgeschichte
der Heinrich-Heine-Universität Düsseldorf

Presse und Öffentlichkeitsarbeit
Marie-Luise Höfling, Viktoria Sondermann

Werbeconsulting
Amazing Concepts, Erichsen Digital, Düsseldorf

Verwaltung
Ralf Hofenbitzer

Studentische Hilfskräfte
Petra Becker, Sarah Czirr, Thomas Hensolt, Andrea Klösters,
Iris Metje, Tatiana Sajko, Saskia Werth

Ausstellungsgrafik
Andrea Klösters, Helmuth Malzkorn

Katalog
in zwei Teilbänden
Band I: Aufsätze
Band II: Ausstellungskatalog

Herausgegeben von
Andrea von Hülsen-Esch und Hiltrud Westermann-Angerhausen
in Zusammenarbeit mit Stefanie Knöll

Redaktion und Lektorat
Stefanie Knöll, Anja Schürmann, Reinhard Köpf

Bildredaktion
Stefanie Knöll

Produktionskoordination
Thill Verlagsbüro, Köln

Gestaltung
Hildegard Knauer, Köln

Lithographie
Farbanalyse, Köln

Gesamtherstellung
Verlag Schnell & Steiner GmbH, Regensburg

Die vordere Umschlagseite zeigt jeweils
Joachim Hennen oder Umkreis
Tanzender Tod, um 1680

Bibliografische Information der Deutschen Bibliothek
Die Deutsche Bibliothek verzeichnet diese Publikation in
der Deutschen Nationalbibliografie; detaillierte bibliografische
Daten sind im Internet über <http://dnb.ddb.de> abrufbar.

1. Auflage 2006
© 2006 Museum Schnütgen der Stadt Köln,
Heinrich-Heine-Universität Düsseldorf, sowie bei den Autoren

© 2006 Verlag Schnell & Steiner GmbH
Leibnizstr. 13, 93055 Regensburg
Druck: Erhardi Druck GmbH, Regensburg

Buchhandelsausgabe
ISBN-10: 3-7954-1899-2
ISBN-13: 978-3-7954-1899-1

Museumsausgabe
ISBN-10: 3-7954-1898-4
ISBN-13: 978-3-7954-1898-4

Weitere Informationen zum Verlagsprogramm erhalten Sie unter:
www.schnell-und-steiner.de

KUNST DES MITTELALTERS

MUSEUM SCHNÜTGEN

HEINRICH HEINE
UNIVERSITÄT
DÜSSELDORF

Ein Museum der

Stadt Köln

SCHNELL + STEINER